D0265215

Peter Koch · Willy Brandt

PETER KOCH

WILLY BRANDT

Eine politische Biographie

Wissenschaftliche
Mitarbeit
Klaus Körner

ULLSTEIN

Lektorat: Christian Seeger
© 1988 Verlag Ullstein GmbH Berlin · Frankfurt/M
Alle Rechte vorbehalten
Gesamtherstellung: Ebner Ulm
Printed in Germany 1988
ISBN 3 550 07493

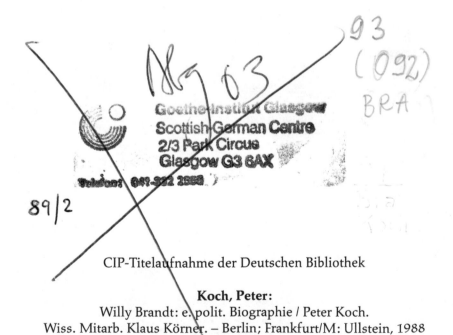

Goethe-Institut Glasgow
Scottish-German Centre
2/3 Park Circus
Glasgow G3 6AX
Telefon: 041-332 2555

93
(092)
BRA

89/2

CIP-Titelaufnahme der Deutschen Bibliothek

Koch, Peter:
Willy Brandt: e. polit. Biographie / Peter Koch.
Wiss. Mitarb. Klaus Körner. – Berlin; Frankfurt/M: Ullstein, 1988
ISBN 3-550-07493-X

Inhalt

AUFSTIEG IN BERLIN (1948 bis 1960)

HINDERNISLAUF ZUR MACHT (1960 bis 1969)

Vorwort

Seit Willy Brandt nach dem Kanzleramt griff, polarisierte er die öffentliche Meinung in der Bundesrepublik in einem nicht gekannten Ausmaß. Seine Anhänger waren Bewunderer, fast Gläubige. Seine Widersacher waren nicht nur Gegner, sondern Feinde, die ihm politische Kompetenz und persönliche Ehre absprachen. Die Bücher, die über Brandt während seiner Kanzlerzeit erschienen sind, waren entweder Kampfschriften oder erkennbare PR-Produkte. Inzwischen ist Brandt von den meisten, gerade auch im Lager seiner politischen Gegner, als geschichtliche Figur anerkannt worden. Die neue Phase in den Ost-West-Beziehungen hat mit zu seiner politischen Aufwertung beigetragen. So ist die Zeit reif für eine ausgewogene, von kritischer Sympathie getragene Darstellung des ersten sozialdemokratischen Bundeskanzlers.

Brandts Biographie reicht noch in die Kampfzeit der Arbeiterbewegung hinein. Sein Geburtsjahr ist das Todesjahr August Bebels. Er wächst als Sohn einer ledigen Konsum-Verkäuferin im Haushalt seines Großvaters auf, eines Arbeiters. Die Chance, die das Leben dem jungen Lübecker gibt, liegt in der Erprobung der eigenen Fähigkeiten. Schnell wächst er über die Möglichkeiten seiner Klasse hinaus. Er beginnt einen Lebensweg, der viele Niederlagen, aber mehr Siege brachte. Gerade die Einzigartigkeit dieses Weges, der ihn an die Spitze der deutschen Politik führte, macht den Reiz einer Lebensbeschreibung des jetzt 75jährigen aus.

Gleichwohl bestand stets eine Wechselbeziehung zwischen Willy Brandt und der Arbeiterbewegung. So ist diese politische Biographie auch die Geschichte von sieben Jahrzehnten Sozialdemokratie und ihrer Abspaltungen. Sie ist ein Stück deutscher Geschichte, gesehen aus der Perspektive des »anderen Deutschen«, des Mannes, der von sich sagt: »Mein Lebensweg wich in der Tat von dem der meisten meiner Landsleute ab. Das war nicht deren Schuld, doch auch nicht meine Schande.«

Der vom Nationalsozialismus erzwungene Weggang aus Lübeck war der Auftakt eines Lebens, das Brandt an viele Schauplätze der internationalen Politik führte. Seine frühen Auslandserfahrungen unterscheiden ihn von allen anderen bisherigen Kanzlern. Sein Charakter und sein Weltbild wurden im Spanischen Bürgerkrieg, im Emigrantenzentrum Paris und insbesondere durch die skandinavische Sozialdemokratie geformt. Dieses politische Weltbild ist teilweise verschwommen, auf jeden Fall ist es nicht ideologisch, sondern idealistisch fixiert. »Wir sollten Zweifel höher setzen als jede Doktrin«, schreibt Brandt. Dieser Satz ist auch ein Schlüssel zu seiner Persönlichkeit. Das Doppelgesichtige, Doppeldeutige, nicht Festgelegte, das Brandts politische Widersacher ihm anlasteten, kommt aus diesen Zweifeln, aus der inneren Anfechtung der gewonnenen Einsichten. Schwieriger wurde dieses stete Suchen nach dem richtigen Weg durch erhebliche Stimmungsschwankungen, denen Willy Brandt stets ausgesetzt war. Doch nur so war der Pendelschlag möglich hin zum Visionären, vielleicht Utopischen, das eine Zeitlang die Massen faszinierte und ihm eine politische Mehrheit einbrachte. Das sicherte ihm den Platz als zweiter bedeutender Regierungschef der Bundesrepublik neben dem Gründungskanzler Konrad Adenauer.

Der eine, Adenauer, war Repräsentant des bürgerlichen Deutschland, mit Wertvorstellungen, die am Kaiserreich und am Großbürgertum der Weimarer Republik anknüpften. Der andere, Brandt, war der Bundeskanzler der Arbeiterpartei SPD. Seine politischen Wertvorstellungen gewann er als Antifaschist und Internationalist in der Emigration. Beeinflußt wurden die Nachkriegspolitiker Adenauer und Brandt gleichermaßen vom Kalten Krieg. Aber dadurch, daß sie zeitverschoben an die Macht gelangten, fielen ihnen unterschiedliche Rollen zu. Der eine arbeitete aktiv an der Blockbildung mit, der andere hatte sich den Abbau der Konfrontation zwischen Ost und West zum Programm gemacht. Beide sind sich darin gleich, daß sie Erfolge verbuchten, ohne ihre eigentlichen politischen Ziele zu verwirklichen. Adenauer wollte das politisch geeinte, auf abendländischen Fundamenten errichtete Westeuropa. Es entstand, unter Erhalt der europäischen Nationalstaaten, jedoch eine fest in das at-

12

lantische Bündnis und die Europäische Gemeinschaft integrierte Bundesrepublik, die dem Ausland die Furcht vor den wankelmütigen Deutschen nahm. Brandt erreichte die politische Aussöhnung mit dem Osten und machte Schluß mit der Lebenslüge der Bundesrepublik, daß eine Wiedervereinigung unter den gegebenen Verhältnissen möglich sei und die Grenzen im Osten revidiert werden könnten. Doch sein Ziel einer europäischen Friedensordnung, einer Überwindung der Blöcke, bleibt die Aufgabe der nächsten Jahrzehnte. Beide Politiker haben noch etwas gemein: Ihre Politik stimmte mit den jeweiligen Handlungsvorgaben der Großmächte überein; und sie hatten sie gegen erheblichen innenpolitischen Widerstand durchzusetzen. Die Jahrzehnte nach dem Zweiten Weltkrieg waren keine Zeit für neue Bismarcks. Doch das schmälert nicht die Verdienste von Adenauer und Brandt.

Als Journalist habe ich Willy Brandt seit 1966 auf zahlreichen Auslandsreisen begleitet und viele Interviews und Hintergrundgespräche mit ihm geführt. Verbreitert wurde das Brandt-Bild durch die Schilderungen von Weggefährten, die ich zu seinem sechzigsten Geburtstag zusammentrug – von Heinrich Bruhn, Paul Bromme, Gunnar Gaasland, Trygve Brattelli, Herbert George, Per Monsen, Carlota Frahm, Paul René Gauguin, Lance Pope, Klaus Schütz, Bruno Kreisky, Carlo Schmid, Günter Grass.

Für die vorliegende Biographie, die das Büro Brandt und das Archiv der Sozialen Demokratie der Friedrich-Ebert-Stiftung mit zahlreichen Auskünften unterstützte, sprachen mein Mitarbeiter Klaus Körner und ich mit: Rudolf Augstein, Egon Bahr, Helmut Bärwald, Arno Behrisch, Dr. Gerhard Beier, Peter Boenisch, Holger Börner, Erich Drost, Wibke Bruhns, Wolfgang Clement, Dr. Klaus von Dohnanyi, Prof. Horst Ehmke, Horst Fust, Karl Garbe, Günter Gaus, Horst Grabert, Dr. Hans-Jürgen Heß, Dr. Julius Hoffmann, Prof. Richard Löwenthal, Karl Heinz Marbach, Wolfgang Marquardt, Henri Nannen, Johannes Otto, Karl Otto Pöhl, Günter Prinz, Karl Ravens, Dr. Hans J. Reichhardt, Annemarie Renger, Edzard Reuter, Manfred Rexin, Walter Scheel, Prof. Karl Schiller, Helmut Schmidt, Dr. Paul K. Schmidt-Carell, Wolfgang Schollwer, Günther Scholz, Hermann Schreiber, Klaus Schütz, Klaus Otto Skibowski, Winfried Staar, Dr. Günter Struve, Prof. Arnold Sywottek, Dietrich Spangenberg, Peter Tamm, Rüdiger Frhr. von Wechmar, Karl Wienand, Klaus Wirtgen,

Hans-Jürgen Wischnewski. Das August-Bebel-Institut in Berlin, das Ullstein-Archiv in Berlin und das Archiv des Axel Springer Verlages in Hamburg sowie die Bibliothek der Hansestadt Lübeck halfen ebenso. Ihnen allen schulde ich Dank.

Kindheit und Jugend
(1913 bis 1933)

»Wie steigst, o Lübeck, du herauf . . .«

DIE GEBURTSSTADT

Der Reisende, der im Hamburger Hauptbahnhof den Fernzug nach Stettin bestieg, durchquerte während der ersten Stunde seiner Fahrt die Hügel, Wälder und Seenplatten Stormarns. Der Zug hatte in Bargteheide gehalten und in Bad Oldesloe. Dann, nach Reinfeld, weitete sich die Landschaft, die Eisenbahnlinie schnitt durch die Rapsfelder der Küstenebene.

Wer jetzt das Abteilfenster herunterzog, die Augen zusammenkniff, um gegen Fahrtwind und Rußpartikel zu bestehen, konnte durch die Dampfschwaden der Lokomotive hindurch den ersten Blick auf Lübeck werfen. Wie ein Scherenschnitt zeichnete sich die Silhouette der Stadt gegen den Ostseehimmel ab. Aus dem Häusermeer ragten ihre berühmten sieben Türme, die Doppeltürme des Doms und von Sankt Marien, die Spitzen der Ägidienkirche, der Jakobikirche, der Petrikirche. Von ferne glichen die schlanken gotischen Bauten eher Speeren, sie kündeten von Selbstbewußtsein, Reichtum und auf Repräsentation bedachter Frömmigkeit ihrer Einwohner.

Wer nicht ins Pommersche wollte, sondern am Lübecker Hauptbahnhof den Zug verließ, nahm die Straßenbahn oder die Kraftdroschke, um nach kurzer Fahrt über Bahnhofstraße, Lindenplatz, Puppenbrücke und durchs Holstentor hindurch die Altstadt zu erreichen. Holpriges Kopfsteinpflaster, spitzgiebelige Häuser, schmale, ansteigende Straßen und verwinkelte Gassen von venezianischer Enge bewahrten den mittelalterlichen Charakter des Stadtkerns bis ins zwanzigste Jahrhundert.

Von Kaiser Friedrich II. 1226 zur Freien Reichsstadt erklärt, wurde Lübeck, durch die Trave mit der Ostsee verbunden, rasch zu einem Stützpunkt des Handels zwischen den nordischen und baltischen Ländern, zwischen Rußland und Ländern des Westens. In über hundert Städten des Ostseeraumes galt das Lübische Recht. 1531 erreichte die Reformation Lübeck und verband sich aufs engste mit der puritanischen Lebensauffassung seiner Kaufleute.

Über drei Jahrhunderte lang gehörte die Stadt dem Kaufmannsschutzbund der Hanse an, der an den Küsten der Nord- und Ostsee und entlang den Wasserstraßen in Skandinavien und Deutschland einundachtzig Niederlassungen unterhielt. Stockholm hatte zeitweise einen schwedischen und einen lübischen Bürgermeister.

Die Entdeckung Amerikas, das Erstarken Englands und Hollands als Seemächte verlagerten den Handel nach Westen. Der Dreißigjährige Krieg und das Ende der Hanse schwächten Lübeck weiter. Die Stadt verlor ihre Außenhandelsmonopole und damit ihre Stellung als europäischer Machtfaktor. Sie sank zurück zu einem mäßig bedeutenden Handelsplatz. Nur kurz, während Napoleon sich Europa unterwarf, erlebte das neutrale Lübeck noch einmal eine Hochkonjunktur als Umschlagplatz. 1806 aber wurde es in den preußisch-französischen Krieg hineingezogen. Napoleons Truppen besetzten sieben lange Jahre die Stadt und plünderten sie aus.

Erst nach der Gründung des Deutschen Zollvereins (1834) und des Deutschen Reiches (1871) begann für Lübeck ein dauerhafter neuer Aufschwung. Eisenbahnlinien und der mit eigenen Steuergeldern finanzierte Elbe-Trave-Kanal verbanden die Hafenstadt jetzt mit dem mitteldeutschen Industriegebiet.

Als bald darauf die Arbeiten zum Bau des Nord-Ostsee-Kanals begannen, der dem Konkurrenzhafen Hamburg den direkten Zugang zum Baltischen Meer bringen sollte, sicherten die Lübecker mit Industrieansiedlungen ihr Wirtschaftsleben. An den Ufern der Trave entstanden ein Hochofenwerk, Werften, Maschinenfabriken, eine Kokerei; Konserven- und Fischindustrie siedelten sich an. Der Eisenhütte wurde bald noch eine Kupferhütte angeschlossen, eine neue Benzolfabrik verarbeitete die Gase der Kokerei. Äcker und Wiesen wurden zurückgedrängt, Koppeln und Knicks eingeebnet.

Die Lübecker Bürger lasen mit neuem Stolz den Wahlspruch am alten Holstentor: »Concordia Domi. Foris Pax« (Eintracht nach innen, Frieden nach außen). Die neue Industriepolitik mehrte Wohlstand und Selbstbewußtsein. Die Freie und Hansestadt behauptete sich mit dreiundvierzig Dörfern, dem Seebad Travemünde und etwas über hunderttausend Einwohnern als Kleinstbundesstaat innerhalb des Reiches. Kaufleute und Schiffsreeder waren noch immer die gesellschaftliche Oberschicht der Stadt. Sie verabscheuten Prunk und Protzerei, ihre Kontore waren eng und spärlich eingerichtet. Man kannte sich vom Katharineum her, der alten Lateinschule. Sie galt als eine der besten Anstalten Norddeutschlands. Ihre Absolventen pflegten eine Art Erkennungscode. Sie streuten Plinius-Zitate in ihre Unterhaltungen ein, und wenn's humorvoll zugehen sollte, sprachen sie Platt.

Unter sich machten sie aus, wer die Geschicke des Stadtstaates bestimmen sollte. Die hundertzwanzig Mitglieder der Bürgerschaft, des Stadtparlaments, wurden im Zwei-Klassen-Wahlrecht gewählt. Ihre Amtszeit dauerte drei Jahre. Die Wahl in die Bürgerschaft galt als hohe Ehre. Eine noch größere Auszeichnung allerdings war es, in den Senat, die Regierung Lübecks, gewählt zu werden. Es gab vierzehn Senatoren, sie waren auf Lebenszeit gewählt, und Kaiser Wilhelm II. hatte bestimmt, daß sie mit Magnifizenz angeredet werden sollten. Acht Senatoren mußten dem »Gelehrtenstand« angehören, von den sechs übrigen sollten mindestens fünf aus dem Kaufmannsstand kommen.

Als Senator kam nur in Betracht, wer einer der Patrizierfamilien angehörte oder sich beruflich besonders hervorgetan hatte. Zu dieser Kategorie gehörte der Erz- und Kohlenhändler Emil Possehl, der in der Vorstadt große Industriebetriebe errichtet hatte und nun der reichste Bürger Lübecks war. Daß er einen Teil seines Geldes Krankenhäusern, Kirchen und Museen zukommen ließ und sich damit den Ruf eines großen Mäzens erwarb, empfahl ihn zusätzlich für einen Platz im Senat.

Erst gerade, wir schreiben das Jahr 1913, hatten sich die Senatoren darauf verständigt, statt mit weißer Halskrause, schwarzem Umhang und Schnallenschuhen, was ihnen das Aussehen spanischer Granden gab, im schlichten Frack und Zylinder zu ihren Beratungen im Rathaus zusammenzukommen. Nach wie vor aber präsentierte ein Doppelposten des preußischen Infanterieregiments bei Ankunft der hohen Herren das Gewehr. Die meisten verzichteten auf ein Dienstzimmer im Rathaus. Ihre Regierungsgeschäfte erledigten sie in ihren Privathäusern. Ein Senatsdiener brachte und holte einmal am Tag die Akten. Besucher wurden in einen Warteraum geleitet, ehe sie im Herrenzimmer vom Senator begrüßt wurden. Das Telefon hing im Flur. Für Amtsgeschäfte wurde es nicht gebraucht.

Lübeck – das war nicht nur eine Stadt, das war eine »geistige Lebensform«, wie einer seiner größten Bürger, Thomas Mann, später einmal sagen sollte. Erbauung fanden die Bürger der Stadt sonntags bei Predigt und Orgelspiel. Viele von ihnen hatten in den Kirchen – wie auch im Theater – eigene, mit Namen versehene Bänke. Lübecks Bühne hatte über die Grenzen des Stadtstaates hinaus einen guten Ruf. Bis vor zwei Jahren war Hermann Abendroth Kapellmeister gewesen, einer der berühmtesten Dirigenten seiner Zeit. Sein Nachfolger wurde Wilhelm Furtwängler.

Schade nur, daß es keinen würdigen Nachfolger für Emanuel Geibel gab, der so schön gedichtet hatte: »Wie steigst, o Lübeck, du herauf / in alter Pracht vor meinen Sinn / an des beflaggten Stromes Lauf . . .« Bei seinem Tode 1884 fragte eine Marktfrau: »Wer kriegt nu de Stell? Wer ward nu Dichter?«

Thomas Mann jedenfalls gebührte dieser Rang nicht. Seinen Namen verschwieg man auch jetzt noch, im Jahr 1913, über zehn Jahre nach der Veröffentlichung seines dickleibigen Romans »Buddenbrooks«. »Verfall einer Familie« lautet der Untertitel des Romans, der über menschliche Verirrungen und Schwächen hinter den stolzen Fassaden der Patrizierhäuser berichtet, von denen jeder etwas wußte, über die aber niemand sprach. Um so schlimmer, daß das Buch ein Welterfolg wurde und Jahr für Jahr neue Auflagen erlebte.

Auch jenseits der Altstadt, in den Neuansiedlungen Kücknitz, Herrenwyk, Siems-Dänischburg und St. Lorenz sprachen die Einwohner nicht über Thomas Mann. Aus einem anderen Grund allerdings. Ihre Nachbarn waren nicht die Buddenbrooks, sondern der Reichsbahnhof, Schlackenhalden, Fabrikschornsteine. Ihre Sorge war nicht die des Patriziersohns aus Thomas Manns Roman, wie oft am Tag er sein Seidenhemd würde wechseln können. Ihre Sorge war, ob in den Henkeltopf, den der Sohn dem Vater nach Schulschluß aufs Werksgelände bringen mußte, wieder nur Steckrübenmus kam oder doch schon ein bißchen vom Fleisch des Kaninchens, das eigentlich fürs Sonntagsessen bestimmt war.

Über achtzehntausend Arbeiter mit ihren Familien lebten in den Lübecker Industrievororten im Jahr vor dem Ersten Weltkrieg. Die Uhrzeit sagten ihnen nicht die Glocken von St. Marien, sondern die

Dampfpfeifen der Fabriken. Nach ihrem Signal wurde gegessen, aufgestanden, zu Bett gegangen. Die Kinder rannten nach Hause, denn sie wußten, daß zehn Minuten nach dem Pfeifenton der Vater sein Fahrrad im Hausflur abstellte.

Dem Lübeck der Patrizier standen die Lübecker der Arbeitersiedlungen feindlich gegenüber. 1913 waren wieder einmal Bürgerschaftswahlen. Die Sozialdemokraten, die acht Jahre zuvor zum ersten Mal vier Abgeordnete in die Bürgerschaft hatten entsenden können, erhielten 4499 Stimmen, die bürgerlichen Parteien 3451. Für die SPD ergab das wieder nur vier, für die Bürgerlichen 33 Mandate.

Den Einfluß, den ihnen das Klassenwahlrecht im Stadtparlament verwehrte, suchten die Sozialdemokraten auf andere Weise auszuüben. 8034 Mitglieder zählte die Lübecker SPD. Die Parteizeitung, der 1894 gegründete »Lübecker Volksbote«, ging an 8000 Abonnenten. Immer wieder wurde darin gefordert, auch für die Bürgerschaft das allgemeine, gleiche, geheime und direkte Wahlrecht für alle über zwanzig Jahre alten Lübecker einzuführen, so wie es für den Reichstag schon seit 1871 galt. Dort stellte die SPD inzwischen mit 110 Mandaten die stärkste Fraktion.

Die Arbeiter, um die die Partei warb, waren ein buntes Völkergemisch. Sie waren um die Jahrhundertwende aus Polen, Oberschlesien, Pommern oder dem Mecklenburgischen an die Trave gekommen, wo sie mehr zu verdienen hofften als in ihrer Heimat. Dort waren sie Waldarbeiter gewesen, Tagelöhner oder arbeitslos. Das Hungertuch war für sie nicht nur eine Redewendung. Sie, zumindest aber ihre Eltern, hatten tatsächlich noch daran genagt, weil es sonst nichts zu beißen gab. In den Katen der Tagelöhner hatte ein Salzhering am Bindfaden von der Decke gebaumelt, an dem jeder seinen Kanten Brot reiben durfte.

Ihnen erschien ein Schichtlohn von fünf Mark und mehr, eine Werkswohnung mit Wohnküche und Schlafzimmer, vielleicht sogar einer »guten Stube« mit Vertiko und Plüschsofa, die nur sonntags oder an hohen Feiertagen benutzt wurde, als ein erster großer Schritt in eine bessere Zukunft. Zumal ja August Bebel, der große, hochverehrte Führer der Partei, mit wissenschaftlicher Präzision den Zusammenbruch des Kapitalismus und eine Gesellschaft vollkommener Freiheit und Gerechtigkeit voraussagte, in der die Menschen in Eintracht und Harmonie ihre schöpferischen Kräfte frei würden entfalten können. Sie waren beflügelt von dem Glauben an den kommenden Sieg der Sozialdemokratie und an die verheißene sozialistische Zukunftsgesellschaft. Sie fühlten sich als Bahnbrecher einer neuen Zeit.

August Bebels Bild hing in fast allen Wohnungen. Die Bevölkerung in den Arbeitersiedlungen wuchs zu einer Gesinnungsgemeinschaft zusammen, weil sie denselben Lebens- und Arbeitsbedingungen ausgesetzt war. Das Zusammengehörigkeitsgefühl festigte das Selbstbewußtsein der Arbeiter. Sie gründeten Arbeitergesangsvereine, den Mandolinenklub »Frohsinn«, den Arbeiter-Turnverein »Gut-Heil«, einen Arbeiter-Angelverein, einen Kaninchen-Zuchtverein. Sprachbegabte fanden sich zu Arbeiter-Esperantisten-Vereinen zusammen, denn schließlich war der Sozialismus ja eine internationale Bewegung.

Wer den Lärm, die Hitze und die Gaswolken am Arbeitsplatz, wer die Trostlosigkeit der Siedlung im Schatten der Schlote vergessen wollte, der schloß sich den Naturfreunden an. Sie organisierten Ausflüge an die Ostsee und hatten auf dem Priwall bei Travemünde sogar ein eigenes Heim, wo man billig übernachten konnte. Oder sie zelteten am Traveufer, oberhalb der Stelle, wo der silbrige Giftschlamm des Hochofens den Fluß eintrübte. Touren des Arbeiter-Radsportvereins führten sogar bis in die Holsteinische Schweiz, nach Plön hinauf.

Die SPD sah in diesen Vereinen wichtige Auffangorganisationen für den Fall, daß sie wie beim Sozialistengesetz unter Bismarck noch einmal verboten werden sollte. Sie versorgte ihre Mitglieder in Arbeiter-Bibliotheken mit Literatur – »Heidi«, der Traum vom heilen Leben auf der Alm, war begehrter als die Schriften des Parteitheoretikers Karl Kautsky. Über die Volksbühnenbewegung gab es preiswerte Theaterkarten. Das lag in der Tradition der Altvorderen. »Wissen ist Macht« hatte Wilhelm Liebknecht, einer der Gründerväter der Partei, seinen Genossen hinterlassen.

Die Partei sorgte auch für billige Einkaufsmöglichkeiten in den Genossenschaftsläden des Konsum. Für die Arbeiterkinder hatte sie ihre Jugendorganisationen: »Falken« für die Hauptschüler, »Sozialistische Arbeiterjugend« (SAJ) für die Lehrlinge und »Jungsozialisten« für die 18- bis 20jährigen. Selbst im Tod ließ sie ihre Mitglieder nicht allein. Für ein ordentliches Begräbnis wurde mit den Sterbekassen vorgesorgt.

Der Sport gab den Arbeitern die Selbstachtung zurück. Ihre Bildungsbeflissenheit vermittelte ihnen das Gefühl, Anschluß an die bürgerliche Gesellschaft gefunden zu haben. Der Versuch, die Welt derer zu kopieren, die in den Giebelhäusern jenseits des Holstentors lebten, fand seine Grenze im Verhältnis zur Kirche. Die Kirche galt als reaktionäre Institution, die das freie Denken unterdrückte und im Bündnis mit den Machthabern des Kaiserreichs die überkommene Gesellschaftsstruktur bewahren wollte.

Doch man fühlte sich als Teil der Nation. Nichts hatte die organisierten Arbeiter mehr geschmerzt als das böse Wort Kaiser Wilhelms II., der die Sozialdemokraten als »vaterlandslose Gesellen« bezeichnet hatte. August Bebel hatte ihm auf dem Parteitag 1907 entgegengehalten: »Wenn wir wirklich einmal das Vaterland verteidigen müssen, so verteidigen wir es, weil es unser Vaterland ist, dessen Sprache wir sprechen, dessen Sitten wir besitzen.«

Inzwischen sagte ja auch der Kaiser, und es klang fast schon ein bißchen wie Bebel: »Ich führe euch herrlichen Zeiten entgegen.« In manchen Arbeiterhaushalten wurde nun sein Bild neben das des Parteiführers gehängt. Wenig später rief Wilhelm II. aus, bejubelt von den Arbeitermassen: »Ich kenne keine Parteien mehr, ich kenne nur noch Deutsche.« Da war der Erste Weltkrieg ausgebrochen, der Kaiser brauchte Soldaten.

»Bring die Brote gleich wieder hin!«

KINDHEIT IM ARBEITERVIERTEL

Unter denen, die kurz nach der Jahrhundertwende in die aufstrebende Industriestadt Lübeck kamen, war auch der Landarbeiter Ludwig Frahm. Er kam aus dem Mecklenburgischen; auf dem gräflichen Gut Klütz hatte er als Knecht geschuftet. Der Vater war noch wie ein Leibeigener behandelt worden, der Gutsverwalter hatte ihn »auf den Bock« legen und auspeitschen lassen.

Ludwig Frahm, von gedrungener Gestalt und mit dem schweren Gang des Dörflers, mit einem kantigen, kahlgeschorenen Schädel und einem sorgsam gebürsteten Oberlippenbart, hatte von Karl Marx und August Bebel gehört. Und von ihrer Lehre, dem Sozialismus. Die verhieß den unvermeidlichen Sieg des Proletariats über die herrschende Bourgeoisie. Was er aufgeschnappt hatte, diskutierte er mit den anderen Landarbeitern. Bald galt er im Dorf als »Roter«. Dazu paßte sein Verhalten bei einer Reichstagswahl. In feudaler Selbstherrlichkeit hatte der Gutsherr, wie bei seinen Standesgenossen üblich, die Landarbeiter antreten lassen, ihnen die Wahlscheine gegeben und Schnaps eingeschenkt. Die ausgefüllten Scheine mußten die Arbeiter dann im Büro des Verwalters feinsäuberlich in eine Schüssel legen. Der Verwalter notierte die Reihenfolge der Namen; so konnte er anschließend kontrollieren, wer wen gewählt hatte. Als Ludwig Frahm an die Reihe kam, stolperte er und stieß wie unabsichtlich die Suppenschüssel um; die Wahlzettel wirbelten durcheinander, zu kontrollieren gab es nichts mehr.

Vor der Übersiedlung nach Lübeck hatte Ludwig Frahm geheiratet. Seine Frau Wilhelmine hatte Martha in die Ehe mitgebracht, ihre 1894 geborene uneheliche Tochter. Zu dritt zogen sie in eine Dreizimmerwohnung des Hauses Nr. 16 in der Meierstraße, im Lübekker Arbeitervorort St. Lorenz.

In dem Mietshaus wohnten vier Parteien. An der Vorderfront gab es zwei Blumenbeete mit Rosensträuchern, auf der Rückseite ein enges Hofgeviert, wo die Wäsche getrocknet und bei schönem Wetter sonntags die Kaffeetafel aufgestellt wurde. Frahm fand eine Anstellung als Fahrer beim Drägerwerk, ein paar Häuserblocks weiter. Dort wurden medizinische Apparate, Schneidbrenner und bald auch Sauerstoffpatronen für U-Boote produziert. Frahms Kollegen riefen ihn »Ludden«.

Schon bald trat Ludwig Frahm in die SPD ein. Jetzt war er organisiert, fühlte sich geschützt. Er wurde zum Vertrauensmann seiner Partei im Stadtteil Holstentor-Süd gewählt. Nach der Arbeit nahm er an den Parteiberatungen teil oder studierte Bebels »Die Frau und der Sozialismus«, das meistgelesene Buch der deutschen Arbeiterbewegung vor dem Ersten Weltkrieg. Es war eine regelrechte Bestsellermischung: Utopie einer sozialistischen Zukunftsgesellschaft, moderne Thesen über die Emanzipation der Frau, über Sexualität und

24

Verhütung. Bebel zog gegen »widerliche Präventivmaßregeln« zu Felde und plädierte für eine Geburtenkontrolle durch gezielte Ernährungsweise. Schmalznudeln zum Beispiel, so hätten es Beobachtungen der Ernährungsgewohnheiten der altbayerischen Bevölkerung ergeben, bewirkten Kinderlosigkeit.

Das Buch, das 1878 zum ersten Mal erschien und bis zum Ersten Weltkrieg mehr als fünfzigmal neu aufgelegt wurde, vermittelte seinen Lesern »das prickelnde Gefühl, von verbotenen Quellen zu trinken«, so die Historikerin Hedwig Wachenfeld.

Ein anderes Buch im Regal des Ludwig Frahm: »Die sexuelle Frage«. Geschrieben hatte es der Schweizer Arzt, Naturwissenschaftler, Soziologe, Psychiater und Gehirnanatom Auguste Forel. In seiner Heimat kämpfte er erfolgreich darum, daß geisteskranke Verbrecher nicht hinter Gitter verschwanden, sondern auf landwirtschaftlichen Gütern die Chance zu einem menschenwürdigen Dasein erhielten. Mit seinem im Jahr 1904 erstmals erschienenen Buch lieferte er ein fortschrittliches Aufklärungswerk über Sexualprobleme und deren seelische und soziale Wechselwirkungen. Bis in die vierziger Jahre hinein erlebte es immer neue Auflagen und wurde zu einem Klassiker, den Ärzte ihren problemgeplagten Patienten zur Lektüre empfahlen.

Beim Lesen setzte sich Ludwig Frahm eine Nickelbrille auf. Seine kleine Bibliothek war kennzeichnend für den anpolitisierten einfachen Arbeiter: ständig auf der Suche, sich von den Klammern seines Milieus zu befreien, wenn nicht den materiellen, so doch wenigstens den geistigen und sozialen. Klassenbewußt, fortschrittsgläubig, arm, aber voll politischer Zuversicht sah Ludwig Frahm im Sozialismus seine Religion. In die Kirche ging er nicht. Die Verheißungen Bebels formten sich in seinem Kopf zu einfachen Bildern. Sozialismus, das war eine Gesellschaft, in der das Geld abgeschafft ist, wo jeder nach seinen Fähigkeiten arbeitet und alles gerecht verteilt wird. Die Menschen würden in großen Hallen spazieren und sich dort holen, was sie zum Leben brauchten. Und wenn nicht er das noch erleben würde, dann seine Tochter. Oder sein Enkelkind.

Denn es war nicht zu übersehen: Martha, inzwischen neunzehn und seit ein paar Jahren als Verkäuferin im Konsumgeschäft zwei Häuserblocks weiter für einen Wochenlohn von knapp zwanzig Mark tätig, war schwanger. Am 18. Dezember 1913 gebar sie in der engen Wohnung in der Meierstraße einen Jungen. Zwei Tage später erfolgte die Eintragung in das Geburtsregister der Hansestadt Lübeck. Verzeichnet wurde die Geburt des Knaben Herbert Ernst Karl Frahm, im Hause Meierstraße 16, am 18. Dezember 1913, ein Viertel vor ein Uhr, bezeugt von der Hebamme. Ein Hinweis auf den Vater fehlt in der Eintragung. Er fehlt auch im Familienstammbuch.

Der Junge hatte das dunkelblonde Haar, die braunen Augen und die hohen Backenknochen seiner Mutter. Martha Frahm war eine mittelgroße Frau mit kräftigen Händen. Sie neigte etwas zur Korpulenz – »drall« nannten sie die Nachbarn. Sie lachte viel. Sie hatte sich der »Freien Jugend« angeschlossen, bei der sich politisches Engagement und Wandervogel-Ideale verbanden. Kontakt hielt sie auch zu den »Naturfreunden«, in deren Heim auf dem Priwall an der Ostsee sie manchmal ihre Sommerferien verbrachte. Von ihrem kargen Konsum-Lohn legte sie Mark für Mark beiseite und reiste von den Ersparnissen einmal sogar in die Alpen.

Zur Naturverbundenheit kam ihr Bildungshunger. Anders als der Vater, der nur Platt konnte, bemühte sich Martha Frahm, hochdeutsch zu sprechen. Regelmäßig entlieh sie sich Bücher in der Bibliothek, die der Genossenschaftsbäckerei angeschlossen war. Am Stadttheater machte sie mit im »Proletarischen Sprechchor« des Regisseurs Karl Heitmann, der engagierte Arbeiterkunst verwirklichen wollte. Sie hatte außerdem ein Abonnement der Volksbühne, auf der mehr Schiller als Goethe gespielt wurde, weil seine Dichtung kämpferischer war. Martha konnte lange Passagen aus Schillers Dramen auswendig zitieren.

· Sonntags setzte sich Martha Frahm einen breitkrempigen Hut auf, den der Putzmacher mit einem Blumenbouquet besteckt hatte, und ging ins Gewerkschaftshaus, zum Ball des Hochofenbetriebes, zum Waldfest oder auf einen der Tanzböden von St. Lorenz. Den Vater ihres Kindes wird sie dort getroffen haben.

Körperliche Liebe war bei den jungen Arbeitern und Arbeiterinnen selbstverständlich. Doch es war ebenso selbstverständlich, daß geheiratet wurde, wenn sich ein Kind einstellte. Dann stand die »Ehre« der Frau auf dem Spiel. Abtreibung war verboten. Die weitgehend mittellosen Arbeiterfrauen hatten keine Möglichkeit, die Ärzte zu bezahlen, die dieses Verbot umgingen. Der Weg zur »Engelmacherin« aber war mit schweren Gefahren für Leib und Leben verbunden.

Martha Frahm hat nicht darüber gesprochen, wer der Vater ihres Kindes war. Sie mußte bald ihre Arbeit im Konsum wiederaufnehmen, denn das Geld wurde jetzt noch dringender gebraucht. Für die Sorge junger Arbeiterinnen, wo sie während der Schicht ihr Kind lassen sollten, hatten die Arbeitgeber jener Zeit immer nur dieselbe Antwort, egal, ob sie kapitalistisch oder vom Konsum waren: »Kinder werden von alleine groß.« Martha Frahm gab ihr Kind tagsüber einer Freundin zur Pflege.

Kurz vor der Geburt des kleinen Herbert war Marthas Mutter gestorben. Der Junge war noch kein Jahr alt, als Ludwig Frahm in den Krieg eingezogen wurde. In der engen Wohnung war jetzt Platz.

Beim Umzug am 1. Mai und noch einmal zur Jahresmitte, als sich nach der Ermordung des österreichischen Thronfolgers Erzherzog Franz Ferdinand die Balkankrise verschärfte, hatte Ludwig Frahm zusammen mit seinen Genossen für den Frieden demonstriert. Der Parteivorstand in Berlin hatte die Parolen vorgegeben: »Gefahr ist im Verzuge. Der Weltkrieg droht! Die herrschenden Klassen, die euch im Frieden knebeln, verachten, ausnutzen, wollen euch als Kanonenfutter mißbrauchen. Überall muß den Machthabern in den Ohren klingen: Wir wollen keinen Krieg! Nieder mit dem Krieg! Es lebe die internationale Völkerverbrüderung!«

Das war am 25. Juli 1914. Schon sechs Tage später, am 31. Juli, schrieb der parteiamtliche »Vorwärts«: »Wenn die verhängnisvolle Stunde schlägt, werden die vaterlandslosen Gesellen ihre Pflicht erfüllen und sich darin von den Patrioten in keiner Weise übertreffen lassen.« Weitere vier Tage darauf stimmte die gesamte Fraktion im Reichstag für die von der Regierung geforderten Kriegskredite. Der sozialdemokratische Fraktionsvorsitzende Hugo Haase gab im Reichstag eine Erklärung ab: »Die Sozialdemokratie hat diese verhängnisvolle Entwicklung mit allen Kräften bekämpft, und noch bis in die letzten Stunden hat sie durch machtvolle Kundgebungen in allen Ländern, namentlich im innigen Einvernehmen mit den französischen Brüdern, für die Aufrechterhaltung des Friedens gewirkt.« Unterbrochen vom Beifall seiner Parteifreunde fuhr er dann fort: »Wir lassen in der Stunde der Gefahr das eigene Vaterland nicht im Stich.« Das Protokoll verzeichnet an dieser Stelle »lebhaftes ›Bravo‹«.

Ludwig Frahm hatte Mühe, den Wendungen der Partei zu folgen.

Anfang August erreichte ihn der Einberufungsbefehl. Er mußte wieder bei Bebel Zuflucht suchen. Der hatte noch wenige Wochen vor seinem Tode, im Sommer 1913, in der Budget-Kommission des Reichstages betont: »Es gibt in Deutschland überhaupt keinen Menschen, der sein Vaterland fremden Angriffen wehrlos preisgeben möchte. Das gilt namentlich auch von der Sozialdemokratie.« Jetzt schulterte Ludwig Frahm das Gewehr mit dem langen Bajonett. Der Arbeiterdichter Heinrich Lersch lieferte dazu das Pathos: In der Stunde der Not zeige sich, daß »Deutschlands ärmster Sohn auch sein getreuester ist«.

Martha Frahm las zu Hause, in den »Lübeckischen Anzeigen« und im »Volksblatt«, die Nachrichten von der Front: Das Scheitern der deutschen Westoffensive schon im September 1914, der Beginn des deutschen U-Boot-Krieges, der Einsatz von Giftgas in der Schlacht von Ypern, der Stellungskrieg um Verdun. Trotz aller fürchterlichen Nachrichten vom großen Völkermorden war für die Sozialistin Martha Frahm das Wilhelminische Reich das Vaterland. Den knapp dreijährigen Herbert steckte sie zum Termin beim Fotografen in die Uniform eines kaiserlichen Grenadiers, mit Pickelhaube, das Korkengewehr geschultert. Sie war stolz auf ihren hübschen Sohn, der trotz kriegsbedingter karger Ernährung prächtig gedieh. Immer wieder ließ sie ihn fotografieren, einmal in Matrosenuniform mit weißer Mütze, auf der »SMS Schlesien« eingestickt war – Seiner Majestät Schiff. Sonntags schickte sie den Jungen zum lutherischen Kindergottesdienst. Der Großvater durfte es nicht wissen.

Ende 1918 kam Ludwig Frahm aus dem Krieg zurück. Er trug einen verdreckten Soldatenmantel, er roch nach Schweiß und Leder. Sein Enkel Herbert, jetzt fünf Jahre alt und nur unter Frauen aufgewachsen, setzte sich ihm auf die Knie und nannte den Mann, von dem er nur aus den Erzählungen der Mutter wußte, »Papa«.

Der Großvater, der nun für Herbert der Vater war, zog wieder ein in die kleine Wohnung in der Meierstraße. Aber nicht für lange. 1919 heiratete der Witwer zum zweitenmal: die 33jährige Dorothea Sahlmann. Er war unterdessen an seine alte Arbeitsstätte als Fahrer zurückgekehrt. Er chauffierte nun einen 1,5-Tonner von Daimler-Benz mit offenem Fahrerhaus und Pritsche. Meist ging die Tour vom Drägerwerk im Stadtteil St. Lorenz zum nahegelegenen Bahnhof, wo er Waren ablieferte.

Die Firma hatte ihm eine Werkswohnung angeboten. Sie lag im ersten Stock eines Garagenhauses. Zwei Zimmer gab es in dem dunkelroten Backsteingebäude, außerdem noch eine Dachkammer, in die durch kleine, schießschartenähnliche Luken Licht fiel. Mit seiner zweiten Frau zog Ludwig Frahm in die neue Wohnung direkt neben dem Drägerwerk. Es wurde beschlossen, daß Enkel Herbert mitkommen und in der Dachkammer einquartiert werden sollte.

Die neue Frau seines »Papas« mochte Herbert nicht als Pflegemutter anerkennen. Er blieb ihr gegenüber verschlossen und abweisend. Er nannte sie »Tante«. Immerhin war Mutter Martha die Sorge los, was während ihrer Arbeitszeit mit dem Jungen geschehen sollte, der nun schon bald in die Schule kam.

Ein- oder zweimal in der Woche besuchte Herbert fortan seine Mutter. Ihre beschränkte Fürsorge für das Kind versuchte sie dadurch wettzumachen, daß sie den heranwachsenden Jungen möglichst »adrett« einkleidete. Im weißen Matrosenanzug mit blauem Kragen und weißen Schnürstiefeln trieb er einen Spielreifen über den Gehweg. Zur ersten Klasse ging er – auf dem Rücken den Ranzen, auf der Brust die Butterbrottasche – in einem dunkelblauen Anzug, wieder ein maritimes Modell mit großen Silberknöpfen, kurzer knopfverzierter Hose und Matrosenmütze mit blauen Bändern.

Die Lübecker Schulen bewahrten Distanz zwischen Bürger- und Arbeiterkindern. Herbert Frahm kam nach der Volksschule zuerst auf die St.-Lorenz-Knaben-Mittelschule, wo die Lehrer noch mit dem Rohrstock prügelten. Von Ostern 1927 bis Ostern 1928 besuchte er die liberale Großheimsche Realschule. Dann erhielt er dank eines Programms zur Begabtenförderung die Möglichkeit, auf das Johanneum zu wechseln, ein Reform-Realgymnasium, das im alten Lübecker Stadtkern lag und bis dahin nur Bürgersöhnen vorbehalten war.

Sein Großvater hatte ihm verboten, am Religionsunterricht teilzunehmen. Daran hielt sich der Junge, bis er mit vierzehn aufs Johanneum kam. Dieser Wechsel brachte auch ein Sprachproblem mit sich: Herbert mußte nun das Plattdeutsch ablegen, das er bis dahin in der Schule gesprochen hatte, und erst einmal Hochdeutsch lernen. Der Satz, daß man nicht für die Schule, sondern fürs Leben lernt, erhielt für ihn jeweils am späten Nachmittag seine besondere Bedeutung, wenn Großvater Ludwig den 1,5-Tonner am Straßenrand parkte und sich dem Enkel widmen konnte. Die Helden in Großvaters Geschichten hießen nicht Karl May, Graf Luckner oder Tom Sawyer, sondern Ferdinand Lassalle, Karl Marx, August Bebel und – wenn die eigenen Erinnerungen wieder lebendig wurden – Ludwig Frahm.

Oft hatte der Enkel Hunger. Er war unterernährt, der Arzt verordnete ihm Magermilchsuppe. Von dem Groschen Taschengeld pro Woche kaufte sich Herbert auf dem Weg zur Schule trockene Feigen, die machten satt. Das Essen wurde noch knapper, als der Großvater eines Morgens nicht das Haus verließ und der Daimler-Lastwagen vor der Tür stehen blieb. Herbert schnappte das Wort »Streik« auf. Mit knurrendem Magen blieb er auf dem Schulweg vor einem Bäckerladen stehen und starrte sehnsüchtig auf die Brote und Semmeln in der Auslage. Einer der Direktoren des Drägerwerks, er hatte den Spitznamen »Staatsanwalt«, erkannte den Jungen, ging mit ihm in den Laden und kaufte ihm zwei duftende Brote. Stolz zog Herbert damit nach Hause. Als der Großvater hörte, wie er an die beiden Laibe gekommen war, schickte er den Jungen zurück zur Bäckerei: »Bring die Brote gleich wieder hin! Ein streikender Arbeiter nimmt keine Almosen.«

»Es lebe das Neue!«

DIE NOVEMBERREVOLUTION

Hunger, Streik – was der neunjährige Herbert aufnahm, waren ferne Ausläufer der politischen Erschütterung, deren Zentrum in Berlin lag. Bis weit ins Jahr 1918 hinein hatte die Kriegspropaganda der Bevölkerung vorgegaukelt, daß die deutschen Heere, die tief in Belgien, Frankreich und in der Ukraine standen, kurz vor einem großartigen Sieg wären, der den Namen Deutschland heller denn je in aller Welt glänzen lassen werde.

Mit diesen Verheißungen sollten die Deutschen im Reich über ihre bittere Situation hinweggetröstet werden. Von Jahr zu Jahr hatte sich wegen der Rüstungsanstrengungen der Mangel an Nahrungsmitteln, Kleidung und Kohlen vergrößert.

Vom konservativen Kanzler Theobald von Bethmann Hollweg
mit Versprechungen über eine innenpolitische »Neuorientierung«,
vor allem eine Reform des preußischen Drei-Klassen-Wahlrechts,
bei der Stange gehalten, hatten die Sozialdemokraten immer wieder
den Kriegskreditvorlagen der Regierung zugestimmt. Sie mußten
dafür mit wachsenden innerparteilichen Spannungen und schließlich mit Abspaltungen zahlen. Als eine Gruppe von zwanzig pazifi-
stisch gesonnenen Mitgliedern der SPD-Reichstagsfraktion 1916
dem Notetat der Regierung ihre Zustimmung verweigerte, wurde
sie aus der Fraktion ausgeschlossen. Anfang April 1917 riefen diese
Dissidenten, unter ihnen der vormalige Parteivorsitzende Hugo
Haase und die gemäßigten Sozialdemokraten Eduard Bernstein und
Kurt Eisner, die »Unabhängige Sozialdemokratische Partei Deutschlands« (USPD) ins Leben.

Neben diesen gemäßigten Politikern – im Parteijargon: »Revisio-
nisten« – erkannten auch radikale linke Marxisten in der USPD ihr
Operationsfeld. Der ehemalige SPD-Reichstagsabgeordnete Karl
Liebknecht sowie die einstige Dozentin an der Parteischule der SPD
und engagierte Kriegsgegnerin Rosa Luxemburg hatten eine kleine
Schar gleichgesinnter Sozialdemokraten im »Spartakusbund« zu-
sammengeschlossen. Auch sie traten jetzt zur USPD über.

Die SPD hatte damit ihre Monopolstellung als Vertreterin der
deutschen Arbeiterbewegung eingebüßt. Streikwellen im Frühjahr
1917 und im Januar 1918 für »Frieden, Freiheit und Brot« zeigten der
Partei, daß sie Gefahr lief, unter der hungernden, kriegsmüden Bevölkerung an Anhängerschaft zu verlieren. Um der neuen Konkur-
renzpartei Zulauf abzugraben, begrüßte die SPD »mit leidenschaftlicher Anteilnahme« den Sieg der Kerenski-Revolution in Rußland
und verlangte einen Frieden »ohne Annexion und Kriegsentschädi-
gungen auf der Grundlage einer freien Entwicklung aller Völker«.
Im Reichstag brachte sie zusammen mit dem Zentrum eine »Friedensresolution« durch: »Keine Annexion, keine Kontribution!«

Als im Herbst 1918 die militärische Niederlage Deutschlands immer offenkundiger wurde, fand sich die SPD bereit, als Liquidator
des Krieges politische Regierungsverantwortung zu übernehmen.
Ausgerechnet Erich Ludendorff von der Obersten Heeresleitung
hatte der Regierung erklärt, daß der Krieg militärisch nicht mehr zu
gewinnen sei, und ihr eine Kapitulation nahegelegt. Er schlug vor,

eine Regierung auf möglichst breiter Basis zu bilden, die bei Friedensverhandlungen die Kriegsgegner durch ihre liberale Weltanschauung und ihren repräsentativen Charakter beeindrucken könne. Philipp Scheidemann, ein gelernter Buchdrucker, der zusammen mit dem einstigen Sattlergesellen Friedrich Ebert nach dem Tode Bebels die SPD-Parteiführung übernommen hatte, trat als Staatssekretär in die letzte Regierung des Kaiserreichs unter dem Kanzler Prinz Max von Baden ein.

Zum ersten Mal waren damit Sozialdemokraten in einem Kabinett vertreten. Doch es war eine verhängnisvolle Premiere. Zwar hatte der Wunsch nach Frieden und demokratischen Neuerungen den Schritt der SPD bestimmt. Doch da nun die sozialdemokratisch gestützte Regierung die Verantwortung für den Waffenstillstand übernahm, konnten sich Hindenburg und Ludendorff, die das Reich in die militärische Niederlage geführt hatten, ihrer Verantwortung entziehen. Mehr noch: Um das eigene Versagen zu kaschieren, brachten sie die »Dolchstoß«-Legende in Umlauf. Die Regierung sei mit ihrem Waffenstillstandsersuchen der kämpfenden, kurz vor dem Sieg stehenden Truppe in den Rücken gefallen. Die neuen demokratischen Politiker waren damit von vornherein diskreditiert.

Der Zusammenbruch draußen ging einher mit einem Zusammenbruch der politischen Ordnung im Innern. In Kiel meuterten die Matrosen der Kriegsflotte, die Arbeiter der Hafenstadt solidarisierten sich mit ihnen. Gemeinsam bildeten sie einen Arbeiter- und Soldatenrat, der zum Vorbild für ähnliche Gremien in zahlreichen anderen deutschen Städten wurde. Unter dem Druck der demonstrierenden Arbeiter und Soldaten verkündete Max von Baden am 9. November die Absetzung des Kaisers und übergab – ohne verfassungsrechtliche Legitimation – dem Sozialdemokraten Friedrich Ebert das Amt des Reichskanzlers. Ebert dachte zunächst daran, die monarchische Staatsform zu erhalten. Zwei seiner Söhne waren schließlich für den Kaiser gefallen. Doch Nachrichten aus Bayern, wo der Linkssozialist Kurt Eisner, ein früherer »Vorwärts«-Redakteur, den »Freistaat« ausgerufen hatte, und die Stimmung in Berlin zeigten Ebert an, daß er im Begriff stand, das politische Handeln an die extreme Linke zu verlieren.

Gleich zweimal wurde am Nachmittag dieses 9. November die Abschaffung der Monarchie verkündet. Vom Balkon des Berliner

Schlosses rief der Spartakus-Führer Karl Liebknecht die Sozialistische Republik aus. Der Sozialdemokrat Scheidemann verkündete in einer Ansprache an eine vor dem Reichstag versammelte Menge: »Der Kaiser hat abgedankt. Es lebe das Neue! Es lebe die Deutsche Republik!« Beides war vorschnell. Der Kaiser dankte erst am Abend des 9. November ab und floh nach Holland. Und es vergingen noch ereignisreiche Monate, ehe die neue Republik ihre verfassungsrechtliche Ordnung bekam.

Für ein paar Wochen schien es so, als würde die Einheit der Arbeiterklasse wiederhergestellt. Sozialdemokraten und USPD bildeten gemeinsam den »Rat der Volksbeauftragten«, eine Revolutionsregierung, die für eine Übergangsphase ein allgemeines Chaos verhindern sollte. Doch schon Ende Dezember 1918 verließen die USPD-Mitglieder dieses Notkabinett. Sie kreideten es Ebert als Verrat an, daß er sich Bestrebungen widersetzte, eine demokratische Volkswehr aufzubauen und statt dessen das Militärsystem der Kaiserzeit einschließlich der alten Offiziere beibehielt. Die von der USPD geräumten Plätze besetzte Ebert mit Leuten der eigenen Partei. Reichswehrminister wurde der SPD-Abgeordnete Gustav Noske. Der stellte mit den Freikorps, die aus den von der Front zurückströmenden Soldaten rekrutiert wurden, eine Bürgerkriegsarmee auf und setzte sie überall dort ein, wo sich Aufständische der neuen Regierung widersetzten.

Zum folgenschwersten Einsatz dieser Freikorps kam es während des sogenannten Spartakus-Aufstandes in der ersten Hälfte des Januar 1919. Aus dem Spartakusbund hatte sich an der Jahreswende 1918/1919 die Kommunistische Partei Deutschlands gebildet. Gegen Rosa Luxemburg und Karl Liebknecht beschloß die Mehrheit auf dem Gründungsparteitag, sich nicht an den Wahlen zu einer Nationalversammlung zu beteiligen. Statt dessen sollte die Macht auf der Straße erkämpft werden – durch die revolutionäre Mobilisierung der Massen. Der Aufstand vom Januar 1919 wurde von den Freikorps mit Maschinengewehren, Flammenwerfern und Artillerie niedergeschlagen. Mehr als hundert Rebellen wurden getötet. Karl Liebknecht und Rosa Luxemburg wurden gefangengenommen und von Freikorps-Soldaten nach der Vernehmung ermordet. Noske und die Sozialdemokraten nahmen diese Morde stillschweigend hin. Die Erinnerung an das Schicksal von Luxemburg und Liebknecht, die für die politische Linke bald zu legendären Figuren wurden, sollte zwölf Jahre später ein entscheidendes Hindernis für ein Bündnis der linken Parteien gegen den Machtanspruch Adolf Hitlers werden.

Blutiger noch als die Januar-Erhebung wurden in den nächsten fünf Monaten Aufstände in Bremen, Cuxhaven, Wilhelmshaven, in Mülheim und Düsseldorf, in Halle, Leipzig und München unterdrückt. Sein Rollenverständnis faßte Noske in den Satz: »Einer muß den Bluthund machen.«

Am 19. Januar 1919 wurde die Nationalversammlung gewählt, das Gründungsparlament der neuen Republik. Die Sozialdemokraten errangen 165 Mandate, die USPD nur 22. Die KPD hatte sich programmgemäß nicht an den Wahlen beteiligt. Die Parteien des bürgerlichen Lagers, das nach Kriegsende total auf Tauchstation gegangen war, hatten zwar die rechnerische Mehrheit, waren aber in sich zerstritten. 91 Mandate fielen an das Zentrum, das bei dieser Wahl als Christliche Volkspartei auftrat, 75 an die linksliberale Deutsche Demokratische Partei (DDP), 19 an die nationalliberale Deutsche Volkspartei (DVP) Gustav Stresemanns, 44 an die rechtskonservative Deutschnationale Volkspartei (DNVP). Die Nationalversammlung tagte in Weimar, da die thüringische Provinzstadt mehr Sicherheit bot als das unruhige Berlin.

Die USPD wies ein Angebot der SPD zur Teilnahme an einer Koalitionsregierung zurück. So kam es zu einem Zusammengehen von SPD, DDP und Zentrum, der sogenannten Weimarer Koalition. Friedrich Ebert wurde zum Reichspräsidenten gewählt, Philipp Scheidemann zum Ministerpräsidenten (die Bezeichnung Reichskanzler wurde erst später eingeführt). Der Lübecker Gewerkschafter Rudolf Wissell amtierte als Wirtschaftsminister. Die Verfassung, die die Nationalversammlung erarbeitete, wurde von den Sozialdemokraten als Triumph ihres jahrzehntelangen Kampfes um Gleichheit gefeiert: »Keine andere Verfassung ist demokratischer, keine gibt dem Volk größere Rechte.«

Doch genausowenig wie beim Militär wurden die Strukturen der Bürokratie oder der Wirtschaft angetastet. Die Ankurbelung der Wirtschaft, der Kampf gegen Hunger und Arbeitslosigkeit waren den Sozialdemokraten vordringlicher als der Ausbau demokratischer Kontrollen oder die Vergesellschaftung von Unternehmen.

Unangetastet blieb auch die Justiz. Viele Richter machten aus ihrer ungebrochenen monarchistischen Überzeugung keinen Hehl. Ein Gericht ging so weit, das sozialdemokratische Staatsoberhaupt in einem Urteil als »Landesverräter« zu bezeichnen, weil Ebert im Januar 1918 in ein Streikkomitee eingetreten war. So wurde die neue Demokratie auf den Fundamenten des alten Obrigkeitsstaates gebaut.

Entscheidend aber für das rasche Erstarken der republikfeindlichen Kräfte, für den ungezügelten Haß, der die Sozialdemokraten wieder in die Ecke der »Vaterlandsverräter« brachte, für eine hemmungslose Agitation, die den Mord als Mittel der politischen Auseinandersetzung herbeiredete, waren die Bedingungen des Versailler Friedensvertrages, die der jungen deutschen Demokratie diktiert wurden. Deutschland mußte als ersten Abschlag fünf Milliarden Dollar in Gold an Reparationen zahlen, Elsaß-Lothringen fiel an Frankreich zurück. Posen, Oberschlesien und der sogenannte Polnische Korridor wurden Polen zugeschlagen. Auch Belgien und Dänemark schnitten sich kleinere Territorien aus dem Reichsgebiet. Die linksrheinischen Gebiete, die unter französische Besatzung kamen, wurden wirtschaftlich wie auch politisch vom Reichsgebiet abgeschnürt.

Der sozialdemokratische Kanzler Scheidemann beschuldigte die Siegermächte, sie wollten aus den Deutschen »Sklaven und Heloten machen, die hinter Stacheldraht und Gefängnismauern Zwangsarbeit verrichten« müßten, und rief sein Verdikt gegen eine Unterzeichnung des Vertrages aus: »Welche Hand müßte nicht verdorren, die sich und uns in diese Fesseln legt?« Das war dramaturgisch gekonnt, politisch aber eine Dummheit. An der Unterzeichnung führte nichts vorbei. Sonst riskierte die Reichsregierung, daß die Kriegsgefangenen interniert blieben, das Ruhrgebiet weiter geplündert, die gegen das Reich verhängte Wirtschaftsblockade verschärft würde.

Scheidemann trat zurück. Eine neue sozialdemokratisch geführte Regierung unter dem Gewerkschafter Gustav Bauer unterzeichnete im Spiegelsaal von Versailles den Diktat-Frieden. Die mit der Dolchstoß-Legende begonnene Diffamierung der Demokraten, die die Republik aufbauten, erhielt neuen Auftrieb. Jetzt kamen Schlagworte hinzu wie »Verrat«, »Novemberverbrecher«, »Schmach-Diktat«.

Eine der Forderungen der Versailler Siegermächte war, sofort die Freiwilligenverbände aufzulösen, mit denen die Berliner Regierung gegen Aufständische vorgegangen war. Als die Reichsregierung die Ausmusterung anordnete, widersetzten sich zwei Korps diesem Befehl und putschten. Mit wehenden schwarzweißroten Fahnen besetzten sie Berlin. Ihr Führer war ein unbekannter ostpreußischer Generallandschaftsdirektor namens Wolfgang Kapp. Ihr Ziel war die Abschaffung der Republik und die Errichtung eines Militärregimes.

Die Reichswehr, immer sofort zur Stelle, wenn es galt, gegen linke Aufrührer zu kämpfen, weigerte sich, den Putschisten von rechts entgegenzutreten. General Hans von Seeckt: »Truppe schießt nicht auf Truppe.« Die Reichsregierung unter dem SPD-Kanzler Bauer floh aus Berlin, zunächst mit dem Auto nach Dresden, dann mit dem Zug weiter nach Stuttgart. Von dort rief sie die Arbeiterklasse zum Widerstand gegen die Putschisten auf. Mit einem Generalstreik retteten die Gewerkschaften die junge Republik.

Dieser Machtbeweis der Arbeiter weckte bei den Kommunisten neue Hoffnungen auf eine Revolution. Sie zettelten Aufstände an, diesmal vornehmlich im Ruhrgebiet. Eine fast achtzigtausend Mann starke »Rote-Ruhr-Armee« brachte binnen weniger Tage das Industrierevier unter Kontrolle. Noske rief die Reichswehr zu Hilfe, die jetzt, wo es wieder gegen links ging, gern antrat. Gegen die Aufständischen setzte sie zum Teil dieselben Freischärler ein, die im Kapp-Putsch die Republik beseitigen wollten.

Während dieser hektischen Wochen kam es zu einem Regierungswechsel. Das Kabinett Bauer mußte zurücktreten. In der SPD hatte sich erheblicher Groll gegen Noske, den Ziehvater der Freikorps, aufgestaut. Es wurde bekannt, daß die Kapp-Putschisten ihn sogar für eine Spitzenposition in einer Militärregierung vorgesehen hatten. Der Sozialdemokrat Hermann Müller bildete eine neue Regierung, Noske mußte seinen Sessel im Reichswehrministerium räumen.

Nahezu erleichtert registrierte die SPD, daß sie nach den Wahlen zum ersten Reichstag am 6. Juni 1920 die Macht verlor. Im Vergleich zu den Nationalversammlungswahlen fiel sie von 37,9 auf 21,6 Prozent zurück. Nach dem Verlust der Regierungsverantwortung bekannte Hermann Müller: »Niemand von uns hat Sehnsucht, wieder in die Regierung einzutreten.« Die USPD erreichte einen Zulauf von 18 (vorher: 7,6) Prozent und war damit zu einem ernsthaften Konkurrenten geworden. Wenige Monate später, im Oktober 1920, brach sie jedoch auseinander, die Mehrheit schloß sich der KPD an. Während die SPD in Preußen weiter den Ministerpräsidenten und bis 1925 mit Ebert auch den Reichspräsidenten stellte, trat sie in die Reichsregierungen der nächsten acht Jahre nur noch als Juniorpartner ein oder tolerierte bürgerliche Regierungen.

»Halten Sie Ihren Jungen von der Politik fern.«

EINE SOZIALDEMOKRATISCHE JUGEND

Nationalistische Fanatiker erschossen am 26. August 1921 den Zentrumspolitiker Matthias Erzberger. Er war deutscher Unterhändler bei den Waffenstillstandsverhandlungen gewesen. Am 24. Juni 1922 wurde Außenminister Walther Rathenau ermordet, auch er galt den Rechten als Prototyp eines »Erfüllungspolitikers« gegenüber den Siegermächten. Dieser zweite Mord innerhalb von zehn Monaten löste überall im Reich Protestdemonstrationen aus. In Lübeck versammelten sich vierzigtausend Menschen. Sie forderten die Bürgerschaft auf, monarchistische Fahnen und Abzeichen zu verbieten, alle Straßen mit monarchistischen Namen umzubenennen, alle Regierungsstellen von Antirepublikanern zu säubern.

Im vierzehnköpfigen Lübecker Senat besetzte die SPD damals fünf Posten. Einer ihrer Senatoren, Fritz Mehrlein, hatte die Leitung der Polizei inne. Mit ihm sammelten die Lübecker Genossen im kleinen Maßstab ähnliche Erfahrungen wie die Reichs-SPD mit Gustav Noske. Bei einer Demonstration von Arbeitslosen im August 1923 verprügelten Mehrleins Polizisten den Ordnungsdienst der SPD, feuerten Schüsse in die Menge. Es gab Schwerverletzte, zu den Prügelopfern gehörten auch Frauen. Um ein weiteres Hochschaukeln der Situation zu verhindern, übernahm der als »Vereinigung Republik« organisierte SPD-Ordnungsdienst für einige Tage die Polizeigewalt.

Einer der neuen Ordnungshüter war Ludwig Frahm. Enkel Herbert durfte ihm den Henkelpott mit dem Essen aufs Polizeirevier bringen. Mit einer roten Binde um den Arm saß sein Großvater als Schreiber am Pult. Verwundert verfolgte der Neunjährige das strenge proletarische Regiment. Republikanische Wächter hatten einen Mann erwischt, der an einem Alleebaum seine Notdurft verrichtete. Zur Strafe wurde ihm auf der Wache eine Tracht Prügel verabreicht.

Nach Wiederherstellung von Ruhe und Ordnung kam es zu einer heftigen Auseinandersetzung zwischen der SPD-Mehrheit der Lübecker Bürgerschaft und dem Senat. Weil der Senat »kein Wort des Tadels für die Polizei fand« und die Schuldigen des brutalen Einsatzes nicht zur Rechenschaft zog, verlangten die sozialdemokratischen Abgeordneten eine Umbildung der Stadtregierung. Doch sie waren machtlos. Als sie dann mit einem Volksentscheid die Absetzung des Senats erzwingen wollten, scheiterten sie am Votum der Lübecker Bürger.

Zum letzten Mal demonstrierte die Mehrheit der Kaufleute im Senat 1926 ihr Selbstverständnis, als die 700-Jahr-Feier Lübecks ausgerichtet wurde. Der amtierende Bürgermeister Johann Neumann, parteilos, aber konservativer Gesinnung, schloß eine Mitbestimmung der SPD an der Gestaltung der Feiern aus. Die viertägige Geburtstagsfeier geriet zur Historienschau vergangener Hanse-Herrlichkeit. An Thomas Mann, inzwischen zu Weltruhm gelangt, kam der Senat nicht vorbei. Der Dichter steuerte einen Vortrag »Lübeck als geistige Lebensform« bei. In einem Rückfall in seine monarchistischen Überzeugungen sprach er verachtungsvoll von »kulturwidrigem Demokratismus«. Nur vier Jahre später sollte er das Bürgertum beschwören, nun endlich Frieden mit der Arbeiterschaft zu schließen und sich auf die Seite der Sozialdemokratie zu stellen.

Erst nach den Jubiläumsfeiern konnte die SPD durch politischen Druck den bisherigen Bürgermeister zum Rücktritt zwingen. Am 22. Juni 1926 wurde zum ersten Mal ein Sozialdemokrat, der gelernte Schriftsetzer Paul Löwigt, zum Bürgermeister der Freien und Hansestadt Lübeck gewählt. Für den einstigen mecklenburgischen Landarbeiter Ludwig Frahm war das wie ein Traum. Nie hätte er geglaubt, daß er das, was nach 1918 an parlamentarischer Demokratie verwirklicht wurde, selbst noch erleben würde. Keine noch so fragwürdige Wendung der eigenen Partei konnte ihn in dem Glauben beirren, daß die sozialistischen Verheißungen Bebels in Erfüllung gingen. Auch sein Enkel wuchs bereits in diese große Gemeinschaft, der die Zukunft gehören würde, hinein.

Herbert Frahm durchlief die klassischen Stationen sozialdemokratischen Gruppenlebens: zuerst die Kindergruppe des Arbeiter-Turnvereins, dann der Arbeiter-Mandolinenklub, mit vierzehn die »Falken«, ein Jahr später automatische Aufnahme in die SAJ, die Sozialistische Arbeiterjugend. Diese Jugendgruppen hatten revolutionär klingende Namen. Der 15jährige Herbert wurde Vorsitzender der »Karl Marx«-Gruppe. Doch im übrigen galten Pfadfinder-Ideale: täglich eine gute Tat begehen, ehrlich und pünktlich sein, keinen Alkohol trinken.

Wie die Pfadfinder trug man eine Art Uniform, leuchtendblaue Hemden und ein knallrotes Halstuch. Jungen und Mädchen gehörten diesen Gruppen an; sie gingen gemeinsam auf Wanderungen und Zeltlager, was bei den alteingesessenen Familien Lübecks auf sorgenvolles Kopfschütteln stieß. In sogenannten Kinderrepubliken erprobten die Jugendlichen Demokratie mit Lagerparlament und Bürgermeister.

Der junge Herbert war ein besonderer Tugendbold. Er stimmte für den Ausschluß von ein paar Jungen, die beim Zigarettenrauchen erwischt worden waren. Die Gruppe, die er leitete, beschloß, daß ihr nur Jungen angehören sollten. Er meldete sich zu einem 5000-Meter-Lauf und gewann ihn. Er war der einzige Teilnehmer.

Wie bei den Pfadfindern wurden abends an Lagerfeuern Volkslieder gesungen, aber auch »Brüder zur Sonne, zur Freiheit« und »Aus grauer Städte Mauern«, die Hits der internationalen Arbeiterbewegung. Am dramatischsten reimte sich die Arbeiter-Marseillaise: »Nicht zählen wir den Feind / nicht die Gefahren alle / Der Bahn, der kühnen, folgen wir / die uns geführt Lassalle!«

Ein Ausflug mit den Turnern hatte den neunjährigen Herbert nach Hamburg gebracht. Im Gewerkschaftshaus am Besenbinderhof waren ihm zwei Männer gezeigt worden, deren Namen sein Gruppenleiter mit von Ehrfurcht erfüllter Stimme flüsterte: Karl Kautsky und Eduard Bernstein. Die beiden SPD-Größen waren zum Gründungskongreß der Sozialistischen Arbeiter-Internationale an die Elbe gekommen. Auch den französischen Sozialisten Léon Blum

konnte der Knabe erspähen. Ein anderes Reiseziel war Friedrichs-
ruh, der letzte Sitz des Reichsgründers Otto von Bismarck und jetzt
politischer Wallfahrtsort. Der heranwachsende Herbert merkte sich
aus den Erzählungen, daß Bismarck und Ferdinand Lassalle inten-
sive Geheimgespräche über Nationalstaat und Sozialismus geführt
hatten.

Versatzstücke einer Jugend in den zwanziger Jahren: die erste
größere Reise von Lübeck durchs Ruhrgebiet, dann weiter zur Halbinsel Namedyer Werth bei Andernach am Rhein. Ein Zeltlager war
hier aufgeschlagen, Herbert Frahm war »Junghelfer« und unterhielt
die jüngeren Falken mit Kasperle-Theater. Dem Berliner Rundfunk
gab er sein erstes Interview. Bei einem Ausflug nach Koblenz, zum
»Deutschen Eck«, dem Zusammenfluß von Mosel und Rhein, sah er
zum ersten Mal französische Soldaten. Sie waren dort, elf Jahre nach
dem Ende des Ersten Weltkrieges, noch immer als Besatzungsmacht. Herbert Frahm fand, sie gehörten dort nicht hin.

Eine Sommerreise nach Dänemark führte ihn zum ersten Mal
zum nördlichen Nachbarn. 1930 spielte er die Hauptrolle in dem
Theaterstück »Hans Urian geht nach Brot«, mit dem zweitausend-
fünfhundert Jugendliche, die zu einer Kinderrepublik an den Gesta-
den der Lübecker Bucht zusammenkamen, auf die Ferienwoche ein-
gestimmt werden sollten. Er hatte seinen Text nicht gelernt, die
Souffleuse half ihm über die Runden.

Der jetzt 17jährige war zu einem Jungen herangewachsen, nach
dem sich die Mädchen umdrehten. Er hatte dichtes, welliges Haar,
weiche, geschwungene Lippen, wehmütige Augen und beim Lachen
ein Grübchen. Ihm gefiel die Gemeinschaft der Heimabende und die
Romantik der Fahrten. In der Jugendbewegung fühlte er sich geborgen, sie ersetzte ihm die Familie, die er uneingestanden vermißte.

Die nächste Reise ging durch mehrere Länder Skandinaviens –
Dänemark, Südschweden, die Fjorde und Berge des südlichen Norwegen. Er reiste als Tramp, mal per Auto, mal per Schiff. Von dieser
Nordlandfahrt kam er mit einer tiefen Sehnsucht nach den wortkar-
gen, aber ehrlichen und freundlichen Menschen dieser Region zurück. Er wollte Seeoffizier werden.

Schon als kleiner Junge hatte Herbert viel gelesen. Je älter er
wurde, desto mehr vergrub er sich in Bücher: Jack London (»Wolf
unter Wölfen«), Upton Sinclair (»Der Sumpf«), B. Traven (»Das To-

tenschiff«), Maxim Gorki (»Die Mutter«) und Ernst Toller (»Masse Mensch«). Er nannte die Bücher seine eigentlichen Freunde. Der Junge, der ohne Vater aufwuchs, die Mutter nur zweimal die Woche sah und der Frau des Großvaters aus dem Weg ging, schuf sich beim Lesen seine eigene Traumwelt. Wenn ihn jemand ansprach, tauchte er nur langsam daraus wieder auf. Erste Anzeichen eines Absonderns von seiner Umwelt machten sich bemerkbar.

Seine Mutter hatte im September 1927 den Maurerpolier Emil Kuhlmann geheiratet. Er war Mecklenburger und überzeugter Genosse wie der Großvater. Herbert nannte ihn »Onkel«. Bei den Gesprächen an der Hochzeitstafel schnappte Herbert den Namen eines Mannes auf, der sein leiblicher Vater sein sollte. Es war ein Name, wie er im Norden vorkommt. Möller? So hieß doch der Leiter des Konsum. Der Junge war sich im nachhinein nicht mehr sicher. Er beschloß, die Sache, über die bislang nicht geredet worden war, wieder zu vergessen.

Die Selbstabkapselung verstärkte sich, als Herbert ein paar Monate nach seinem vierzehnten Geburtstag auf das Johanneum wechselte. Ihm wurde das Schulgeld erlassen. Er erhielt, wie ein paar andere Arbeiterkinder auch, eine Begabtenförderung. Doch auf diesem »bürgerlichen« Gymnasium fühlte sich der Junge aus St. Lorenz anfangs wie in einer feindlichen Umwelt. Die »Bürgersöhne« plapperten nach, was sie zu Hause aufgeschnappt hatten: Die Weimarer Demokratie war für sie eine »Sozi Verfassung«, die Farben der neuen Fahne nannten sie verächtlich »Schwarz-Rot-Mostrich«. Meist aber unterhielten sie sich über Autos, Fußball oder Segelfliegen – eine andere Welt als die der Heimabende und Feldlager.

Herbert Frahm pflegte seine Außenseiterrolle. Im großen Umzug der SPD und der Gewerkschaften zum 1. Mai marschierte er im Blauhemd der Roten Pioniere mit rotem Halstuch und der gelben Schulmütze des Johanneums hinter der roten Fahne her. Seine Klassenkameraden fanden das »unmöglich«.

Mit derselben Verkleidung erschien er auch regelmäßig am 11. August, dem Verfassungstag der Republik von Weimar, in der Schule. Genauso regelmäßig wurde er, weil das Tragen von Uniformen gegen die Schulordnung verstieß, wieder nach Hause geschickt. Seine Mitschüler begannen, seinen Mut zu bewundern. Weil er gute Noten hatte und ein überlegener Diskussionsredner war, akzeptierten sie ihn allmählich. Keiner von ihnen wäre in der Lage gewesen, so wie er ein Gedicht aufzusagen, das der Deutschlehrer reihum von jedem zu Beginn seiner Stunden verlangte. Mit einer vom Pianissimo bis zum Fortissimo variierenden Stimme und mit vor Leidenschaft rotem Kopf trug Herbert Frahm, auch hier ganz im Rollenspiel, sozialkritische und pazifistische Werke vor. Dramatisch rezitierte er das »Erntelied« von Richard Dehmel: »Es kommt ein dunkles Abendrot / viel arme Leute schrein nach Brot / Mahle, Mühle, mahle!«

Seine Klassenkameraden tauften ihn den »Politiker«. Oft schwänzte er die Schule und schrieb sich seine Entschuldigungen selbst. Zu Hause betrachteten Mutter und Großvater die Schulmütze als Statussymbol mit heimlichem Stolz.

Der Oberschüler von jenseits des Holstentors hatte das Glück, am Johanneum auf einfühlsame Pädagogen zu treffen. Insbesondere Deutsch und Geschichte, die beiden Lieblingsfächer Herbert Frahms, wurden von einem Mann unterrichtet, der dem Jungen das Gefühl gab, akzeptiert zu werden.

Der Lehrer, mit Kneifer und mächtigem Schnauzbart, hatte den konservativen Freiheitsgeist der Friesen. Während des Unterrichts dozierte er nicht vom Katheder, sondern spazierte zwischen den Reihen umher und verwickelte die Schüler in Diskussionen. Er zeigte Verständnis für das politische Engagement seines Schülers Frahm und ließ ihn als Primaner eine Jahresarbeit über August Bebel schreiben. Seine »Eins« im Mündlichen durfte Herbert mit einem Vortrag über den Unterschied zwischen Ursache und äußerem Anlaß von Kriegen verteidigen.

Auch zum Abitur legte dieser Professor für den Oppositionsgeist seines Schülers Frahm einen Köder aus. Neben dem üblichen Goethe-Zitat und einem Geschichtsereignis hatte er sich als drittes Thema einfallen lassen: »Ein Neuköllner Abiturient sagte bei der Schulentlassungsfeier: Die Schule hat uns nichts Wesentliches für das Leben gegeben. Wir sind ihr nicht zu Dank verpflichtet. Wir sind eine Jugend ohne Hoffnung.« Frahm, der erwartungsgemäß dieses Thema wählte, schrieb in seinem Aufsatz: »Was hat mir die Schule gegeben? ... Wenn alles gutgeht, einen Berechtigungsschein, der zu nichts berechtigt. Aber vielleicht kann ich ja Konditor mit Abitur werden.« Und an anderer Stelle: »Ich bin zum Leidwesen meiner Lehrer die letzten Jahre immer meine eigenen Wege gegangen, ich bin nicht traurig darüber. Sondern ich freue mich, denn ich glaube, ich wäre ein armer Mensch, hätte ich nicht das, was ich selber erarbeitet habe.«

Dann stellte der Abiturient eine Verbindung her zwischen der Erziehung und der jeweiligen Staatsform: »Italien führt die autoritative Erziehung in starkem Maße durch. Gehorsam dem Führer ist erstes Gebot. Wer das faschistische System an sich als das der Zukunft ansieht und es wünscht, muß auch diese Form der Erziehung für den Ausweg halten. In Rußland Erziehung zur Gemeinschaft. Politisch hat Rußland das Sowjetsystem, die Diktatur des Proletariats. Also Erziehung in diesem Sinne. . . . Die Heranbildung zum tüchtigen Menschen der Wirtschaft, der Industrie, ist die Hauptsorge der Sowjets. . . . Dieses ist also der andere Weg aus der Haltlosigkeit unserer Tage. Erziehung für die Gemeinschaft, Erziehung für den planmäßigen Aufbau.«

Dem Abiturienten Frahm schien klar, daß Mitteleuropas Wege »irgendwo in einer dieser Richtungen liegen« würden. Er holte sich mit seiner Argumentation ein »sehr gut«. Sein Lehrer befand, daß eine Schule wie das Johanneum jede Kritik vertragen könne, »nur muß sie eine Logik in sich tragen«.

Frahms Klassenlehrer unterrichtete Englisch und Französisch. Nach Kräften förderte er die Sprachbegabung des Jungen. Einmal geriet er mit Frahm aneinander. Der Lehrer war an einer Erwerbslosenversammlung vorbeigekommen. Die Leute, so berichtete er der Klasse, hätten nach Brot gerufen. Aber denen gehe es gar nicht um Brot, sondern um die Wurst auf dem Brot. »Warum nicht«, rief Herbert Frahm dazwischen, »warum sollen Arbeitslose trockenes Brot essen?« Herberts Mutter riet der Lehrer bei einem Elternabend: »Halten Sie Ihren Jungen von der Politik fern. Der Junge hat gute Anlagen, es ist schade um ihn. Die Politik wird ihn ruinieren.« Die Warnung kam zu spät.

»Wie könnt ihr nur so undankbar sein?«

ERSTE SCHRITTE IN DIE POLITIK

Seit seinem Wechsel zum Johanneum war Herbert Frahm fast täglich nach Schulschluß zum Gewerkschaftshaus gelaufen, das ein paar Schritte weiter in derselben Straße lag. Hier war auch die Redaktion des »Volksboten« untergebracht. Das SPD-Blatt hatte inzwischen mehr als zwanzigtausend Abonnenten und war nach den heftig befehdeten bürgerlichen »Lübeckischen Anzeigen« zum zweitgrößten Lokalblatt geworden. Als 14jähriger hatte Herbert mit einem Artikel einen für Jugendliche ausgeschriebenen Wettbewerb des »Volksboten« gewonnen und als Prämie ein Exemplar des »Lederstrumpf« erhalten. Von da an schrieb er immer wieder Artikel für das Blatt, die in dessen Jugendbeilagen – »Rote Falken« und »Die Stimme der Jugend« – gedruckt wurden.

Herbert schrieb mal über Sport (»Lübecker Rote Pioniere in Wismar – Bezirkssporttag der SAJ Lübeck-Mecklenburg«), mal jugendbewegt über eine Kinderrepublik in Schleswig-Holstein: »Ein halb sieben Uhr raus! Alles zum Strand und gewaschen. Dann großer Waldlauf, damit der letzte Rest des Schlafes weggejagt wird. Die Genossen sammeln sich unter dem Fahnenmast. Unter Trommelwirbeln steigt die rote Lagerfahne . . . Höhepunkt des Tages aber wird die Kundgebung in Mölln. Vom Lager geht's in die Stadt, durch die Straßen der Stadt, in denen die Spießer stehen und Mund und Ohren aufreißen. Tausend Jungs und Mädels in Blau mit roten Halstüchern.« Er zeichnete seine Artikel mal mit H. F., mal mit vollem Namen.

Bekenntnischarakter bekam sein Artikel »Wir und das Elternhaus«. Zwar hütete sich der Junge davor, irgendwelche persönlichen Gefühle zu offenbaren. Doch gerade weil er von seiner Lebensproblematik abstrahierte und für sein Los bei Karl Marx eine wissenschaftliche Erklärung suchte, wirken die Sätze um so verlorener: »Karl Marx schreibt im Kommunistischen Manifest: ›Worauf beruht die gegenwärtige, die bürgerliche Familie? Auf dem Kapital, dem Privaterwerb. Vollständig entwickelt existiert sie nur für die Bourgeoisie, aber sie findet ihre Ergänzung in der erzwungenen Familienlosigkeit der Proletarier . . .‹ Danach würde sich vielleicht erübrigen, von einer ›proletarischen Familie‹ zu sprechen. Denn die Familie ist ja nach dem vorangestellten Satz von Karl Marx wirtschaftlich begründet. Dem Proletariat fehlt dieses wirtschaftliche Fundament und damit die Voraussetzung der Familienbindung. . . . Wir müssen erkennen, daß sich der junge Genosse, der aus einem ausgeprägten proletarischen Haushalt kommt, ganz anders in der Gemeinschaft verhalten wird als der Genosse aus einer gehobenen Arbeiterfamilie. Der Jugendliche aus dem vollproletarischen Haushalt sucht Anlehnung . . .«

Pech hatte der junge Journalist nur mit ein paar laienhaften Betrachtungen über die Angler an der Trave. In einem Brief an die Redaktion protestierte der Arbeiter-Anglerbund – auch den gab es – gegen den »Unsinn, den ein Reporter, der nichts von der Sache versteht, sich da aus den Fingern gesogen hat«. Kommentar des so Gescholtenen: »Ich fand es ratsam, mich mehr auf das Politische zu verlegen.«

In der Redaktion war Herbert Frahm gut gelitten. Drei Redakteure, einer fürs Lokale, einer fürs Feuilleton und einer fürs Politische, sowie eine Sekretärin machten das Blatt. Und außerdem gab es noch einen Chefredakteur. Das war, seit März 1921, der gebürtige Elsässer Julius Leber. Sein Vorgänger war in den Lübecker Senat gewählt worden.

Dr. Julius Leber – nie vergaßen die Genossen, beim Nennen seines Namens den Doktortitel ehrfurchtsvoll voranzustellen – hatte sich bei Ausbruch des Ersten Weltkrieges als Freiwilliger gemeldet und es zum Leutnant gebracht. Als 1919 Elsaß-Lothringen an Frankreich fiel, votierte er für Deutschland. Mit dreißig kam er nach Lübeck. Schon bald wuchs er über das Amt des Chefredakteurs einer lokalen Parteizeitung hinaus. Er war ein mitreißender Redner, aber kein Demagoge; er war ein Patriot, aber kein Nationalist. 1921 wählten ihn die Lübecker in die Bürgerschaft, 1924 kam er auch in den Reichstag. Von einem Maurer an Sohnes Statt aufgezogen – auch Leber erfuhr nicht den Namen seines richtigen Vaters, der die Mutter mit einem Stück Land abgefunden hatte –, heiratete er in Lübeck ins Bürgertum, in die Schicht, deren bestgehaßter Mann er binnen kurzem war. Seine Frau war die Tochter des Direktors des altehrwürdigen humanistischen Gymnasiums Katharineum. In der Lübekker SPD war Leber eine unumstrittene Autorität, die Gesamtpartei wußte mit diesem kantigen Mann nichts Rechtes anzufangen.

Denn Leber blieb auch in der Politik ein Frontkämpfer. Von der SPD verlangte er, sie sollte »Heimat sein für jene im Krieg heimatlos gewordene Jugend, die ein neues Vaterland sucht«. Das Lavieren der Sozialdemokraten im Reichstag – nicht richtige Regierungspartei, aber auch nicht richtige Opposition – verspottete er als »Lust an der Ohnmacht«, die sozialdemokratische Erbsünde. Vehement kämpfte Leber gegen die – nach Noskes Entfernung aus dem Kabinett wieder verstärkten – pazifistischen Neigungen in seiner Partei an. Wenn man um die Macht im Staat kämpfe, dann müsse man auch die Kontrolle über das Militär gewinnen wollen. Mit Lebers Fürsprache wurde Herbert Frahm schon 1930 als 16jähriger in die SPD aufgenommen. Das Mindestalter betrug eigentlich achtzehn Jahre.

Zu diesem Zeitpunkt hatte der Niedergang der Demokratie von Weimar bereits begonnen. Während der gesamten zwanziger Jahre war es der SPD nicht gelungen, sich als Partei der Unterprivilegierten auszuweisen. Ihre führenden Leute – voran der Kanzlerkandidat Hermann Müller – waren farblos und ohne Attraktion für die Massen. Die Kleinbürger und Angestellten, die während der Inflationsjahre 1922–1923 verarmt waren, wollten bei ihrem sozialen Abstieg nicht in der Klasse der Proletarier landen. Der SPD kreideten sie an, am nationalen Unglück und damit auch an ihrem trostlosen Schicksal schuld zu sein. Einen Aufstieg erhofften sie sich in der »Volksgemeinschaft«, wenn das Reich zu neuer Größe und Weltgeltung geführt würde, wie es die Konservativen, völkische Gruppen aller Art und schließlich die Nationalsozialisten verhießen.

Im Februar 1925 starb der sozialdemokratische Reichspräsident Friedrich Ebert. Zum Nachfolger wurde im zweiten Wahlgang der von den Rechtsparteien ins Feld geschickte Nationalheros Paul von Hindenburg gewählt. Die Sozialdemokraten hatten den Zentrumskandidaten Wilhelm Marx mitgetragen. An dessen Sieg fehlten neunhunderttausend Stimmen. Sie wären ihm sicher gewesen, hätte nicht die KPD mit Ernst Thälmann einen eigenen Kandidaten ins Rennen geschickt, der 1,9 Millionen Stimmen bekam. Nach dem Einzug des greisen Kaiserlichen Feldmarschalls ins höchste Staatsamt schrieb der Chefredakteur des »Berliner Tagblatts«, Theodor Wolff: »Die Republikaner haben eine Schlacht verloren.«

Dennoch erhielt die SPD nach den Reichstagswahlen vom Mai 1928 noch einmal die Chance, die Regierungspolitik zu bestimmen. Hermann Müller wurde wiederum Kanzler, sein Kabinett bestand aus SPD, Zentrum, DDP und DVP. Die Regierung erreichte im August 1929 im sogenannten Young-Plan eine Verringerung der Reparationslasten und eine vorzeitige Räumung des noch immer besetzten Rheinlandes. Die Rechtsnationalen im Reichstag – NSDAP und DNVP – diffamierten diesen Erfolg, indem sie per Volksbegehren eine Zuchthausstrafe für jeden einführen wollten, der dem Young-Plan zustimmte.

Solche Aktionen fanden um so mehr Beifall, als die Regierung Müller ein zunehmend wirres Bild bot. Die frühere bürgerliche Regierung hatte den Bau eines Panzerkreuzers beschlossen. Die SPD war im Wahlkampf gegen dieses Projekt mit der Parole »Kinderspeisung statt Panzerkreuzer« zu Felde gezogen. Nun, in der Regierungsverantwortung, war sie an die Beschlüsse des vorangegangenen Kabinetts gebunden und sollte Geld für den Panzerkreuzer bereitstellen. Die Mehrheit der Partei und der Reichstagsfraktion lehnte sich dagegen auf. Schließlich beugten sich die SPD-Minister diesem Votum und stimmten im Reichstag gegen das Regierungsprojekt.

Die SPD hatte sich noch nicht von diesen Auseinandersetzungen erholt, da löste im Oktober 1929 der »Schwarze Freitag« an der New Yorker Börse eine Weltwirtschaftskrise aus. In Deutschland waren innerhalb kurzer Zeit 3,2 Millionen Menschen arbeitslos. Um die wachsenden Ausgaben für dieses Heer von Erwerbslosen finanzieren zu können, wollte die Regierung einerseits die Beiträge zur Arbeitslosenversicherung um ein halbes Prozent heraufsetzen, andererseits die Leistungen verringern. Die sozialdemokratische Fraktion aber mochte diese Leistungsverringerung nicht akzeptieren. Sie verlangte eine Erhöhung der Beiträge zur Arbeitslosenversicherung um ein weiteres Prozent. Die bürgerlichen Koalitionsparteien waren kompromißbereit, zuletzt ging es noch um ein viertel Prozent. Kanzler Müller – gequält von einem bösartigen Gallenblasenleiden, an dem er in Jahresfrist sterben sollte – gab entnervt auf und trat im Frühjahr 1930 zurück. Die liberale »Frankfurter Zeitung« schrieb: »Es gibt ein Maß von Einsichtslosigkeit, das zur Schuld wird.«

Julius Leber, der Verbindungsmann der SPD zur Reichswehr, war für den Bau des Panzerkreuzers. Auch befürwortete er einen Leistungsabbau in der Versorgung der Erwerbslosen. Sein Schützling Herbert Frahm bezog entgegengesetzte Positionen. Und das nicht nur bei Redaktionskonferenzen des »Volksboten«, sondern auch auf Massenveranstaltungen der SPD, zu denen Leber eingeladen hatte. Aus dem Stegreif und ohne die bei den Genossen in Lübeck übliche Ehrfurcht vor der Autorität Lebers sprach Herbert Frahm gegen ihn an. Deutschland brauche keine Panzerkreuzer – »der Feind steht im eigenen Land«. Soziale Reformen – für Frahm »Beruhigungspillen, um die Aktivität und Entschlußkraft der Massen zu lähmen«. Lebers Zustimmung zur Kürzung der Arbeitslosenversicherung sei »Heranmüllerei«. Demokratie, das sei doch nur noch ein »leeres Wort«. Und die Republik? Mit hochrotem Kopf rief er es in den Saal: »Sie begünstigt ihre geschworenen Feinde und verfolgt ihre Anhänger.«

Die älteren Genossen schrien den jungen Störenfried nieder. Wo er denn im Krieg gewesen sei? Und: Er solle doch erst mal trocken hinter den Ohren werden. Herbert Frahm, frech und schlagfertig: »Das Alter kommt von selbst, nicht der Verstand.« Zum traditionellen Umzug am 1. Mai erschien der junge Radikale mit dem Transparent: »Republik, das ist nicht viel – Sozialismus ist das Ziel!«

Der Großvater stellte ihn zur Rede. Die Weimarer Republik habe das allgemeine, geheime und gleiche Wahlrecht und den Achtstundentag gebracht, für die sozial Schwachen seien Wohnungen gebaut worden. »Wie könnt ihr nur so undankbar sein?« Der Enkel antwortete ihm in der Jugendbeilage des »Volksboten«: »Erkennt doch endlich auch andere Anschauungen neben eurer an. Dabei herrscht ja auch meistens bei den Parteigenossen noch vollkommene Unklarheit über die wirklichen Gedankengänge dieser ›radikalen Jugendlichen‹.«

». . . vielleicht stehen wir der SPD am wenigsten nahe.«

PARTEIWECHSEL

Mit seiner Protesthaltung war Frahm, der inzwischen auch Funktio-
närskarriere machte und 1931 stellvertretender SAJ-Vorsitzender
des Bezirks Lübeck-Mecklenburg wurde, der Prototyp einer neuen
Generation von Arbeiterjugendlichen. Sie hatten den folkloristi-
schen Lebensreform-Sozialismus abgelegt, liebten uniformiertes
Auftreten, bekannten sich zu Disziplin und Leistung. In einer »linken« Kaffeestube in Lübeck lasen Frahm und seine Freunde die
»Weltbühne« mit ihren Enthüllungsgeschichten über Fememorde,
korrupte Justiz, illegale Reichswehr-Rüstung. So sparten sie fünfzig
Pfennige für den Kauf des Blattes, zahlten nur fünfzehn Pfennige
für eine Tasse Kaffee und ein Stück Kuchen.

Die Mutterpartei wurde nach Ansicht dieser jungen Protest-
Garde nicht geführt, allenfalls gut verwaltet. Der Entfremdungspro-
zeß verstärkte sich, als die Reichs-SPD in völliger Hilflosigkeit der
Agonie der Weimarer Republik zusah. Nach dem Auseinanderbrechen des Kabinetts Müller ernannte Reichspräsident Hindenburg
den Zentrumsabgeordneten Heinrich Brüning zum Reichskanzler
und ermächtigte ihn, mit Hilfe des Notverordnungs-Artikels 48 der
Weimarer Verfassung ein nichtparlamentarisches Regiment zu führen. Mit rigorosen Sparmaßnahmen wollte Brüning die Wirtschaftskrise meistern – vergeblich. Die SPD nahm's hin. Ihr Fraktionsvorsitzender Rudolf Breitscheid: »Wir tolerieren den Schaden, der der
demokratischen Form zugefügt wird, um den demokratischen Gehalt der Verfassung zu retten.«

Im September 1930 erlitt die SPD bei vorgezogenen Reichstagswahlen erhebliche Verluste (von 29,8 Prozent im Jahr 1928 sank sie
auf 24,5 Prozent). Die Nationalsozialisten dagegen schnellten von
2,6 auf 18,3 Prozent hoch. Sie hatten jetzt 107 statt bislang zwölf
Abgeordnete im Reichstag. »Katastrophenwahl« hieß fortan die
September-Abstimmung im linken Lager.

Dann, bei den Präsidentschaftswahlen im März 1932, unterstützte die SPD auch noch die Wiederwahl des reaktionären und in-

zwischen verkalkten 84jährigen Hindenburg. Sie rechtfertigte dies damit, nur so sei der Gegenkandidat Adolf Hitler von der NSDAP zu verhindern.

Wenige Monate darauf, am 20. Juli 1932, stürzte der von Hindenburg berufene neue Reichskanzler Franz von Papen in einem Staatsstreich die preußische Regierung unter dem Sozialdemokraten Otto Braun und setzte sich selbst als Reichskommissar ein. Damit war er zugleich Herr über die neunzigtausend Mann starke preußische Polizei. Die letzte Bastion sozialdemokratischer Macht war geschleift. Vergebens hofften die Einheiten der »Eisernen Front« – einer demokratischen Kampfeinheit von SPD, Gewerkschaften und Arbeiter-Sportorganisationen zur Verteidigung der Republik – auf ein Signal zum Einsatz. Vergebens hofften die Arbeiter in den Betrieben auf die Ausrufung des Generalstreiks.

Die SPD-Spitze entschloß sich gerade noch zu einer Klage gegen den Verfassungsbruch beim Staatsgerichtshof. Der Präsident des preußischen Staatsrats, der Kölner Oberbürgermeister Konrad Adenauer (Zentrum), stand fassungslos vor der Passivität, mit der Braun und sein Innenminister Carl Severing den »Preußenschlag« geschehen ließen. Nach seiner Meinung hätten sie die gut ausgerüsteten Einheiten der preußischen Polizei mobilisieren müssen, um den Staatsstreich Papens niederzuschlagen. Adenauer: »Ich bin kein Revolutionär. Aber es gibt Momente, da kommt es auf den Mut an, und da muß man zuschlagen.« Zufrieden notierte der Propagandachef der NSDAP, Joseph Goebbels, am Abend dieses 20. Juli 1932 in seinem Tagebuch: »Man muß den Roten nur die Zähne zeigen, dann kuschen sie.«

Nach der »Katastrophenwahl« vom September 1930 wurde der Ruf der Parteilinken und der Parteijugend nach Aktionen und die Kritik an dem untätigen, überalterten Parteiapparat der SPD immer stärker. Die SPD-Führung wehrte sich mit den klassischen Disziplinierungsinstrumenten. Zunächst einmal löste sie die Organisation der »Jungsozialisten« auf, einen Zusammenschluß junger radikaler, besonders an der theoretischen Diskussion interessierter Sozialdemokraten. Dann beschränkte sie die Selbständigkeit der Sozialistischen Arbeiterjugend. Ihre gewählten Funktionäre mußten künftig durch die SPD-Führung bestätigt werden. Und schließlich, am 29. September 1931, schloß der Berliner Vorstand der SPD die beiden

Reichstagsabgeordneten und Anführer des linken Flügels, Kurt Rosenfeld und Max Seydewitz, wegen »sonderorganisatorischer Betreibungen« aus der Partei aus. Der Linksopposition wurde kurzerhand Nähe zum Kommunismus unterstellt.

Rosenfeld, früher preußischer Justizminister, und Seydewitz zogen eine kleine Gruppe »linker« Sozialdemokraten und »rechter« Kommunisten zu sich herüber und gründeten ein paar Tage später, am 4. Oktober 1931, die Sozialistische Arbeiterpartei (SAP). Die SAP sah sich, in Abgrenzung zur moskautreuen KPD und zur revisionistischen SPD, als die »wahrhaft kommunistische Partei«, als Kristallisationspunkt der »durch den Zusammenbruch von SPD und KPD« in Bewegung geratenen revolutionären Kräfte. In ihrem Selbstverständnis ging ihre Traditionslinie über Rosa Luxemburg zurück zu Marx und Engels, für deren Lehren sie als Erbwalter auftrat. Sie rief alle sozialistischen Gruppen zu einer »Proletarischen Einheitsfront« im Kampf gegen den Faschismus auf. Weder SPD noch KPD wollten zu jenem Zeitpunkt diese Einheitsfront. Für die Kommunisten waren die Sozialdemokraten mit ihrer Unterstützung des Bürgerlagers »Sozialfaschisten«.

Bei den Altgenossen blieb das Echo auf das SAP-Werben gering. Nur in Sachsen, Schlesien und Berlin, teilweise auch in Thüringen und im Ruhrgebiet, wechselte eine größere Anzahl älterer Sozialdemokraten zur SAP über. Die meisten jedoch erinnerten sich noch daran, wie die politische Arbeiterschaft Anfang der zwanziger Jahre durch die Abspaltungen von der SPD geschwächt wurde.

Unter den Jugendlichen aber hatten die Abwerbungsversuche einen um so größeren Erfolg. In Scharen traten die unzufriedenen »Linken« der SAJ dem »Sozialistischen Jugendverband« (SJV) der neuen Partei bei. Im Verhältnis zu ihrer Mitgliederzahl besaß die SAP bald die größte Jugendorganisation aller Parteien oder politischen Gruppen der Arbeiterbewegung. Sie galt als »chic«. Linksbürgerliche Intellektuelle wie Albert Einstein oder die Schriftsteller Kurt Tucholsky und Lion Feuchtwanger schickten Sympathieadressen. Der Chefredakteur der Zeitschrift »Die Weltbühne«, Carl von Ossietzky, schrieb in einem Brief an Kurt Rosenfeld: »Was als ›Spaltung‹ gebrandmarkt werden soll, stellt sich bei näherem Hinsehen als letzter Rettungsversuch dar . . .«

Seydewitz hatte, noch vor der Spaltung, einmal in Lübeck gesprochen. Er hatte gegen die Politik der »Tolerierung« des Kabinetts Brüning gewettert. Unter den Zuhörern: Herbert Frahm. Mit Zwischenrufen suchte er den Redner an Radikalität zu übertreffen. Er fühlte sich zu dieser Zeit längst nicht mehr in der Partei geborgen, die er einmal als Familienersatz empfunden hatte. Sein Protektor Julius Leber verteidigte in Lübeck die Tolerierung Brünings: Es gelte, »Schlimmeres zu verhindern«. Frahm aber meinte, dieses Schlimmere könne nur noch durch Entschlossenheit zum Kampf verhindert werden.

Zusammen mit Gesinnungsgenossen suchte er die Konfrontation mit den auch in Lübeck immer zahlreicher und radikaler auftretenden Nationalsozialisten. Er tauchte in einer NSDAP-Veranstaltung im Lübecker Konzerthaus auf und erhielt sogar zehn Minuten Redezeit. Scharf attackierte er die Nazis und ihr Ziel, eine braune Diktatur aufzubauen. »Nationalsozialismus und Sozialismus stehen zueinander wie Feuer und Wasser!« Die Volksgemeinschaft der Nazis lasse für Andersdenkende nur das Gefängnis übrig. Es kam zu Tumulten, die Versammlung flog auf. Der Versammlungsleiter, der später Gauleiter in Lübeck wurde, gab sich gegenüber dem Jungen großmütig. Er habe wohl vorher Alkohol getrunken, weil er so gut gesprochen hätte.

Es blieb nicht bei Wortgefechten. Herbert Frahm und seine Freunde aus der Arbeiterjugend prügelten sich in den Straßen Lübecks mit den Hitlerjungen, lieferten sich mit Nazitrupps bis spät in die Nacht schwere Straßenschlachten. Wegen einer dieser abendlichen Schlägereien kam Frahm vor Gericht. Die Anklage lautete auf Körperverletzung. Er wurde mangels Beweisen freigesprochen.

In dieser Zeit des Zweifelns an seiner Partei und auf der Suche nach neuen politischen Weggefährten ging Herbert Frahm mit seinen Freunden auch zu kommunistischen Versammlungen, unter anderem des »Kommunistischen Jugendverbandes Deutschlands« (KJVD) und des »Kampfbundes gegen den Faschismus«. Ihm schien, daß die Kommunisten »gar nicht so unrecht haben: Unter einer proletarischen Diktatur konnten die Arbeiter vielleicht hoffen, ihre Existenz zu sichern und die Feinde des Volkes unschädlich zu machen«. Aber beitreten mochte er der KPD nicht. Ihn störte die Fernsteuerung der Partei durch Moskau. Die Lübecker an der Spitze der lokalen Organisation kannte er als engstirnig und kleinkariert. Das war keine überzeugende Alternative.

Anfang Oktober 1931 wurde auch in Lübeck eine SAP-Gruppe gegründet. Herbert Frahm, noch immer Mitglied der SPD und Funktionär der SAJ, sah sich plötzlich aus einer persönlichen Zwangslage befreit: Jetzt mußte er nicht mehr zwischen Sozialdemokratie oder Kommunisten wählen, sondern ihm bot sich eine dritte Lösung an. Wie er empfanden viele junge Lübecker.

Julius Leber sah das Unglück der Spaltung kommen und ergriff Abwehrmaßnahmen. Er berief eine Funktionärsversammlung ein, die mit hundert gegen vier Stimmen in einer Entschließung die Spaltungsbestrebungen verurteilte. Die Funktionäre forderten den Vorstand auf, mit »allen Mitteln« die Einheit der Lübeckischen Parteiorganisation zu wahren. Er solle auch »Maßnahmen ergreifen, um die drohende Zersetzung der Lübecker SAJ-Organisation abzuwehren und ihre Einheit und Geschlossenheit zu erhalten«.

Die bisherigen Leiter der SAJ Lübecks, darunter auch der Bezirksvize Frahm, legten daraufhin ihre Ämter nieder. Jetzt erkannte Leber die Chance, die Auseinandersetzung mit den aufmüpfigen Jugendlichen nicht mehr politisch zu führen, sondern mit einer Diffamierungskampagne zu entscheiden. Den abgetretenen Jugend-Vorständlern warf er Mißwirtschaft bis hin zu halbkriminellen Handlungen vor. Er bezichtigte sie, verschiedene SAJ-Heime in Lübecker Arbeitervierteln ausgeplündert zu haben. Der zurückgetretene Kassierer habe seit Monaten keine Beitragsrechnung aufgestellt; statt dessen habe er leere Kassen und Schulden in Höhe von 1283 Mark hinterlassen. Leber: »Das ist das Resultat einer Wirtschaft, die sich seit Jahren an wilden Phrasen berauschte, aber an Leistungen nicht das Geringste aufzuweisen hatte, außer einer schon ans Lächerliche grenzenden Hetze gegen die Partei!«

Leber rief dann zu einer öffentlichen Abrechnung eine Vollversammlung der SAJ ins Gewerkschaftshaus ein. Herbert Frahm und eine Reihe anderer SAJ-Radikaler attackierten ihn mit Sprechchören und Zwischenrufen. Vorsorglich aber hatte Leber ein paar Dutzend Arbeiter als Saalschutz postiert. Es kam zu Tumulten, Frahm und seine Gesinnungsgenossen wurden aus dem Saal geprügelt. Lebers »Volksbote« berichtete: »Und es standen als Anführer inmitten des wilden Haufens der Student Peters und der Schüler Frahm, die beide zu den Spaltern gehören. Auch einige junge Kommunisten hatten sich dazwischengeschmuggelt und kreischten eifrig mit.«

Die »Dissidenten« unter Führung der Karl-Liebknecht- und der Karl-Marx-Gruppe, der Frahm angehörte, zogen einige Straßenzüge weiter in ein Arbeitersportheim. Dort beschlossen sie den Übertritt zum Sozialistischen Jugendverband (SJV), der Jugendorganisation der SAP. Die Hälfte aller Lübecker SAJler schloß sich an. Der Bruch mit der SPD war vollzogen, die Spaltung da. Herbert Frahm wurde Lübecker Vorsitzender des SJV und zugleich in den örtlichen SAP-Vorstand gewählt. Als Agitprop-Leiter war er zuständig für Reden, Flugblätter und Plakate. Und laut SAP-Programm war er fortan darauf verpflichtet, die Sowjetunion gegen Aggressionen kapitalistischer Staaten zu unterstützen.

Am nächsten Morgen appellierte Leber im »Lübecker Volksboten« an die sozialdemokratischen Eltern: »Es wird in Zukunft in der Lübecker SAJ anders aussehen. Die Partei übernimmt dafür die Gewähr! Schickt deshalb eure Kinder zur Sozialistischen Arbeiterjugend. Sie werden dort in Zukunft in eurem Sinne erzogen zu echter Solidarität und in echt sozialistischer Gesinnung!«

Es kam noch zu einer letzten Aussprache zwischen Leber und Herbert Frahm. Der 40jährige Arbeiterführer versuchte, den 17jährigen Aufrührer zur Umkehr zu bewegen. Ob Frahm denn von allen guten Geistern verlassen sei? Die SAP sei doch nur ein halber Krüppelverein. Revolutionäre wollten die sein? »Impotent sind die, sie flüchten sich in den Radikalismus, weil sie sonst nichts darstellen.« Dann versuchte es Leber auf die kumpelhafte Tour: Frahm wisse doch trotz seiner Jugend ein gutes Buch, einen guten Tropfen, die Gunst eines schönen Mädchens zu schätzen. Er gehöre nicht zu diesen Sektierern. Für solche Töne aber hatte Herbert Frahm in dieser Situation kein Verständnis. Er protestierte gegen die Diffamierung seiner neuen Parteifreunde mit scharfen, aufgeregten Worten. Die beiden schieden unversöhnt und verbittert.

Wie radikal Herbert Frahm mit seiner alten Partei gebrochen hatte, zeigt ein Artikel, den er kurz darauf für die »Sozialistische Arbeiterzeitung«, die Tageszeitung der SAP, schrieb: »Der Wandlungsprozeß in uns hat sich so weit vollzogen, daß wir der SPD ideologisch nicht mehr näherstehen als irgendeiner anderen proletarischen Partei. Im Gegenteil, vielleicht stehen wir der SPD am wenigsten nahe.« Dies konnte nur heißen: Im Vergleich zur SPD war den neuen SAPlern selbst die KPD lieber.

Für Frahm hatte der Bruch auch unmittelbare materielle Folgen. Fortan konnte er nicht mehr mit Artikeln im »Lübecker Volksboten« Geld verdienen. Er hatte Journalist werden wollen, Leber hatte ihm versprochen, daß die Partei ihm das Studium mit einem Stipendium finanzieren würde. Seine beruflichen Zukunftspläne waren zerplatzt.

»Freiheit!«

HITLERS MACHTÜBERNAHME

Im Februar 1932 machte Herbert Frahm das Abitur. Nach der Reifeprüfung wurde er Volontär bei der Lübecker Schiffsmaklerfirma F. H. Bertling (Spedition, Reederei, Binnenschiffahrt, Versicherungen) in der Großen Altefähre. Sein Entgelt betrug fünfzehn Reichsmark pro Monat. Als Mitglied des Zentralverbandes der Angestellten war er jetzt auch gewerkschaftlich organisiert. Bei seiner neuen Arbeit kam ihm seine Sprachbegabung zugute. Englisch hatte er auf der Schule gelernt, ein paar Brocken Dänisch und Norwegisch auf seinen Skandinavienreisen in den Schulferien aufgeschnappt. Mit den fremden Seeleuten konnte er sich in ihrer Landessprache unterhalten, mit den Fischern aus Holland und Flandern sprach er Platt. Der Volontär Frahm stellte Zollpapiere aus und deklarierte Frachten. Zur Arbeit kam er mit dem Fahrrad.

Der Großvater war inzwischen in eine Neubauwohnung umgezogen, sein Enkel mit ihm. Die neue Wohnung hatte zwei große Zimmer, Küche und, was der Großvater als ungeheuren Luxus empfand, ein modernes Bad. In der Miete von fünfzig Reichsmark – das entsprach dem Wochenlohn von Ludwig Frahm – war auch eine Dachkammer von sechs Quadratmetern enthalten mit einem kleinen Fenster zum Hof; in sie quartierte sich wieder der Enkel ein.

Hier tippte Herbert Frahm nach Feierabend und an Sonntagen fleißig Werbeblätter für seine neue Partei. Er verteilte sie persönlich auf SPD-Versammlungen und an Werkstoren. Wenn er hörte, daß in Hamburg ein prominenter SAP-Politiker aus Sachsen oder Preußen sprach, fuhr er mit dem Rad die sechzig Kilometer an die Elbe, um den Mann als Redner für Lübeck zu gewinnen. So kam es, daß Max Seydewitz und Kurt Rosenfeld in Lübeck auftraten. Die SAP war von ihrem Neuerwerb angetan. Mecklenburgische SAP-Genossen boten Frahm an, bei ihnen für den Landtag zu kandidieren. Sie waren verdutzt, als sie aus seiner Antwort erfuhren, daß er noch nicht das erforderliche Mindestalter von zwanzig Jahren hatte.

1932 organisierte Herbert Frahm in Lübeck einen Vortrag des Berliner Arztes Max Hodann. Dieser Sexualforscher hatte die ersten Mütterberatungsstellen eingerichtet, um durch Aufklärung über Geburtenkontrolle das Elend in den Arbeiterfamilien zu verringern, das der Paragraph 218 des Strafgesetzbuches, der Abtreibung unter Strafe stellte, verursachte. Das Eintrittsgeld kostete zwanzig Pfennige, davon wurde das Honorar bestritten. Es kamen weniger Leute, als Frahm erwartet hatte. Auf den Arzt aufmerksam geworden war er durch dessen volkstümliche Schriften »Bub und Mädel« und »Bringt uns wirklich der Klapperstorch?«.

Der Eifer des 18jährigen und seiner Freunde stand im umgekehrten Verhältnis zum politischen Erfolg. Bei Wahlen in Lübeck kam die SAP nie über ein paar hundert Stimmen hinaus, das entsprach der Zahl ihrer Mitglieder. Auch im Reich scheiterte sie kläglich. Ihre Mitgliederzahl lag bei knapp 25 000, ihr höchstes Wahlergebnis betrug 0,2 Prozent – gleich 72 630 Stimmen – bei den Reichstagswahlen im Juli 1930. Da sie neben ihrer Tageszeitung aber auch noch verschiedene Wochenblätter herausgab – die Zeitschrift »Der Klassenkampf« und die »Marxistische Tribüne« gehörten dazu –, war ihr Einfluß auf die politische Diskussion in den Monaten vor Hitlers Machtergreifung größer, als es die Wählerziffern erscheinen lassen. Sie war eine kleine Elitepartei, straff organisiert, bald allerdings auch von innerparteilichen Fraktionskämpfen erschüttert.

Von der KPD hatte sich Ende der zwanziger Jahre eine Gruppierung abgespalten, die sich nicht länger mehr von Moskau fernsteuern lassen wollte. Sie nannte sich KPD-Opposition, abgekürzt KPO. Spötter nannten sie »KP Null«. Auch sie spaltete sich bald wieder. Mehrere Altkommunisten, darunter die Reichstagsabgeordneten und einstigen Metallarbeiter August Enderle und Jacob Walcher sowie der Schriftsteller Paul Frölich, Autor einer Biographie über Rosa Luxemburg, schlossen sich der SAP an. Es war ihre erklärte Absicht, die SAP zu den wahren Prinzipien des Kommunismus zu bekehren.

Diese Altkommunisten, erfahrene Fraktionskämpfer, machten sich daran, den beiden Parteivorsitzenden Seydewitz und Rosenfeld die Mehrheit abzugraben. Die Machtkämpfe fanden zur selben Zeit statt, in der Hitlers NSDAP den Durchbruch schaffte. Bei der Reichstagswahl am 31. Juli 1932 wurde die NSDAP zur stärksten Partei Deutschlands. Sie erhielt 37,4 Prozent der Stimmen und 230 Mandate. Die SPD war auf 21,6 Prozent (133 Mandate) geschrumpft. In Lübeck lag das Wahlergebnis der NSDAP sogar noch über dem Reichsdurchschnitt. 35 950 Lübecker – 41,2 Prozent – liefen zu ihr über. Für die SAP stimmten zweihundert Wähler, das entsprach 0,2 Prozent der Stimmen. Zu der Zeit waren von den 130 000 Einwohnern Lübecks 21 000 ohne Arbeit. Die Hansestadt stand damit an dritter Stelle in Deutschland.

Zum zweiten Mal in diesem Jahr fanden am 6. November Reichstagswahlen statt. Die NSDAP verlor jetzt zwei Millionen Stimmen. Viele Sozialdemokraten glaubten bereits, der Umschwung setze ein, und schöpften neue Hoffnung. Der Sozialdemokrat und Oberbürgermeister von Magdeburg, Ernst Reuter, rief zum »Angriff auf allen Straßen, in den Betrieben, in allen Versammlungen« auf.

Doch tatsächlich trieb die Weimarer Republik in immer schneller drehenden Strudeln dem Untergang entgegen. Anfang Dezember trat von Papen zurück, da auch er die Wirtschaftskrise nicht meistern konnte und mit seinem Plan für diktatorische Aktionen gegen eine Machtergreifung der Nazis bei Hindenburg nicht durchdrang. Der Reichswehr-General Kurt von Schleicher wurde Papens Nachfolger. Er suchte Kontakt zu den Gewerkschaften, um ein gemeinsames Arbeitsbeschaffungsprogramm durchzusetzen. Zugleich wollte er mit einer Agrarreform den Bauern zu Hilfe kommen.

Die ostelbischen Grundbesitzer, unter ihnen Hindenburgs Sohn Oskar, fühlten sich bedroht. Sie befürchteten einen Stopp der staatlichen Subventionen und eine Aufteilung ihrer riesigen Landgüter. Deshalb überredeten sie den greisen Präsidenten, Schleicher fallenzulassen und Hitler zum Kanzler zu ernennen. In ihrer Vorstellung sollte ihnen dieser »böhmische Gefreite«, wie sie ihn verächtlich nannten, die Drecksarbeit machen – die lästigen Gewerkschaften erledigen, der ungeliebten Republik den Garaus machen. Danach werde man ihm den Abschied geben. So kam es zum 30. Januar 1933, dem Tag der Machtübernahme Hitlers.

Hitler wurde mit der Regierungsbildung beauftragt. Die KPD rief zum Generalstreik und zur Aktionseinheit gegen Hitler auf. Führende Sozialdemokraten verlangten ebenfalls einen Generalstreik. Doch die Mehrheit des Parteivorstandes machte nicht mit. Schließlich war der neue Reichskanzler verfassungskonform an die Macht gekommen. Der »Vorwärts«, das SPD-Zentralorgan, schrieb: »Heute Generalstreik machen heißt, die Munition der Arbeiterklasse in die Luft zu verschießen.«

Am Abend des 27. Februar 1933 brannte das Reichstagsgebäude. Hitler und der nationalsozialistische Reichstagspräsident Hermann Göring bezichtigten umgehend die KPD, das Feuer gelegt zu haben. Diese Beschuldigung diente ihnen zu einem vernichtenden Schlag gegen die Reste des demokratischen Systems. Noch in derselben Nacht wurden viertausend kommunistische Funktionäre und Parteimitglieder verhaftet. Am nächsten Morgen ließ sich Hitler von Hindenburg mit der »Verordnung zum Schutz von Staat und Volk« eine Generalvollmacht für die Erledigung seiner politischen Widersacher geben.

Am selben Tag, am 28. Februar, erreichten die internen Machtkämpfe in der SAP ihren absurden Höhepunkt. Um ihrem Sturz durch die kommunistischen Unterwanderer zuvorzukommen, erklärten die beiden Parteivorsitzenden Seydewitz und Rosenfeld die SAP für aufgelöst. Seydewitz empfahl den Mitgliedern den Anschluß an die SPD, Rosenfeld den Anschluß an die KPD. Als Hitler sich daranmachte, die demokratischen Parteien zu verbieten und ihre Vermögen zu beschlagnahmen, war die SAP davon nicht unmittelbar betroffen; offiziell gab es sie ja schon nicht mehr. Inoffiziell aber existierte sie weiter, wenn auch nun mit einseitiger Besetzung. Denn der linke Flügel boykottierte den Auflösungsbeschluß. Er berief für den 11. März 1933 einen Reichsparteitag nach Dresden ein.

Herbert Frahm hatte sich auf die Seite der kommunistisch ausgerichteten »Linken« in der SAP geschlagen. Die alten Kämpfer wie Walcher, Enderle und Frölich übten auf ihn, der auf der Suche nach neuen Leitbildern war, eine große Faszination aus. In Lübeck trafen er und ein paar SAP-Genossen sich in der Dachkammer des Hotels

»Zur alten Post« im Vorort Moisling heimlich mit Paul Frölich. Der sagte voraus, wie Hitler seine Machtposition systematisch absichern würde: Jeder Schachklub, jeder Brieftauben-Züchterverein werde künftig von den braununiformierten Nazifunktionären kontrolliert werden. In Italien habe Mussolini ja schon gezeigt, was Faschismus heiße.

Nur ein bewaffneter Aufstand, so meinten die Lübecker SAPler voll kämpferischer Entschlossenheit, könne Hitlers weiteren Aufstieg noch stoppen. Ein Land mit der bestorganisierten Arbeiterschaft Europas lasse sich nicht versklaven. Deutschland sei nicht Italien. Die Reichswehr müsse gewonnen werden. Frölich wehrte ab: Dafür sei es zu spät, über die Haltung der Reichswehr solle man sich keine Illusionen machen. Jetzt komme es darauf an, Vorsorge zu treffen, wie man das Regime überdauern könnte, wenn die Verfolgung der politischen Gegner einsetze. Er machte Frahm und seine Junggenossen mit der Praxis der Untergrundarbeit vertraut: das Abtauchen unter anderem Namen, konspirative Treffs, sorgfältig getarnte Kontaktaufnahme untereinander.

Seine erste Bewährungsprobe hatte Herbert Frahm gleich darauf zu bestehen. Da in Berlin schon einige SAP-Funktionäre verhaftet worden waren, mußte der Parteitag in Dresden illegal zusammenkommen. Frahm war von der Lübecker SAP-Gruppe zum Delegierten bestellt worden. Er war einer von rund sechzig Delegierten, die heimlich nach Dresden reisten. Während der Eisenbahnfahrt setzte er sich zur Tarnung seine gelbe Oberprimaner-Mütze vom Johanneum auf.

Die Reise ging über Berlin. Für einige Stunden sah Frahm zum ersten Mal die Reichshauptstadt. Er wanderte durch die Straßen der hektischen Metropole. Der Lärm, die Hakenkreuzfahnen, die marschierenden SA-Kolonnen stießen ihn ab: »Die Friedrichstraße billig wie ein Rummelplatz, der Kurfürstendamm protzig wie eine allzu stark geschminkte und aufgeputzte Kriegsgewinnlerin«. Er bekam Heimweh nach den engen Gassen und der behäbigen Ruhe seiner Heimatstadt.

Am Dresdner Hauptbahnhof wurden die Delegierten durch Kontaktmänner abgeholt, die sich mit einer Zeitung zu erkennen gaben. Das Tagungslokal war eine Vorortkneipe, die von SAP-Genossen gesichert wurde. Die Delegierten wurden privat untergebracht. Da

Dresden eine Hochburg der SAP war, fanden sich genug Quartier-
geber.

Die meisten Delegierten hatten sich zur Tarnung Decknamen zu-
gelegt. Auch Herbert Frahm reiste unter anderem Namen an. Er
nannte sich Willy Brandt. In Lübeck war er oft an einem Seidenhaus
P. Brandt vorbeigekommen, das sich »Norddeutschlands größtes
Spezialhaus für Seiden- und Wollstoffe« nannte. Firmen-Slogan:
»Wer sparen will, der hat erkannt: am besten kauft man jetzt bei
Brandt«. Willy Brandts Quartiermacher war der Dresdner Schriftset-
zer Arno Behrisch, dem er noch auf vielen Stationen im Exil und
später beim Neuanfang in Deutschland wiederbegegnen sollte.
Nachhaltigen Eindruck auf Behrisch machte beim ersten Treffen nur
»Willys komische Tarnung, diese Schülermütze«.

Der Parteitag in Dresden dauerte zwei Tage. Die neuen Parteichefs Walcher und Klaus Zweiling analysierten die Ereignisse aus
marxistischer Sicht: Der Nationalsozialismus sei eine Ausgeburt
und ein Komplize des Kapitalismus. Nur die Arbeiterklasse könne
»die faschistische Herrschaft und mit ihr zugleich die bürgerliche
Diktatur« zerbrechen. Die Delegierten waren sich darin einig, daß
der Faschismus nur durch Gewalt gestürzt werden könne. Allerdings, das sahen sie auch, fehlten hierfür vorerst die Voraussetzungen. Insbesondere die SAP habe keine Machtmittel zum Sturz der
faschistischen Diktatur. Deshalb müsse jeder »Putschismus« schärf-
stens bekämpft werden. Sie gelobten, »das rote Banner der Arbeiterklasse auch in der Zeit ihrer tiefsten Erniedrigung und des schärf-
sten Terrors hochzuhalten«.

Zweiling feuerte sie an: »Wir müssen uns bewußt sein, daß wir
uns jetzt zu bewähren haben, daß wir das zu schaffen imstande sind,
was die deutsche Arbeiterklasse braucht, die neue kommunistische
Partei.« Eine neue revolutionäre Führung müsse die »zweifellos
kommende Massenbewegung überleiten in die proletarische Diktatur«. Nur die SAP könne jetzt die Arbeiterklasse neu für den Kampf
gegen das NS-Regime formieren, denn die KPD sei vernichtet worden, die SPD habe kapituliert.

Wie sehr, das zeigte sich zehn Tage nach dem Dresdner Unter-
grundparteitag der SAP. Die SPD bot ein Bild voller Widersprüche.
Am 23. März 1933 kam der Reichstag zusammen, um über das von
Hitler geforderte »Ermächtigungsgesetz« abzustimmen, eine Gene-

ralvollmacht für den Diktator, die ihn von jeder Rücksichtnahme auf die Verfassung entband. Die einundachtzig kommunistischen Abgeordneten saßen bereits in Gefängnissen oder wurden in Kellern von SA-Truppen gefoltert, soweit sie nicht rechtzeitig untergetaucht waren. Offiziell galten sie als »postalisch unauffindbar«. Sämtliche bürgerlichen Parteien stimmten dem Ermächtigungsgesetz zu, darunter auch Politiker, die später in der Bundesrepublik Karriere machten: Theodor Heuss, der erste Bundespräsident, Heinrich Krone, Fraktionschef der CDU/CSU, Ernst Lemmer, Gesamtdeutscher Minister.

Nur die Sozialdemokraten lehnten das Gesetz ab. Ihr Vorsitzender Otto Wels begründete das Nein mit dem mutigen Satz, der als Ehrenrettung der Partei in die Geschichte einging: »Freiheit und Leben kann man uns nehmen, die Ehre nicht.« Zugleich aber enthielt diese Rede auch ein verdecktes Angebot zur Zusammenarbeit bei der sogenannten »nationalen Revolution«. Wels: »Wollten die Herren von der nationalsozialistischen Partei sozialistische Taten verrichten, sie brauchten kein Ermächtigungsgesetz. Eine erdrückende Mehrheit wäre ihnen in diesem Hause gewiß.«

Derselbe Wels erklärte eine Woche später den Austritt der SPD aus dem Büro der »Sozialistischen Arbeiter-Internationale«, die scharf gegen die Hitler-Regierung Stellung bezogen hatte. Er wollte mit deren kämpferischen Tönen nicht identifiziert werden. Überdies schickte der Parteivorstand Abgesandte zu verbündeten Parteien ins benachbarte Ausland, um sie davon abzubringen, über das Hitlerregime »Greuelpropaganda« zu verbreiten. Das Motiv dieses Leisetretens: Die Sozialdemokraten rechneten fest damit, daß es bald zu einem Massenaufstand gegen die Nazis kommen werde, ähnlich wie 1918 gegen die Monarchie. Bis dahin wollten sie sich durchlavieren.

Die Gewerkschaften gingen in ihrem Anpassungskurs noch weiter. Ihre Führer distanzierten sich von der SPD und bekannten sich zur Neutralität gegenüber dem NS-Staat; in einigen Regionalparlamenten zogen sich die Gewerkschafter sogar aus den sozialdemokratischen Fraktionen zurück und bildeten eigene Fraktionen. Auch ihre Vermögen, die sie vorsorglich ins Ausland gebracht hatten, holten die Gewerkschaften wieder heim ins Reich. Als die Nationalsozialisten den kommenden 1. Mai, den traditionellen Tag der Arbeit, mit Beschlag belegten und Aufmärsche veranstalteten, fügten sich die Arbeitervertreter ohne Gegenaktion. Mehr noch: Sie riefen ihre Mitglieder auf, an der offiziellen Maifeier des neuen Regimes teilzunehmen. Das Taktieren half ihnen nichts. Am 2. Mai überfielen SA und SS schlagartig alle Gewerkschaftshäuser. Hunderte von Gewerkschaftern wurden verhaftet, viele brutal geschlagen; in Duisburg wurden vier ermordet.

Trotz dieser Erfahrung und obgleich auch schon einige SPD-Abgeordnete in »Schutzhaft« saßen, kam es noch einmal zu einer sozialdemokratischen Unterwerfungsgeste. Am 17. Mai gab Hitler eine Regierungserklärung im Reichstag ab, in der er, aus Furcht vor einem Eingreifen des Auslands, seine Friedfertigkeit beteuerte. Er enthielt sich auch jeder Angriffe gegen die SPD. Anschließend sollte über eine von den Nationalsozialisten eingebrachte »Friedensresolution« abgestimmt werden. Die Abstimmung erfolgte durch Erheben von den Sitzen. Auch die SPD-Fraktion erhob sich. Als dann die Nazis das Deutschlandlied anstimmten, sangen viele Sozialdemokraten mit.

Zu dem Zeitpunkt waren zahlreiche SPD-Vorständler, darunter auch Wels, bereits emigriert und hatten in Prag einen Exilvorstand gebildet. Von dort verurteilten sie das Verhalten der Reichstagsfraktion. Hitlers Innenminister Wilhelm Frick nahm diese Kritik zum Anlaß, die SPD zur staats- und volksfeindlichen Partei zu erklären und sie am 22. Juni 1933 zu verbieten.

Lübecks Arbeiterführer Julius Leber, der lange Zeit das Taktieren der Berliner SPD-Führung verteidigt und Hitler als »die Mode von gestern« unterschätzt hatte, war seit dem 20. Juli 1932, dem Tag des Preußenschlags, auf Gegenkurs gegangen. Auf sein Betreiben verweigerte die Lübecker Stadtverwaltung im September 1932 Hitler eine Auftrittsgenehmigung in der Hansestadt. Auf zahlreichen Kundgebungen rief Leber die Lübecker Arbeiterschaft zum entschlossenen Freiheitskampf auf. Er kritisierte die Zaghaftigkeit der Parteiführung in Berlin. Den Lübeckern rief er zu: »Ich sage euch: Die letzte Entscheidung habt ihr! Ihr habt zu entscheiden, ob euer Freiheitskampf abgebrochen werden soll oder ob er weitergeht. Jawohl: Wir werden weiterkämpfen bis zum letzten!«

Herbert Frahm versäumte keine seiner Reden. Ihm schlug, wie er später erzählte, das Herz bis zum Halse. Weit waren der jugendliche

Frahm und der gestandene Leber im Prinzip nie auseinander gewesen. Beide teilten sie nicht das gebrochene Verhältnis der Berliner Sozialdemokraten zur Macht. Beide waren sie für eine kraftvolle Politik, um die Nazis zu stoppen. Der Ältere wollte sie mit dem bürgerlichen Lager verwirklichen, der Jüngere mit einer Einheitsfront aller Linksparteien. Jetzt waren sie so dicht beieinander wie seit Jahren nicht mehr.

Am Abend des 31. Januar 1933, dem Tag nach Hitlers Machtübernahme, wurde Leber auf dem Nachhauseweg von Nazischlägern überfallen. Ihm wurde das Nasenbein gebrochen und ein Auge verletzt. Reichsbannerleute eilten zu Hilfe. Einer der SA-Leute, ein 23 jähriger Seemann, wurde im Handgemenge getötet. Auf Druck der NSDAP wurde Leber in Haft genommen; die Anklage lautete auf »Raufhändel«. In Lübecker Betrieben kam es zu spontanen Arbeitsniederlegungen. Herbert Frahm und seine Freunde versuchten, einen Proteststreik in Gang zu bringen. Der örtliche Gewerkschaftsboß beschied sie: »Wißt ihr nicht, daß Streik jetzt streng verboten ist? Die in Berlin werden schon wissen, was zu geschehen hat. Wir warten auf Weisungen und lassen uns nicht provozieren.« Es kam dennoch kurz darauf zu einem einstündigen Warnstreik; organisiert hatte ihn die sozialdemokratische Kampforganisation »Eiserne Front«. Gegen Kaution kam Leber kurz darauf aus dem Gefängnis frei.

Am 19. Februar erlebte Lübeck dann auf dem Burgfeld, einem Platz unmittelbar vor den Toren der Stadt, eine der größten Kundgebungen seit der Revolution vom November 1918. Über fünfzehntausend Teilnehmer strömten zusammen, Sozialdemokraten, Kommunisten, Bürgerliche und SAPler. Herbert Frahm empfand dies als »spontane Einheitsfront«. Leber, mit verbundenem Kopf, erschien auf der Rednertribüne. Er konnte nicht reden. Er rief der Menge nur ein einziges Wort entgegen: »Freiheit!« Es war das letzte Mal, daß Herbert Frahm diesen Mann sah.

»Da haben wir keinen Blumentopf zu gewinnen.«

DER WEG INS EXIL

Auf dem Dresdner Parteitag hatte die SAP-Reichsleitung – so hieß nun der illegale Vorstand – beschlossen, im Ausland Stützpunkte zu errichten. Besonders gefährdete Altkommunisten sollten diese Verbindungsbüros leiten. Sie sollten in den Nachbarländern über den wahren Charakter des Hitlerregimes berichten und politische Informationen sammeln, die für Untergrundaktionen im Reich wertvoll sein konnten. Jacob Walcher sollte nach Paris gehen, Paul Frölich nach Oslo. Herbert Frahm wurde beauftragt, die geheime Ausreise Frölichs von Fehmarn nach Norwegen vorzubereiten.

Trotz aller Vorsichtsmaßnahmen war es der Politischen Polizei gelungen, Informationen über das Dresdner SAP-Treffen zu sammeln. Entweder hatte sie einen Spitzel eingeschleust, oder einer der Delegierten hatte Verrat begangen. Die Polizei erhielt sämtliche geheimen Parteitagsprotokolle. Ebenso war sie über die Beschlüsse informiert. Das Material diente später in zahlreichen Prozessen gegen SAP-Mitglieder der Staatsanwaltschaft als Grundlage für Hochverratsanklagen.

Die in der Illegalität untergetauchten führenden Köpfe der SAP wurden unmittelbar nach der Dresdner Zusammenkunft per Steckbrief gesucht. Walcher konnte noch auf Umwegen nach Paris flüchten. Frölich hingegen wurde, als Fischer verkleidet, am 21. März 1933 in Landkirchen auf Fehmarn verhaftet. Herbert Frahm hatte bereits ein Fischerboot für den geheimen Transport bereitgestellt. Bei seinem Verhör wurde Frölich gefoltert, dennoch konnte er zu keinem Schuldbekenntnis und auch zu keiner Preisgabe von Informationen gepreßt werden. Bis Mitte Dezember wurde er im Konzentrationslager Lichtenburg interniert. Nach seiner Entlassung flüchtete er ebenfalls nach Paris.

Die illegale Reichsleitung der SAP in Berlin erteilte nach Frölichs Festnahme Herbert Frahm den Auftrag, das SAP-Büro in Oslo zu errichten. Diese Entscheidung kam überraschend. Frahm war zwar für seinen besonderen Eifer bekannt, doch er war allenfalls ein Lübecker Lokalmatador. Außerhalb der Hansestadt war er unbekannt.

Zu den Spitzenfunktionären zählte er nicht. Und er war erst neunzehn Jahre alt. Indes: Er kannte Skandinavien und sprach ein paar Brocken Norwegisch. Ausschlaggebend aber scheint gewesen zu sein, daß die SAP-Leitung nach dem Verrat an Frölich glaubte, der junge Lübecker sei ebenfalls gefährdet.

Den Zeitpunkt seines Weggangs konnte Frahm selbst bestimmen. Noch deutete nichts darauf hin, daß die neu aufgebaute Geheime Staatspolizei ihm bereits auf der Spur war und den in Dresden benutzten Tarnnamen Brandt entschlüsselt hatte. Als Herbert Frahm konnte er in Lübeck weiter ungefährdet arbeiten. Nach Büroschluß tippte er auf der Schreibmaschine seiner Speditionsfirma Matrizen für Flugblätter. In ihnen schilderte er die Foltereien in den Gefängnissen von Lübeck, Hamburg und Schwerin. Die Informationen hatte er von der Berliner SAP-Leitung. Hitlers Politik gefährde den Frieden, schrieb er weiter und machte sich über den neuen Arbeitsdienst mit der Schlagzeile lustig: »Schipp-Schipp-Hurra!« Die Lübecker Arbeiter wurden zum Widerstand gegen die neuen Machthaber aufgerufen. Im Büro des Vaters einer seiner Freunde stand ein Vervielfältigungsapparat. Über eine Dachluke verschafften sich die jungen SAPler nachts Zugang zu der Maschine. Die Flugblätter steckten sie in Umschläge, die sie dann in der nächsten Nacht in die Briefkästen der Lübecker Arbeitersiedlungen warfen.

Ende März wurde im Vorort Moisling, wo Frahm noch immer wohnte, die August-Bebel-Straße nach dem NS-Helden in Horst-Wessel-Straße umbenannt. Am 1. April erlebte Frahm, wie plötzlich SA-Leute vor jüdischen Geschäften in Lübeck Posten bezogen und die Bevölkerung zum Kaufboykott aufriefen.

Einer von Frahms Freunden, Emil Peters, war Referendar am Lübecker Schöffengericht. Er erhielt von einem Anwalt, den er gut kannte, eine Warnung. Es sei eine Großfahndung der Gestapo im Gange, »einige von Ihren Leuten sind schon verhaftet und vernommen worden«. Peters ging sofort zum Protokollführer des Schöffengerichts. Der ahnte den Zweck des Besuchs, verließ das Zimmer, ließ aber die Vernehmungsprotokolle auf dem Tisch liegen. Peters blätterte sie durch. Weder sein Name noch der von Herbert Frahm tauchten in den Vernehmungen bisher auf.

Gemeinsam berieten Peters und Frahm, was zu tun sei. Frahm als Verfasser der Flugschriften schien besonders gefährdet. Kurzfristig entschloß er sich, das Land zu verlassen. Ein Reichsbannermann war Taucher beim Drägerwerk, wo auch Frahms Großvater arbeitete; er kannte den Travemünder Kapitän Johannes Johannsen, der auf der Privatyacht des Firmeninhabers Heinrich Dräger fuhr. Es wurde verabredet, daß schon in der folgenden Nacht Johannsens Stiefsohn, der Fischer Paul Stooß, mit seinem Kutter Herbert Frahm von Travemünde nach Rödbyhavn auf der dänischen Insel Lolland übersetzen sollte. Stooß fragte nicht lange nach den Gründen. Mit seinem Kutter fuhr er jede Nacht auf See zum Fischen. Das Risiko, daß ein Passagier entdeckt würde, war gering.

Nun hieß es Abschiednehmen. Herbert Frahm hatte in Lübeck eine Freundin, Gertrud (Trudel) Meyer. Sie kam wie er aus der Arbeiterjugend. Frahm hatte sie kennengelernt, als ihre Gruppen in eine Balgerei gerieten. Sie arbeitete inzwischen als kaufmännische Angestellte. Mit Frahm war sie zur SAP gewechselt. Sie versprach ihm, bald nachzukommen.

Frahm versuchte noch, einen seiner SAP-Gefährten, den kaufmännischen Angestellten und Partei-Kassierer Heinrich Bruhn zum Mitkommen zu überreden: »Heini, du glaubst nicht, wie die Nazis hier hausen werden. Da haben wir keinen Blumentopf zu gewinnen. Komm mit.« Doch die anderen SAP-Illegalen sahen für sich keine Gefahr. Sie wollten in Lübeck bleiben. Gemeinsam versprachen sich Frahm und seine engsten Freunde beim Abschied in die Hand: »Wenn einer von uns überlebt, dann soll er an unseren Idealen festhalten.« Bruhn wurde wenig später verhaftet. Die Gestapo fand bei ihm SAP-Flugblätter. Er wurde acht Monate lang inhaftiert.

In der Nacht zum 2. April traf sich Herbert Frahm am Pier von Travemünde mit Paul Stooß. Dort dümpelte der Kutter, ein weißgestrichener Rumpf, festgezurrtes Fischergeschirr und getakelt mit einem grünen Stützsegel. Vorn am Bug die Kennung für Travemünde »TRA 10«. Beide beschlossen, vor dem Auslaufen noch ein Bier zu trinken. In der Kneipe stand ein junger Lübecker, ehemals Jungsozialist, jetzt zu den Nazis übergelaufen. Für bange Minuten glaubte Frahm, sein Fluchtunternehmen würde auffliegen.

Auf dem Kutter versteckte Paul Stooß seinen Passagier unter ein paar leeren Fischkisten. Bevor der Fischer die Leinen loswarf, kam ein Zollbeamter an Bord. Er begnügte sich mit einer oberflächlichen Inspektion; er kannte Stooß.

Draußen, wo sich die Lübecker Bucht weitet, wurde es bewegt. Die Deutsche Seewarte meldete für diese Nacht ein Tief über der Ostsee. Der Wind kam aus West bis Nordwest, er war böig und erreichte bis zu sieben Windstärken. Es regnete, und die Temperatur betrug nur vier Grad. Für Paul Stooß war es nichts Ungewöhnliches, daß sein Boot auf den Wellen rollte. Dem Städter Frahm aber wurde schlecht.

Nach fünfstündiger Fahrt landete das Boot in Rödbyhavn. Hier gab es keine Paßkontrolle. Der Fischer und sein Passagier wurden von ein paar Seeleuten im Hafen zum Frühstück eingeladen. Es gab gezukkerten Kaffee, vermixt mit einer doppelten Portion Aquavit. Herbert Frahm, der sich nun endgültig Willy Brandt nannte, vergaß die Qualen der Überfahrt. Er war überzeugt, daß nach spätestens zwei Jahren der Nazi-Spuk ein Ende haben und er wieder zurück in Lübeck sein würde. Es sollten dreizehn lange Jahre werden. Und er sollte viele Menschen, die ihm nahestanden, nie mehr wiedersehen.

Der jüdische Feuilletonredakteur des »Lübecker Volksboten«, Fritz Solmitz, war schon am 11. März von SA-Leuten verschleppt und in das Lübecker Burgtorgefängnis geworfen worden. Von dort kam er ins KZ Fuhlsbüttel nach Hamburg. Wochenlang wurde er mißhandelt, seine Folterer legten ihm einen Strick in die Zelle. In der Nacht zum 19. September hängte er sich auf. Auch Julius Leber war erneut verhaftet worden: in Berlin, auf dem Weg zu jener Reichstagssitzung, auf der das Ermächtigungsgesetz beschlossen wurde. Seine Leidensstationen waren Zuchthäuser und KZs, erst im Mai 1937 wurde er freigelassen. Jahre später, bevor er von den Nazis zum dritten Mal inhaftiert und später hingerichtet wurde, sollte er noch einmal über Mittelsmänner Kontakt zu Willy Brandt suchen.

Und der Großvater, zerbrochen am politischen Geschehen in Deutschland und gequält von Magenkrebs, ließ am 14. Juni 1935 seine Badewanne vollaufen, stieg hinein und schoß sich eine Kugel in den Kopf. Zuvor hatte er ein Sparbuch seines Enkels, auf dem sich fast tausend Mark angesammelt hatten – angeblich Alimente-Zahlungen –, auf das Konto der leiblichen Mutter Martha überschrieben. Darüber zerstritten sich Martha und die langjährige Pflegemutter Dorothea Frahm, die Ehefrau des Großvaters. Martha meinte später, das Geld sei ihr anvertraut worden, weil ihr Adoptivvater der Ziehmutter nicht traute – »weil sie keine Liebe für den Jungen hatte«.

Exil
(1933 bis 1948)

»Ein Agitator namens Frahn . . .«

ERSTE STATION: OSLO

Willy Brandt reiste mit leichtem Gepäck. Was er besaß, das hatte er
bei sich. Eine Aktentasche mit hundert Mark vom Großvater, zwei
Oberhemden, das »Kapital« von Karl Marx, Band I, Volksausgabe in
Dünndruck von 1928, sowie seinen deutschen Reisepaß, der noch
bis zum 1. Juli 1936 gültig war. Der Paß hatte die Nummer 472, er
war ausgestellt durch das Polizeiamt in Mecklenburg-Schwerin. Die
Personalangaben lauteten: »Gestalt: groß. Gesicht: oval. Farbe der
Augen: grau-braun. Farbe des Haares: dunkelbraun. Besondere
Kennzeichen: keine.«
   Brandt war voller Unternehmungsgeist. Oslo, das war seine
Wunschstadt, dort zog es ihn hin, seit er 1928 eine Ferienfahrt durch
skandinavische Länder gemacht hatte. Ohne die Umstände seiner
Abreise aus Lübeck wäre er einer jener jungen Leute gewesen, die
nach dem Abitur ihr Elternhaus und ihre Heimatstadt verlassen, um
in der Fremde zu studieren. Ihn lockte der Reiz des Neuen. In sich
trug er die Gewißheit, die richtigen politischen Einsichten zu haben.
Seine Hauptaufgabe sah er im Kampf gegen den Nationalsozialismus. Der »revolutionäre Marxismus« und die Schaffung »wahrhaft
kommunistischer proletarischer Massenparteien« sollten in diesem
Kampf zum Sieg führen.
   Was Brandt in Lübeck zurückließ, war nicht viel. Von dem Herbert Frahm, der er einmal war, sprach er später, in einem Bericht über
seine Jugendzeit, nur in der dritten Person, als sei er ein ihm fremdes
Wesen. »Von dem Knaben Herbert Frahm, von seinen ersten vierzehn Jahren, habe ich nur eine sehr unklare Erinnerung behalten.
Ein undurchsichtiger Schleier hängt über diesen Jahren, grau wie
der Nebel über dem Lübecker Hafen.« Freunde? »Ich hatte viele
Freunde, aber im Grunde keinen, der mir wirklich nahe war.« Besitz
hatte er nie gehabt, keine Bibliothek, keine elterliche Villa, kein Ver-

mögen, das ein sorgloses Leben ermöglicht hätte und dem er jetzt nachtrauern müßte.

Eine richtige Familie, Vater, Mutter und die Geborgenheit eines Zuhauses – für ihn hatte es dies nie gegeben. Das Schmeichelhafteste, was er über sein Herkommen sagen konnte, war: »Ich wurde in den Sozialismus hineingeboren.« Er hatte in Lübeck nicht die Ausbildung erreicht, die er anstrebte. Er hatte keine Chance zum Studium.

Die SPD, die er einmal als seine Ersatzfamilie empfunden hatte, hatte sich in seinen Augen erniedrigt. Sein Kommentar: »Im offenen Kampf zu unterliegen, ist tragisch, kampflos zu kapitulieren, das macht die Tragödie zur Farce. Sie nimmt dem Geschlagenen das Letzte, das er besitzt, das Kostbarste: seine Selbstachtung.«

Alles, was ihm in Lübeck blieb, war die Aussicht, von der Polizei verfolgt und geschnappt, in einem Verhörkeller geschlagen, vielleicht sogar getötet zu werden. »In Lübeck kannten mich manche aus der terroristischen Umgebung der neuen Machthaber. Sie gingen in einigen Fällen gnadenlos mit den Opfern um, die ihnen in die Fänge gerieten.« Einen Rest von Heimweh unterdrückte Brandt, indem er sich an Heinrich Heine aufrichtete: »Schlage die Trommel und fürchte Dich nicht . . .«

Von Rödbyhavn aus fuhr Brandt noch am selben Tag, an dem ihn der Fischer Stooß abgesetzt hatte, mit dem Zug weiter nach Kopenhagen. Die Partei hatte ihm eine Anlaufadresse gegeben. Oscar Hansen, ein dänischer sozialistischer Schriftsteller, nahm ihn auf.

Von Kopenhagen aus reiste er ein paar Tage später per Schiff weiter nach Oslo. Den norwegischen Grenzbeamten sagte er, er wolle in Oslo Philosophie studieren. Sie glaubten es dem jungen Mann. Während der Überfahrt hatte er eine Norwegerin kennengelernt. Im Haus ihrer Eltern – der Vater war Chefredakteur einer liberalen Zeitung – konnte er die ersten paar Wochen nach der Ankunft wohnen. Brandt: »Man muß sich einzurichten wissen.« Später fand er ein möbliertes Zimmer.

Die Stadt an den Ufern des Oslofjords hatte für ihn sofort »etwas Vertrautes und Familiäres«, hier litt er nicht unter dem Gefühl zu ersticken, wie es ihm in Berlin bei seinem ersten kurzen Aufenthalt passiert war. Brandt: »Sehr bald entschied ich, daß ich kein Emigrant sein wollte.«

Emigration: Unter den Tausenden, die in den Jahren 1933 und

1934 aus politischen Gründen Deutschland verließen, war Willy Brandt sicher einer der jüngsten. Kaum einer von ihnen empfand sich als Emigrant, als Auswanderer. Die meisten fühlten sich vertrieben und verbannt. Ihre Hoffnung war es, daß der Nazi-Spuk bald vorüber sein würde. Der SPD-Führer Otto Wels bemerkte: »Gestrenge Herren regieren nicht lange.« Sein Fraktionsvorsitzender Rudolf Breitscheid gab bereits die Parole aus: »Nach Hitler wir.«

Die Hoffnung gab den unfreiwilligen Emigranten die Kraft, auszuharren. Sie stand aber auch wie eine unüberwindbare Barriere zwischen ihnen und dem Land, das sie aufgenommen hatte: Sie wollten dort nicht Wurzeln schlagen. Hinzu kam, daß in den Ländern rings um Deutschland als eine Folge der Weltwirtschaftskrise Arbeitslosigkeit herrschte. Diejenigen, die ihr Leben gerettet hatten, wußten nicht, wie sie es fristen sollten. Einige der Aufnahmeländer zahlten später eine kleine Rente. Doch Arbeitsbewilligungen gab es nicht. So blieben nur unterbezahlte Gelegenheitsjobs, Handwerker waren da gefragter als Kopfarbeiter.

Viele wählten in ihrer Verzweiflung den Freitod. Kurt Tucholsky schoß sich schon 1935 eine Kugel in den Kopf, Stefan Zweig schluckte in einem Hotelzimmer in Petropolis bei Rio de Janeiro Gift und hinterließ einen Abschiedsbrief: »Ich grüße alle meine Freunde! Mögen sie die Morgenröte noch sehen nach der langen Nacht. Ich, allzu Ungeduldiger, gehe ihnen voraus.« Ernst Toller nahm sich in New York das Leben. Mit jedem Tag im Exil wurde die Liste der Selbstmörder länger, darunter prominente und weniger bekannte Namen.

Geringe Sprachkenntnisse oder altersbedingte Unbeweglichkeit waren zusätzliche Hemmnisse für eine Integration in das Leben der Gastländer. Heinrich Mann beklagte bei der Flucht über die Pyrenäen, womit er es verdient habe, daß ihm mit seinen siebzig Jahren solch ein Los beschieden sei – »man ist schließlich kein Verbrecher!«. Der Psychoanalytiker Sigmund Freud war sogar schon zweiundachtzig Jahre alt, als er nach London emigrierte. Ihm war die Ausreise unter der Bedingung gestattet worden, daß er in einem Revers bestätigte, er sei nach seiner Festnahme gut behandelt worden. Freud unterschrieb und fügte handschriftlich hinzu: »Ich kann die Gestapo jedermann empfehlen.«

Der mangelnden Anpassungsbereitschaft der Exilierten entsprach in den Aufnahmeländern eine oft ausgesprochen emigrantenfeindliche Stimmung. Viele Länder, etwa Schweden oder die Schweiz, waren insgeheim Bewunderer der neuen Machthaber in Deutschland, die für Ruhe und Ordnung sorgten. Politische Emigranten erschienen diesen Staaten als Unruhestifter und später, bei Ausbruch des Krieges, vielfach als Spione. Rudolf Breitscheid hatte in Paris den Eindruck: »Wir sind nur lästige Ausländer, derer man sich so schnell wie möglich entledigen möchte.«

Nach dem deutschen Angriff sperrte Frankreich die deutschen Emigranten in Internierungslager. Die gefangenen Nazi-Gegner konnten sich oft erst im letzten Augenblick vor der heranrückenden Gestapo und SS in Sicherheit bringen. Eine Zwangsinternierung der als »feindliche Ausländer« apostrophierten Flüchtlinge gab es auch in Großbritannien, über achttausend wurden nach Australien und Kanada deportiert. Die französische Regierung verpflichtete sich im Waffenstillstandsvertrag vom Juni 1940 zur Auslieferung der deutschen Flüchtlinge. Einer der Ausgelieferten war Breitscheid, der im Konzentrationslager Buchenwald starb.

Als sich Willy Brandt mit der Ankunft in Oslo entschloß, nicht Emigrant sein zu wollen, siegte die Vitalität des 19jährigen. Das Neue war für ihn Anreiz, die Zukunft nicht hoffnungslos, sondern voller Versprechungen. Er beherzigte den Rat, den der SAP-Mann Bernhard (»James«) Thomas, der selber schon manches Jahr im Exil verbracht hatte, seinen Parteifreunden mit auf den Weg gegeben hatte. »Wenn ihr in die Emigration müßt, so macht es nicht wie die russischen Emigranten von 1917. Diese sitzen heute noch in Paris, Belgrad, Konstantinopel auf ihren Koffern und warten auf den Tag der Heimkehr. Wann ihr nach Deutschland zurückkehren könnt und ob überhaupt, das weiß man nicht. Packt darum eure Koffer aus und versucht, euch überall einzuleben und heimisch zu fühlen und tut so, als müßtet ihr immer dort bleiben.«

In seiner Haltung bestärkt wurde Brandt durch die Emigranten, die er in Oslo erlebte. Sie erschienen ihm als »Menschen, die den Zug verpaßt haben und die Wartezeit mit Erinnerungen an die Vergangenheit und Träumen von der Zukunft verbringen. Dabei verlieren sie dann den Blick für die Gegenwart.« Das einzige, was ihn mit diesen Emigranten verband, war das Bewußtsein, sich als Vertreter des »anderen«, des »wahren« Deutschlands zu verstehen.

Doch nicht nur seine innere Einstellung machte Brandt zur Ausnahme. Er hatte eine doppelte Aufgabe. Er sollte das Auslandsbüro der SAP in Oslo einrichten und zugleich als Leiter der Zentralen Auslandsstelle des Jugendverbands der Partei fungieren. Das motivierte ihn. Zudem war er sprachbegabt. Er konnte schon leidlich Norwegisch, und mit jedem neuen Tag verbesserte er seine Kenntnisse. Schon am 11. April, eine Woche nach seiner Ankunft, veröffentlichte er auf norwegisch einen Artikel. Freunde halfen bei der Übersetzung. Ein paar Monate später hielt er auf einer Versammlung seine erste Rede in norwegischer Sprache – »sie wurde mir bald so vertraut, als wäre sie meine Muttersprache«, erinnerte er sich später. Auch Geldsorgen hatte er bald nicht mehr. »Es war mir verhältnismäßig leicht, in Skandinavien Fuß zu fassen.« Und: Es sei »ihm nie zuvor so gut gegangen wie in Norwegen«.

Anders als die anderen Emigranten, die auf einem Bahnhof ankamen, auf dem sie niemand abholte, hatte Brandt in Oslo wenigstens eine Anlaufadresse. Die Reichsleitung der SAP hatte ihm aufgetragen, sich umgehend bei Finn Moe, dem außenpolitischen Redakteur des »Arbeiderbladet«, zu melden. Die Zeitung war das Zentralorgan der norwegischen Arbeiterpartei (NAP).

Wie die kleine SAP, verstand sich auch die vergleichsweise mächtige NAP als kommunistische Partei eigener Prägung. Sie bekannte sich zum »revolutionären Marxismus«, lehnte aber jede Bevormundung durch Moskau entschieden ab. Wegen dieser politischen und ideologischen Nähe hatte die Reichsleitung der SAP die Stadt Oslo – anders als Prag, Paris oder London kein klassisches Emigrantenzentrum – zu einem ihrer Auslandsstützpunkte auserkoren. Als Brandt in Oslo ankam, war die NAP allerdings schon auf dem Weg zu einer Reformpartei, die durch eine pragmatische Politik die Mehrheit zu erringen suchte. Klassenkampf- und Revolutionsparolen gehörten der Vergangenheit an.

Das schmälerte indes nicht die Solidarität mit der SAP und deren von Hitler vertriebenen Genossen. Seit März 1933 rief das »Arbeiderbladet« seine Leser auf, Geld für die »unterdrückten deutschen Arbeitergenossen« zu spenden. Die NAP gründete sogenannte »Flyktningskomités« (Flüchtlingskomitees). Diese sollten sozialistische Flüchtlinge mit Geld und Rat bei der Wohnungs- und Arbeitssuche, bei Anträgen für Aufenthalts- und Arbeitsgenehmigungen unterstützen. Eine der Finanzquellen der Komitees war ein vom norwegischen sozialistischen Gewerkschaftsbund geschaffener Arbeiter-Justizfonds.

Aus diesem Justizfonds verschaffte Finn Moe dem hilfesuchenden Brandt zunächst eine Unterstützungsauszahlung von wöchentlich fünfzehn Kronen und eine Mietbeihilfe von monatlich fünfzig Kronen. Außerdem arrangierte er es, daß Brandt im Pressesekretariat des Osloer Flyktningskomités arbeiten konnte. Dafür gab es weitere fünfzehn Kronen die Woche. Insgesamt kam Brandt, dem bei seiner Ankunft in Oslo von den ursprünglich hundert Reichsmark seines Großvaters noch siebzig Mark geblieben waren, auf ein Monatseinkommen von hundertsiebzig Kronen. Da die Krone etwas mehr wert war als die Reichsmark, konnte er damit notdürftig leben. Brandt im Rückblick: »Aber ich fand es keineswegs bedrückkend.«

Mit Interventionen bei der Fremdenpolizei und dem »Zentralen Paßkontor« verhinderte die Arbeiterpartei, daß Brandt wieder abgeschoben wurde. Bei seiner Ankunft hatte er sich ordnungsgemäß bei der Polizei in Oslo gemeldet. Der Polizeichef entschied jedoch, daß ihm keine Aufenthaltserlaubnis erteilt werde. Er bekam lediglich eine nach dem Fremdengesetz mögliche Genehmigung, für drei Monate im Lande zu bleiben. Auch diese befristete Genehmigung erhielt er nur unter dem Vorbehalt, daß er sich nicht politisch betätige. Eine Arbeitserlaubnis wurde ihm ebenfalls nicht erteilt. Ihm wurde vielmehr ausdrücklich verboten, einer Arbeit nachzugehen. Bei Zuwiderhandeln drohte ihm die polizeiliche Ausweisung. Die konnte auch erfolgen, wenn er dem Land irgendwie zur Last fiel.

Gegen diese Auflagen verstieß Brandt vom Beginn seines Aufenthaltes in Oslo an gleich mehrfach. Schon die Arbeit im Pressesekretariat war nicht erlaubt. Zudem schrieb er, sobald er die norwegische Sprache beherrschte, Artikel für die Provinz- und Parteipresse. Er wollte so schnell wie möglich Geld verdienen, um nicht länger auf die Unterstützungszahlungen der NAP angewiesen zu sein. Um seine Einkünfte zu verschleiern, zahlte er keine Steuern. Zur weiteren Tarnung unterzeichnete er seine Artikel mit verschiedenen Pseudonymen: Willy Flamme, Karl Martin oder Felix Franke.

Die Artikel waren nicht nur ein Verstoß gegen das Arbeitsverbot, ihr antifaschistischer Inhalt kam auch einer politischen Betätigung gleich. Immerhin war Brandt mit der erklärten Absicht ins Ausland gegangen, als Leiter des Osloer SAP-Büros und der zentralen Auslandsstelle des SJV politisch zu arbeiten.

Seit Februar 1933 regierte in Oslo ein liberalkonservatives Kabinett unter dem Ministerpräsidenten Johan Ludwig Mowinckel. Dieser Mann aus dem durch die Weltwirtschaftskrise verunsicherten Besitzbürgertum betrachtete das straffe Hitlerregime in Deutschland mit verhaltenem Wohlwollen. Dem deutschen Gesandten in Oslo, Ernst Freiherr von Weizsäcker, sagte er bei dessen Antrittsbesuch: »Vor Hitler habe ich keine Angst.« In der Sicht Mowinckels und seiner bürgerlichen Parteigänger waren die vom Nationalsozialismus vertriebenen Deutschen kommunistische Agitatoren, zumindest arbeitsscheue Existenzen, die sich Hitlers Bemühen entziehen wollten, wieder Ordnung im Land zu schaffen.

Anfang April 1933, als Brandt gerade in Oslo eingetroffen war, forderten die bürgerlichen Mehrheitsparteien im norwegischen Parlament, dem Storting, die Regierung Mowinckel auf, den Politemigranten »ihre besondere Aufmerksamkeit zu widmen«. Begründet wurde dies mit den »agitatorischen Umtrieben ausländischer Kommunisten«. Noch im selben Monat zwang die Polizei mehrere deutsche Antifaschisten, das Land zu verlassen.

Diese aufgeladene Situation erklärt, weshalb dem Neuankömmling Brandt nur eine befristete Aufenthaltsgenehmigung erteilt wurde. Als sie im Juli ablief, hatte sich die Lage weiter verschlechtert. Die Nationalsozialisten hatten ein Gesetz beschlossen, mit dem sie unerwünschten emigrierten politischen Gegnern die Staatsangehörigkeit aberkennen konnten. Verfemt wurde, wer durch sein »Verhalten, das gegen die Pflicht der Treue gegen Reich und Volk verstößt, die deutschen Belange geschädigt« habe.

In den bürgerlichen Zeitungen von Oslo begann sofort eine Kampagne gegen die noch nicht abgeschobenen Deutschen. Es wurde auf die »Gefahr« hingewiesen, daß diese »kommunistischen Agenten« ihre Staatsangehörigkeit verlieren könnten. Als Staatenlose aber wären sie nur mit größten Schwierigkeiten auszuweisen. Willy Brandt – jetzt wieder Herbert Frahm, weil sein Reisepaß, den er den Behörden in Oslo vorgelegt hatte, auf diesen Namen ausgestellt war – wurde von den Zeitungen namentlich attackiert. Seine Aufenthaltsgenehmigung sei bereits abgelaufen, außerdem arbeite er illegal im Pressereferat der Arbeiterpartei. Ein Osloer Boulevardblatt verdächtigte ihn, Mitglied eines finnischen Spionagerings zu sein. Er habe auch Kontakte zu einem »bolschewistischen Agenten«, der im Moskauer Auftrag bei Kriegsausbruch Eisenbahnlinien sprengen und Erztransporte von Narvik verhindern sollte.

Auch die deutsche Gesandtschaft arbeitete gezielt gegen Brandt. Gesandter von Weizsäcker, der Vater des heutigen Bundespräsidenten, hatte mit der norwegischen Fremdenpolizei eine enge Zusammenarbeit vereinbart. Die Gesandtschaft konnte einen Verbindungsmann zur Fremdenpolizei einsetzen, der Informationen über die im Lande lebenden Emigranten sammelte. Die Norweger sicherten den Deutschen zu, sie über beabsichtigte Ausweisungen »auf dem laufenden« zu halten. Die Zusammenarbeit funktionierte gut. Eine Notiz der deutschen Gesandtschaft vom 5. August 1933 belegt das. Unter der Überschrift »In Norwegen weilende deutsche Kommunistenagitatoren« hieß es unter anderem (mit falscher Orthographie): »Ein Agitator namens Frahn, Angestellter am Pressekontor der Arbeiter, Aufenthaltserlaubnis aber längst abgelaufen ... Im übrigen hat die Fremdenpolizei den Eindruck, daß in diesem Jahre dank der Einführung des deutschen Ausreisevisums viel weniger deutsche Landstreicher, die meistens von kommunistischer Agitation lebten und von der hiesigen Arbeiterpartei unterhalten wurden, nach Norwegen gekommen sind als früher.«

Im Herbst 1933 gewann die NAP bei Neuwahlen 22 Mandate hinzu. Das war Brandts Glück. Das bürgerliche Kabinett Mowinckel konnte sich nur als Minderheitsregierung im Amt behaupten und war auf die Tolerierung durch die Opposition angewiesen. Damit aber wuchs auch der Einfluß der Arbeiterpartei auf die Ausländerpolitik. Parteichef Oscar Torp griff persönlich ein, um Willy Brandt vor der Ausweisung zu retten. Er erklärte den Behörden, daß Brandt »der Tod oder im besseren Fall Konzentrationslager« drohe, werde er nach Deutschland zurückgeschickt. Wie prekär Brandts Lage tatsächlich war, zeigte sich daran, daß nur drei deutsche Antifaschisten die polizeiliche Emigrantenjagd vom Sommer 1933 in Oslo überstanden.

Erst zwei Jahre später war Brandt endgültig außer Gefahr, abgeschoben zu werden. Am 19. März 1935 übernahm die Arbeiterpartei in Norwegen die Regierung. Das neue Kabinett unter dem Minister-

präsidenten Johan Nygaardsvold setzte gegen die Ausländerfeindlichkeit im eigenen Land eine liberale Flüchtlingspolitik durch. Davon profitierte auch der von Stalin ausgebürgerte kommunistische
Revolutionär Leo Trotzki. Er kam 1935 nach Oslo und konnte so
lange in Norwegen bleiben, bis Mexiko bereit war, ihn aufzunehmen. Trotzki und Brandt sind sich nicht begegnet. Ein bereits verab-
redeter Gesprächstermin – die Begegnung sollte in Paris stattfinden
– wurde von Trotzki im letzten Augenblick wieder abgesagt. Er hatte
sich über Brandts »reformistische« Neigungen geärgert.

». . . daß ich später einmal eine wichtige Rolle spielen werde.«

HILFE FÜR NAZIOPFER

Das SAP-Büro in Oslo und die »zentrale Auslandsstelle« des SJV
waren zunächst einmal nicht mehr als Briefkastenfirmen, anzu-
schreiben über ein Schließfach, das Willy Brandt häufig wechselte
und aus Tarnungsgründen unter den Namen ausländischer Freunde
laufen ließ. Mit viel jugendlichem Enthusiasmus machte er sich an
seine Aufgaben. Er wollte das Ausland über den wahren Charakter
des Hitlerregimes aufklären. In Artikeln und Vorträgen berichtete er
über die Folterkeller der Gestapo, über die einsetzende Verfolgung
und Mißhandlung der Juden. Dabei versuchte er klarzumachen, daß
es sich keineswegs um kommunistische Greuelpropaganda handelte. Bei den norwegischen Gewerkschaften und in der Redaktion
des »Arbeiderbladet« verteilte er Zeitschriften der SAP-Zentrale in
Paris: »Neue Front – Organ für proletarisch-revolutionäre Sammlung«, »Marxistische Tribüne« und »Banner der revolutionären Einheit«. Er selber gab in Oslo – in seiner Rolle als SJV-Funktionär – die
»Sozialistische Jugend« und den Informationsdienst »Kampfbereit«,
benannt nach dem Gruß der SJVler, heraus.
    Systematisch baute Brandt Verbindungen zur Jugendbewegung
der NAP auf. Sie wurde von Halvard Lange gleitet, der für mehrere
Jahrzehnte für ihn zum Freund und Förderer wurde. Langes Vater,

Dr. Christian Lange, war ein international renommierter Politiker, der 1921 den Friedensnobelpreis erhalten hatte. Von der NAP bekam Brandt Geld für die SAP, das er nach Paris weiterleitete. Von dort brachten Kuriere den Familien inhaftierter Genossen im Reich Unterstützungsgelder, etwa für Anwaltskosten.

Brandts wichtigste Aufgabe war die Kontaktpflege zu den im Reich zurückgebliebenen SAP-Genossen. Ihr Widerstandsgeist und ihr Zusammengehörigkeitsgefühl sollten gestärkt werden. Brandt schickte Briefe, belanglose Mitteilungen, die zwischen den Zeilen mit unsichtbarer Tinte geschriebene Informationen enthielten. Bücher in Postkartengröße, mit Umschlägen, die Klassikerausgaben vortäuschten, und Zeitungen auf dünnem Bibeldruckpapier wurden ins Reich geschmuggelt: Mal nahm ein Osloer Bibliothekar das Material in einem Koffer mit doppeltem Boden mit; mal ließ ein Offizier in seine Uniformjacke Nachrichten einnähen; mal erledigten Seeleute Kurierdienste. Dies war Teil eines weitverzweigten Informationsapparates der SAP, die rings um die Reichsgrenzen »Grenzarbeiter« postiert hatte. Sie sammelten Nachrichten aus dem Reich und schafften das Propagandamaterial, das von SAP-Außenposten in Paris und Prag gedruckt wurde, über die Grenze nach Deutschland.

Über mehrere Jahre konnte Brandt in Kopenhagen, dem Ausflugsziel der Wochenendfahrten deutscher Passagierschiffe, Treffen zwischen Exilierten und Freunden aus dem Reich arrangieren. Einmal, im Sommer 1935, traf er dort seine Mutter. Unbehelligt von der Gestapo war sie mit einem »Kraft durch Freude«-Dampfer gekommen. Zwei Jahre später kam sein Stiefvater per Schiff sogar nach Oslo.

Eine von Brandts Aktionen endete mit spektakulärem Erfolg. Vierundzwanzig führende Mitglieder der sogenannten »Inlandsleitung« der SAP waren verhaftet worden. Kuriere berichteten, daß die Inhaftierten schwer gefoltert wurden und in dem Prozeß, der Ende November 1934 anlaufen sollte, mit Todesurteilen rechnen mußten. Einer der Eingekerkerten war Max Köhler. Der gelernte Tischler war 1916 Mitbegründer der Spartakus-Jugend gewesen, danach KPD-Mitglied, dann zur SAP gewechselt. Ein anderer war der Schriftsteller Stefan Szende, ein gebürtiger Ungar, der in der SAP eine Art Chefideologe war. Anklagepunkte waren »Fortführung einer verbotenen Partei« und »gemeinschaftliche Vorbereitung eines hochverräterischen Unternehmens«. Die schwerste Anschuldigung wurde gegen Szende erhoben. Sie lautete auf »Hochverrat, begangen in Verbindung mit dem Ausland«. Ihm drohte die Todesstrafe. Der Prozeß sollte vor dem neugebildeten Volksgerichtshof verhandelt werden, der damals allerdings zum Teil noch mit Richtern besetzt war, die sich ihre Unabhängigkeit nicht nehmen ließen.

Brandt gewann die Unterstützung von fast zwei Dutzend norwegischen Juristen – Richtern, Staats- und Rechtsanwälten. Auf dem Briefbogen des Rechtsanwalts Brynjulf Bull, eines späteren Bürgermeisters von Oslo, verfaßte er unter dem Datum des 22. Oktober 1934 eine Eingabe. Sie war adressiert an das Reichsjustizministerium in Berlin, mit Abschrift an das Reichsaußenministerium und an die Deutsche Gesandtschaft in Oslo. In deutscher Sprache wurde darin der Vorwurf erhoben, daß die Anklage gegen die SAP-Mitglieder auf Gesetzen beruhe, die erst nach deren Inhaftierung in Kraft gesetzt worden seien. Außerdem seien die Angeklagten während ihrer Untersuchungshaft grausam mißhandelt worden, und es sei ein Geheimprozeß geplant. »Wir protestieren auf das schärfste gegen diese groben Verletzungen der allgemeinen strafrechtlichen und prozessualen Regeln, die sonst in allen zivilisierten Staaten geltend sind. Wir protestieren gegen die unmenschlichen Mißhandlungen wehrloser Angeklagter und fordern, daß der bevorstehende Prozeß in voller Öffentlichkeit durchgeführt wird.« Aufgeführt wurden dann Namen und Anschriften der von Brandt mobilisierten Juristen. Brynjulf Bull bestätigte das Schreiben mit seiner Unterschrift.

Die Eingabe hatte Erfolg: Der Prozeß fand in aller Öffentlichkeit statt; der Vorwurf gegen Szende wurde abgemildert, so daß keine Todesstrafe mehr zu befürchten war; das Schreiben wurde im Gerichtssaal verlesen und als eine Äußerung der norwegischen Juristen-Vereinigung mißinterpretiert – also entsprechend höher bewertet. Das Gericht gab den Angeklagten die Möglichkeit, über ihre Mißhandlungen durch die Gestapo auszusagen. Der zuständige Gestapo-Kommissar wurde sogar wegen Mißbrauchs der Amtsgewalt im Gerichtssaal verhaftet. Die Angeklagten kamen mit verhältnismäßig niedrigen Strafen davon. Szende bekam zwei Jahre Zuchthaus, die anderen erhielten drei Jahre Gefängnis.

Auch an der Kampagne, den »Weltbühne«-Chefredakteur Carl von Ossietzky durch Verleihung des Friedensnobelpreises vor den NS-Verfolgern zu retten, beteiligte sich Brandt. Ossietzky war nach dem Reichstagsbrand als Regimegegner ins KZ gesteckt worden. Er wurde schwer mißhandelt. Im November 1936, nach zwei vergeblichen Anläufen, erhielt er den Nobelpreis. Er durfte ihn nicht persönlich entgegennehmen, aber die Verleihung führte immerhin dazu, daß er in ein Krankenhaus verlegt wurde. Er starb dort im Mai 1938 an den Folgen der Mißhandlungen.

Brandt sammelte Erfahrungen und Kontakte, so zu dem Funktionär Kurt Grossmann von der »Liga für Menschenrechte«, dem führenden Kopf der Ossietzky-Kampagne. Von ihm lernte er, daß bei der Verleihung des Friedensnobelpreises Organisation und Taktik mindestens so wichtig sind wie die persönlichen Verdienste des Kandidaten.

Mit derselben Zielstrebigkeit, mit der Brandt für die SAP und die verfolgten Landsleute sorgte, kümmerte er sich auch um sein materielles Auskommen. Er verfaßte außenpolitische Kommentare und Berichte über Deutschland für das »Arbeiderbladet«, kleine Serien für Zeitungen in der norwegischen Provinz, Artikel für Gewerkschaftsblätter. Bald hatte er Kunden auch in den Niederlanden und in der Schweiz. Zu einem Freund meinte er, er komme sich vor wie ein Trödelhändler, der von Haus zu Haus zieht: »Da habe ich ein Artikelchen für dies, da habe ich ein Artikelchen für das. Was wollen Sie?« Er war ein Vielschreiber und bekannte selbstkritisch: »Zeilenhonorare erziehen nicht zur Qualität.«

Doch der Arbeiterjunge aus Lübeck, der zu Hause die doppelte Zurücksetzung seiner sozialen Herkunft und seiner unehelichen Geburt hatte bestehen müssen, war entschlossen, in Norwegen sein Schicksal zu meistern. Er gab Deutschstunden, hielt Vorträge beim Bildungsverband, verdingte sich als Dolmetscher bei mehreren Gewerkschaften. Zielstrebig suchte er die Bekanntschaft der Arbeiterbosse.

Im Sommer 1933 kam wie verabredet seine Freundin Gertrud Meyer, inzwischen neunzehn Jahre alt, nach Oslo. In Lübeck war sie verhört worden, auf dem Weg zur Polizeistation hatte sie einen Brief Brandts aus ihrer Tasche geholt und verschluckt. Jetzt zog sie mit ihm zusammen, zuerst wohnten sie möbliert. Sie galten als Ehepaar. Ihre Aufenthaltsgenehmigung besorgte sich Gertrud, indem sie mit einem norwegischen Studenten namens Gunnar Gaasland eine Scheinehe einging. In den ersten Monaten nach ihrer Ankunft arbeitete sie als Dienstmädchen, um die Haushaltskasse aufzubessern. Danach konzentrierte sie sich darauf, bei säumigen Verlagen Brandts Artikelhonorare einzufordern.

Willy Brandt war gerade einundzwanzig, als er sich mit Gertrud die erste eigene Wohnung leisten konnte. Bald kam er auf fünfhundert Kronen im Monat allein durch seine journalistische Arbeit. Dann fand er – immer noch illegal – eine gutbezahlte Stelle für die Norwegische Volkshilfe: noch einmal fünfhundert Kronen. Auf die Unterstützungszahlungen des Flüchtlingskomitees war er nicht mehr angewiesen. »Mir ging es in meinen norwegischen Jahren nicht schlecht«, kommentierte er später. Äußeres Zeichen seines Wohlbefindens: Er wurde Pfeifenraucher.

Ihn widerten die untätig ausharrenden Emigranten an, ihre sinnlosen, aus Frustrationen herrührenden Streitereien. Er hörte kopfschüttelnd zu, als sie sich nicht etwa darüber stritten, was beim Ausbruch eines von Hitler angezettelten Krieges jeder von ihnen zu tun hätte, sondern wie sich in solch einem Fall die französischen Arbeiter verhalten müßten. Dann hatte er die scheinbar politische Fehde zweier österreichischer Emigrantengruppen zu schlichten. Doch er merkte bald, daß es in Wirklichkeit »um den Verdacht der einen Gruppe ging, die andere hätte bei der Zuteilung von Kleiderspenden ein paar Oberhemden zuviel bekommen«. Von diesem Emigrantenmilieu setzte er sich ab: »Ich wollte mich nicht in eine geistige und politische Isolierung begeben.«

Die SAP-Außenstelle war jetzt eine Ecke seiner Wohnung. Dort hatte er seinen Schreibtisch und, an der Wand gestapelt, seine Akten. Gertrud und er hatten oft Freunde zu Gast. Dann wurde politisiert, keineswegs nur bierernst. Brandt entwarf das Modell seines sozialistischen Europas: Norwegen mit seinen Wäldern und Fjorden sollte das europäische Ferienland werden, und über England – er war noch nie dagewesen, wußte nur aus Büchern und Erzählungen, daß es dort viel Nebel und Regen gebe – sagte er: »Daraus machen wir das europäische Gefängnis.«

Er lebte ein Leben ohne Streß und paßte sich der bedächtigen Lebensweise der Norweger an, eines Volkes von Bauern und Fischern. Dies entsprach seinem Naturell. Morgens schlief er lange. Vor zehn stand er selten auf. Das war in Norwegen nicht unüblich, besonders im Winter, wenn es erst spät hell wurde. Herbert George, ein SAP-Genosse in Berlin, der mit falschem Paß nach Norwegen reisen konnte, wurde ein Opfer dieser Brandtschen Lebensweise. Er kam am Silvestermorgen des Jahres 1938 mit dem Zug in Oslo an, Brandt sollte ihn abholen. Niemand war da. George setzte sich auf seinen Koffer und wartete. Brandt erschien mit zwei Stunden Verspätung, er lachte nur. Bei allem Sinn, das Leben leichtzunehmen, dachte er aber schon damals über den Tag hinaus. »Herbert«, so sagte er zu dem Neuankömmling George, »ich bin davon überzeugt, daß ich später einmal eine wichtige Rolle in der deutschen Entwicklung spielen werde.«

»Aber Willy, wo sind denn all die schönen Mädchen?«

REVOLUTIONSTOURISMUS

Vorerst verlief Brandts politische Entwicklung voller Widersprüche. Noch legte er auf jede neue politische Situation die Schablone von Klassenkampf und Revolution. In dieser Haltung wurde er bestärkt, als ihn wenige Wochen nach seiner Ankunft in Oslo Jacob Walcher besuchte, der hauptamtliche Sekretär der SAP-Auslandszentrale in Paris. Er wurde für mehrere Jahre Brandts geistiger und politischer Mentor. Er brachte ihn mit dem Norweger Erling Falk zusammen, der die Gruppe »Mot Dag« (dem Tag entgegen) gegründet hatte, in der sich junge kommunistische Intellektuelle aus Bürgerfamilien zu einer selbsternannten sozialistischen Elite zusammenfanden. Sie übersetzten Bücher, schrieben ein Arbeiterlexikon, gaben Zeitschriften heraus. Ihrem »Guru« Falk saßen sie bei Diskussionsabenden zu Füßen. Brandt brauchte zwei Jahre, bis er den Charakter dieser Vereinigung durchschaute und sich von ihr zurückzog: »Ich stellte fest, wie in einer politischen Gemeinschaft sadistische Neigungen sublimiert ausgelebt und masochistische Bedürfnisse anderer befriedigt werden können.«

Von einem Mitglied der »Mot Dag« erhielt Brandt einen wichtigen Ratschlag: Er solle sich, um den Schwierigkeiten mit der Fremdenpolizei zu entgehen, an der Osloer Universität einschreiben. Er tat es. Er hörte Vorlesungen über Geschichte, legte eine Vorprüfung in Philosophie mit »gut« ab. Ein Ertrag dieser kurzen Periode wissenschaftlicher Arbeit: die norwegische Ausgabe des »Kapitals«, des Hauptwerks von Karl Marx. Brandt arbeitete an der Übersetzung mit. Ein anderer Ertrag: Er erhielt später Wiedergutmachungszahlungen, weil er sein Studium nicht vollenden konnte.

Die Verbindung zu »Mot Dag« trug ihm bei der Arbeiterpartei und deren Jugendverband den Ruf ein, ein »Linker« zu sein. Innerhalb des Jugendverbandes gab es eine starke oppositionelle Fraktion, die den sozialdemokratischen Reformismus der NAP bekämpfte. Auf einem Jugendkongreß 1934 in Oslo versuchte diese Linksopposition für Brandt den Status eines Gastdelegierten und Rederecht durchzudrücken. Die Führung des Jugendverbandes war dagegen. Es kam zu einer Kampfabstimmung. Brandts Auftritt scheiterte. Es sollte nur noch ein weiteres Jahr dauern, bis er von seinem Förderer Walcher wegen Rechtsabweichung kritisiert wurde.

Zu jener Zeit lernte Brandt den Psychoanalytiker Wilhelm Reich kennen, Schüler Sigmund Freuds und Begründer der »Bewegung für Sexualökonomie und Politik« (Sexpol). Von den Nazis als »Sexualbolschewist« vertrieben, fand Reich vorübergehend Unterkunft in Oslo und hielt Vorlesungen an der Universität. Brandts Lebensgefährtin Trudel Meyer wurde seine Sekretärin. Reich hatte gerade das Buch »Massenpsychologie des Faschismus« geschrieben. Er bescheinigte darin den Nazis, mit »unerhörter Energie und mit großem Geschick Massen wirklich begeistert und dadurch die Macht erobert« zu haben. Der Sozialismus könne den Nationalsozialismus »nicht mit bürokratisierten Parteiapparaten« schlagen.

Brandt, im Sog der neuen Eindrücke und Einflüsse, schrieb für die SAP-Zeitschrift »Neue Front« einen Artikel über die NAP. Die hatte sich mit gemäßigten politischen Aussagen zu einer Massenbewegung gemausert und nach ihrem Wahlsieg 1935 eine Koalition mit der liberal-konservativen Bauernpartei geschlossen. Diese Regierung könne »verschiedene Vorteile für die Arbeiter und Bauern bringen«, schrieb Brandt. Der orthodoxe Walcher schickte ihm das

Manuskript als »zu unkritisch« und »zu positiv« zurück und fragte in seinem Begleitbrief: »Glaubt ihr wirklich, daß im Rahmen der kapitalistischen Gesellschaft ... und mit nur parlamentarischen Mitteln heute noch eine Reformpolitik möglich ist?« Er sehe die Gefahr, daß die neue norwegische Regierung sich gegen die sozialistische Bewegung auswirken würde, »zugunsten des Faschismus«. Und zum Schluß des Briefes: »Wir bitten Dich, für die nächste Nummer einen neuen Aufsatz zu schreiben, Dich aber hier prinzipiell auf einen anderen Boden zu stellen.« Dieser Artikel wurde nicht geschrieben.

Auch in Oslo hatte Brandt bald Prinzipienstreitereien innerhalb der SAP zu bestehen. Die Außenstelle wurde vergrößert, die SAP-Emigranten Peter Blachstein und Paul Wassermann kamen hinzu. Verdeckt hinter Theoriediskussionen gab es Auseinandersetzungen um den Führungsanspruch. Wassermann führte den Anti-Brandt-Flügel an. Er warf Brandt »illoyale und selbstherrliche Methoden« vor. Die »NAP-Frage« bekam in diesen sektiererischen Diskussionen ein immer größeres Gewicht. Brandt versuchte seine SAP-Genossen zu überzeugen, »daß man einen Berg nicht besteigt, indem man einfach auf den Gipfel losrennt«. Seine Widersacher kreideten ihm mangelnde Prinzipienfestigkeit an und spotteten: »Aber der Brandt hat die NAP im Rucksack.«

Das war die eine Seite Willy Brandts, die norwegische. Sie tendierte zunehmend zum Reformismus. Als Deutscher aber war er weiterhin revolutionärer Sozialist. Mit anderen Jugendfunktionären betrieb er von Oslo aus die Gründung einer neuen revolutionären Jugend-Internationale. Es gab bereits eine kommunistische und eine sozialistische Jugend-Internationale. Seit Hitlers Machtübernahme aber waren beide ihrer stärksten Sektionen im Deutschen Reich beraubt. Andere Gruppen hatten danach ebenfalls die Mitarbeit aufgekündigt. Die neue Gruppierung, die Brandt anstrebte, sollte sich von den beiden Vorläufern unterscheiden. Sie sollte – im Unterschied zur sozialistischen – auf kommunistischen Prinzipien basieren, aber – im Unterschied zur kommunistischen – ihre Unabhängigkeit von Moskau bewahren.

Zur Vorbereitung hatten sich zwölf unabhängige Jugendgruppen für den 24. Februar 1934 im holländischen Städtchen Laaren – südöstlich von Amsterdam – verabredet. Die Niederlande lagen verkehrsgünstig, sie galten als ein emigrantenfreundlicher Staat, und die Einreise war für deutsche Bürger visumfrei. Brandt trat von Oslo aus seine erste Auslandsreise an. Er reiste mit seinem noch gültigen deutschen Paß.

Erste Station war Paris. Hier mußte er sich mit der SAP-Führung abstimmen. Mit dem Zug ging es weiter nach Amsterdam, von dort mit dem Bus zum Tagungslokal in Laaren, der Jugendherberge »De Toorts«. Kaffee und Kuchen wurden serviert, Begrüßungsansprachen gehalten. Plötzlich schlug die Tür auf: Polizei. Sie sperrte den Versammlungsraum ab und löste die Veranstaltung auf. Die Ausweise wurden kontrolliert. Auf Rat von zwei norwegischen Freunden ließ Brandt seinen deutschen Paß in der Tasche und zeigte statt dessen seine norwegische Aufenthaltsgenehmigung. Das Papier, in eine Schutzhülle gesteckt, erweckte den Eindruck, es handele sich um einen Reisepaß. Der Trick zog. Brandt und ein Dutzend Ausländer wurden zwar festgenommen und per Bus nach Amsterdam gebracht. Aber nur für kurze Zeit.

Der Bürgermeister von Laaren war ein Anhänger des deutschen Faschismus, der leitende Polizeioffizier des Ortes gehörte den niederländischen Nationalsozialisten an, die seit 1934 eng mit der NSDAP zusammenarbeiteten. Auf eigene Faust ordnete er an, daß man vier deutsche Teilnehmer der Versammlung, alle SAP-Mitglieder, gefesselt an die deutsche Grenze brachte und sie dort der Gestapo übergab. Die vier wurden zuerst nach Berlin in das berüchtigte »Columbia«-Haus gebracht, einer Folterzentrale der Gestapo, ehe sie in ihren Heimatorten vor Gericht gestellt wurden.

Der Laaren-Skandal führte zu heftigen Protesten in niederländischen Zeitungen und zu Anfragen im Parlament von Den Haag. Hier versuchte der niederländische Justizminister die Affäre herunterzuspielen. Es sei »gänzlich unmöglich, daß die Ausweisung für die Betroffenen sehr unangenehme Folgen einschließt«. Die Protestwelle beeindruckte auch die deutsche Justiz. Die Abgeschobenen wurden nicht zum Tode verurteilt. Einer durfte nach Palästina ausreisen, ein anderer kam unter Gestapo-Aufsicht, zwei weitere erhielten Freiheitsstrafen von vier und sechs Jahren.

Die Ausländergruppe, zu der Willy Brandt gehörte, wurde per Bahn an die belgische Grenze verfrachtet. Zwei Polizisten geleiteten sie über die Grenze und überließen sie dort ihrem Schicksal. In Brüssel setzten die Abgeschobenen bald darauf ihre Beratungen fort. Unter der Federführung Brandts hatte der Sozialistische Jugendverband eine Resolution vorbereitet. Die Krise der herrschenden Klassen, so heißt es dort, sei bereits an einem Punkt angelangt, wo nationale Gegensätze und faschistische Methoden »die Gefahren neuer verheerender Kriege« heraufbeschworen. »Der Kampf gegen den Krieg muß darauf ausgerichtet sein, das Proletariat und seine Jugend fähig zu machen, den imperialistischen Krieg in einen revolutionären Kampf gegen das kapitalistische System zu wandeln.«

Außer derlei vulgärmarxistischen Resolutionen wurde auch eine Solidaritätsadresse an Moskau verabschiedet. Da die Sowjetunion »aufgrund der Sozialisierung der Produktionsmittel ein proletarischer Staat« sei, gehöre es zur Pflicht der internationalen Arbeiterklasse, sie »gegen jeden imperialistischen oder konterrevolutionären Angriff zu verteidigen«. Beschlossen wurde zunächst einmal, ein Internationales Jugendbüro in Paris einzurichten. Es sollte halbjährlich Plenumssitzungen organisieren und ein »Internationales Jugendbulletin« herausgeben. Bald schon gab es typisches Sektierergezänk mit den Vertretern trotzkistischer Gruppen um den einzig richtigen Weg zum Sozialismus. 1937 brach das Jugendbüro auseinander. Es teilte damit das Schicksal vieler Versuche in der Geschichte der Arbeiterbewegung, zwischen Sozialdemokraten und Kommunisten ein unabhängiges Zentrum für eine neue sozialistische Einheit einzurichten.

Die Reise nach Laaren, die Aufenthalte in Paris und Brüssel waren für den 21jährigen Brandt der Auftakt zu einem ausgedehnten Tourismus quer durch Europa. Der Kampf gegen den Faschismus war die politische Mission. Doch für einen 21jährigen haben konspirative Aktionen auch ihr Abenteuer, politische Begegnungen auch ihre amourösen Seiten, fremde Tagungsorte auch den Reiz des Sightseeing. Bis zum Ausbruch des Zweiten Weltkrieges war Brandt achtmal in Paris, einmal in London. Er war in Barcelona, kannte Prag und Berlin genauso wie Danzig und Brünn. Ganz nebenher erwarb der Arbeiterjunge aus Lübeck Weltläufigkeit, vervollkommnete seine Kenntnisse des Französischen, Englischen und Spanischen, knüpfte eine Unzahl Kontakte, die ihn später überall in der Welt, in Staatskanzleien wie in Oppositionsbüros und Gewerkschaftshäusern auf alte Bekannte stoßen ließen. Er sah den Dresdner Arno Behrisch wieder, der Brandts intellektuelle Gesprächsgewandtheit ebenso bewunderte wie seinen Snob-Appeal: modisch gekleidet, die Pfeife mit Stopfer in Gang gehalten, um keine gelben Finger zu bekommen. Er traf Edith Baumann, die erste Ehefrau von Erich Honekker, den Journalisten Richard Löwenthal, später Professor an der Freien Universität und Brandts Ratgeber in Berlin, Paul Hertz, in den fünfziger Jahren Berliner Wirtschaftssenator. Er begegnete Jomo Kenyatta, dem späteren Präsidenten von Kenia. Auf Rosie Frölich, die Ehefrau von Paul Frölich, machte er einen so tiefen Eindruck, daß sie sich 1987 als 99jährige beim Geburtstagstreffen in Frankfurt erinnerte: »Aber Willy, wo sind denn all die schönen Mädchen?«

»Paris im Sommer 1937 – schöner, fröhlicher, als ich es je gesehen hatte, überschäumend von Lebenslust«, so schwärmte Brandt noch Jahrzehnte später. Er erlebte all das, »was das Leben im freien Europa so lebenswert machte: die Aufgeschlossenheit der menschlichen Beziehungen, das geistige Feinschmeckertum, die Buntheit und Vielfältigkeit der künstlerischen und literarischen Leistungen«.

Eine Freundin in Paris versuchte er zu überreden, ihm nach Norwegen zu folgen – die Beziehung zu Trudel hatte sich gelockert, sie wollte mit Wilhelm Reich als Assistentin nach New York gehen. Die Pariser Freundin wollte nur kommen, wenn er ihr verspräche, daß er König von Norwegen würde. »Das habe ich ihr nicht versprechen können«, erinnert sich Brandt. »Premierminister hätte ich auch nicht werden können, nicht einmal Abgeordneter, wenn ich nicht vorher fünf Jahre Bauer gewesen wäre. Sonst allerdings hätte ich ziemlich viel dort werden können.«

Mit einem norwegischen Freund durchstromerte er das Montmartre-Viertel. An der Scheibe eines Restaurants entdeckten sie ein Plakat: »Fromage à discretion avec vin – 20 Francs«. Sie setzten sich an einen Tisch und bestellten. Zwanzig verschiedene Käsesorten wurden ihnen auf einem Wagen an den Tisch gebracht, dazu eine große Karaffe Wein. Sie aßen und tranken alles auf. Als sie mehr Wein, Käse und Brot verlangten, kam der Wirt persönlich und schmiß sie raus.

»Soll ich für diesen Quatsch wirklich alles riskieren?«

GEHEIMMISSION BERLIN

Im Juli 1936 beauftragte die SAP-Auslandsleitung in Paris Willy Brandt, nach »Metro« zu reisen – so der SAP-Code für Berlin. Was Verfolgung und Gerichtsverfahren an Untergrundgruppen der SAP in der Reichshauptstadt noch übriggelassen hatten, sollte er neu organisieren. Viel war es nicht mehr, etwas über dreihundert Mann. Seit dem Köhler-Szende-Prozeß vom Dezember 1934 gab es keine Reichsleitung mehr.

Walcher beabsichtigte, Brandt zum neuen Reichsleiter zu ernennen. Deshalb sollte er vor Beginn seiner Mission zuerst noch einmal nach Paris kommen. Doch auch in der Auslandszentrale der SAP wurden bereits heftige Richtungskämpfe ausgefochten. Walcher drang mit seinem Vorschlag nicht durch, und Brandt, der die Streitigkeiten mitbekam, fragte sich: »Soll ich für diesen Quatsch wirklich alles riskieren?« Daß er es dennoch tat, bewertet Richard Löwenthal heute als »mutige Tat«.

Vor Antritt der Reise besorgte sich Brandt neue Papiere. Sein deutscher Reisepaß war abgelaufen. Gunnar Gaasland, der Schein-Ehemann von Trudel, stellte seinen norwegischen Paß zur Verfügung. Ein Graphiker tauschte das Foto Gaaslands gegen eines von Brandt aus. Nun galt es, die fremde Unterschrift zu üben und sich die Lebensdaten des Paßgebers einzuprägen. Brandt tat es so gut, daß er sie noch zwei Jahrzehnte später auswendig konnte. Auch der Paß war perfekt präpariert. Beim Rasierzeug verstaute er sein Agentenbesteck: eine Tinktur, die er als unsichtbare Tinte für Mitteilungen an die SAP-Zentrale benutzte; eine blutstillende Watte, mit der er an ihn gerichtete Nachrichten sichtbar machen konnte.

Die Anreise nach Paris führte Brandt von Warnemünde an der Küste Mecklenburgs bis Aachen quer durch das Deutsche Reich. Kein Zollbeamter schöpfte Verdacht, nicht einmal ein Mann am Warnemünder Hafen, den er von Lübeck her kannte. Wie gut seine Papiere gefälscht waren, merkte Brandt später in Berlin, wo er eines Tages seinen Paß beim Polizeirevier an der Gedächtniskirche abliefern mußte. Auch hier bekam er das Papier anstandslos wieder zurück.

Für Brandts Berliner Aufenthalt war eine perfekte Legende aufgebaut worden. Er sollte als norwegischer Student aus nicht begüterter Familie auftreten, der in der Preußischen Staatsbibliothek arbeiten wollte. Jeden Monat erhielt er aus Norwegen einen Wechsel für seinen Unterhalt. Zum bescheidenen Auftreten gehörte, daß er zur Untermiete wohnte. Er fand ein Quartier am Kurfürstendamm 20, neben dem Café Kranzler. Außerdem mußte er sich als Ausländer offiziell bei der Polizei melden. Brandt: »Es gab keinen gesellschaftlichen Umgang, kein Flirten, keinen Alkohol, von einem Glas Bier zum Essen abgesehen.«

Vormittags besuchte Brandt die Staatsbibliothek. Anstatt jedoch Quellenstudien zur Geschichte des neunzehnten Jahrhunderts zu treiben, vertiefte er sich in Hitlers »Mein Kampf«, in den Rassismus-Katechismus der NSDAP »Der Mythos des zwanzigsten Jahrhunderts« von »Reichsleiter« Alfred Rosenberg und in die Schriften des Reichsernährungsministers Richard Walther Darré. An den Nachmittagen absolvierte er seine Treffs. Bei diesen Begegnungen mit SAP-Genossen nannte er sich »Martin«. Wer er wirklich war, wußten sie nicht. Genausowenig wie er etwas über die Identität seiner Gesprächspartner erfuhr. Die Berliner SAP war in Fünfergruppen organisiert. Nur jeweils ein Mitglied durfte die Verbindung zur nächsten Gruppe halten. Diese Sicherheitsmaßnahme war dazu gedacht, daß bei einer möglichen Verhaftung und einem Verhör durch die Gestapo auch unter Folter niemand Angaben machen konnte, durch die Dritte gefährdet würden. Ebenfalls aus Sicherheitsgründen, vor allem aber aus Angst vor Abhörmikrofonen, verabredete sich Brandt mit den SAP-Vertrauensleuten nur im Freien oder in Kaufhäusern.

Als Brandt Ende August 1936 nach Berlin kam, waren die Olympischen Spiele gerade vorüber. Um die ausländischen Besucher zu täuschen, war der Druck im Innern verringert worden, waren die Verfolgungen vorübergehend ausgesetzt und die antijüdischen Parolen entfernt worden. Für Hitler wurden die Spiele zu einem weiteren Prestigegewinn in einer langen Reihe von Erfolgen, die er bereits errungen hatte. Der Vatikan hatte schon 1933 durch das Konkordat das NS-Regime abgesegnet. Das Saarland, nach dem Ersten Weltkrieg mit völkerrechtlichem Sonderstatus als Puffer zwischen Frankreich und Deutschland geschaffen, war 1935 ins Reich »heimgeholt« worden. Hitler hatte einseitig und ohne Widerstand der Westmächte die militärischen Bestimmungen des Versailler Vertrages annulliert: Er hatte 1935 die allgemeine Wehrpflicht und die Erhöhung des zugestandenen 100 000-Mann-Heeres auf eine Streitmacht von 550 000 Soldaten angekündigt und im März 1936, wieder ohne Gegenwehr, das entmilitarisierte Rheinland von der Wehrmacht besetzen lassen. Obendrein hatte England ihm in einem Flottenabkommen den Bau einer starken Marine zugestanden und damit praktisch die deutsche Wiederaufrüstung legalisiert.

Auch im Innern hatte Hitler beträchtliche Erfolge zu verbuchen. Die Weltwirtschaftskrise war abgeflaut. Mit Arbeitsbeschaffungsprogrammen wie dem Bau von Autobahnen war es gelungen, das Millionenheer der Arbeitslosen aufzulösen und Vollbeschäftigung zu erreichen.

Brandt war sich mit seinen Freunden von der SAP in der Lagebeurteilung einig: Die Militärs, auf die die Anhänger der aufgelösten bürgerlichen Pateien und viele Sozialdemokraten noch immer ihre Umsturzhoffnungen gründeten, würden sich nicht gegen Hitler auflehnen. Der Diktator hatte sie durch sein Wiederaufrüstungsprogramm auf seine Seite gezogen; auch hatte er durch Liquidierung der SA-Führung beim sogenannten Röhm-Putsch der Wehrmacht zugestanden, daß sie die einzige bewaffnete Streitmacht im Staate war.

Sorgfältig sammelte Brandt die Mitteilungen seiner Gesprächspartner, die ihm von den Rüstungsproduktionen in ihren Betrieben berichteten. Alles deutete darauf hin, daß Hitler einen Krieg vorbereitete. Vielleicht würden dadurch, so das Kalkül der SAP-Widerständler, die Bedingungen für eine revolutionäre Änderung der politischen Verhältnisse geschaffen. Von England und Frankreich, soviel schien klar, war keine Hilfe zu erwarten. Das Besitzbürgertum dieser Länder und deren politische Vertreter sahen in den Nazis einen »Ordnungsfaktor«. Ihnen war dieses Regime lieber als möglicherweise eine Revolution in Deutschland und die Abschaffung der alten Strukturen.

Auch praktische Dinge wurden besprochen: welche Angehörigen von Inhaftierten Geld brauchten; wem für seinen bevorstehenden

Prozeß mit einem Anwalt geholfen werden mußte; wie bei Betriebs-
wahlen frühere Gewerkschafter gegen Nazi-Kandidaten durchge-
bracht werden könnten.

Schon vor der Reise nach Berlin hatte Brandt an einer SAP-Bro-
schüre mitgearbeitet, in der das psychologische Einwirken Hitlers
auf die Deutschen untersucht wurde. Der Faschismus, so heißt es
dort, habe der Existenznot und Hoffnungslosigkeit Disziplin,
Gleichklang und den Marschtakt seiner Kolonnen entgegengesetzt
– »der einsamen Hilflosigkeit steht das Eingeordnetsein, der sinnlosen Freiheit eine reaktionäre Bindung gegenüber«. Dazu komme,
daß der Faschismus kleinbürgerliche Ziele vertrete, die den Massen
tief verinnerlicht seien. »Wie der Spießbürger Hitler im Grunde
nichts anderes tat, als auszusprechen, was andere Spießbürger dachten und fühlten, so schreit der Faschismus alles mögliche als die
höchsten Werte irdischen Daseins in die Massen des Jungproleta-
riats hinaus, was in diesen selbst als kapitalistisches Erbgut aufge-
speichert liegt und nun lebendig, wirksam wird.«

Bei seinen Wanderungen durch die Straßen der Reichshauptstadt
fand Brandt jetzt diese Einschätzung bestätigt. Er registrierte, daß
die Nazis »die Ängste, die Verunsicherung, die Sehnsucht nach
einem einfachen Leben ohne Streit« ausbeuteten. Es hatte so gar
nichts gemein mit den Volksfront-Erklärungen, die er draußen, in
Paris, mitunterzeichnet hatte. Darin hieß es, es gebe »eine tiefe und
einheitliche Sehnsucht nahezu aller Deutschen … nach dem Ende
dieses Terrors und nach Wiederherstellung der elementarsten Menschenrechte«.

»Mit proletarischem Gruß, Kampfbereit!«

VOLKSFRONT

Trotz der ernüchternden eigenen Erfahrungen in Berlin ließ sich
Brandt, als er die Reichshauptstadt kurz vor Weihnachten 1936 wie-
der verließ, nicht in dem Elan bremsen, mit dem er sich seit einem
Jahr schon an dem Bemühen beteiligte, gegen den Faschismus ein

neues Bündnis der zersplitterten Arbeiterbewegung zustande zu bringen, sei es als Einheitsfront, als Zusammenarbeit aller linken Parteien – Sozialdemokraten, Sozialisten und Kommunisten –, sei es als Volksfront, als darüber hinausgehende Zusammenarbeit der Linksparteien mit bürgerlichen Gruppen – Liberalen, Katholiken, auch Konservativen bis hin zu den Monarchisten.

Die Idee der Volksfront hatte im Jahre 1936 plötzlich große Aktualität bekommen. In Frankreich bildete der Sozialist Léon Blum eine von Linksparteien getragene Regierung. Sie galt als Volksfront-Kabinett, auch wenn die Kommunisten an ihr nicht beteiligt waren, sondern sie nur tolerierten. Sie setzte für die Arbeiter bedeutende soziale Verbesserungen durch: die 40-Stunden-Woche, einen bezahlten zweiwöchigen Urlaub, die Wahl von Betriebsräten, das Recht auf kollektive Tarifverträge. Auch im benachbarten Spanien war seit Februar 1936 eine Volksfrontregierung an der Macht – mit kommunistischer Beteiligung.

Die Kommunisten hatten die Idee der Volksfront auf dem VII. Weltkongreß der Komintern im August 1935 zum Ziel ihrer Politik proklamiert. Dies stellte eine radikale Abkehr von ihrem bisherigen politischen Kurs dar, bei dem sie ihre Hauptangriffe auf die Sozialdemokraten als die »soziale Hauptstütze der Bourgeoisie« gerichtet und die Mitarbeit der SPD in bürgerlichen Regierungen als »Sozialfaschismus« diffamiert hatten. Mit dieser Kursänderung, mit dem plötzlichen Bemühen um Zusammenarbeit mit der Sozialdemokratie und gar mit »bürgerlichen« Regierungen suchte Stalin, der die Komintern dirigierte, Verbündete für einen möglichen Konflikt mit Hitler. Der hatte bereits offen mit einer Aggression gegen die Sowjetunion gedroht.

Versuche der KPD, mit dem Vorstand der Exil-SPD in Prag zu einer Zusammenarbeit zu kommen, scheiterten jedoch. Die SPD-Führung wertete die Volksfrontparolen der Kommunisten als »reine Taktik«. Nach dieser Abfuhr verlagerten sie ihre Volksfrontkampagne auf antinazistische Emigrantengruppen in Paris – Schriftsteller, Journalisten, Künstler, aber auch vereinzelte Sozialdemokraten, die in Opposition zum »rechten« Parteivorstand standen. Besonders offene Aufnahme fanden sie beim »Schutzverband der deutschen Schriftsteller«, einem Zusammenschluß der exilierten linken Kulturelite mit Heinrich Mann als Ehrenpräsidenten. Im Februar

1936 kam es zu ersten gemeinsamen Tagungen und zu Aufrufen gegen Hitlers Politik der Kriegsvorbereitung, die die Unterschriften von Sozialdemokraten und Kommunisten trugen. Heinrich Mann wurde zum Vorsitzenden eines »Ausschusses zur Vorbereitung der Deutschen Volksfront« berufen. Beratungsort war das Hotel Lutetia am Boulevard Raspail – später bezog die Gestapo hier Quartier.

Im Mai 1936 legte dieser Ausschuß einen neuen Aufruf vor. Darin wurde die gerade erfolgte Rheinlandbesetzung verurteilt, die nur »der Hitler-Diktatur den Überfall auf Frankreich, Belgien, Österreich, die Tschechoslowakei und die Sowjetunion erleichtern« solle. An die »Arbeiter und ihre Organisationen in der ganzen Welt«, an die »Männer und Frauen in allen Ländern« wurde appelliert, »durch einheitliches Handeln . . . die freiheitlichen und friedliebenden Kräfte des deutschen Volkes in ihrem heroischen Ringen zu unterstützen«. Fünfunddreißig Personen unterzeichneten den Aufruf – prominente Sozialdemokraten wie Rudolf Breitscheid, prominente Kommunisten wie Walter Ulbricht und erstmals auch drei Mitglieder der SAP. Einer von ihnen war Willy Brandt.

Im Dezember 1936 folgte der nächste Aufruf »Für die Deutsche Volksfront!«. Er enthielt wiederum eine Warnung vor Hitlers Kriegspolitik und einen Appell zum Zusammenschluß aller antinazistischen Kräfte. Er schloß mit den Worten: »Für Freiheit, Frieden und Brot!« Obgleich Brandt zu jener Zeit noch in Berlin war, wurde sein Name auch unter diesen Aufruf gesetzt. Daß man sich dafür entschied, zeigt die Bedeutung, die der gerade 23jährige schon genoß. Denn die Unterschriften unter dem Aufruf waren eine Art »Who is Who« der deutschen Exil-Prominenz. Für die Kommunisten waren jetzt auch Wilhelm Pieck und Herbert Wehner dazugekommen, der mit seinem Decknamen Kurt Funk unterzeichnete. Die Liste der »Intelligenz« enthielt Namen wie Lion Feuchtwanger, Arnold Zweig, Ernst Toller, Egon Erwin Kisch, Ernst Bloch, Rudolf Leonhard, Johannes R. Becher.

Brandt hatte sich in seiner Funktion als Leiter der Auslandsstelle des Sozialistischen Jugendverbands schon frühzeitig auf eigene Faust in einen Dialog mit dem kommunistischen Pendant (KJVD) über ein Zusammengehen in einer »Proletarischen Einheitsfront« eingelassen. Auf ein Schreiben des KJVD antwortete er den »werten Genossen« unter dem Datum des 29. Oktober 1935: »Als Schüler von Marx und Lenin wissen wir, daß es zum siegreichen Kampf der Arbeiterklasse einer zielbewußten und revolutionären Partei bedarf.« Und im weiteren Verlauf dieses Briefwechsels unterstrich er: »Unsere Organisation ist auf den Schutz der Sowjetunion verpflichtet.« Gezeichnet waren diese Briefe stets »mit proletarischem Gruß, Kampfbereit!«. Bisweilen wies sich Brandt in seinen Schreiben auch als »ZK« des SJV aus. Er paßte damit seine Adresse der großsprecherischen Terminologie der kommunistischen Jugendlichen an, die sich ebenfalls als Zentralkomitee vorstellten.

Im November 1935 hatte der Briefwechsel zu einer »Einheitsfrontvereinbarung« mit dem KJVD geführt. Es wurde eine »Kontaktkommission« vereinbart, als gemeinsames Organ verständigte man sich auf die »Freie Deutsche Jugend« (FDJ). Auch die SAJ – die Jugend der SPD – sowie die Jugendverbände der Radikalsozialisten und der Kommunisten Österreichs traten der FDJ bei. Diese Aktivitäten hatten Heinrich Mann auf Willy Brandt aufmerksam werden lassen. Er suchte das Gespräch mit dem »jungen Mann aus Lübeck.« Als sie über die gemeinsame Heimatstadt sprachen, meinte Heinrich Mann voller Wehmut: »Wir werden die sieben Türme wohl nie mehr wiedersehen.«

Der KJVD hatte im Auftrag der Komintern die anderen Jugendverbände dazu bringen sollen, ihre eigenen Organisationen aufzugeben und in einer »Volksfront der Jugend« aufzugehen. Brandt hatte gleich in einem seiner ersten Briefe »bedenkliche Fehler« darin gesehen, »eine Zusammenfassung der proletarischen mit den oppositionellen Jugendlichen des katholischen, bündischen, studentischen Lagers und anderen als Hauptaufgabe des Kampfes in Deutschland« zu verstehen. Er monierte, »daß wir dann für die Verteidigung des Glaubens der katholischen Jugendlichen kämpfen sollen«. Brandt: »Natürlich müssen wir alle Spannungen im Lager der Bourgeoisie und ihrer Jugend ausnützen, aber eben ausnützen, nicht uns zu ihren Waffenträgern machen. Wir haben die Aufgabe, die Loslösung des katholischen Jungarbeiters von ihren Pfaffen herbeizuführen.« Mit anderen Worten: Brandt warf den kommunistischen Jugendlichen mangelnde ideologische Standfestigkeit vor. Es war eine Kritik von links.

1936 drangen die ersten Nachrichten über die von Stalin befohlenen Säuberungen zu den Emigranten im westlichen Ausland. Mit

Schauprozessen und brutalen Morden entledigte sich der sowjetische Diktator seiner tatsächlichen und eingebildeten Widersacher. Brandt hielt diese Meldungen zuerst für Nazilügen. »Wir weigerten uns, für bare Münze zu nehmen, was im Frühherbst 1936 im ersten Schauprozeß gegen die alten Bolschewiki vorgebracht wurde. Aber die meisten von uns weigerten sich auch, die Anklage für bloßen Schwindel zu halten. Steckte nicht vielleicht doch etwas dahinter, was unsereiner noch nicht durchschauen konnte?«

Sein Urteil über die Sowjetunion war schwankend. Es spiegelte den inneren Konflikt wider, den er selber in seiner politischen Entwicklung durchmachte. Mal hielt er fest: »Die Entwicklung der Sowjetunion ist voller Widersprüche . . . Wir haben dort erschütternde Rückschläge in der politischen Ordnung und fast unverständliche gesellschaftliche Veränderungen erlebt. Nichtsdestoweniger ist die SU das Land ohne Kapitalisten. Wir müssen in Deutschland eine unserer Aufgaben darin sehen, der faschistischen Hetze gegen die SU, die auch in den Reihen der klassenbewußten Arbeiter teilweise Anklang gefunden hat, durch Vermittlung von Tatsachenmaterial entgegenzuwirken.«

Dann aber beschäftigte ihn der ideologische Konflikt, daß die Sowjetunion mit ihrer Komintern-Politik nun Bündnisse mit »imperialistischen Mächten« anstrebte, um den von Hitler angedrohten Krieg hinauszuschieben. Brandt: »Worauf es ankommt, ist zu verhindern, daß durch die Unterordnung der internationalen Arbeiterbewegung unter die außenpolitischen Notwendigkeiten der Sowjetunion der Kampf um die gesellschaftliche Macht hintangestellt wird.« Wenig später wurde seine Kritik noch schärfer. In einem Artikel im SAP-Organ »Marxistische Tribüne« vom Oktober 1936 nannte er die sowjetische Haltung einen »Rückfall in den ›Sozialfaschismus‹«. Nun propagierte er die »Notwendigkeit der Unabhängigkeit von Moskau« und die Suche nach Verbündeten bei diesem Vorhaben.

Zugleich ging er auf Distanz zu den Trotzkisten. Auf verschiedenen Jugendkonferenzen, unter anderem bei dem aufgeflogenen Treffen in Laaren, hatte er sie als anmaßend und sektiererisch empfunden – ohne sich darüber klar zu sein, daß auch er nur eine Phantom-Gefolgschaft befehligte. Jetzt schrieb er: »Unser Verhältnis zu den Trotzkisten muß überprüft werden . . . Für die Trotzkisten steht die Aufgabe der Schaffung einer ideologisch exakt ausgerichteten ›Avantgarde‹ über die Arbeiterklasse. Vor uns steht die Pflicht, an der Schaffung wahrhaft kommunistischer proletarischer Massenparteien mitzuwirken.«

». . . fühlte ich mein Herz höher schlagen.«

IM SPANISCHEN BÜRGERKRIEG

Im Februar 1937 beauftragte die Pariser SAP-Führung den inzwischen nach Norwegen zurückgekehrten Willy Brandt, als Verbindungsmann nach Barcelona zu gehen. Um seine Reisekasse aufzubessern, reiste er zugleich im Auftrag des »Norwegischen Hilfskomitees für Spanien« und verabredete mit mehreren norwegischen Zeitungen, für sie Korrespondentenberichte zu verfassen.

Die im Februar 1936 an die Macht gekommene spanische Volksfrontregierung hatte seit dem ersten Tag ihrer Amtsübernahme in einem Abwehrkampf gegen die Rechten der »Nationalen Front« – konservative Katholiken, Monarchisten, Großgrundbesitzer und »Falange«-Faschisten – gestanden. Die »Nationale Front« unterhielt enge Verbindungen zur Armeeführung unter Generalstabschef Franco, den die Linksregierung auf die Kanarischen Inseln strafversetzt hatte. Trotz dieser Maßnahme gelang es der Regierung nicht, Herr über die unruhige Lage zu werden. Rechte und Linke bekämpften sich mit blutigen Terroraktionen. Im Juli 1936 putschte Franco. Er verließ heimlich die Kanarischen Inseln und verkündete von Spanisch-Marokko aus den Aufstand: »Die Verfassung der Republik ist außer Kraft gesetzt.«

Hitler schickte Flugzeuge und Waffen, der Putsch wurde von Spanisch-Marokko auf die Iberische Halbinsel getragen. Um nicht zu kapitulieren, beschloß die Linksregierung die »Volksbewaffnung« und ließ Waffen an die Arbeiterorganisationen verteilen. Das Land versank im Bürgerkrieg. Von Beginn an hatte dieser Kampf Symbolgehalt. Brandt nannte ihn »die erste offene Schlacht gegen den internationalen Faschismus, ein Vorgefecht der großen und unweigerlich herannahenden Weltauseinandersetzung zwischen Fortschritt und Reaktion, zwischen Faschismus und Sozialismus«.

Für den gerade 23jährigen Brandt bedeutete die bevorstehende Reise einen Höhepunkt in seinem bisherigen Leben. »Als Sozialist fühlte ich mein Herz höher schlagen bei den Meldungen über den heldenhaften Widerstand der spanischen Arbeiter gegen die Mächte der Reaktion.« Aber auch für den Journalisten Brandt war die Reise eine faszinierende Herausforderung. Aus allen Ländern der Welt waren die bedeutendsten Schriftsteller auf die Iberische Halbinsel gereist. Der Spanische Bürgerkrieg bildete den intellektuellen und emotionalen Höhepunkt der turbulenten dreißiger Jahre. Er wurde zu einem Medienereignis. Hunderte von Büchern entstanden, bedeutende zeitgenössische Literaten, darunter Georges Bernanos, Ernest Hemingway, Antoine de Saint-Exupéry, André Malraux, Arthur Koestler und der sowjetische Star-Autor Ilja Ehrenburg verfaßten Reportagen über das spanische Drama.

Viele vertauschten die Schreibmaschine mit dem Karabiner. Der englische Journalist George Orwell schloß sich als Freiwilliger den kämpfenden Milizen der POUM (Partido Obrero de Unificaciòn Marxista) an. Der deutsche kommunistische Schriftsteller Alfred Kantorowicz war Nachrichtenoffizier in einer der Internationalen Brigaden. Beide wurden schwer verwundet.

Die Anreise nach Spanien begann für Brandt als Abenteuer. In seiner Begleitung war Per Monsen, ein gleichaltriger norwegischer Journalist, der für ein Blatt in Kristiansand berichten sollte. Monsens Vater war Verteidigungsminister Norwegens. Die Reiseausrüstung bestand aus zwei Handkoffern und einer gemeinsamen, knappen Reisekasse. Sorgsam hatten die beiden Journalisten die billigste Reiseroute zusammengestellt: per Schiff von Kristiansand nach Frederikshavn in Dänemark, dann mit dem Zug nach Esbjerg an der dänischen Westküste, nördlich von Sylt, weiter mit dem Schiff nach Antwerpen – geschlafen wurde auf Holzbänken an Deck –, dann per Bahn – dritter Klasse – zunächst nach Paris. Bereits an ihrer ersten Station, in Frederikshavn, kamen die beiden verspätet an, der Zug nach Esbjerg war schon weg. Brandt entschied: »Wir nehmen ein Taxi.« Monsens Einwände, ihr Reisebudget würde das nicht erlauben, wischte er beiseite. Die Taxifahrt kostete fünfzig Kronen. Monsen: »Ein Vermögen.« Doch sie erreichten ihr Schiff.

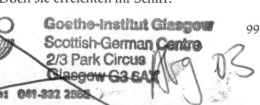

Goethe-Institut Glasgow
Scottish-German Centre
2/3 Park Circus
Glasgow G3 6AX
Telefon: 041-332 2555

In Paris wohnten sie in der engen Wohnung von Jacob Walcher. Sie schliefen auf dem Fußboden. Für die Weiterreise nach Spanien war wegen Frankreichs Politik der »Nichteinmischung« ein besonderes Ausreisevisum erforderlich. Fünf Tage hintereinander ging Monsen zur Polizei, immer ohne Resultat. Brandt ging aus Vorsicht nicht mit – er reiste wieder mit dem Paß von Gunnar Gaasland, dem Schein-Ehemann seiner Freundin Trudel Meyer. Da bekamen die beiden einen Tip, wie es klappen würde. Sie legten einen Geldschein in die Pässe. Schon am nächsten Tag konnte es weitergehen.

Kurz nach Passieren der spanischen Grenze erlebten sie die Wirklichkeit des zerrissenen Spanien, zunächst noch als Groteske. Im Reiseabteil saß auch eine belgische Delegation volksfrontfreundlicher Katholiken. Ihnen sollte gezeigt werden, daß im republikanischen Spanien die Religionsfreiheit gesichert sei. Brandt erinnert sich: »Als sich der Zug aus einem Tunnel schob, sah man linker Hand eine Kirche. Sämtlichen Heiligenfiguren auf dem Kirchenschiff waren leider die Köpfe abgeschlagen worden. Der Reiseleiter – der linke niederländische Schriftsteller Nico Rost – bemühte sich krampfhaft, die Aufmerksamkeit seiner Gruppe auf die Naturschönheiten zur Rechten abzulenken.«

Das Reiseziel war Barcelona. Am Abend kamen die beiden Journalisten an. Sie wollten in einem Restaurant noch einen Happen essen, doch es gab nur Wein und Oliven. Sie orderten reichlich, Peseten hatten sie günstig eintauschen können. Als sie beim Zahlen ein Trinkgeld geben wollten, erlebten sie zum zweitenmal an diesem Tag die spanische Wirklichkeit. Der Kellner, ein selbstbewußter Mann mit qualmender Zigarre, wurde wütend und war dicht daran, die beiden Gäste niederzuschlagen. Ein Spanier am Nachbartisch sprang dazwischen, er konnte Englisch und dolmetschte: Das Lokal war »kollektiviert« und vom Personal übernommen worden. Die neuen Besitzer empfanden es als Beleidigung ihrer Würde, in alter Weise mit Trinkgeld bestochen zu werden.

Ein befreundeter schwedischer Abgeordneter, der Schriftsteller und Mitbegründer der schwedischen KP Ture Nerman, hatte sich mit Brandt im Hotel Victoria an der Plaza de Catalona verabredet. Er kam völlig verstört in der Hotelhalle an. Arbeiter hatten ihn beim Überqueren des Platzes festgehalten und als »Klassenfeind« beschimpft. Der Grund ihres Zornes: Er trug einen Hut, Symbol des

Bürgertums. Tatsächlich gab es eine Empfehlung der katalanischen Regierung, keine Hüte zu tragen – eine Empfehlung, die auf Brandt offenbar keinen nachhaltigen Eindruck machte; viele Jahre später sollte er sogar einen Homburg tragen.

Bald lernte Brandt die besondere Brutalität dieses Bürgerkrieges kennen. Als Frontberichterstatter sah er durch ein Fernglas mit an, wie republikanische Freiwillige einem Priester, der sich bei den gegnerischen Franco-Truppen befunden hatte, mit dem Bajonett den Bauch aufschlitzten. Er sah das Sterben von jungen SAP-Genossen, die als Freiwillige kämpften – auf ihre Waffen warteten schon die nächsten SAPler. In seiner Nähe wurde George Orwell, der im selben Hotel wohnte, von einer Kugel der Kehlkopf durchschossen. Aus nächster Nähe erlebte er Artilleriebeschuß und Fliegerangriffe der Legion Condor mit. Er kam mit heiler Haut davon. Brandt: »Ich hatte mir vorher – zum erstenmal! – das Rauchen abgewöhnt, doch zwischen dem zweiten und dritten Einschlag bat ich meinen Nachbarn um eine Zigarette.«

Ein einziges Mal nahm Brandt selbst die Waffe in die Hand. Er hatte eines Nachts Freunde besucht, die ein Gebäude an Barcelonas Prachtboulevard, den »Ramblas«, bewachten. Sie gaben ihm ein Gewehr. Brandt: »Wenn es notwendig geworden wäre, zum eigenen Schutz und dem meiner Freunde zu schießen, hätte ich daran auch nichts ändern können.«

Die Sowjets hatten in diesem Krieg eine eigene Front errichtet. Anders als die Westmächte, die sich aus Furcht vor Racheaktionen Hitlers zurückhielten, schickte die Sowjetunion den Franco-Gegnern Waffen und Internationale Brigaden zu Hilfe. Zugleich aber kamen Agenten der sowjetischen Geheimpolizei NKWD. Deren Kommandos liquidierten Hunderte von Anarchisten, Trotzkisten und Angehörigen anderer sozialistischer Splittergruppen, die sich nicht dem militärischen und politischen Konzept der Kommunisten unterordneten. Ihr besonderer Haß galt der kleinen Intellektuellen-Partei POUM. Sie war ein spanisches Gegenstück zur SAP und zählte rund dreitausend Mitglieder. Ihre Hochburg war Barcelona, das Zentrum des von Anarchisten beherrschten Katalonien. Anders als die auf Volksfrontkurs liegenden Kommunisten wollte die POUM in Spanien die Revolution erkämpfen und eine Räterepublik errichten.

Brandt hatte sich in Barcelona mit einem jungen Exilrussen, Marc Rein, angefreundet. Dessen Vater, Rafael Abramowitsch Rein, ein Sozialdemokrat, war von Lenin 1920 ins Exil entlassen worden und gehörte in Paris zum engeren Kreis um Ministerpräsident Léon Blum. Eines Tages verschwand Marc Rein spurlos aus seinem Hotel. Brandt machte sich auf die Suche nach dem Verschwundenen. Er drang bis in das Büro des Komintern-Vertreters in Barcelona vor, des deutschen Kommunisten Karl Mewis. Der stellte sich unwissend. Marc Reins Vater kam von Paris nach Barcelona geeilt. Brandt erinnert sich: »Der alte Mann, der so vieles erduldet, aber alle Schicksalsschläge mit stoischem Mut ertragen hatte, war nun gebrochen.« Da der Fall in den Zeitungen groß behandelt wurde, hoffte der Vater auf den Druck der öffentlichen Meinung. Doch sein Sohn blieb für immer verschwunden – nach Brandts Überzeugung vom NKWD liquidiert.

Der Mai 1937 ging als der »blutige Mai« in die Geschichte des Spanischen Bürgerkriegs ein. In Barcelona hatten die Anarchisten seit Monaten das Haupttelefonamt unter ihrer Kontrolle, ein Unternehmen der »American Telephone and Telegraph Company«. Sie hörten die Gespräche der Regionalregierung ab, einer Koalition von Sozialisten, Kommunisten, bürgerlichen Republikanern und anfangs auch der POUM. Die Anarchisten machten sich einen Spaß daraus, die Minister bei Gesprächen zu unterbrechen und sie aufzufordern, »nicht so viel zu quatschen, lieber mehr zu arbeiten«. Am 3. Mai 1937 wurde es der katalanischen Regierung zu bunt. Sie schickte ein starkes Polizeikommando zum Telefonamt. Als die Polizisten das Gebäude betraten, wurden sie mit MG-Feuer zurückgejagt. Aus dem Zusammenprall entwickelten sich in wenigen Stunden Barrikadenkämpfe in der ganzen Stadt. Die POUM schloß sich den Anarchisten an.

Innerhalb von vier Tagen kämpften Polizeikräfte, Truppen der Zentralregierung und Einheiten der Kommunisten den anarchistischen Putsch nieder. Die Kommunisten wurden jetzt endgültig zur beherrschenden Kraft der Republik. Sie machten die POUM für den Aufstand verantwortlich, forderten das Verbot der Partei und die Verhaftung ihrer Führer. Unter stillschweigender Duldung der Zentralregierung machten sie sich selbst an die Erfüllung ihrer Forderungen. In der Nacht zum 16. Juni 1937 wurde die POUM liquidiert.

Ihre gesamte Parteiführung sowie Hunderte von Aktivisten wurden, zum Teil in ihren Stellungen an der Front, verhaftet.

Die Kommunisten setzten das große Aufräumen auch unter ihnen unbequemen »Linkskommunisten« und »Trotzkisten« fort. Der Wiener Kurt Landau, Mitbegründer der österreichischen KP, der polnische Trotzkist Henryk Freund, der Tscheche und frühere Sekretär Trotzkis Erwin Wolf und zahlreiche andere wurden verschleppt und tauchten nie wieder auf.

Wegen der engen Bindungen der SAP zur POUM befürchtete jetzt auch Willy Brandt Schwierigkeiten. Er bereitete seine Abreise vor. Vom Hotel wechselte er in die Wohnung eines Bekannten. Seine letzten Notizen und Berichte steckte er in den Kamin und zündete sie an. Im ersten Auflodern des Feuers sah er, daß unter dem Rost Munition versteckt war. Es gelang ihm, das Feuer noch gerade rechtzeitig zu löschen. Bereits kurz nach seiner Ankunft in Barcelona war Brandt auf Distanz zur POUM gegangen. Er mochte deren Revoluzzertum nicht mitvollziehen, sondern sah darin »sektiererisches Verhalten«, »ultralinken Subjektivismus« und »Wirklichkeitsferne«. Ihr fehle die richtige Vorstellung von den militärischen Notwendigkeiten. Sie mache einen »führerlosen Eindruck«.

Im Juli 1937 verließ Brandt Barcelona. »Hinter mir lagen lehrreiche, doch überwiegend unglückliche Monate«, sagte er rückblickend. Sein Urteil über die Sowjetunion und die Kommunisten blieb zwiespältig. Einerseits negativ: »Um die von ihnen erstrebte Monopolisierung der Führung zu erlangen, scheuen die Kommunisten kein Mittel.« Ihre Methoden des blinden Terrors gegen sozialistische Widersacher könnten für den antifaschistischen Krieg lebensgefährlich werden. »Spanien ist in einer Entwicklung zur kommunistischen Parteidiktatur.« Und: »Diese Methoden drohen die ganze internationale Arbeiterbewegung zu vergiften.«

Andererseits entdeckte er positive Aspekte im Verhalten der Sowjets: »Sie haben damit begonnen, wieder eine aktive, selbständige außenpolitische Linie zu verfolgen.« Ihre Interessen deckten sich mit denen der spanischen und der internationalen Arbeiterklasse. »Der Einsatz der Russen für die Vernichtung Francos war eine außerordentlich fortschrittliche Angelegenheit.«

Mit solchen Ansichten und mit seiner Kritik an der POUM lag Brandt auf einer Linie mit der SAP-Auslandsleitung unter Jacob

Walcher. Doch war diese Haltung in der SAP nicht unumstritten. Eine innerparteiliche Opposition beschuldigte die Walcher-Gruppe, sich zum Stalinismus zu bekennen und den Anschluß der SAP an die KPD vorzubereiten. Wenig später mußte sich Brandt mit dem Vorwurf der Witwe Landaus auseinandersetzen, er sei am Tod ihres Mannes mitschuldig. Ein Bericht Landaus über die Verfehlungen der Bolschewiken sei durch ihn in die Hände der Kommunisten geraten und hätte ihnen den Vorwand zur Verhaftung geliefert. Mit Walcher und Frölich als Leumundszeugen gelang es Brandt, die Vorwürfe zu entkräften.

»Mir persönlich ging es so gut wie selten.«

AUSBÜRGERUNG

Willy Brandt kehrte verändert nach Oslo zurück. Er erkannte immer deutlicher, »wie sehr mir Norwegen zur zweiten Heimat geworden war«. Nach den Grausamkeiten des Bürgerkriegs in Spanien und den Emigrantenzänkereien in Paris war die Heimkehr nicht nur ein persönliches Aufatmen. Politische Besinnung ging damit einher.

Stärker als zuvor wirkten jetzt norwegische Einflüsse auf das Denken des jungen SAP-Politikers. Die norwegische Arbeiterpartei hatte in der 1935 erlangten Regierungsverantwortung gezeigt, daß ihr wirksame Verbesserungen der Lebensbedingungen für die benachteiligten Schichten wichtiger waren als die reine Lehre. Sie gab sich ein neues Grundsatzprogramm, das sich von der marxistischen Terminologie löste. Es sprach nicht mehr von der »Arbeiterklasse«, sondern vom »arbeitenden Volk«, von den gemeinsamen Interessen der Arbeiter, Bauern und Fischer. An die Stelle der Heilserwartungen durch eine Revolution trat ein Katalog demokratischer Reformen. Das Wirtschaftsprogramm, das Elemente staatlicher Planung und Regulierung enthielt, war zum Teil eine Übernahme der Reformpolitik des amerikanischen Präsidenten Franklin D. Roosevelt. Sein New-Deal-Programm, das mit staatlichen Investitionen die Arbeitslosigkeit bekämpfte und die Wirtschaftskrise überwand, faszinierte die traditionell stärker auf Amerika als auf Mitteleuropa fixierte Seefahrernation Norwegen.

Brandt zeigte sich bereit, aus seinen Erfahrungen zu lernen: »Je größer meine Enttäuschungen über das Versagen einer Politik, die zwischen unfruchtbarem Sektierertum und wirkungsloser Opposition schwankte, desto besser vermochte ich das große Programm sozialer Reformen und der Wirtschaftsplanung zu würdigen, das die skandinavischen Arbeiterparteien zu verwirklichen suchten und wofür sie auch die Unterstützung breiter Schichten des Bürgertums und der Bauernschaft gewannen.«

Die Phase des »doppelten« Brandt, der auf der einen Seite ja sagte zu den Reformen der norwegischen Arbeiterpartei, auf der anderen Seite die revolutionären Parolen der SAP vertrat, ging zu Ende. Er erkannte, daß von den hochfliegenden Plänen, einen neuen Kristallisationspunkt der Arbeiterbewegung zu schaffen, nichts übriggeblieben war. »Uns ist es nicht gelungen, die sozialdemokratische Arbeiterschaft anzuziehen, und wir müssen einsehen, daß uns das als SAP auch nicht gelingen wird«, zog er in einem Rundschreiben an Parteifreunde Bilanz. Er plädierte für ein Absetzen von der kominterndirigierten Volksfrontbewegung und empfahl: »Wir sollen entschlossen und klar das Ziel der Verschmelzung mit den aktiven sozialdemokratischen Kräften ins Auge fassen.«

Der Exilvorstand der SPD bemühte sich zu dieser Zeit um eine Sammlung aller sozialistischen Gruppen außerhalb der KP. Vorstandsmitglied Erich Ollenhauer, zuständig für Jugendarbeit, kümmerte sich besonders um Willy Brandt, den obersten Funktionär der SAP-Jugend. Ollenhauer, Sohn eines Maurers, hatte nach einer Kaufmannslehre in seiner Heimatstadt Magdeburg ein Volontariat bei der dortigen »Volksstimme« begonnen. Mit achtzehn Jahren war er SPD-Mitglied geworden, mit neunzehn schon hauptamtlicher Funktionär. Bisher hatte Brandt nur milden Spott für den farblosen Jugendsekretär übrig gehabt, der Anfang der dreißiger Jahre vergeblich die aufmüpfige Parteijugend zu disziplinieren versucht hatte. Brandts Urteil: »Oppositionsgeist sagte man ihm nicht nach.« Jetzt ging er auf Ollenhauer zu.

Im September 1938 trafen sich die beiden Jugendfunktionäre in Paris, ein halbes Jahr später in Oslo. Ollenhauer verschaffte Brandt eine Einladung zum Jugendtag der Sozialistischen Jugendinternationale nach Lille. Doch Brandt machte lieber Ferien in einem Zeltlager in Sunndalsöra, an einem der schönsten norwegischen Fjorde. Aber er schrieb nieder: »Wir jungen Sozialdemokraten« – so empfand er sich bereits – »hatten wieder zusammengefunden.«

Außenpolitische Ereignisse beschleunigten Brandts Rückverwandlung zum Sozialdemokraten. In Spanien führte die Selbstzerfleischung der Linken zum Sieg des Putschisten-Generals Franco. In Deutschland erreichte Hitler mit dem Anschluß Österreichs und der von der Tschechoslowakei erzwungenen Abtretung des Sudetengebietes den Höhepunkt seiner Popularität. Im Münchener Abkommen vom 29. September 1938 gaben Frankreich, wo inzwischen wieder ein bürgerliches Kabinett unter dem Ministerpräsidenten Daladier regierte, und Englands konservativer Premier Chamberlain ihr Einverständnis zu dem Landraub. Diese westliche Appeasementpolitik ermutigte Hitler im März 1939, die Tschechoslowakei zu zerschlagen und sich Böhmen und Mähren einzuverleiben.

Am 23. August 1939 schlossen dann Hitler und Stalin überraschend einen Nichtangriffspakt. In einem geheimen Zusatzprotokoll wurde die Aufteilung Polens zwischen beiden Vertragspartnern skizziert. Aus Stalins Sicht war dieser Vertrag ein Gegenstück zum Münchener Abkommen. So wie sich dort Frankreich und England auf Kosten der Tschechoslowakei gegen einen Überfall Hitlers abgesichert zu haben glaubten, so wollte sich Stalin nun auf Kosten Polens gegen Hitlers Aggressionsabsichten schützen. Dies erschien ihm um so dringlicher, als die Westmächte kaum verhüllt Hitlers Kriegsgelüste in östliche Richtung umzulenken trachteten.

Für die Linke war Stalins Schritt ein unbegreiflicher Vorgang. Nicht nur, daß er sich mit dem faschistischen Diktator einließ, der ihre Glaubensgenossen in Konzentrationslager sperrte, ermordete, außer Landes trieb. Zum ersten Mal benahm sich die Sowjetunion nun auch wie einer der verhaßten imperialistischen Staaten, als sie am 17. September, zweieinhalb Wochen nach Hitlers Überfall auf Polen, gemäß den Geheimabsprachen den Osten des bereits geschlagenen Landes besetzte. Zwei Monate später folgte der russische Überfall auf Finnland.

Brandt hatte in Spanien erlebt, wie die Moskauer Außenpolitik nur von den eigenen Zielen bestimmt worden war. Auch die neue Schwenkung sei »ohne Rücksicht auf die Interessen der internationalen Arbeiterbewegung und des Kampfes gegen den Faschismus erfolgt«. Daraus folgte für Brandt: »Die Sowjetunion ist ein reaktionärer Faktor in der internationalen Politik geworden. Die Arbeiterbewegung muß gegen sie wie gegen alle Reaktion kämpfen.« Zugleich nahm er die Idee des Sozialismus gegen die Sowjetunion in Schutz. »Sozialismus ist mehr als die Übernahme der Produktionsmittel durch den Staat. Sozialismus ist ohne Freiheit und Demokratie nicht möglich.« Das, was in der Sowjetunion geschehe, sei gewiß kein Beweis dafür, daß sich der Sozialismus nicht durchsetzen lasse.

An seinen prinzipiellen Überzeugungen, die er seit den Jugendjahren in Lübeck mit sich trug, hielt Brandt weiterhin fest. Seine damalige Haltung beschrieb er später mit dem Satz: »Trotzdem ließ ich den Gedanken einer einheitlichen Arbeiterbewegung noch nicht fallen.« Auch durch den Abschluß des Hitler-Stalin-Paktes ließ er sich nicht beirren. Kurz darauf kommentierte er: »Es ist damit zu rechnen, daß die Expansionsbestrebungen des deutschen Imperialismus gegen den russischen Raum bestehen bleiben und daß sich nach einer Periode der Kooperation ein neuer Konflikt zwischen den beiden Mächten ergeben wird.«

Das Jahr 1939 bedeutete auch im Privatleben Willy Brandts einen tiefen Einschnitt. Im Frühjahr 1939 zog Gertrud Meyer aus der gemeinsamen Wohnung aus, verließ Oslo und reiste als wissenschaftliche Hilfskraft des Psychoanalytikers Reich nach New York. Reich, von bürgerlichen Zeitungen in Oslo als »Judenschwein« beschimpft, war einem Ruf an die Columbia-Universität gefolgt.

Etwa zur gleichen Zeit traf Brandt die Norwegerin Anna Carlota Thorkildsen wieder. Er hatte sie während der kurzen Episode seines Studiums an der Universität Oslo kennengelernt. Sie war neun Jahre älter als er. Sie wurde als Tochter eines norwegischen Seilbahningenieurs und einer Deutsch-Amerikanerin in Köln geboren, hatte in Paris Sprachen und Soziologie studiert, in Oslo Volkswirtschaft. Seit ihrer Jugend engagierte Sozialistin, arbeitete sie jetzt als wissenschaftliche Sekretärin im Osloer Institut für vergleichende Kulturforschung.

Brandt zog mit Carlota in die Wohnung ihrer Eltern. Die beiden beschlossen zu heiraten. Carlota bestärkte ihren künftigen Mann darin, seine Einbürgerung in Norwegen zu beantragen. Denn Brandt war inzwischen zu einem Ausländer dritter Klasse geworden.

»Der edelste Teil von einem Menschen ist der Paß«, schrieb Bertolt Brecht in seinen »Flüchtlingsgesprächen«. Einen gültigen Reisepaß aber hatte Brandt nicht mehr, seit sein deutscher Paß abgelaufen war. Die Norweger hatten ihm Ende 1936 lediglich einen Fremdenpaß gegeben. Und es sollte noch schlimmer kommen.

Unter dem Datum des 1. September 1938 wurde er vom Reichsinnenministerium der deutschen Staatsangehörigkeit für verlustig erklärt. Auf der 51. Ausbürgerungsliste erschien als Nummer elf der Name »Frahm, Herbert Ernst Karl, geb. am 18.12.1913 in Lübeck«. Insgesamt fünfundachtzig Namen umfaßte die Liste – achtundzwanzig »Juden«, zwanzig »Deutschblütige«, siebenunddreißig »Familienangehörige« (so die Expatriationsanträge der Gestapo). Unterzeichnet war sie vom Staatssekretär des Reichsinnenministeriums, Wilhelm Stuckart, dem Dienstvorgesetzten des Ministerialrats Hans Globke, unter Adenauer Staatssekretär im Bundeskanzleramt. Am 5. September wurde die Liste im »Deutschen Reichsanzeiger und Preußischen Staatsanzeiger« auf der ersten Seite veröffentlicht. Die strafweise Ausbürgerung war damit rechtskräftig. Die Nazis hatten Brandt aus der »Volksgemeinschaft« ausgestoßen, er sollte geächtet sein, als vogelfreier Staatenloser gelten, der Volk und Vaterland verraten habe.

Der Bonner Historiker Hans Georg Lehmann hat die Vorgeschichte der Ausbürgerung Brandts erforscht. Offenbar war die Gestapo jahrelang über die Identität Herbert Frahm gleich Willy Brandt im unklaren. Dabei hatte sie schon unmittelbar nach der Machtergreifung damit begonnen, eine Datenbank für Emigranten aufzubauen. Wurden sie gefaßt, dann kamen sie als »Reichsfeinde« in spezielle Konzentrationslager – Männer in die KZs Westerwegen, Dachau oder Sachsenburg, Frauen in das KZ Moringen. Nach einer sogenannten Schulungshaft, in der sie im nationalsozialistischen Sinn umerzogen werden sollten, wurde über ihr weiteres Schicksal entschieden.

In diese Datenbank kamen alle Informationen, die die Gestapo im In- und Ausland über die Emigranten sammeln konnte. Im Ausland setzte sie auf ihre Opfer Spitzel an, auch unter den Emigranten selbst wurden Agenten angeworben. Ferner wurden die Botschaften und Konsulate per Runderlaß vom 19. September 1933 in die Observation der antifaschistischen Exilkreise eingespannt. Wie aus

Brandts Ausbürgerungsakte hervorgeht, hatte die politische Polizei Lübecks ihn zunächst nicht überwacht und seine nächtlichen Flugblattaktionen nicht registriert. Seine Flucht über die Ostsee bemerkte sie erst mit zweieinhalbmonatiger Verspätung. Auszug aus der Akte: »Nach der Machtübernahme betätigte sich Frahm in Lübeck nicht mehr im politischen Sinne. Am 14. 6. 1933 emigrierte er nach Dänemark.«

Die Identität von Willy Brandt mit Herbert Frahm wurde offensichtlich erst in der zweiten Hälfte der dreißiger Jahre festgestellt. Als sich Brandt in Paris zu Volksfrontbesprechungen aufhielt, berichtete ein Verräter in den Reihen der Flüchtlinge ständig der Deutschen Botschaft über die Aktionen seiner ahnungslosen Genossen. Dieser Agent hatte Zugang zu geheimen Postschließfächern, über die die politisch aktiven Emigranten ihre Korrespondenz abwickelten. So informiert, meldete der Gesandtschaftsrat Joachim Kühn unter dem Datum des 27. Mai 1937 mit »Geheim«-Stempel nach Deutschland: »Als Kurier für Emigrantenorganisationen reist ein gewisser Herbert Frahm zwischen Frankreich und den nordischen Ländern. ... In Norwegen steigt er bei Gunnar Nielson in Oslo, Sörligatan ab.« Kühn übermittelte auch die genauen Personalangaben aus Brandts abgelaufenem deutschen Reisepaß.

Als Brandt Jahrzehnte später von dem Historiker Lehmann diese Dokumente vorgelegt bekam, empörte er sich darüber, daß seine Tätigkeit nur als »Kurier« gewertet worden war: »Die ›Kurierdienste‹ entsprachen der Phantasie eines Dreigroschenjungen.« Und die angegebene Adresse in Oslo sei lediglich »eine meiner postalischen Deckadressen« gewesen. »Unerklärlich« aber sei ihm, »wie die Pariser Botschaftsspitzel in den Besitz meines abgelaufenen deutschen Passes gelangt sind«.

Auch der seit Mai 1936 amtierende neue deutsche Gesandte in Oslo, Heinrich Sahm, trug zu Brandts Ausbürgerungsakte Material bei, durch das die Identität des Decknamens Brandt mit dem Lübecker Emigranten Frahm erhärtet wurde. Die Informationen holte sich Sahm – sein Sohn Ulrich arbeitete Anfang der siebziger Jahre als Ministerialdirektor unter Bundeskanzler Willy Brandt – vom Osloer »Centralpasskontoret«. Diese Behörde registrierte alle Ausländer. Ihr Leiter war ein Konservativer, dem die liberale Ausländerpolitik der NAP mißfiel. Am 9. Juni 1938 meldete Sahm dem Geheimen

Staatspolizeiamt in Berlin, daß die Zeitung »Fritt Folk« – das Kampf-
blatt der norwegischen Nazis – »gelegentlich über einen Willy
Brandt geschrieben (habe), der in Norwegen ein- und ausreist«. Dadurch sei man darauf gekommen, »daß Herbert Frahm mit Willy
Brandt identisch ist«.

In Deutschland wurde das gesamte Material, das aus Lübeck, Paris und Oslo über Brandt zusammengetragen worden war, in den
ordnungsgemäßen Behördengang gegeben. Die Zentrale der Gestapo wies schließlich die Staatspolizeistelle Kiel an, das Ausbürge-
rungsverfahren zu eröffnen. Hier erhielt der Vorgang erst einmal
ein Aktenzeichen: II B 2 – 1616/38. Dann gingen die Unterlagen als
Ausbürgerungsvorschlag zurück an das Geheime Staatspolizeiamt
in Berlin, von dort in vierfacher Ausfertigung an den »Reichsführer-
SS und Chef der Deutschen Polizei im Reichsministerium des Innern«. Hier wurde der Vorgang unter anderem von Kurt Lischka bearbeitet, der feststellte, daß die tatsächlichen und juristischen
Voraussetzungen erfüllt seien, Frahm/Brandt die deutsche Staatsbürgerschaft abzuerkennen. (Wegen Judendeportationen aus Frankreich wurde Lischka 1980 von einem Kölner Gericht zu einer zehn-
jährigen Haftstrafe verurteilt.)

Dem Wunsch seiner künftigen Frau entsprechend, beantragte
Brandt im Herbst 1939 – nach Hitlers Überfall auf Polen – die norwegische Staatsangehörigkeit. Nach Deutschland hatte er kaum
noch Bindungen. Er sprach und schrieb Norwegisch, kaum noch
Deutsch. Es ging ihm anders als vielen anderen Ausgebürgerten, die
es ablehnten, eine fremde Staatsangehörigkeit anzunehmen, weil sie
den Versuch der Nazis, ihnen ihre nationale Identität zu nehmen,
nicht sanktionieren wollten.

Den Antrag an das zuständige Justizministerium stellte Brynjulf
Bull, der schon Brandts Protestschreiben im Szende-Prozeß unterzeichnet hatte. Vier Nachweise mußte er führen: daß der Antragstel-
ler volljährig war, seit fünf Jahren seinen festen Wohnsitz in Norwegen hatte, als unbescholten galt und als fähig, seinen eigenen
Unterhalt zu verdienen. Außerdem waren hundert Kronen Gebüh-
ren zu zahlen. Vom Justizminister Trygve Lie kam die Auskunft, das
Einbürgerungsverfahren werde etwa ein halbes Jahr dauern.

Brandt war darüber nicht beunruhigt. Die Monate nach Hitlers
Blitzsieg und der Teilung Polens erschienen ihm »auf eigentümliche

Weise unwirklich«. Der Streß der letzten Jahre, die vielen Reisen waren vorbei. Er hatte eine feste Anstellung bei der norwegischen Volkshilfe, einer humanitären Einrichtung. Alle paar Monate machte er Urlaub. Zu Weihnachten 1939 und zu Ostern 1940 reiste er mit Carlota auf Skiurlaub in die norwegischen Berge. Sie wohnten in einer Hütte der befreundeten Familie Lange. Für den Sommer hatten sie sich ein Haus außerhalb der Stadt am Oslofjord gemietet. Sie wollten von dort zur Arbeit fahren. Brandt: »Mir persönlich ging es so gut wie selten.«

»Willy, das ist gefährlich hier.«

FLUCHT VOR DER GESTAPO

Dann kam der 8. April 1940. Brandt kehrte an diesem Abend erst spät nach Hause zurück. Er hatte im Volkshaus zu deutschen und österreichischen Emigranten gesprochen: Niemand solle überrascht sein, wenn sich am nächsten Tag deutsche Flugzeuge über Oslo zeigten. In der Aktentasche trug er das Andruckexemplar seines ersten Buches: »Die Kriegsziele der Großmächte und das neue Europa«. Es sollte seine Leser nie erreichen. Die Gestapo stampfte die Auflage ein.

Den ganzen Tag über hatte es in Oslo Gerüchte gegeben, daß eine deutsche Invasion unmittelbar bevorstünde. Carlota wartete voller Ungeduld auf Brandt. Das aber hatte einen anderen Grund. Sie war an diesem Tag beim Arzt gewesen und hatte erfahren, daß sie ein Kind erwartete. Als ihr Lebensgefährte schließlich nach Hause kam, war er so abgespannt, daß sie ihm die Neuigkeit nicht erzählen wollte. Zehn Minuten später gab es Luftalarm. Sicher nur eine Übung, meinte Brandt. Während des Alarms erzählte Carlota ihm dann noch, daß er bald Vater werden würde. Sie erinnert sich, daß er bei dieser Nachricht »sehr froh« war. Brandt schrieb später nieder: »Die Gründung einer Familie – das war ein Stück Wirklichkeit, ein gewisser Halt in der Flut der sich überstürzenden Ereignisse.«

Als Operation »Weserübung« hatte Hitler die militärische Besetzung der neutralen skandinavischen Staaten Dänemark und Norwegen vorbereiten lassen. Am Morgen des 9. April 1940 drangen deutsche Verbände über die ungeschützte Grenze nach Dänemark ein und besetzten Kopenhagen. Zur selben Zeit setzten deutsche Flugzeuge über Oslo und dem norwegischen Stavanger Fallschirmjäger ab, deutsche Schiffe brachten Infanterieeinheiten an die norwegische Küste. Mit der Invasion wollte das NS-Regime einer Landung der Engländer in Skandinavien zuvorkommen. Denn das hätte bedeutet, daß Großbritannien die Ostsee beherrschen würde und das Reich von schwedischen Erzlieferungen abschneiden könnte.

Dänemark kapitulierte nahezu ohne Widerstand – das dänische Heer hatte dreizehn Tote und dreiundzwanzig Verwundete zu beklagen. Auch Norwegen war binnen achtundvierzig Stunden in deutscher Hand. Aber das traditionell pazifistische Land, dessen Truppen trotz alarmierender Vorberichte erst nach der Landung mobilisiert wurden, wehrte sich in einigen Regionen tapfer. Im engen Oslofjord versenkten die Norweger mit zwei Krupp-Kanonen aus dem Ersten Weltkrieg und zwei Torpedos, die sie von einer Unterwasserbasis abfeuerten, den neuesten und mit modernsten Waffensystemen ausgerüsteten deutschen Kreuzer »Blücher«. Über tausendfünfhundert Mann ertranken. Die Engländer landeten in den Küstenstädten Andalsnes und Namsos und kämpften gemeinsam mit den Norwegern gegen die vorrückenden deutschen Einheiten. Der Widerstand dauerte insgesamt vier Wochen.

Die norwegische Regierung verließ unmittelbar nach Beginn der Kämpfe am 9. April die Hauptstadt. Die Nazis unterstellten das Land einem Reichskommissar und setzten 1942 unter dem Norweger Vidkun Quisling, dessen Name zum Synonym für Verrat und Kollaboration wurde, eine Marionettenregierung ein.

Um sechs Uhr am Morgen des 9. April wurde Brandt durch Telefonläuten geweckt. Ein Bekannter, ein deutscher Emigrant, informierte ihn: Deutsche Truppen seien am Oslofjord gelandet, es bestehe Gefahr. Brandt war sich über den Ernst der Lage sofort im klaren. Er wußte, daß zahlreiche SAP-Genossen, die im Reich verhaftet worden waren, zu ihrer eigenen Entlastung viele Anschuldigungen auf ihn abgewälzt hatten. Das war, solange er für die Nazis nicht greifbar war, in seinem Sinn. Doch auf den Gestapo-Listen wuchs sein Schuldenkonto als »Volksschädling«. Und die Gestapo hatte den Einsatz in Norwegen ebenso gründlich vorbereitet wie das Oberkommando der Wehrmacht. Wenn er ihr in die Hände fiel, mußte er damit rechnen, sofort erschossen oder in ein KZ verschleppt zu werden.

Tatsächlich kam schon ein paar Tage später ein Einsatzstab unter einem SS-Oberführer mit dem »Sonderauftrag« nach Oslo, alle Reichsfeinde zu verhaften. Auf der schwarzen Liste der Gestapo stand auch der Name Brandt/Frahm. Das Reichssicherheitshauptamt der SS suchte nach Hinweisen über die Zusammenarbeit der Emigranten mit, wie es in den Akten hieß, »illegalen, marxistischen Gruppen im Reich«. Erst später erfuhr Brandt, daß ein Großteil einschlägiger Akten mit der »Blücher« untergegangen war.

Mit seiner Verlobten war sich Brandt schnell einig: Er würde erst einmal fliehen, sie sollte in Oslo bleiben. In ein paar Tagen, da waren sie sich sicher, würden die Alliierten eingreifen, und sie könnten sich wiedersehen. Brandt verließ die Wohnung. In der Luft lag das Brummen der deutschen Flugzeuge, die über der Stadt kreisten. Freunde aus der norwegischen Arbeiterpartei, unter ihnen der Partei-Senior Martin Tranmäl, nahmen ihn im Auto mit. Ihr Fluchtweg führte nach Hamar, nordöstlich von Oslo. Dort mußten sie den Wagen stehenlassen, da die Norweger Straßensperren gegen vorrückende Wehrmacht-Einheiten errichtet hatten. Per Autostopp ging es auf einem kleinen Lastwagen weiter nach Elverum. Auf der Ladefläche, unter einem Segeltuchdach, hockte auch Minister Trygve Lie. Es war bitterkalt. Von Elverum ging die Flucht weiter nach Nybergsund an der schwedischen Grenze. Dort hatten sich auch das Kabinett der von den Nazis für abgesetzt erklärten norwegischen Regierung und König Håkon VII. eingefunden. Die deutsche Luftwaffe bombardierte den kleinen Ort. Brandt suchte Schutz in den nahen Wäldern. Als er am Abend in sein Hotel zurückkehrte, war die norwegische Regierung bereits auf dem Weg nach Schweden. Er fand einen in der Eile zurückgelassenen Koffer mit Regierungsakten und übergab ihn der Polizei.

Nach einigen Tagen der Ungewißheit entschloß sich Brandt, nach Hamar zurückzukehren, um dort bei der Volkshilfe zu arbeiten. Deren Mitarbeiter hatten damit begonnen, für die kämpfende Truppe Wolldecken und Verbandszeug zu sammeln. Sie folgten den norwegischen Soldaten nach Norden, Brandt schloß sich ihnen an. In dem kleinen Tal Sundalsdal nördlich von Andalsnes gerieten sie in eine Falle. Die britischen Landtruppen hatten sich angesichts der Aussichtslosigkeit ihres Kampfes wieder auf ihre Schiffe zurückgezogen. Das Tal wurde von deutscher Infanterie abgeriegelt. Es hatte nur einen Ausgang. Die Berge ringsum waren noch von hohem Schnee bedeckt und machten ein Entkommen aussichtslos.

Brandt und seine Begleiter stießen auf einen versprengten Haufen norwegischer Freiwilliger. Unter ihnen entdeckte Brandt einen alten Bekannten. Es war Paul René Gauguin, ein Enkel des berühmten Malers Paul Gauguin. Er war Norweger, hatte auf seiten der Anarchisten in Barcelona als Freiwilliger gekämpft und war dort mit Brandt zusammengetroffen. Die beiden beratschlagten, was zu tun sei. Gauguin hatte sich mit einem Kameraden entschlossen, die Uniform gegen Zivilkleidung auszutauschen und so das Tal zu verlassen. Er sagte zu Brandt: »Willy, das ist gefährlich hier. Wenn dich die Gestapo findet, dann bist du dran.« Dann schlug er vor: »Du kannst meine Uniform haben, ich will weg. Ich spreche mit meinem Fähnrich, daß du in unsere Truppe kommst. Du kannst so gut Norwegisch, daß es den Deutschen nicht auffällt.« Der Fähnrich war einverstanden, Brandt willigte ein. Er zog die Uniform Gauguins an. Die Hose war zu kurz, die Jacke zu weit. Das fiel aber nicht weiter auf, da die norwegische Armee ohnehin wenig Sinn für Modisches bei ihren Uniformen hatte. Gauguin: »Verglichen mit den Deutschen sahen wir aus wie eine Armee von Lumpensoldaten.«

Brandt setzte die Mütze auf, schulterte das Gewehr mit Bajonett und schnallte sich Gürtel und Patronentasche um. Seinen Fremdenpaß vernichtete er. Zusammen mit den anderen Soldaten ließ er sich dann von den Deutschen gefangennehmen, ohne einen einzigen Schuß zu feuern. Brandt: »Ich bin dem Schicksal dankbar, daß es mich nicht vor die gleiche Lage wie die der Freien Franzosen unter General de Gaulle stellte, die in bewaffnete Auseinandersetzungen mit ihren Landsleuten in den Vichy-Streitkräften gerieten.« Er kam in ein Gefangenenlager in Dovre und wurde dazu abkommandiert, ein von den Engländern zurückgelassenes Versorgungslager zu räumen. Staunend registrierte er die Ausrüstung der Engländer: »Der Vorrat an Tennisschlägern war eindrucksvoll.«

Nach vier Wochen Lager wurde er entlassen. Sein Entlassungsschein lautete auf Oslo. Mit dem Zug reiste er nach Hause zurück.

Während der Fahrt tauschte er die Soldatenjacke gegen einen Trenchcoat, den er in seinen Rucksack gepackt hatte, und nahm auch die Soldatenmütze ab. »Nun sah ich wieder halbwegs wie ein Zivilist aus.« In der Wohnung von Bekannten in einem Vorort von Oslo tauchte er erst einmal unter. Dorthin kam auch Carlota. In den folgenden Wochen lebte er als Einsiedler in einem Sommerhäuschen am Oslofjord, das einem Arbeitskollegen gehörte. Zur Tarnung legte er sich eine andere Frisur zu. Die Volkshilfe zahlte ihm sein aufgelaufenes Gehalt aus. »Materielle Not litt ich nicht!«

Mit norwegischen Freunden beriet er seine Zukunft. Gemeinsam kamen sie zu der Überzeugung, daß Brandts Versteck nicht lange unentdeckt bleiben werde. Der Entschluß: Brandt sollte wieder fliehen. Diesmal nach Schweden. Es war Juli 1940.

»Verhalten sich der Redakteur auch wirklich neutral?«

ZWEITE STATION: STOCKHOLM

Mit scharfen Einreise- und Aufenthaltsbestimmungen suchte sich Schweden politische Flüchtlinge vom Hals zu halten. Ausländer, wenn sie nicht Skandinavier waren, brauchten ein Visum. Dieses bekam man nur, wenn man Verwandte in Schweden hatte, niemandem zur Last fiel oder beabsichtigte, das Land bald wieder zu verlassen. Flüchtlinge, die aufgenommen wurden, erhielten ein striktes Verbot, sich politisch zu betätigen. Die schwedische Sicherheitspolizei (Säpo) und das deutsche Reichssicherheitshauptamt (RSHA) arbeiteten bei der Überwachung von »Verdächtigen« eng zusammen. Die Säpo war erst 1939 bei Kriegsbeginn nach dem Vorbild der Gestapo gebildet worden. Ihre Beamten unternahmen Dienstreisen zum RSHA-Chef Reinhard Heydrich nach Berlin. Von der Gestapo übernahmen sie deren Registrier- und Observierungsmethoden.

Eine enge Zusammenarbeit gab es auch zwischen der deutschen und der schwedischen militärischen Abwehr. Desgleichen kooperierten die deutsche Gesandtschaft in Stockholm und die dortige

Kriminalpolizei. Selbst in den schwedischen Hilfsorganisationen, die die Flüchtlinge empfingen, konnten sich Gestapo-Agenten einnisten. Die Zustände in Norwegen waren dagegen idyllisch.

Zwar wurde die schwedische Regierung sozialdemokratisch geführt, doch sie gab der starken Ausländerfeindlichkeit eines großen Teils der Bevölkerung nach. Andere Motive kamen hinzu. Auch in Schweden wurden Exilierte als Konkurrenten auf dem Arbeitsmarkt betrachtet. In Universitätsstädten kam es zu Protesten gegen die Aufnahme akademisch gebildeter Flüchtlinge. Die Studenten der Universität Uppsala verabschiedeten eine Resolution, in der es hieß, das »natürliche Mitgefühl mit den Leiden anderer« dürfe nicht zu Maßnahmen führen, »die für Schweden bisher unbekannte Probleme von schicksalsschwerer Art schaffen müßten«. Aber auch außenpolitische Gesichtspunkte bestimmten das Verhalten der Regierung. Nach Ausbruch des Zweiten Weltkriegs wollte sie den Nazis keinen Vorwand bieten, auch noch dieses Land zu überfallen.

Anfang August 1940 ging Brandt von Norwegen nach Schweden. Er hatte nun keine Papiere mehr. Seinen Fremdenpaß hatte er vernichtet. Sein Antrag auf die norwegische Staatsangehörigkeit war durch die Invasion der Nazis nicht mehr bearbeitet worden, die norwegische Regierung war inzwischen ins Exil nach London ausgewichen. Da ihm das Verhalten der schwedischen Polizei bekannt war, meldete er sich nach dem illegalen Grenzübertritt umgehend bei einem Grenzschutzposten – und zwar, wie immer im Umgang mit Behörden, unter seinem Geburtsnamen. Er kam in Polizeigewahrsam, doch wurde ihm erlaubt, Kontakt mit dem schwedischen Abgeordneten August Spangberg aufzunehmen, einem Eisenbahner, den er aus gemeinsamen Tagen in Barcelona kannte. Spangberg intervenierte, Brandt kam nach knapp einwöchigem Aufenthalt in einem Flüchtlingslager als freier Mann nach Stockholm. Hier traf er eine Reihe alter Freunde aus Norwegen, darunter Martin Tranmäl und Minister Halvard Lange.

Dank einer Eingabe Langes bei der norwegischen Exilregierung in London erhielt Brandt Ende August 1940 den Staatsbürgerbrief. Er war jetzt Norweger. Die Stockholmer Behörden stellten ihm daraufhin eine Aufenthaltsgenehmigung aus. Sie wurde allerdings zunächst auf ein halbes Jahr begrenzt.

Zu den Eigenschaften, die Brandt erworben hatte, gehörte eine wache Anpassungsbereitschaft. Ohne Schwierigkeiten wechselte er mit falschen Papieren über Grenzen: »Illegale Grenzübertritte waren nichts Neues für mich.« Sein optimistisches Auftreten, sein Lachen, seine Hilfsbereitschaft, auch sein gutes Aussehen erleichterten es ihm, Freunde und Freundinnen zu finden. Mal trat er als Deutscher auf, mal als Norweger. Beide Sprachen schrieb und sprach er fließend. Flexibel auch seine politischen Ansichten: Für die einen galt er noch als Linksradikaler, für die Kommunisten schon längst als Sozialdemokrat. Doch nie ließen seine Worte oder Handlungen je einen Zweifel daran, daß er ein entschiedener Antifaschist war.

Innerhalb kurzer Zeit konnte er auch in Stockholm wieder Geld verdienen. Gemeinsam mit einem schwedischen Freund eröffnete er ein »Schwedisch-Norwegisches Pressebüro«. Die Artikel, die er schrieb, handelten zumeist von der Unterdrückung der Norweger, von ihrem Widerstand und ihrem Freiheitskampf. Abonnenten waren inländische Zeitungen, einige Gewerkschaftsblätter im Ausland, aber auch die in Stockholm akkreditierten Botschafter und Gesandten. Er verfaßte auch Broschüren und Bücher, die eine Art Zweitverwertung seiner Artikel waren. Dreizehn Titel erschienen allein bis Kriegsende. Die Auflagen waren allerdings meist bescheiden, so um die zweitausend Exemplare. Binnen kurzem war Brandt so etwas wie der PR-Chef des norwegischen Widerstands in Stockholm. Und damit auch für die schwedische Polizei von besonderem Interesse.

Um Nachrichten zu sammeln und auch Carlota und die gerade geborene Tochter Ninja in Oslo zu besuchen, kehrte Brandt kurz vor Weihnachten 1940 illegal nach Norwegen zurück. Unter den Männern des norwegischen Widerstands, die er traf, war Einar Gerhardsen, von den Nazis als Oberbürgermeister Oslos abgesetzt und nun Straßenarbeiter. Die Begegnung fand in der Wohnung eines Journalisten statt, der kurz darauf von der Polizei festgenommen wurde. Gerhardsen wurde bei dem Versuch, mit einem Fischerboot nach England zu fliehen, von den Deutschen verhaftet und kam bis 1944 in das KZ Sachsenhausen. Nach dem Krieg wurde er Ministerpräsident Norwegens.

Als sich Brandt – zurück in Stockholm – Anfang 1941 bei der Ausländerpolizei meldete, um seine Aufenthaltserlaubnis verlängern zu lassen, wurde er stundenlang verhört. Offensichtlich hatte die Polizei einen Hinweis auf seine heimliche Reise nach Norwegen erhalten. Die Vernehmungsbeamten wollten seine Kontaktpersonen wissen, seine Aufenthaltsorte, die Dauer seiner Reise. Sie unterstellten ihm, in Schweden militärische Informationen über Truppenstärke und Flugplätze zu sammeln.

Brandt schwieg. Die Beamten versuchten ihn einzuschüchtern: Wenn er nicht antworte, werde er nach Deutschland abgeschoben. »Ernst nahm ich diesen Wink nicht«, erinnert er sich. Erst später sollte er erkennen, daß es keine leere Drohung war. Er erfuhr auch, daß er von Agenten beschattet wurde und man die Telefone seines Pressebüros abhörte. Wie in Norwegen und bei der ersten Festnahme in Schweden retteten ihn auch diesmal seine skandinavischen Freunde. Tranmäl intervenierte beim Sozialministerium, das für Ausländer und deren polizeiliche Überwachung zuständig war. Nach mehreren Tagen Haft – die Zelle blieb nach Gestapo-Art auch nachts hell erleuchtet – wurde Brandt freigelassen.

Die schwedische Sicherheitspolizei fertigte unter dem Namen Herbert Frahm eine Karteikarte an. Sie führte ihn im Register »Suspekten«, Rubrik Ostspionage. Dort blieb die Karte jahrzehntelang. Noch Ende 1966 wurde Brandt als neu ernannter Außenminister der Bundesrepublik mit diesem Stück schwedischer Polizeiarbeit konfrontiert.

Im Sommer 1941 wurde Brandt bei einem Cafébesuch erneut festgenommen. Doch diesmal ging es glimpflich aus. Der vernehmende Sicherheitspolizist fragte nur, der Landessitte entsprechend in der dritten Person: »Verhalten sich der Redakteur auch wirklich neutral?« Bei Brandt hinterließ es einen nachhaltigen Eindruck: »Noch lange Jahre bereitete mir jeder Kontakt mit der Polizei Unbehagen.«

Es waren besonders angespannte Wochen in Schweden. Am 20. Juni hatte Hitler die Sowjetunion überfallen. Würde er Schweden, das für die Kriegsrüstung wichtiges Eisenerz ins Reich lieferte, unbehelligt lassen? In Europa wurde es jetzt eng für die deutschen Emigranten. Die Wehrmacht und in ihrem Gefolge die Gestapo hielten die Tschechoslowakei, Frankreich, Belgien, Holland, Dänemark und Norwegen besetzt. Österreich war ins Reich »heimgekehrt«, in Spanien hatte Franco ein faschistisches Unterdrückungsregime errichtet, in Italien regierte Mussolini.

Vorsorglich kundschaftete Brandt in Schweden Versteckmöglichkeiten aus. Und er reichte einen Antrag auf Einreise in die USA ein.

Darin schrieb er zur Begründung: »Schwedische Behörden haben mir geraten, Schweden zu verlassen. Falls die Lage Schwedens exponierter werden sollte, gibt es keine Garantie für meine persönliche Sicherheit. Mir ist seinerzeit die deutsche Staatsangehörigkeit genommen worden, und ich habe sichere Nachrichten darüber, daß die Gestapo mich in Norwegen aufzuspüren versucht.«

In New York lebte bereits Jacob Walcher, er war nach der Kapitulation Frankreichs dorthin emigriert. Eine SAP-Zentrale gab es nicht mehr in Europa, nur noch kleine Zirkel im Exil. Dreißig Genossen bildeten eine SAP-Gruppe in Stockholm. Sie sollte nur noch einmal Bedeutung bekommen – als sie sich auflöste.

Im Frühjahr 1941 hatten Willy Brandt und Carlota geheiratet. Da es ein behördlicher Vorgang war, gab Brandt wieder seinen Geburtsnamen an. Carlota Thorkildsen hieß jetzt Carlota Frahm. Ihr Kommentar: »Ich hatte den Namen vorher nie gehört. Ich mußte mich erst daran gewöhnen, Frahm zu heißen.«

Es gibt ein Foto vom 1. Mai 1944, das Willy Brandt zeigt. Er steht am Straßenrand in Stockholm, seine Tochter Ninja auf den Schultern. Neben ihm Carlota, im Persianermantel, einen Schal modisch um den Hals geknotet, ein fezartiges Hütchen schräg auf dem Kopf. Doch die Idylle trügt. Der 30jährige und seine neun Jahre ältere Frau wohnten bereits nicht mehr zusammen. Schon im Januar 1943 war Carlota aus der gemeinsamen Wohnung, die sie sich 1941 eingerichtet hatten, ausgezogen. Sie wohnte jetzt in der norwegischen Gesandtschaft.

»Ein junger, aber offenkundig ernster Beobachter.«

»KLEINE INTERNATIONALE«

Brandt bezeichnet das Jahr 1944 als einen »Wendepunkt meines Lebens«. Er begründet dies damit, daß in jenem Jahr seine erste Ehe gescheitert sei. Doch auch in seiner politischen Entwicklung markiert das Jahr 1944 eine Wendemarke. Brandt trat nicht länger als der

Jugendfunktionär einer marxistischen Sektierergruppe auf. Er war nun, in seinem einunddreißigsten Lebensjahr, ein erwachsener Politiker, dessen außenpolitische Analysen und konzeptionelle Entwürfe einer politischen Nachkriegsordnung für Deutschland und Europa auf große Beachtung stießen – nicht nur bei den versprengten SAPlern, sondern auch bei den exilierten Sozialdemokraten, im Kreis seiner norwegischen Widerstandsfreunde und ihrer schwedischen Helfer sowie in den Botschaften der USA und der Sowjetunion. Der österreichische Sozialdemokrat Bruno Kreisky, damals auch im Exil in Stockholm, erinnert sich: »Willy Brandt war damals der Inbegriff des politischen Verstandes in dieser Zeit und darüber hinaus eine politische Führungskapazität. Willy Brandt wurde zur repräsentativen Figur der deutschsprachigen Emigration.«

Zum Übungsfeld der neuen Disziplin Außenpolitik wurde für ihn ein international zusammengesetzter Arbeitskreis von Sozialisten. Am 2. Juli 1942 versammelte sich dieses Gremium auf Einladung des Norwegers Martin Tranmäl zum ersten Mal. Rund ein Dutzend »Linke« aus Skandinavien, Deutschland, Österreich, Frankreich, Ungarn und der Tschechoslowakei tagten in unregelmäßiger Folge bis 1945. Vor den schwedischen Sicherheitsbehörden tarnte sich der Zirkel als Studienkreis. In Stockholm erhielt er bald den Beinamen »Kleine Sozialistische Internationale«. Nicht immer ging es nur um große Politik. Auf einer Einladung vom 24. Mai 1944 hieß es: »Das Tee-Soupé kostet Kr. 2,25. Butter- und Brotmarken sind mitzubringen.«

In Stockholm waren unzensierte Zeitungen und Zeitschriften zu kaufen, auch aus den USA und England. Hier konnten sich Brandt und die anderen Teilnehmer der »Kleinen Internationale« über das Kriegsgeschehen informieren. Am 12. August 1941 hatten sich der britische Kriegspremier Winston Churchill und US-Präsident Franklin D. Roosevelt an Bord des britischen Schlachtschiffs »Prince of Wales« im Atlantik über die Grundsätze der künftigen Kriegs- und Nachkriegspolitik verständigt. Die sogenannte »Atlantik-Charta« war zunächst nicht mehr als eine hektographierte Presseerklärung, denn Roosevelt mußte, solange die USA noch nicht in den Krieg verwickelt waren, mit Rücksicht auf den US-Senat vorsichtig taktieren. Den Opfern von Hitlers Aggression verhieß die Erklärung einen Frieden unter Verzicht auf jedwede Annexion sowie die Anerkennung des Selbstbestimmungsrechts der Völker. Sie wurde später zu einem der Gründungsdokumente der Vereinten Nationen. Nach einem zweiten Treffen mit Churchill im Januar 1943 in Casablanca – inzwischen hatte Hitler den USA den Krieg erklärt – hatte Roosevelt dann die bedingungslose Kapitulation der Feindmächte Deutschland, Italien und Japan als Kriegsziel proklamiert.

Die Sowjetunion war an den Erklärungen der Alliierten nicht beteiligt. In einem Tagesbefehl vom 23. Februar 1942 warb Stalin um die deutschen Hitler-Gegner: ». . . die Hitler kommen und gehen, aber das deutsche Volk, der deutsche Staat bleibt bestehen.« Auf dieser Linie lag auch eine Initiative Stalins vom Sommer 1943, nach der Kriegswende von Stalingrad. Deutsche Offiziere und Soldaten, als Kriegsgefangene in sowjetischen Lagern, schlossen sich mit deutschen Emigranten zu einem »Nationalkomitee Freies Deutschland« zusammen. Dieses Komitee, in dem vom konservativen General bis zum linientreuen Kommunisten jede politische Schattierung vertreten war, blieb die einzige nationale Sammlungsbewegung deutscher Hitler-Gegner im Ausland. Seine Aufrufe sollten den Kampfgeist der deutschen Wehrmacht erschüttern. Die Resultate dieser psychologischen Kriegführung blieben aber weit hinter Stalins Erwartungen zurück, und im Herbst 1943 schwenkte der Diktator auf die anglo-amerikanische Linie ein.

Ende November 1943 trafen sich die großen Drei – Roosevelt, Stalin, Churchill – zu ihrer ersten gemeinsamen Kriegskonferenz in Teheran. Die USA sagten eine Invasion in Nordfrankreich für den Frühsommer 1944 zu. Da die Sowjetunion nicht bereit war, auf ihre 1939 annektierten polnischen Ostgebiete zu verzichten, machte Churchill einen Lösungsvorschlag. Mit drei Streichhölzern verschob der Zigarrenraucher die Grenzen in Mitteleuropa. Zum Ausgleich für die an die Sowjetunion verlorenen östlichen Gebiete sollte Polen im Westen sich fortan bis zur Oder-Neiße-Linie ausdehnen.

Ab Spätherbst 1943 mehrten sich alliierte Wortmeldungen zur Nachkriegsordnung Deutschlands. Der amerikanische Diplomat Sumner Welles vertrat die Auffassung, daß zur Wiederherstellung eines dauernden Friedens die Zerstückelung Deutschlands in mindestens drei Teile notwendig sei. US-Diplomat Douglas Miller, lange Jahre Handelsattaché an der US-Botschaft in Berlin, plädierte für eine »industrielle Entwaffnung« Deutschlands, US-Finanzminister Henry Morgenthau wollte es in einen Agrarstaat verwandeln. Aus England reihte sich Lord Vansittart in diesen Chor ein. Für ihn waren die Deutschen schlechthin Raubtiere innerhalb einer sonst friedlichen Menschenrasse. Bis auf wenige Ausnahmen seien sie Hitler treu ergeben. Er verlangte eine fünfzigjährige Besetzung Deutschlands. Nur so bekomme man den aggressiven Charakter der Deutschen unter Kontrolle.

Die »Kleine Sozialistische Internationale« stellte sich als erste Aufgabe, Thesen für »Friedensziele der demokratischen Sozialisten« zu entwerfen. Brandt, zum Sekretär der Gruppe gewählt, erhielt den Auftrag, einen Entwurf der außenpolitischen Grundsätze auszuarbeiten. Er suchte nach einem Konzept, das eine Chance hatte, auf die Nachkriegspolitik der alliierten Siegermächte einzuwirken. Es mußte das Schlimmste für Deutschland abgewendet und eine sozialistische Perspektive für eine europäische Friedensordnung gefunden werden.

Gleich auf der ersten Plenarsitzung der »Kleinen Internationale« mußte Brandt von einer seiner Vorstellungen Abschied nehmen. Er hatte die Aussage vorformuliert, daß Österreich bei Deutschland bleiben solle. Es sei im Sinne einer demokratischen und sozialistischen Politik, Schluß zu machen mit der Kleinstaaterei. Bruno Kreisky hielt entschlossen dagegen: Ein wie immer gearteter Zusammenschluß zwischen Österreich und Nachkriegsdeutschland komme nicht in Frage. Österreich müsse als unabhängiger Staat wiedererrichtet werden.

Unter dem Leitmotiv »Der Krieg kann militärisch gewonnen und politisch verloren werden« mahnte Brandt an: »Die Nachkriegspolitik darf nicht von Rache beherrscht werden, sondern muß vom Willen zum gemeinsamen Wiederaufbau getragen sein.« Haß bilde keine dauerhaften Friedensgrundlagen. Das deutsche Volk trage nicht die Alleinschuld am Krieg. »Wir wissen, daß der Krieg ein Resultat engstirniger kapitalistischer Interessenpolitik war.« Die bei Kriegsausbruch herrschenden Kreise in Frankreich und England hätten den Völkerbund zur Ohnmacht verurteilt. Sie hätten auch nichts dagegen gehabt, »wenn sich die deutsche Expansion gegen die Sowjetunion lenken würde«. Der »Vansittartismus« sei »Rassenpolitik mit umgekehrten Vorzeichen«. Und: »Die Forderung auf das Recht der einzelnen Nationen, ihr eigenes Leben zu leben, muß auch für die Völker gelten, die heute unter nazistischer Herrschaft stehen.«

Brandt erwartete die Aufteilung Deutschlands in eine englische, russische und amerikanische Besatzungszone. Deutsche Demokraten und Sozialisten müßten gemeinsam »jenen Tendenzen entgegenwirken, die zu einer dauernden Zersplitterung führen könnten«. Eine »bedingungslose Erfüllungspolitik« lehnte er entschieden ab. Auf der anderen Seite aber dürften nationalistischen Tendenzen keine Zugeständnisse gemacht werden. Es sei klar und deutlich festzustellen, »daß es die verbrecherische Politik des Nazi-Regimes war, die Deutschland in die schwierigste Situation gegenüber der Umwelt gebracht hat«. Die deutschen Antifaschisten seien zwar unschuldig am Krieg und an den Verbrechen der Nazis. Sie trügen aber Mitverantwortung und hätten deshalb die Folgen der NS-Politik mitzutragen. Es sei eine »Ehrensache«, Juden und andere Verfolgte zu entschädigen.

Die Diskussion über eine Veränderung der Grenzen und die Rückgewinnung der deutschen Souveränität versuchte er durch den Gedanken einer Europäisierung zu entschärfen. »Es ist nicht undenkbar, daß man zu einem vereinigten Europa gelangt.« Deutschland werde dabei die Rolle einer Macht zweiten Ranges spielen. Der demokratische Ausweg für Deutschland liege in der Einordnung der deutschen Belange in die Interessen der europäischen Völkergemeinschaft. »Die Nazis machten den Versuch, Europa auf ihre Art zu verdeutschen. Jetzt geht es darum, Deutschland zu europäisieren. Das geht nicht auf dem Wege der Zerstückelung . . . Das Problem Deutschlands und Europas läßt sich nur lösen durch die Zusammenführung des Westens, des Ostens und dessen, was in der Mitte liegt.« Deutschland müsse einen Ausgleich mit Ost und West erstreben. Es dürfe sich nicht auf eine der Weltmächte festlegen oder versuchen, die eine gegen die andere auszuspielen. Hier sind bereits die Denkansätze des späteren Abgeordneten, Außenministers und Bundeskanzlers zu erkennen.

Nahezu ein Jahr lang wurde an den Thesen über die Friedensziele gearbeitet. Am 1. Mai 1943 trug Brandt sie auf einer öffentlichen Versammlung in einem Lokal in Stockholm vor. Das war kein Hinterzimmertreffen mehr, sondern eine Kundgebung mit mehreren hundert Teilnehmern. Angehörige aus vierzehn Nationen waren anwesend, darunter viele deutsche Sozialdemokraten.

In einer Broschüre »Nach dem Sieg – die Diskussion über Kriegs- und Friedensziele« führte Brandt seine außenpolitischen Gedankenspiele weiter. Aus der Lektüre englischer und amerikanischer Zeitungen hatte er den Eindruck gewonnen, daß die Nachkriegsplanung der Großmächte auf eine Westverschiebung Polens bis zur Oder-Neiße hinauslief. Für ihn war dies eine Umkehrung der deutschen Expansionspolitik. »Der Fall Deutschland/Polen ist ein Musterbeispiel dafür, daß übernationale Regelungen mit einer ›Auflokkerung‹ der Grenzen erforderlich sind.« Seine Vision: »Das Grundgesetz der Vereinigten Staaten von Europa könnte allen Bürgern – unabhängig von Sprache, Rasse oder Glaubensbekenntnis – gemeinsame Grundrechte geben.« So gelange man über die »primitive Auffassung« hinaus, daß die eigene Sicherheit nur im Kampf gegen andere behauptet werden könne. Mehr stichwortartig, denn in Wirtschaftsfragen war er nicht firm, erwähnte er sodann eine »europäische und später eine weltumspannende wirtschaftliche Union«. Es sind dies dieselben Elemente, die der Ostpolitiker Brandt dreißig Jahre später in einer »europäischen Friedensordnung« zu verwirklichen sucht.

Die Sowjetunion sah er neben den USA als »entscheidende Weltmacht«. Ihr Kampf gegen Hitler beeinflußte jetzt in erster Linie sein Urteil. Die negativen Erfahrungen des Spanienkrieges und der Komintern-Politik, die Bitternis wegen des Hitler-Stalin-Paktes waren verschwunden. Dieser erste sozialistische Staat verdiente für ihn jetzt wieder »allgemeine Bewunderung«. Brandt: »Die Sowjetunion ist nicht mehr von Mißtrauen umgeben, man stellt hoffnungsvolle Erwartungen an sie.«

Wie viele andere Emigranten glaubte Brandt an einen radikalen Neuanfang in Deutschland. Einem amerikanischen Journalisten, der für »Time« und »Life« arbeitete, sagte er im April 1944 voraus, angesichts der unausweichlichen Niederlage werde es in Deutschland zu einer »Erhebung breiter Volksschichten« kommen. Sie werde von einer einheitlichen Arbeiterbewegung getragen sein. Die Revolution, die 1918 unvollendet blieb, erhoffte er sich mit Ende des Krieges. »Der demokratische Aufstand nach dem Nazismus wird nicht unblutig sein.« Naziverbrecher müßten »mit Stumpf und Stiel ausgerottet« werden. Aber auch die preußischen Militaristen sollten zur Verantwortung gezogen werden. »Beamte, Richter, Polizeibeamte müssen in großer Zahl gefeuert, interniert oder in Gefängnisse gesteckt werden.«

Den Neuanfang stellte Brandt unter das Stichwort »Konsequente Demokratisierung«. Dabei sei entscheidend, daß die Deutschen diese selbst zuwege brächten. Die Siegermächte könnten nur Hilfestellung leisten. An dem inneren Wiederaufbau sollten auch die deutschen Kommunisten mitwirken.

Brandt war davon überzeugt, daß auf absehbare Zeit die USA das politische Geschehen in Europa bestimmen würden. Er begrüßte das: »Daß Amerika sich aus Europa zurückzieht, geht nicht an.« Zielstrebig intensivierte er deshalb seine Kontakte zur amerikanischen Botschaft in Stockholm. Es wurde der Beginn einer intensiven, später auch mißtrauisch kommentierten Zusammenarbeit. Sein Gesprächspartner in Stockholm war der Gesandte Hershel Johnson. Der US-Diplomat schickte das ganze Jahr 1944 hindurch Geheimberichte über Äußerungen von Brandt nach Washington. Eine seiner Aufzeichnungen stellte sich als Zeitbombe heraus, die in amerikanischen Archiven über drei Jahrzehnte tickte, ehe sie dann, herausgerissen aus den damaligen Zeitumständen, von der Landsmannschaft Ostpreußen gegen den Ostpolitiker Brandt gezündet wurde.

Brandt, über die Vorstellungen Stalins, Roosevelts und Churchills durch die Zeitungen informiert, wollte in der Frage der Grenzverschiebungen den Schaden möglichst gering halten. Er schlug vor, Ostpreußen mit seiner Hauptstadt Königsberg solle an Polen fallen. Wörtlich heißt es in dem entsprechenden Geheimtelegramm Johnsons: »Brandt fügte hinzu, in einem solchen Falle solle ein vollständiger Austausch von Bevölkerungen in den betreffenden Gebieten stattfinden. Dies ist nach Auffassung der Gesandtschaft ein nicht unvernünftiger Vorschlag, der von einem Deutschen kommt.« Damit habe Brandt die Vertreibung von elf Millionen Deutschen vorformuliert, diffamierten ihn später seine deutschen Kritiker.

Unter dem Datum des 22. Mai 1944 fügte Hershel Johnson seinen vertraulichen Telegrammen auch eine persönliche Einschätzung seines Gesprächspartners bei: »Brandt ist ein junger, aber offenkundig nachdenklicher und ernster Beobachter der deutschen Szenerie.« Es sei sehr wahrscheinlich, daß er trotz seiner norwegischen Staatsangehörigkeit nach dem Krieg eine Rolle spielen werde. Mit diesem Urteil stand der Amerikaner nicht allein. Die politische Aufwertung, die Willy Brandt im letzten Jahr seines Exils erfuhr, zeigte sich auch in einer Kontaktaufnahme durch den deutschen Widerstand.

»Für eine so gute und gerechte Sache . . .«

KONTAKTE ZUM DEUTSCHEN WIDERSTAND

Um die Jahreswende 1943/44 wurde Brandt vom Chef des Transportwesens der deutschen Besatzungstruppen in Norwegen, Oberleutnant Theodor Steltzer, angesprochen. Steltzer, früher Landrat in Rendsburg, Katholik und Nazigegner, kam auf Dienstreise nach Stockholm. Er gehörte dem Kreisauer Kreis an, einer Widerstandsgruppe, die mit dem früheren Leipziger Oberbürgermeister Carl-Friedrich Goerdeler in Verbindung stand. Goerdeler sollte nach einem Staatsstreich der Generäle gegen das Hitlerregime Kanzler einer nationalkonservativen, von den Militärs gestützten Regierung werden.

Mitte Juni 1944 – die Alliierten waren wenige Tage zuvor in der Normandie gelandet und hatten damit die Invasion eingeleitet, die elf Monate später zur Kapitulation Deutschlands führte – erhielt Brandt Besuch von einem ihm bekannten Mann der schwedischen Kirche. In seiner Begleitung war ein Deutscher, Mitte Dreißig, mit kahlem Kopf. Er stellte sich vor als Legationsrat Adam von Trott zu Solz und sagte: »Ich bringe Ihnen Grüße von Julius Leber. Er bittet Sie, mir zu vertrauen.«

Brandt blieb mißtrauisch. Auch ein Erkennungszeichen, das Leber dem Emissär mitgegeben hatte, vermochte lange Zeit nicht, seine Reserviertheit zu beenden. Es ging um einen gemeinsamen Besuch Lebers und Brandts im Lübecker Ratskeller im Jahr 1931, eine Situation, an die er sich dreizehn Jahre später nicht mehr zu erinnern vermochte. Als schließlich, nach zwei Stunden, die Barrieren abgebaut waren, erfuhr er Näheres über die Pläne des Widerstands. Leber sollte in einer Regierung Goerdeler Innenminister werden.

Das hatte so gar nichts gemein mit Brandts Vorstellungen einer demokratischen Revolution. Im Gegenteil. Die Errichtung eines Militärregimes in Deutschland lehnte er ab. Die ältere Offiziersgeneration sei mit den Nazis im Kampf gegen die Demokratie verbunden gewesen und für den Eroberungskrieg eingetreten. Die jungen Offiziere seien richtige Nazis. Im Falle einer Machtübernahme durch die Armee werde nach einiger Zeit der Konflikt mit den »Kräften der demokratischen Erneuerung« unvermeidlich. Nur eine Aufgabe noch mochte Brandt den Generälen übertragen: Um eine neue Dolchstoßlegende zu vermeiden, sollten sie diesmal die Kapitulation selber unterzeichnen.

Aber auch Bürgertum, »mittlere Klasse«, Konservative und die Kräfte der Wirtschaft hätten versagt. Und schließlich dürfe »nicht vergessen werden, daß ein großer Teil der katholischen Priester sich mit den Nazis gemein gemacht hat«. Für Brandt kamen als Führung im künftigen Deutschland nur die Arbeiterschaft und fortschrittliche liberale Intellektuelle in Frage, vor allem aber der »Kern von Facharbeitern, der durch die Schule der Gewerkschaftsbewegung gegangen ist«. Einen Teil seiner Einwände konnte Trott ausräumen. Inzwischen hätten sich innerhalb der Widerstandsbewegung die Gewichte verschoben, und man erwäge als Korrektiv für die national-konservative Struktur der angestrebten neuen Regierung auch eine Kanzlerschaft Lebers.

Julius Leber hatte sich nach vier Jahren Haft in Gefängnissen und Konzentrationslagern 1937 in Berlin niedergelassen. Er machte nahe dem S-Bahnhof Schöneberg eine Kohlenhandlung auf. Sein Häuschen zwischen den Kohlenhalden wurde bald zum Treffpunkt der Verschwörer. Als Alternative zu Goerdelers Konzeption einer Militärdiktatur forderte Leber eine »rein sozialistische Lösung«, eine »Art neuer Volksfront«, die »alle überlebenden und lebensfähigen sozialdemokratischen Kräfte« gemeinsam bilden sollten. Er nahm auch Kontakt zu führenden KPD-Leuten auf. Und auch der in den Mittelpunkt der aktiven Verschwörergruppe gerückte Oberst Claus Graf Schenk von Stauffenberg schloß sich den politischen Vorstellungen Lebers an.

Dieses neue Denken überbrückte die Gegensätze, die 1931 zum Bruch zwischen Leber und Brandt geführt hatten. Trott fragte Brandt, ob er bereit sei, in der neuen Regierung mitzuarbeiten und eine Aufgabe, die ihm noch präziser genannt werden würde, in Skandinavien zu übernehmen. Brandt willigte ein.

Am 20. Juli 1944 mißglückte das Attentat Stauffenbergs auf Hitler im ostpreußischen Führerhauptquartier Wolfsschanze. Gestapo und SS begannen eine gnadenlose Jagd auf die Widerständler. Trott wurde am 25. Juli verhaftet und im August hingerichtet. Leber war schon am 5. Juli durch einen Spitzel verraten und daraufhin verhaftet worden. Ehe er am 5. Januar 1945 am Galgen starb, sagte er: »Für eine so gute und gerechte Sache ist der Einsatz des eigenen Lebens der angemessene Preis.«

Auch Steltzer wurde verhaftet und wegen »hochverräterischer Gesinnung« zum Tode verurteilt. Seine für Januar 1945 vorgesehene Hinrichtung wurde nach einer Intervention norwegischer und schwedischer Freunde ausgesetzt. Brandt sah ihn 1946 wieder.

Je klarer erkennbar wurde, daß sich der Krieg und Hitlers Herrschaft dem Ende näherten, desto größer wurden Brandts innere Konflikte. Seinem Paß nach war er Norweger, sein politisches Denken aber richtete sich auf Deutschland. Trygve Lie, Außenminister der norwegischen Exilregierung in London, warf ihm vor, zu deutschfreundlich zu sein: »Blut ist eben doch dicker als Wasser.« Auch kommunistische Zeitungen, die jetzt illegal erscheinende »Friheten« in Norwegen und das Stockholmer KP-Blatt »Ny Dag«, zweifelten an seiner skandinavischen Loyalität und bezeichneten ihn als »Deutschen mit zweifelhaftem Hintergrund«. In einem »offenen Brief«, der von mehreren schwedischen Zeitungen gedruckt wurde, setzte Brandt diesen Anwürfen das Bekenntnis entgegen: »Ich fühle mich durch tausend Fäden mit Norwegen verbunden, aber ich habe Deutschland – das andere Deutschland – niemals aufgegeben.«

Im Kampf für dieses andere Deutschland hatte Brandt immer stärker erkannt, daß er als SAP-Sektierer keine ausreichende politische Plattform hatte. In der »Kleinen Internationalen« verstärkten sich die Kontakte zu Sozialdemokraten, auch zu den Abgesandten des Exil-Vorstands in London, die zu den Beratungen eingeflogen kamen. Der wiederaufgenommene Kontakt zu Julius Leber beschleunigte diese Umorientierung ebenso wie die in Stockholm wachsende »innige Freundschaft« (Brandt) zu dem deutschen Sozialdemokraten und Gewerkschaftsführer Fritz Tarnow – jenem Mann, über dessen These, daß die Sozialdemokratie »Arzt am Krankenbett des Kapitalismus« zu sein habe, sich der junge Frahm am Ende der Weimarer Zeit empört hatte.

Die Stockholmer Ortsgruppe der SPD hatte ebenfalls ein Signal gesetzt: Sie hatte Richtlinien für die Gründung einer neuen sozialistischen Einheitspartei ausgearbeitet, in der sich nach Kriegsende alle demokratisch-sozialistischen Politiker in Deutschland zusammenfinden sollten. Am 30. September 1944 erklärte die Stockholmer SAP-Gruppe ihren Eintritt in die Exil-SPD. In einer von Brandt mitunterzeichneten Erklärung hieß es, auf absehbare Zeit müsse damit gerechnet werden, daß Sozialdemokraten und Kommunisten unabhängig voneinander bestehen blieben. »Wenn die totale Einheit nicht zu verwirklichen ist und die Bildung einer dritten Partei nicht in Frage kommt, so müssen wir uns für die Einordnung in eine der beiden Parteien entscheiden. Dafür kommt unserer Meinung nach nur die Sozialdemokratie in Frage.«

Gegen Brandts Aufnahme in die SPD gab es Widerstand. Der Sozialdemokrat und Finanzwissenschaftler Kurt Heinig, Verbindungsmann zur Exil-SPD in London, bezichtigte ihn, gegenüber der Sowjetunion und den Kommunisten zu wenig Distanz zu wahren. Auch lastete er ihm seine norwegische Staatsangehörigkeit an. Von London aus intervenierte Erich Ollenhauer, dem es um die Sammlung der versprengten Grüppchen ging. Fremde Staatsangehörigkeit, so wies er Heinig zurecht, sei noch nie ein Hindernis für die Mitgliedschaft in der deutschen Sozialdemokratie gewesen. Heinig steckte zurück, und Brandt war nunmehr, im Herbst 1944, Mitglied der deutschen Exil-SPD in Schweden.

Am 1. Mai 1945 veranstaltete die »Kleine Internationale« im Stockholmer Restaurant Medborgarhuset eine öffentliche Kundgebung. Mitten im Programm – es sprach gerade ein ungarischer Sozialdemokrat – wurde Brandt zum Telefon gerufen. Sichtlich erregt kam er zurück und bat, der Versammlung eine Mitteilung von großer und allgemeiner Bedeutung machen zu dürfen: Adolf Hitler habe Selbstmord begangen. Die Anwesenden nahmen die Nachricht schweigend entgegen. Sie verließen den Saal ohne erkennbare äußere Erregung. Jeder schien darüber nachzudenken, was diese Nachricht für sein eigenes Schicksal bedeutete. Brandt war unentschieden: »Meine eigene Zukunft war nicht unbedingt und allein an Deutschland gebunden.«

». . . eines Tages werde ich bei Euch erscheinen.«

RÜCKKEHR NACH DEUTSCHLAND

Hitlers Ende – die Emigranten, die nach Deutschland zurückkehren wollten, glaubten, dies sei das Signal zum Aufbruch. Jetzt sei die Stunde da, das in den langen Jahren des Exils vorgedachte neue, antifaschistische, demokratische und sozialistische Deutschland aufzubauen.

Doch unmittelbar nach der Kapitulation am 8. Mai 1945 mußten die Emigranten feststellen, daß sie nicht gefragt waren. Die Besatzer sahen Deutschland als ein besiegtes, nicht als ein befreites Land an. In der amerikanischen Direktive JCS (für Joint Chiefs of Staff) 1067 hieß es wörtlich: »Deutschland wird nicht mit dem Ziel der Befreiung besetzt, sondern als eine besiegte Feindmacht.« Amerikaner und Engländer vertraten die These, die Deutschen treffe ohne Ausnahme eine Kollektivschuld an den Verbrechen der Nazis.

Deutschland bildete die Konkursmasse, aus der sich die Siegerstaaten bedienten. Die Russen hielten die Osthälfte des Reiches bis hin zur Elbe besetzt. Alles, was östlich der Oder-Neiße-Linie lag, wurde Polen zugeschlagen. Die Amerikaner besetzten den Südosten Deutschlands, die Engländer rückten im Nordwesten ein. Die zunächst nicht berücksichtigten Franzosen erhielten später eine Zone im Südwesten. Berlin wurde wie eine Torte in vier Sektoren aufgeteilt. Die vier Alliierten bildeten einen »Kontrollrat« als ihr oberstes Regierungsorgan für das entmachtete Deutschland und eine »Kommandantur« für die Sektorenstadt Berlin.

Auf einer Gipfelkonferenz im Schloß Cecilienhof in Potsdam einigten sich Josef Stalin, der britische Labour-Premier C. R. Attlee als Nachfolger des abgewählten Churchill und der nach dem Tode Roosevelts im April 1945 zum US-Präsidenten aufgerückte Harry S. Truman über ein gemeinsames »Vier-D-Programm« für die Verwaltung Deutschlands: Demilitarisierung, Denazifizierung, Dezentralisierung, De-Industrialisierung.

Deutsche politische Initiativen waren nicht gefragt. Auch und gerade nicht von Emigranten oder ehemaligen Widerstandskämpfern, denn sie galten als politisch unruhig. Überdies beeinträchtigten sie die alliierte Selbstgefälligkeit. Sie erinnerten daran, daß es in Deutschland schon Antifaschisten gab, als manche der Siegermächte sich noch mit Hitler arrangierten. Brandt: »Das Verbot jeder politischen Tätigkeit richtete sich in seinen objektiven Wirkungen gerade gegen solche Kräfte, deren Mitarbeit am Aufbau unerläßlich war und von denen Impulse für einen demokratischen Neuaufbau hätten ausgehen können.«

Die westlichen Alliierten riegelten ihre Besatzungszonen durch Einreiseverbote von der Außenwelt ab. Rückkehrwillige Emigranten mußten oft bis 1949, bis zur Gründung der Bundesrepublik, warten, ehe sie die Genehmigung zur Einreise erhielten. Aussicht auf ein baldiges Einreisevisum hatte nur, wer als nützliches Werkzeug angesehen wurde. So kam Golo Mann, der Sohn von Thomas Mann, als Kulturoffizier der Amerikaner nach Frankfurt. Der Schriftsteller Alfred Döblin war französischer Kulturoffizier in Baden-Baden. Michael Thomas, der Sohn des Komponisten Friedrich Hollaender, diente den Engländern in ihrer Zone als Nachrichtenoffizier.

Für die sowjetische Regierung waren die deutschen Kommunisten willkommene Helfershelfer bei der Absicherung ihres Machtbereichs. Schon am 30. April 1945 landete eine Gruppe von Spitzenfunktionären unter Führung von Walter Ulbricht auf einem Feldflugplatz östlich von Berlin. Weisungsgemäß machten sie sich daran, antifaschistische »Volkskomitees« ins Leben zu rufen und die Spitzen von Polizei-, Unterrichts- und Kommunalbehörden mit linientreuen Altkommunisten zu besetzen.

Auch Willy Brandt hatte zunächst keine Möglichkeit, nach Deutschland zu reisen. Am 26. August 1945 schrieb er seiner Mutter von Stockholm aus einen Brief und erwähnte die Schwierigkeiten für rückkehrwillige Flüchtlinge: »Deine Frage, wann ich komme, läßt sich noch nicht beantworten . . . Aber eines Tages werde ich bei Euch erscheinen.« Mit dem Kriegsende war für ihn nicht nur die politische Grundlage seines Exils entfallen, sondern auch seine bisherige materielle Basis. Sein Pressebüro in Stockholm, spezialisiert auf die Verbreitung von Nachrichten über den norwegischen Widerstandskampf, hatte nichts mehr zu berichten.

Ruhelos pendelte er zwischen Stockholm und Oslo hin und her, ohne daß sich ihm eine Perspektive auftat. Mit zwei Broschüren, die in Stockholm verlegt wurden – über »Norwegens Weg zur Freiheit«

und über den Prozeß gegen Vidkun Quisling, eine Auftragsarbeit für das außenpolitische Institut in Stockholm –, hielt er sich über Wasser. Sein Denken aber ging in eine andere Richtung. Er habe »niemals Deutschland aufgegeben«, schrieb er, wie schon in seinem offenen Brief, nun auch an das befreundete Emigranten-Ehepaar Enderle, das bereits illegal nach Deutschland zurückgekehrt war. Und: Er könne sich nicht »dazu entschließen«, sich auf »die norwegische Position« zurückzuziehen, obwohl es »bequemer« wäre.

Bei seinem Weggefährten Jacob Walcher in New York meldete er sich in einem langen Brief, in dem er sich mit den in Potsdam getroffenen Grenzregelungen auseinandersetzte: »Ich bin ganz gewiß kein deutscher Nationalist und bin seit Jahren gegen jene aufgetreten, die glauben, daß alles von der Erhaltung der alten Grenzen abhängig ist. Die im Osten getroffene Regelung halte ich jedoch in ihrer jetzigen Form für unvernünftig. Es ist möglich, daß an den nun geschaffenen Tatsachen nichts mehr zu ändern sein wird. Das bedeutet jedoch nicht, einfach ja und amen sagen zu müssen. Ich glaube, man sollte doch noch den Versuch machen, auf eine Modifizierung der Beschlüsse bis zur Friedenskonferenz hinzuarbeiten.«

Im Oktober 1945 bot sich Brandt endlich die ersehnte Chance, Deutschland zu besuchen. Sein alter Arbeitgeber, das »Arbeiderbladet«, und andere Zeitungen der norwegischen Arbeiterpartei gaben ihm den Auftrag, über den Prozeß des von den Siegermächten in Nürnberg eingerichteten »Internationalen Militärtribunals« gegen die Hauptkriegsverbrecher des Hitlerregimes zu berichten. Das Verfahren war für den 20. November 1945 anberaumt. Die Akkreditierung als »Kriegskorrespondent« erhielt er samt »Travel Order« – einem Passierschein für die Reise nach Nürnberg – von der britischen Botschaft. Wegen der Militarisierung des gesamten ausländischen Personals in Deutschland besorgte er sich von der norwegischen Regierung eine blaue Uniform. Ein Ärmelstreifen wies ihn als »War Correspondent« aus, eine Funktion ohne militärische Befehlsbefugnis. Seine Anreise legte er so früh, daß er noch Zeit für Gespräche in Deutschland hatte.

Erste Zwischenstation war Bremen. Mit einem Transportflugzeug der Royal Air Force flog Brandt zunächst bis Kopenhagen, dann weiter in die norddeutsche Hansestadt. Die Amerikaner hatten sich Bremen und Bremerhaven als Enklave inmitten des britischen Besatzungsgebietes gesichert. So hatte sich Brandt zunächst bei den amerikanischen Militärbehörden zu melden, um seine Reisepapiere stempeln und sich ein Schlafquartier zuweisen zu lassen. Zu seiner Überraschung wurde das Gebäude der Militärregierung von deutscher Polizei bewacht.

Das Pläneschmieden im Exil, in einer behaglichen Wohnung, ohne Angst vor Hunger oder Kälte, war die eine Sache; eine ganz andere war die Wirklichkeit im Nachkriegsdeutschland. Sie war im Wortsinn bisher für Brandt unvorstellbar gewesen. Vom Flughafen aus hatte er sich telefonisch bei seinen Freunden, den Enderles, angekündigt. Sie arbeiteten inzwischen als Redakteure beim »Weser-Kurier«. Auf der Fahrt zu ihnen sah er zum ersten Mal eine zerbombte deutsche Stadt. Das Grauen übertraf alles, was er sich aufgrund von Zeitungsberichten, Wochenschauen und Fotografien ausgemalt hatte. Schuttberge säumten die kaum noch befahrbaren Straßen, rußverbrannte Fassaden ragten in den Himmel, ausgemergelte Gestalten zogen auf Handkarren Brennholz zu ihren Wohnlöchern. Erwachsene Männer bückten sich nach den Zigarettenkippen der Besatzersoldaten.

Brandt sah und fragte. Er sprach die Enderles, er begegnete deren Chefredakteur Felix von Eckardt, der später Adenauers Pressechef wurde. Er wurde von Wilhelm Kaisen empfangen, dem sozialdemokratischen Bürgermeister und früheren Wohlfahrtssenator Bremens, der auf einer kleinen Siedlerstelle am Stadtrand die Nazizeit überdauert hatte und von den Amerikanern buchstäblich vom Acker weg ins Rathaus geholt worden war. Nach diesen Gesprächen wußte Brandt: »Die Perspektive, von der wir im Exil ausgegangen waren, entsprach nicht der Nachkriegsrealität.«

Die deutsche Bevölkerung war politisch völlig apathisch. Sie dachte nicht an eine demokratisch-sozialistische Revolution, sondern daran, wie sie am nächsten Tag einigermaßen satt wurde. Dieser Überlebenswille, gehärtet in den Bombennächten, ließ alles zu: Schwarzmarktgeschäfte, Prostitution, Raub und selbst Mord. Am Beispiel Bremen erfuhr Brandt aber auch: Wo sich Angehörige der Arbeiterbewegung zu »antifaschistischen Komitees« zusammenfanden, um Bürokratie und Wirtschaft von Nazis zu säubern, verweigerten die westlichen Besatzungsmächte die Mitarbeit. Sie lösten die Komitees auf. Resigniert schrieb er nieder: »Wer ein Land besetzt, kann keine Volksbewegung brauchen, sondern ist an Ruhe und Ordnung interessiert.«

Kaisen ermöglichte es Brandt, vor der Weiterreise nach Nürnberg einen Abstecher in seine Heimatstadt Lübeck zu machen. Er stellte ihm einen Wagen, einen alten Horch, zur Verfügung. Der Fahrer belud den Kofferraum mit Benzinkanistern, um ausreichend Sprit auch für die Rückreise zu haben. Die Fahrt dauerte, unterbrochen von Umleitungen und Pannen, fast einen Tag.

Das alte Lübeck existierte nicht mehr. Es war jetzt nicht mehr Eisenbahnknotenpunkt für die Strecken in die deutschen Ostprovinzen, sondern Grenzstadt. Am östlichen Stadtrand begann die sowjetische Besatzungszone. Flüchtlinge aus dem Osten strömten in die Stadt hinein. Sie trafen auf Polen, die als billige Arbeitskräfte während des NS-Regimes ins Reich verschleppt worden waren und jetzt in ihre Heimat zurückwollten. Heinrich Manns Voraussage aus dem Jahr 1938 in Paris, die vertraute Silhouette mit den sieben Türmen werde man wohl nicht wiedersehen, war in Erfüllung gegangen, wenn auch anders, als Mann es gemeint hatte: Die Stadt war am Palmsonntag 1942 durch britische Bomber eingeäschert worden. Ihre sieben Türme standen nicht mehr. Der Wiederaufbau war erst 1962 vollendet.

Brandt kam unangemeldet. Er klingelte. Seine Mutter öffnete und sah den Mann, der in Uniform am Hauseingang stand, stumm an. Eine lange Minute allmählichen Wiedererkennens. Dann fing sie an zu weinen, fiel dem Heimkehrer in die Arme und sagte immer wieder nur: »Herbert, Herbert, mein Herbert.«

Brandt – nun war er wieder Herbert Frahm – blieb über Nacht. Der Stiefvater kam hinzu, auch der Halbbruder Günther, jetzt siebzehn Jahre alt. Er war in den letzten Kriegsmonaten noch zum Flakdienst eingezogen worden. Von dem »großen Bruder« hatte er viel gehört. »Das ist Herbert, dein Bruder«, stellte ihn die Mutter vor. Dann packte Brandt Lebensmittelpakete aus. Er hatte in einem der für US-Soldaten eingerichteten PX-Läden in Bremen eingekauft. Sein halbmilitärischer Status hatte ihm den Zugang ermöglicht. Und er brachte Zigaretten mit. In den PX-Läden kostete die Stange ein paar Mark, draußen im Trümmerdeutschland wurden »Ami-Zigaretten« stückweise für fünf Mark gehandelt.

Das Gespräch im Wohnzimmer. Erst stundenlanger Austausch

übers Überleben im »Dritten Reich« und »draußen«. Dann der kritische Punkt: Brandt wollte von seiner Mutter und seinem Stiefvater wissen, was sie von den Verbrechen, den Vernichtungslagern und Massenexekutionen der Nazis gewußt hätten. Obwohl selbst Nazigegner und zeitweise sogar Verfolgte, bestritten beide zunächst jedes Wissen. Erst als er nachfragte und beteuerte, er wolle ihnen keine Mitschuld anlasten, berichteten sie: von Grausamkeiten gegenüber ausländischen Gefangenen, die sie selbst mit angesehen hatten, als Transportzüge durch Lübeck gerollt waren. Von Soldaten, die auf Heimaturlaub von der Ostfront gekommen waren und erzählt hatten, wie Einsatzkommandos die Zivilbevölkerung abschlachteten.

Schuld und Verantwortung, das war ein Thema, das Brandt nicht mehr losließ. »Die Deutschen müssen Verantwortung tragen. Verantwortung ist jedoch nicht dasselbe wie Schuld«, schrieb er und trat damit der Kollektivschuldthese der Siegermächte entgegen. Und er fuhr fort: »Die Nazigegner – die wirklichen, demokratischen Nazigegner, nicht die Desperados des Antinazismus und die späten Opportunisten – sind nicht schuldig. Sie können sich jedoch nicht der Mitverantwortung dafür entziehen, daß Hitler an die Macht kam. Sie kommen auch nicht um die Folgen der nazistischen Mordpolitik herum. . . . Sie können nicht erwarten, Blankovollmacht zu erhalten.«

Seine traumatischen Deutschlanderfahrungen setzten sich auf der Weiterreise fort. Bremen und Lübeck waren Ruinenstädte. Frankfurt, das er passierte, und sein Zielort Nürnberg jedoch glichen Trümmerwüsten. Sie waren dem Erdboden gleichgemacht.

»Verbrecher und andere Deutsche.«

DER NÜRNBERGER PROZESS

Inmitten von Trümmerhalden, gegenüber vom Nürnberger Hauptbahnhof, war das gleichfalls zerstörte Grandhotel wiederaufgebaut worden. Hier wohnten die höchsten Offiziere der Siegerarmeen und die Anklagevertreter des Militärtribunals. Für Journalisten, so auch für Brandt, war das beschlagnahmte Schloß der Bleistift-Hersteller Faber-Castell mit Schlafsäcken und Feldbetten hergerichtet worden. Engländer und Amerikaner nannten es »Faber Castle«.

Obwohl es erklärte Absicht des Prozesses war, gerade den Deutschen die Verbrechen des Hitlerregimes vor Augen zu führen, waren unter den Hunderten von angereisten Journalisten aus aller Welt nur fünf deutsche Korrespondenten akkreditiert worden. An der Bar des Schlosses traf Brandt Erika Mann, die Tochter von Thomas Mann. Sie ging ihm auf die Nerven, weil sie vorgab, nicht mehr deutsch reden zu können. Beim Essenfassen begegnete er einem jungen deutschen Journalisten, der gerade aus amerikanischer Gefangenschaft entlassen worden war und nun für die Nachrichtenagentur UP berichtete: Rüdiger von Wechmar. Er wurde später einmal sein Pressechef.

Sitz des Gerichtes war der halbzerstörte Nürnberger Justizpalast an der Straße nach Fürth. Vierundzwanzig Nazigrößen saßen als »Hauptkriegsverbrecher« auf der Anklagebank. Eine Postkarte, die das Gericht mit den in Doppelreihe sitzenden Angeklagten zeigt, schickte Brandt seiner Mutter – »herzliche Grüße aus Nürnberg«.

Über die umstrittene Rechtsgrundlage dieses Tribunals der Sieger machte sich Brandt keine Gedanken, wohl aber über die Zusammensetzung. Eine Beteiligung deutscher Richter und Staatsanwälte war von den Alliierten verweigert worden, insbesondere von den Amerikanern. Sie befürchteten, ein mit neutralen oder gar deutschen Juristen besetztes Gericht könnte während des Prozesses auch die Kriegsverbrechen der Alliierten zur Sprache bringen. Brandt kritisierte diese Entscheidung aus einer anderen Perspektive: »Von Anfang an fragte ich mich, warum nicht ein Weg gefunden wurde, die deutschen Antinazis mit zu Gericht sitzen zu lassen. . . . Gab es kein

Recht der deutschen Verfolgten auf Abrechnung mit ihren Peinigern?« Dennoch hielt er dieses Verfahren »letztlich für nützlich« und betrachtete es »als einen entscheidenden Fortschritt in der Entwicklung des internationalen Rechts«.

Die vierstündige Eröffnungsrede des amerikanischen Hauptanklägers Albert H. Jackson, Richter am Obersten Bundesgericht der USA, war für Brandt »ein großes Erlebnis«. Jackson machte sich nicht die These der Kollektivschuld der Deutschen zu eigen.

Im Verlauf des Prozesses sah Brandt die Dokumentarfilme aus den Konzentrationslagern, die amerikanische und englische Militärs gleich nach der Befreiung der KZs aufgenommen hatten. Er sah die Bilder des Grauens: Güterwagen voll von Leichen; Leichenberge neben den Krematorien; die bis zum Skelett abgemagerten Häftlinge auf Strohsäcken, kaum in der Lage, noch ein Wort zu lallen. Er »finde aber ganz und gar nicht, daß es jemand erspart bleiben sollte, die Filme aus Buchenwald und Belsen zu sehen«, schrieb er unter dem Eindruck dieser Bilder.

Über die Angeklagten urteilte er ähnlich wie die Schriftsteller Curt Riess oder Stephan Hermlin, die ebenfalls den Prozeß beobachteten und sich ungläubig fragten, wie solch mittelmäßige Figuren einmal ganz Deutschland, die ganze Welt auf den Kopf stellen konnten. Brandt: »Die Leute wirkten doch viel unbedeutender, als man geglaubt hatte.«

Drei Männer auf der Anklagebank nahm Brandt von diesem Urteil aus. Der ehemalige Reichsminister für Bewaffnung und Kriegsproduktion, Albert Speer, verfolgte eine geschicktere Verteidigungstaktik als seine Mitangeklagten. Statt sich von jeder Schuld im Sinne der Anklage freizusprechen, räumte er eigene Verfehlungen ein und sprach von der Versuchung der Technokraten in einem diktatorischen Regime. Das beeindruckte sowohl die Richter als auch Brandt. Er fand, Speer habe sich »sehr von den anderen abgehoben«. Auch die Großadmirale Karl Dönitz und Erich Raeder waren für ihn »halt ganz andere Figuren als die Leute von der Armee«. Aber das sei wohl »ein Lübecker Vorurteil zugunsten der Seeleute, das hier eine Rolle spielte«.

Fast ein Jahr nach Beginn des Prozesses wurden die Urteile verkündet. Der frühere Reichsbankpräsident Hjalmar Schacht und der ehemalige Reichskanzler Franz von Papen kamen als einzige mit

Freisprüchen davon. Dabei habe sich, so schrieb Brandt später, »auf Leute ihres Schlages – einflußreiche Wegbereiter und Helfer Hitlers – in Deutschland mehr Haß als auf andere« konzentriert. Zwölf der Angeklagten wurden zum Tod durch den Strang verurteilt. Speer erhielt zwanzig Jahre Gefängnis, die Admirale Dönitz und Raeder erhielten je zehn Jahre.

Auf den Hauptprozeß folgten noch zwölf sogenannte »Nachfolgeprozesse« gegen Generäle, Vertreter der Wirtschaft, Ärzte und Diplomaten. Diese Nürnberger Verfahren bildeten den einzigen Versuch, die wirklich Schuldigen des Naziregimes zur Verantwortung zu ziehen. Die auf Betreiben der Amerikaner 1946 einsetzende »Entnazifizierung«, mit der ehemalige Parteigenossen ausgesondert und durch Bußen politisch umerzogen werden sollten, produzierte hingegen außer ungeheuren Aktenbergen nur offenkundiges Unrecht. Die wirklich schwerwiegenden Fälle wurden zurückgestellt. Zunächst gab es nur Verfahren gegen Mitläufer. Meist entschieden Entlastungszeugnisse, sogenannte »Persilscheine«, über den Ausgang. Fast immer fanden sich Freunde, die aus Gefälligkeit einen »Persilschein« schrieben.

Von der Widersinnigkeit dieses Verfahrens überzeugt, stellten die unbelasteten Sozialdemokraten Tausenden kleinerer und mittlerer ehemaliger Nazis – Kommunalbeamten, Polizisten, Verwaltungsfachleuten – solche »Persilscheine« aus. Sie wollten damit den völligen Stillstand des staatlichen Lebens verhindern – eine Aktion, die ihnen später wenig gedankt wurde. Auch Brandt revanchierte sich mit solch einem Schriftstück bei seinem Freund, dem Lübecker Rechtsanwalt Emil Peters, dafür, daß er ihn 1933 vor den laufenden Ermittlungen der Politischen Polizei gewarnt hatte. »Ich bestätige hierdurch, daß mir Herr Emil Peters . . . bei der Vermittlung meiner Flucht nach Dänemark . . . behilflich war.« Diese Aussage öffnete Peters den Weg in den Senat der Stadt Lübeck.

Unter dem ersten Eindruck der in Nürnberg verhandelten Nazi-Verbrechen nannte Brandt die Entnazifizierung eine »politische Entlausung«. Später distanzierte er sich von dieser indirekten Befürwortung der alliierten Maßnahmen und bezeichnete sie nun als einen »bürokratisierten Hexenprozeß« und eine »bedrückende Farce«. Was ihm an Widersinnigkeiten zugetragen wurde, ließ ihn an den Fähigkeiten der Alliierten zweifeln, eine politische Erneuerung durchzusetzen. In Lübeck etwa beschäftigten die Briten einen ehemaligen SA-Mann mit der Aufgabe, Ausweise für die befreiten Insassen von Konzentrationslagern und Zuchthäusern auszustellen. Brandt: »In der Militärverwaltung der britischen Zone schienen nicht wenige Offiziere der Meinung zu sein, alle des Schreibens Fähigen hätten der NS-Partei angehört, deshalb könne man nicht auf sie verzichten.« Ein schnurrbärtiger britischer Kolonialoffizier mit vielen Jahren Indien-Erfahrung belehrte ihn, warum er sozialdemokratische Polizeibeamte wieder durch die alten Kräfte der NS-Zeit ersetzte: Die verstünden ihr Handwerk und hätten außerdem gelernt, ohne Gegenrede zu parieren.

Brandt stellte dem die Säuberung in der Sowjetzone entgegen, die »sehr radikal« sei. »In Sachsen entfernte man zum Beispiel 25 Prozent aller Personen, die mit dem Justizwesen verbunden waren, und 92 Prozent aller Lehrer.« Mit einem saloppen Satz, der ihm noch viel Ärger einbringen sollte, kommentierte er die Wiederingebrauchnahme von Nazi-KZs durch die Russen: »Das neue Sachsenhausen wurde ganz gut ausgenutzt.«

Noch vor Ende des Nürnberger Hauptprozesses zog Brandt eine Bilanz seiner Eindrücke aus Nachkriegsdeutschland. Auf norwegisch schrieb er das Buch »Forbrytere og andre Tyskere«. Die wörtliche Übersetzung lautet: »Verbrecher und andere Deutsche«. Damit wird, den Nürnberger Prozeß vor Augen, eine Unterscheidung zwischen Nazi-Verbrechern und dem anderen Deutschland getroffen. Brandts politische Gegner griffen später diesen Titel auf und verdrehten ihn zu »Deutsche und andere Verbrecher«, womit sie dem Autor Kollektivschulddenken unterstellten.

In den Passagen, die den Buchtitel abgaben, heißt es, die Deutschen seien in vieler Hinsicht ein unreifes Volk. »Sie werden aber nicht als SS-Männer geboren.« Und: »Alle Deutschen gehörten nicht zur Verbrecherbande, der ›Deutsche‹ als solcher ist kein Verbrecher.« Zum Nürnberger Verfahren meinte Brandt: »Ich habe mich nie zu einer Begeisterung für Todesurteile aufraffen können, aber so wie die Welt, in der wir leben, nun einmal ist, rechnete ich damit, daß es notwendig sein werde, eine ganz große Anzahl von wertlosen nazistischen Leben auszulöschen.« Das lag etwa auf der Linie Konrad Adenauers, der die Todesurteile gegen die NS-Führungsgarde mit dem knappen Satz kommentierte: »Gut, daß die weg sind.«

Der zweite Teil des Buches beschreibt Gegenwart und Zukunft Deutschlands. Brandt erinnert an die Parole der Dänen nach dem verlorenen deutsch-dänischen Krieg von 1864: Was draußen verlorenging, soll drinnen neu gewonnen werden. Dänemark baute damals mit sozialen und kulturellen Reformen eines der fortschrittlichsten Staatswesen auf. Nach diesem Muster sah Brandt die Zukunft Deutschlands »durch entschlossenen, effektiven Wiederaufbau an den inneren – den sozialen, wirtschaftlichen und kulturellen – Fronten«. Zur Außenpolitik schrieb er, Deutschland könne »aus dieser Krise nur dann als einheitlicher Staat hervorgehen, wenn der Neuaufbau im Einvernehmen und in Zusammenarbeit mit ›sowohl dem Osten wie dem Westen‹ vollzogen wird«. Das Mißtrauen des Auslandes gegenüber deutschen Einigungsversuchen könne man nur überwinden, wenn man die politische Gestaltung »zuverlässigen antinazistischen Kräften mit einer richtigen außenpolitischen Orientierung« übertrage.

Von Arno Behrisch, seinem einstigen SAP-Genossen, der jetzt in Hof Chefredakteur der SPD-eigenen »Oberfränkischen Volkszeitung« war, hatte Brandt in Nürnberg Material über die Vertreibung der Sudetendeutschen erhalten. Nun sah er die Vertreibung nicht mehr als Beitrag zu einer neuen Grenzregelung in Europa an, sondern als ein »trauriges Kapitel«.

Die Arbeiten an dem Manuskript beendete Brandt im März 1946. Den Zerfall der Koalition der Sieger und den Ausbruch des Kalten Krieges zwischen den Westmächten und der Sowjetunion berücksichtigte er nicht mehr. Zur selben Zeit sorgte Ex-Premier Winston Churchill mit einer kämpferischen Rede in Fulton/Missouri für einen politischen Klimasturz. In Anwesenheit von US-Präsident Truman sagte er: »Von Stettin an der Ostsee bis Triest an der Adria hat sich ein Eiserner Vorhang über den Kontinent gesenkt.«

»Wer war denn dieser hübsche junge Mann?«

SCHUMACHER CONTRA GROTEWOHL

Willy Brandt war zweiunddreißig Jahre alt, als er aus Nürnberg berichtete. Er hatte im Grunde noch immer keinen richtigen Beruf. Die SAP-Posten in der Emigration waren politische Schrebergärtnerei gewesen. Die Arbeit als freier Journalist war ihm nie zur Hauptsache geworden; sie war stets Beiwerk seiner politischen Arbeit. Die einzige feste Anstellung, die er bisher gehabt hatte, war die bei der norwegischen Volkshilfe gewesen. Nun aber suchte er eine bleibende Aufgabe: »Die Jahre meiner revolutionären Ungeduld lagen hinter mir.«

Nürnberg wurde ihm zum Basislager, um auf verschiedenen Expeditionen durchs zerstörte westliche Deutschland Berufschancen auszukundschaften. Er war in der seltenen Position, sich frei bewegen zu können und sich keiner Besatzungsmacht unterordnen zu müssen. Zugleich boten ihm diese Reisen die Möglichkeit, sich darüber klar zu werden, ob er überhaupt wieder nach Deutschland zurück wollte.

Alles, was er erlebte, war eher abschreckend. Das durch den kalten Winter 1945/1946 noch verschärfte Elend erschien ihm wie »eine jener schrecklichen Visionen, die einen manchmal zwischen Schlaf und Wachsein überfallen«. Nur, daß sich dieser gespenstische Traum nicht im Nichts auflöste. Der grauenhafte Anschauungsunterricht wärend des Nürnberger Prozesses verstärkte seine Niedergeschlagenheit. Er hatte Schwierigkeiten, sich »in der neuen Wirklichkeit zurechtzufinden«.

Brandt traf in jenen Monaten nahezu die gesamte sozialdemokratische Prominenz. Zur wichtigsten Begegnung reiste er im Februar 1946 nach Frankfurt. Er führte ein Gespräch mit Kurt Schumacher, der dort eine Konferenz von SPD-Vertrauensleuten der amerikanischen Zone einberufen hatte. »Wer war denn dieser hübsche junge Mann?« fragte Schumachers 26jährige, dunkelblonde Sekretärin Annemarie Renger, heute Vizepräsidentin des Bundestages. Das sei ein sehr interessanter, begabter Mann, antwortete Schumacher. »Aber ich glaube, für uns in Deutschland ist er verloren.«

Dem gewählten Amt nach war Schumacher zu diesem Zeitpunkt lediglich Vorsitzender des Bezirks Hannover der SPD. Seinem eigenen Anspruch nach aber war er der neue Führer der Sozialdemokraten.

Schumacher war nicht durch Herkunft, sondern aus Gesinnung Sozialdemokrat geworden. Er entstammte einer wohlhabenden Kaufmannsfamilie aus der westpreußischen Grenzstadt Kulm an der Weichsel. Der protestantische Intellektuelle hatte sich den Weg zur SPD über marxistische Literatur erarbeitet. Einen »verbissenen doktrinären Caféhausmarxisten« hatte Julius Leber ihn genannt. Bei Ausbruch des Ersten Weltkrieges hatte sich Schumacher als Freiwilliger zur Front gemeldet und im Dezember 1914 seinen rechten Arm verloren. Im Reichstag war er ein scharfzüngiger Kämpfer gegen die Nazis gewesen. Nach Hitlers Machtergreifung war er bewußt in Deutschland geblieben. »Das war für ihn nicht nur eine Frage der Haltung, die ihm gebot, bei den Millionen von Wählern und Mitgliedern auszuharren, sondern auch eine Frage des Erbrechtes und der Erbfähigkeit der Sozialdemokratischen Partei nach dem unvermeidlichen Zusammenbruch des Nationalsozialismus«, so Theo Pirker in seiner SPD-Geschichte. Die Nazis sperrten Schumacher zehn Jahre ins KZ. 1943 wurde er schwer erkrankt entlassen, nach dem 20. Juli 1944 aber wieder für einige Wochen eingekerkert. Als Spätfolge der Haft mußte ihm 1948 das linke Bein amputiert werden.

In den letzten Monaten vor Kriegsende lebte Schumacher bei seiner Schwester in Hannover. Schon am 19. April 1945, nur neun Tage nach der Besetzung der Stadt durch die Alliierten, begann er mit dem Wiederaufbau der SPD. In der Jacobstraße eröffnete er ein »Büro Schumacher«, das er zur Parteizentrale ausbauen wollte. Zunächst allerdings war sein Aktivismus durch äußere Umstände behindert. Die Briten untersagten jede politische Tätigkeit. Als sie ihr Verbot in der zweiten Jahreshälfte 1945 lockerten, hatte Schumacher bereits ein Konkurrenzunternehmen.

Anders als die Westalliierten hatte der russische Heerführer Marschall Georgij Schukow schon einen Monat nach der deutschen Kapitulation grünes Licht zur Bildung politischer Parteien gegeben. Bereits einen Tag später, am 11. Juni 1945, veröffentlichte die Kommunistische Partei ihren Gründungsaufruf. Weitere vier Tage später, am 15. Juni, konstituierte sich die Sozialdemokratische Partei in

Berlin mit einer kämpferischen Proklamation. Zur vorläufigen Leitung wurde ein »Zentralausschuß« berufen. Wichtigste Mitglieder dieses Ausschusses waren der preußische Landtagsabgeordnete Max Fechner, der Braunschweiger Landtagsabgeordnete Erich Gniffke, der von der Roten Armee aus dem Zuchthaus befreite Mitverschwörer des 20. Juli Gustav Dahrendorf und, als Sprecher der Gruppe, Otto Grotewohl.

Grotewohl hatte von allen die längste parlamentarische Erfahrung. Er war schon seit seinem achtzehnten Lebensjahr Mitglied der SPD, hatte im Landtag von Braunschweig gesessen und seit 1925 im Reichstag. Der von den Nazis mehrfach verhaftete gelernte Buchdrucker konnte sich im Dritten Reich als Vertreter für die Herdfabrik »Heibacko« durchschlagen. Sein Arbeitgeber war Gniffke, der die Alleinvertretung der Braunschweiger Heißbacköfen für das Reich hatte. Gniffke über Grotewohl: »Um die Vorzüge des Herdes im besten Licht erscheinen zu lassen, mußten schwungvolle Reden gehalten werden. Das konnte Grotewohl ausgezeichnet. Aber wenn es darum ging, den Abschluß zu tätigen, fehlte ihm die erforderliche Härte.« Ein Mangel, den er beibehielt.

Die in Berlin wiedergegründete SPD verstand sich als »Reichspartei«, als Keimzelle einer einheitlichen Parteiorganisation in allen vier Besatzungszonen. Sie forderte sofort die Bildung einer sozialistischen Einheitspartei von Sozialdemokraten und Kommunisten. Die Spaltung der Arbeiterbewegung, eine der wichtigsten Ursachen für Hitlers Sieg über die Weimarer Republik, sollte überwunden werden. Doch die KPD-Führer Wilhelm Pieck und Walter Ulbricht winkten ab. Sie wollten erst in Ruhe eine eigenständige starke Parteiorganisation aufbauen.

Im Westen hintertrieb Schumacher den Vorstoß der Berliner SPD. Eine »Einheitspartei« komme angesichts der Abhängigkeit der Kommunisten von der Sowjetunion nicht in Frage. Außerdem lehnte er den Führungsanspruch der Berliner SPD ab: »Es ist eigentlich selbstverständlich, daß der ›Zentralausschuß‹ nur für das russisch besetzte Gebiet kompetent sein kann.« Zur Klärung der Situation lud er Delegierte der drei Westzonen, des Berliner Zentralausschusses und des Londoner Exilvorstandes für den 5. Oktober 1945 zu einer Konferenz ein. Tagungsort war das Kloster Wennigsen bei Hannover.

Das Zusammentreffen der beiden Rivalen Schumacher und Grotewohl begann mit einer Demütigung für die Berliner. Während drinnen im Saal Sängerchor und Musikkapelle für Erbauung sorgten, wurde den zu spät gekommenen Grotewohl, Fechner und Dahrendorf von einem britischen Kontrolloffizier der Zutritt zum Saal verwehrt. Erst zwei Tage später konnten sie Schumacher sprechen. Der hatte unterdessen einen entscheidenden Punktgewinn erzielt. Mit einem britischen Militärflugzeug war der Londoner Exilvorstand, an der Spitze Erich Ollenhauer, nach Hannover gekommen – das dritte Gremium, das einen Führungsanspruch in der neu entstehenden SPD anmelden konnte. Doch Ollenhauer ordnete sich bedingungslos der »überragenden Persönlichkeit« Kurt Schumachers unter. Die Belohnung gab es wenige Monate später: Er wurde stellvertretender Parteivorsitzender.

Schumacher setzte in Wennigsen einen Trennungsbeschluß durch: »Bis zur Verwirklichung der Reichseinheit und damit der Parteieinheit wird der Zentralausschuß in Berlin als die Führung der Sozialdemokratischen Partei in der östlichen Besatzungszone angesehen. Der politische Beauftragte der drei westlichen Besatzungszonen ist der Genosse Dr. Schumacher – Hannover.« Das »Büro Schumacher« wurde umgehend in »Büro der Westzonen« umbenannt.

Inzwischen hatte sich die KPD etabliert. Nun war sie es, die einen Zusammenschluß mit der SPD forderte. Denn die Kommunisten erkannten nach Wahlschlappen in Ungarn und Österreich, daß die SPD sich zur stärksten politischen Kraft entwickelte. Grotewohl geriet in eine Zwangslage. Vom Westen allein gelassen, in der Sowjetzone von den Kommunisten unter Druck gesetzt, verlangte er, daß ein Reichsparteitag die Vereinigung beschließen müsse. Doch Schumacher lehnte ab. Er riet Grotewohl, die SPD in der Sowjetzone aufzulösen.

Am 11. Februar 1946 gab Grotewohl daraufhin bekannt, daß der Zentralausschuß die Verschmelzung von SPD und KPD bis zum 1. Mai beschlossen habe. Er wollte auf diese Weise die SPD-Mitglieder in der Sowjetzone vor Schikanen bewahren. Für den April berief er einen Zonenkongreß der SPD nach Berlin ein. Er sollte die Verschmelzung sanktionieren. In dieser Situation kam es zu einer Revolte gegen den Zentralausschuß. Sozialdemokratische Funktionäre unter Führung des ehemaligen Schlossers Franz Neumann verlangten eine Urabstimmung im Bezirk Groß-Berlin über die geplante Vereinigung. Auch die sowjetische Militärbehörde willigte ein. Am 1. April 1946 sollten die SPD-Mitglieder in allen vier Sektoren zwei Fragen beantworten: »Bist du für den sofortigen Zusammenschluß beider Arbeiterparteien?« und: »Bist Du für ein Bündnis beider Parteien, welches gemeinsame Arbeit sichert und den Bruderkampf ausschließt?« Mit dieser Fragestellung verpackte Neumann die Ablehnung der sofortigen Vereinigung in ein allgemeines Kooperationsangebot.

Im letzten Augenblick ließen die Sowjets die Abstimmungslokale in ihrem Sektor wieder schließen. So blieb die Entscheidung bei den Westsektoren. Von den dort stimmberechtigten 33 247 SPD-Mitgliedern gingen 71 Prozent zur Wahl. Von denen stimmten 82 Prozent – das waren aber nur rund 59 Prozent der Mitglieder – gegen den »sofortigen Zusammenschluß«. Und lediglich 25 Prozent – ganze 17 Prozent der Mitglieder – beantworteten die zweite Frage mit »nein«. Auch wenn Neumann die Mehrheit erzielt hatte, zeigte das Ergebnis, daß ein großer Teil der SPD-Mitgliedschaft noch immer das Bündnis mit den Kommunisten befürwortete. Der Widerstand wurde offensichtlich vornehmlich von den Funktionären getragen, die bei einer Verschmelzung um ihre Posten fürchteten.

Nach der Urabstimmung erklärte Grotewohl, der Zentralausschuß halte an seiner Linie fest, SPD und KPD zu vereinen. Die Rebellengruppe sagte sich daraufhin von ihm los. Auf einem Bezirksparteitag in Zehlendorf im amerikanischen Sektor wurde die SPD Groß-Berlins am 7. April neu konstituiert. Grotewohls Sozialdemokraten und Wilhelm Piecks Kommunisten trafen sich am 20. April im »Admirals-Palast« im sowjetischen Sektor zur Gründungssitzung der »Sozialistischen Einheitspartei Deutschlands« (SEP, später SED). Die Ouvertüre zu »Fidelio« erklang, Pieck und Grotewohl erhoben sich und tauschten minutenlang einen Händedruck. Er wurde das Emblem der neuen Partei. Zum ersten Mal seit 1917 gab es nun wieder eine einheitliche sozialistische Partei. Der junge CDU-Politiker Rainer Barzel schrieb im Dezember 1946: »Diese jüngste Partei stellt die Krone der sozialistischen Kompromisse dar. Das ist nicht ein negatives Moment. . . . Vielleicht wird diese Partei einmal einen eigenständigen deutschen Kommunismus ins Leben rufen wie in Frankreich und Italien.«

Die ersten Berliner Nachkriegswahlen fanden am 20. Oktober 1946 statt. Die SED erhielt 19,8 Prozent der Stimmen, die SPD erreichte mit 48,7 Prozent nahezu die absolute Mehrheit. Sie besetzte im neuen Stadtparlament 63 von 130 Sitzen.

»Die große Auseinandersetzung von 1946 um die Zwangsverschmelzung der Sozialdemokraten mit den Kommunisten im sowjetisch kontrollierten Teil Deutschlands habe ich nur mitbeobachten, nicht mitgestalten können«, bedauerte Willy Brandt später. Er hatte zu der Zeit kein Parteiamt, auch keine Verdienste um die SPD. Noch waren die Exilgruppen nicht in die neugegründete Partei aufgenommen. Und außerdem war Brandt noch norwegischer Staatsangehöriger.

Doch aus seinen Briefen und Artikeln wird deutlich, daß er die Entwicklung genau und mit Unbehagen verfolgte. Ein Aufruf führender Vertreter der Arbeiterbewegung unmittelbar nach dem Zusammenbruch des Hitlerregimes, eine einheitliche sozialistische Partei zu schaffen, hätte »begeisterte Zustimmung« gefunden, so meinte er. Selbst dann noch, als dieser Aufruf nicht erfolgte, sei der Einheitswille nicht gebrochen gewesen. Bis Ende 1945 – so Brandts Einschätzung – hätte eine Urabstimmung unter den Mitgliedern von SPD und KPD »eine starke Mehrheit für die Vereinigung« ergeben.

Brandt lastete es Schuhmacher und den anderen Führern der westdeutschen SPD an, bei ihren Auseinandersetzungen mit Grotewohl nicht erkannt zu haben, welche Tragweite der Verzicht auf die Schaffung einer einheitlichen sozialistischen Partei hatte. In seiner Sicht hätte sich der SPD mit der Politik der Einheitspartei die Chance geboten, die KPD, die diese Einheit ja zunächst abwehrte, zunächst zu spalten und ihre einheitswilligen Anhänger zu sich zu ziehen. Auch als die KPD-Führung im Spätherbst 1945 dann ihrerseits den Gedanken der Einheitspartei aufgriff, hätte die Führung um Kurt Schumacher die Bedeutung dieses Ereignisses nur ungenügend erkannt, so Brandt weiter in einem Referat »Zur Krise der deutschen Arbeiterbewegung« aus dem Jahr 1946. Die rein negative Haltung der westdeutschen Sozialdemokratie habe es der KPD ermöglicht, »die Sozialdemokratie in die Zange zu nehmen«.

Die Zwangsverschmelzung markiert das Datum, an dem sich Brandt von dem Gedanken einer Einheitspartei verabschiedet. Er sah ihn durch das Ulbricht-Modell diskreditiert. Brandt: »Die Einheitspolitik kann nicht darin bestehen, daß die SP die Mitglieder und Wähler stellt und die KP die Mehrheit der Leitung.« Demokratische Meinungsbildung war für ihn stets unabdingbare Voraussetzung für eine Einheitspartei gewesen. Im April 1946 schrieb er in einem Brief an seinen langjährigen Förderer Jacob Walcher, der noch in New York lebte: »Entscheidend ist, daß die Bildung der SEP mit undemokratischen Mitteln, teilweise sogar mit gewalttätigen Methoden vorangetrieben worden ist.« Durch diese östliche Politik sei der Einheitswille »des übergroßen Teils der sozialdemokratischen Arbeiterschaft in sein Gegenteil umgekehrt« worden. Die KPD begegne heute in allen westlichen Zonen »einem Mißtrauen, das nicht unberechtigt ist«.

Brandt fürchtete, daß diese Zwangseinheit dazu beitragen werde, die Zonengrenzen zu verfestigen. Seine persönliche Entscheidung hatte er getroffen: »Für meinen Teil ziehe ich die Schlußfolgerung, daß es heute mehr denn je darauf ankommt, die SP im Westen so stark wie möglich werden zu lassen und in ihrem Rahmen für eine möglichst fortschrittliche Politik zu wirken.«

»Als ›Alliierter‹ nach Berlin.«

NORWEGISCHER PRESSEATTACHÉ

Anfang Mai 1946 reiste Brandt zum ersten Nachkriegsparteitag der SPD nach Hannover. Tagungsort war der Kantinensaal der Hanomag-Werke. Die Arbeiter des Werkes hatten den Saal, der durch Bombenangriffe stark beschädigt gewesen war, in Sonderschichten hergerichtet und festlich geschmückt. Brandt kam als Journalist und als Gastdelegierter. Er vertrat die noch im schwedischen und norwegischen Exil lebenden deutschen Sozialdemokraten. Auf diesem Parteitag wurden die Exilgruppen offiziell in die Mutterpartei aufgenommen.

In Hannover bestätigten die Delegierten Kurt Schumacher in dem selbstgegebenen Mandat als Parteiführer für die Westzonen. Brandt erlebte Schumachers aufbrausendes Temperamt, seine apodiktischen Aussagen wie: »Die sozialdemokratische Partei wird der ent-scheidende Faktor Deutschlands, oder aus Deutschland wird ein Nichts und Europa wird ein Herd der Unruhe und Fäulnis.« Ver-wundert registrierte er, an skandinavische Gelassenheit gewöhnt, die Absolutheit von Schumachers Anspruch auf Gefolgschaft, seine autoritäre Haltung. Ihn störte »die an Fanatismus grenzende Unbe-dingtheit, mit der er an einer einmal gefaßten Entscheidung fest-hielt«. Die schrillen nationalen Töne Schumachers waren für den eu-ropäisch denkenden Brandt schwer erträglich.

Anders als fast alle Delegierten erlag Brandt nicht der zwingen-den Wirkung von Schumachers Auftritt. Und im Gegensatz zu vie-len zurückgekehrten Emigranten empfand er auch kein Schuldge-fühl gegenüber dem Mann, der unter den Nazis so viel gelitten hatte. Innerlich ging er auf Distanz zu dem SPD-Führer: »Nein, ich könnte nicht behaupten, daß ich mich mit Schumacher wesensver-wandt fühlte.«

Brandt kritisierte auch Schumachers Wiederaufbau der SPD in den Westzonen. Er hatte dessen Versprechen geglaubt, daß er eine neue Partei errichten würde, eine Partei, so Brandt, »die ihrer Zu-sammensetzung, ihrem Aufbau, ihrer willenmäßigen Ausrichtung nach nicht an der Vergangenheit hängt, sondern den heutigen, völ-lig veränderten gesellschaftlichen und internationalen Bedingungen Rechnung trägt«. Nun aber sah er, daß die alte Funktionärsschicht von vor 1933, die ihn schon damals zur Opposition getrieben hatte, wieder dominierte. »So darf und kann es aber nicht bleiben«, kriti-sierte Brandt. Bei der Besetzung leitender Funktionen dürfe es nicht »nach den Bäuchen und Bärten« gehen. Ausschlaggebend müßten die Köpfe sein. »Nur eine solche Partei wird auch in der Lage sein, die Vergreisung zu überwinden und zur Partei der jungen Genera-tion zu werden.« Auch bemängelte er die fehlende innerparteiliche Demokratie, und er forderte: »Dem Fraktionsgeist und der Cliquen-wirtschaft muß der Kampf angesagt werden.«

Eineinhalb Jahre später sollte Brandt in Schumachers Dienste tre-ten. In der Zwischenzeit aber war er weiter auf der Suche nach der geeigneten Startposition für eine Nachkriegskarriere – und noch im-mer hatte er nicht mit sich ausgemacht, für welches seiner beiden Vaterländer er sich entscheiden sollte. Auch das Vorbild zweier an-derer Emigranten brachte ihn einer Entscheidung nicht näher. Als er im August 1946 für seine norwegischen Zeitungen über den in Bielefeld tagenden Gründungskongreß des Deutschen Gewerkschaftsbundes der britischen Zone berichtete, traf er dort die beiden aus der Emigration zurückgekehrten Sozialdemokraten Max Brauer und Rudolf Katz. Sowohl Brauer, bald darauf Bürgermeister von Hamburg, als auch der Jurist Katz, wenig später neuer Justizminister in Schleswig-Holstein, hatten während der Hitlerjahre die amerikanische Staatsbürgerschaft angenommen. Zu dem Kongreß kamen sie noch mit US-Pässen, doch sobald sie für ihre deutschen Ämter vorgesehen waren, verzichteten sie auf die Privilegien ihres amerikanischen Status und ließen sich wieder einbürgern.

Im September 1946 traf Brandt in Kiel Theodor Steltzer wieder, der inzwischen von den Engländern als Regierungschef Schleswig-Holsteins eingesetzt worden war und sich der neugegründeten CDU angeschlossen hatte. Als dieser ihm in einem langen Gespräch vorschlug, als Bürgermeister nach Lübeck zurückzukehren, reagierte Brandt zurückhaltend. Es war ein Wahlamt, und es war nicht ausgemacht, daß er auch tatsächlich gewählt würde.

Immerhin verfügten die Sozialdemokraten über die Mehrheit in Lübeck. Und viele wünschten sich Brandt an der Spitze der Verwaltung seiner alten Heimatstadt. Das zeigte sich, als der Plan bekannt wurde. Einige Lübecker Genossen reisten zum Parteivorstand nach Hannover, um dort die Zustimmung zur Nominierung Brandts zu erwirken. Sie schrieben auch an Brandt selbst mit werbenden Worten: »Als Nachfolger von Julius Leber kannst Du von Lübeck aus ebenfalls einen guten Start nehmen. . . . Dich müssen wir haben.«

Brandt blieb skeptisch. In einer Aktennotiz hielt er fest, daß »verschiedene der führenden Parteifreunde wegen ihrer Positionen etwas ängstlich wären«. Und: »Es würde also Konflikte geben (von denen es schon viele gab).« In einem Brief an seinen Freund Stefan Szende sagte er noch deutlicher, daß er sich keine großen Chancen ausrechnete: »Ich frage mich, ob ich nicht gerade in einer öffentlichen Stellung viel Ärger mit denen haben werde, die mir trotz Rückkehr die langen Jahre des Exils – oder sogar Renegatentum wegen meiner norwegischen Staatsbürgerschaft – vorwerfen werden.«

Auch persönliche Abneigung spielte mit. Brandt war während der Exiljahre viel im Ausland herumgekommen. Seine politischen Diskussionen mit anderen Sozialisten drehten sich um die Neugestal-

tung Deutschlands und Europas. Sollte er sich jetzt damit zufrie-
dengeben, in einer mittleren norddeutschen Stadt, die seit 1937
nicht einmal mehr den Status einer Freien und Hansestadt hatte,
Schutt wegzuräumen und Schulen einzurichten? Brandt: »Manches
erschien mir nun recht eng.«

Da entsprach schon eher eine journalistische Laufbahn seinen
Vorstellungen, für die ihn Kurt Schumacher einplante. Dem SPD-
Vorsitzenden lag daran, einen Genossen in führender Position entweder bei der DENA, einer von den Amerikanern eingerichteten
Nachrichtenagentur, oder bei dem britischen Pendant DPD unter-
zubringen. Beide Besatzungsmächte wollten diese Pressebüros in
absehbarer Zeit an die Deutschen übergeben.

Auftragsgemäß bewarb sich Brandt bei beiden Agenturen. In
Bad Nauheim traf er den für die DENA zuständigen US-Offizier.
Es wurde ein Gespräch mit verkehrten Rollen. Der Amerikaner
zeigte seine Abneigung gegen die übertriebene nationalistische
Haltung Schumachers, und Brandt nahm aus Loyalität Schumacher
in Schutz. Dann versicherte der US-Captain seinem Zuhörer, die
Kommunisten seien inzwischen »vernünftig« geworden. Nur in
einer Verschmelzung von SPD und KPD liege die politische Zukunft. Brandt, in dieser Frage jetzt auf Gegenkurs, kritisierte heftig
die sowjetische Politik. Der Amerikaner mochte den Mann nicht in
die nähere Wahl ziehen. Brandt: »Ich war ihm offensichtlich zu
rechts.«

Das Gespräch mit den Engländern verlief positiver. Brandt reiste
dafür nach Hamburg. In den Redaktionsräumen der neugegründeten SPD-Zeitung »Hamburger Echo« traf er bei dieser Gelegenheit
zum ersten Mal mit Herbert Wehner zusammen. Der war 1941 als
KPD-Mann im Auftrag Moskaus nach Schweden gereist und dort
ein Jahr später wegen »Gefährdung der schwedischen Freiheit und
Neutralität« zu einem Jahr Haft verurteilt worden. Nachdem ihn
die KPD im Juni 1942 wegen »Umfallens« und »Verrats« ausgeschlossen hatte, sagte er sich vom Kommunismus los und verfaßte
noch während der Haft in Stockholm eine Art »Lebensbeichte«.
Nach seiner Rückkehr nach Deutschland im Jahre 1946 war er auf
Schumachers persönliche Fürsprache hin in die SPD aufgenommen
worden. Der Ex-Kommunist hatte Bedenken, politisch wieder aktiv
zu werden, und sagte zu Schumacher: »Man wird mir die Haut bei

lebendigem Leib abziehen.« Der antwortete: »Du wirst das aushalten.« Wehner arbeitete jetzt als Redakteur des »Hamburger Echos«.

Brandt wartete zwei Monate auf eine Antwort der Engländer. Dann kam ein Telegramm: Er solle in Hamburg die Chefredaktion von DPD übernehmen. Es war Ende Oktober 1946, und es war zu spät. Er hatte inzwischen ein Angebot des norwegischen Außenministers Lange erhalten, Presseattaché an der norwegischen Botschaft in Paris zu werden. Er griff zu, obwohl er sich eingestand, daß ihm »eine solche Tätigkeit fremd war«. Doch er war vom langen Warten zermürbt. Die Stellung war relativ unbedeutend, aber wenigstens ein Einstieg. Brandt: »Ich fragte mich, ob ich vielleicht auf dem Wege über den norwegischen diplomatischen Dienst zu einer nützlichen Tätigkeit bei einer der internationalen Organisationen gelangen könnte, die damals aufgebaut wurden.« Sein Entschluß, nach Paris zu gehen, bedeutete auch: Er hatte sich für seine norwegische Staatsbürgerschaft entschieden.

Doch noch ehe Brandt die Reise antrat, erhielt er von Außenminister Lange eine neue Marschorder: nach Berlin. In der zerbombten Reichshauptstadt unterhielten die Norweger eine Militärmission. Sie war beim Alliierten Kontrollrat akkreditiert und stellte unter den damaligen Zuständen die Ersatz-Botschaft Norwegens im besetzten Deutschland dar. Brandt sollte den Titel eines Presseattachés bekommen. »Berlin – das gab den Ausschlag«, erinnert er sich. »Ohne Überlegung nahm ich das Angebot an.« Da niemand daran zweifelte, daß Berlin wieder zur Hauptstadt Deutschlands würde, mußte diese Aufgabe den politisch umtriebigen Brandt besonders reizen. Von hier ließen sich am besten die Möglichkeiten der deutschen Politik auskundschaften. Vorsorglich begrenzte er sein Engagement bei der Militärmission auf ein Jahr.

Am 17. Januar 1947 trat er seine Stelle an. Der Anblick Berlins erschütterte ihn: »Jeder kleine Garten ein Friedhof.« Da es sich um eine Militärmission handelte, erhielt er wieder eine Uniform als »civilian officer«. Das norwegische Verteidigungsministerium wollte ihn als Hauptmann einstellen, doch er bestand auf dem Majorsrang, um besser besoldet zu werden. Jetzt hatte er zwei Ausweise mit unterschiedlichen Namen. Sein Dienstausweis lautete auf Willy Brandt, sein Reisepaß auf Herbert Frahm.

In einem Schreiben an deutsche Sozialdemokraten warb Brandt

um Verständnis für seine Entscheidung: »Einige von euch wird es vielleicht eigenartig berühren, daß ich ›als Alliierter‹ nach Berlin gehe, zumal ich genötigt werde, dort teilweise in norwegischer Uniform aufzutreten. Mein Status als Alliierter ist jedoch nichts Neues. ... Ich hatte bisher keine Veranlassung, um die Wiedererlangung der gegenwärtig ziemlich fiktiven deutschen Staatsbürgerschaft und damit um Entlassung aus dem norwegischen Staatsverband nachzusuchen.« Er betonte, daß er sich als europäischer demokratischer Sozialist fühle. »Es kommt darauf an, wo der einzelne der europäischen Wiedergeburt und damit auch der deutschen Demokratie am besten dient.« Seit Jahren habe er sich gleichzeitig für deutsche wie für skandinavische Belange eingesetzt. Mit Pathos überdeckte er die Annehmlichkeiten des neuen Jobs: »Heute kann ich der Bewegung am besten dadurch dienen, daß ich der Aufforderung der norwegischen Freunde nachkomme.«

In Berlin begegnete Brandt zwei alten Bekannten aus dem Exil, Karl Mewis und Jacob Walcher. Mewis traf er in der Berliner Behrenstraße, dem Hauptquartier der SED. Er war dort für Agitation und Propaganda zuständig. In seinem Buch »Im Auftrag der Partei« gibt Mewis seine Version der Unterhaltung wieder. Eines Tages sei ein norwegischer Offizier in seinem Büro erschienen. »Es war Willy Brandt. Begeistert sprach er von der Einheitspartei und erklärte, seine Hauptaufgabe sehe er darin, in West-Berlin für die Vereinigung zu wirken.« Brandt bezeichnete später diese Schilderung des Gesprächs als »grotesk«.

Auch Jacob Walcher, aus New York zurückgekehrt, hatte sich für die SED entschieden. Im Auftrag Wilhelm Piecks machte er nun seinem langjährigen Weggefährten Brandt ein Angebot: Wenn er sich dem »fortschrittlichen« Lager anschlösse, könne er sich eine ihm zusagende Aufgabe wählen. Ein Jahr später, Anfang 1948, kam es zu einer letzten Begegnung zwischen Brandt und Walcher. Brandt wohnte inzwischen in einem Haus am Halensee. Walcher schaute sich in dem behaglichen Ambiente um und meinte: Der Westen werde wohl bald gezwungen sein, Berlin zu verlassen, dann würde er dieses Haus gern übernehmen. Brandt entließ seinen Besucher mit der ironischen Bemerkung: »Wenn es hier zum Bruch kommt, bin ich auf eurer Seite.«

Mit »Presseattaché« war Brandts Auftrag unpräzise umschrieben.

Es gab an der norwegischen Militärmission bereits einen offiziellen Presseattaché, es war ein alter Bekannter Brandts. Brandt selber beschreibt seinen Auftrag damit, die norwegische Regierung habe jemanden gebraucht, »der mit den deutschen Verhältnissen von Grund auf vertraut sei und zuverlässig über die politische Entwicklung berichten könne«. Es war eine halb nachrichtendienstliche Tätigkeit. Das Berlin jener Tage war die Schnittstelle zwischen Ost und West. Journalisten und Geheimdienstler aus aller Welt sammelten hier ihre Informationen. Seine Erfahrungen aus den Exiljahren konnte Brandt nun nutzbringend einsetzen. Frühstücke in den Militärmissionen, Gespräche mit Journalisten, die seinen Zugang zu US-Zigaretten zu schätzen wußten, Kontaktgespräche in den Parteibüros füllten seinen Arbeitstag.

Nach Dienstschluß aber fing seine eigentliche Nachrichtenjagd erst an. Dann kam die Zeit, wo sich die Clubs füllten, die sich die Alliierten eingerichtet hatten. Und es begannen die Cocktailpartys. Brandt war ein gerngesehener Gast. Nicht nur wegen seiner Trinkfestigkeit, sondern auch wegen der jungen, dunkelblonden Frau an seiner Seite.

Brandt hatte Rut im Dezember 1943 in der Presseabteilung der norwegischen Botschaft in Stockholm kennengelernt. Die damals 22jährige bewunderte den acht Jahre älteren, viel erfahreneren Mann, der für den norwegischen Widerstand arbeitete. Die gebürtige Norwegerin, als Halbwaise in ärmlichen Verhältnissen aufgewachsen, war in ihrer Heimat ebenfalls im Widerstand tätig gewesen und mußte 1942 nach Schweden fliehen. Dort heiratete sie den emigrierten norwegischen Widerständler Olstadt Bergaust. Um die Jahreswende 1943/44 erkrankte er an Tuberkulose und starb Ende 1946.

Im Frühjahr 1947 erhielt Rut die Möglichkeit, Brandt nach Berlin zu folgen und dort in der Presseabteilung der norwegischen Militärmission als Assistentin zu arbeiten. Mit einem Koffer neuer Kleider reiste sie in die Trümmerstadt, trug jedoch während der Arbeitszeit Uniform. Sie zog mit Brandt in eine Zweizimmerwohnung im norwegischen Gesandtschaftsbau im Tiergarten. Die Pudelhündin »Blacky« gehörte zum Haushalt. Jeden Morgen um neun Uhr wurden Rut Bergaust und Brandt von einem Wagen abgeholt und zu ihren Büros in der Militärmission gebracht.

Wichtigstes Umzugsgut aus Oslo waren einige Kisten, in denen Brandt seine Artikel, Broschüren, Bücher und Briefe aufbewahrte. Zwei Jahrzehnte später machte sich der von Brandt angeworbene Politologe Günter Struve daran, das Material zu sortieren. Struve, heute Programmdirektor des WDR: »Da habe ich gemerkt: Wie hat der Mann früh angefangen, an seine Rolle in der Geschichte zu denken. Das waren keine literarischen Meisterwerke, aber alles edel und richtig.«

Ende Juni 1947 reisten Rut und Brandt zum zweiten Nachkriegsparteitag der SPD nach Nürnberg. Kurt Schumacher war nach einem zweistündigen Referat so erschöpft, daß er aus eigener Kraft nicht mehr zu seinem Sitz zurückkehren konnte und vom Rednerpodium weggeführt werden mußte. In einem Abriß der eigenen Lebensgeschichte fünfunddreißig Jahre später schrieb Brandt dazu kühl: »Der norwegische Delegierte in Nürnberg, der frühere Mot-Dagist und spätere Professor John Sanness, meinte mit leichter Ironie, für mich müßte in der Parteiführung wohl bald Platz sein. Er eilte dem Geschehen um ein Dutzend Jahre weit voraus.«

Von Nürnberg fuhren Brandt und Rut zum Sommerurlaub nach Prag. Die Deutschen, damals noch ohne Pässe, hatten schon Schwierigkeiten, in eine der anderen Zonen zu kommen. An Urlaub oder Auslandsreisen war nicht zu denken. Brandt und Rut wurden durch ihren Rang als norwegische Offiziere begünstigt. Die Tschechoslowakei gehörte zwar zur sowjetischen Einflußsphäre, war aber noch nicht gleichgeschaltet. Brandt erinnert sich: »Prag war voller Leben. Vermutlich konnte man in Europa nicht viele Orte finden, an denen so lebhaft und engagiert diskutiert wurde, nicht zuletzt auf dem Wenzelsplatz – über Gott und die Welt.«

Inzwischen hatte Carlota in eine Scheidung eingewilligt. Sie erhielt Tochter Ninja zugesprochen. Am 4. September 1948 heirateten Rut und Willy Brandt. Es wurde zu einem Unternehmen mit Hindernissen. Der ansässige norwegische Pfarrer weigerte sich, die Trauung zu vollziehen, da beide schon zusammenlebten, noch ehe Brandt geschieden war. Schließlich fanden Rut, bereits hochschwanger, und Brandt einen norwegischen Militärgeistlichen, der im Harz stationiert war, sich aber bereit erklärte, sie in Berlin zu trauen. Die Trauung fand in der Messe der norwegischen Vertretung statt. Einen Monat später kam Sohn Peter zur Welt.

In der Mission verfaßte Brandt fleißig seine Berichte. Sorgsam führt er Buch: »Im Jahr 1947 habe ich dem Pressedienst 395, im Januar d. J. (1948) 22 Berichte und Schreiben, oft mit Anlagen, geschickt.« Umgekehrt vermochte er allerdings für das Thema Norwegen bei den Journalisten in Berlin nur wenig Interesse zu wecken. In seinem Bericht klagte er, es sei keine Seltenheit, daß man »mangelndes Verständnis für die Rechte und Interessen der kleineren Nationen und mangelnde Achtung vor ihnen antrifft«.

Eine Erkenntnis, die Brandt zunehmend schmerzte. Er fühlte sich an den Rand des Geschehens gedrückt, die Arbeit in der Mission langweilte ihn. Die politischen Ereignisse in Deutschland erlebte er nur als Außenstehender, er konnte nicht aktiv daran teilnehmen. Ein Aufruf der Ministerpräsidenten der westlichen Zonen, die Emigranten sollten zurückkehren und am Neuaufbau mitarbeiten, machte auf ihn »einen gewissen Eindruck«.

Ende August 1947, während eines Ferienaufenthalts mit Rut in Norwegen, führte Brandt mit dem norwegischen Außenminister Lange ein Gespräch über seine Zukunft. Der fragte ihn, ob er in die deutsche Politik einsteigen wolle. Die Frage sei nicht aktuell, antwortete Brandt, doch er ließ keinen Zweifel daran, daß ihn seine jetzige Aufgabe nicht ausfüllte. Kurz darauf erhielt er aus Genf den Anruf von Gunnar Myrdal, der die UNO-Wirtschaftskommission für Europa leitete. Myrdal bot ihm den Posten eines Pressereferenten an. Brandt erbat Bedenkzeit. Die Entscheidung für Genf hätte bedeutet, endgültig Abschied von der Vorstellung zu nehmen, einmal aktiv in die deutsche Politik einsteigen zu können.

»Seien Sie nicht böse, Genosse Schumacher.«

ALS SPD-VERBINDUNGSMANN IN BERLIN

Die Gelegenheit zu einer politischen Karriere in Deutschland bot sich Brandt überraschend Anfang Oktober 1947. Der SPD-Vorstand in Hannover unterhielt in Berlin ein Verbindungsbüro zu den Alliierten, eine Art parteieigener Botschaft. Sie wurde von Erich Brost geleitet, einem gebürtigen Danziger, der während der Hitlerzeit im Exil in London war. Brost hatte von den Engländern eine Lizenz für die »Westdeutsche Allgemeine Zeitung« in Essen angeboten bekommen. Der gelernte Buchdrucker sah in dieser neuen Aufgabe eine Herausforderung und quittierte seinen Berliner Job. Brandt und er hatten sich in Berlin kennengelernt.

Über die nächste Stufe des Geschehens gibt es zwei Versionen. Brandt sagt, Brost habe »angeregt«, daß er die Berliner Vertretung des SPD-Vorstandes übernehmen solle. Brost, den die Lizenz zum zweitgrößten Zeitungsverleger nach Axel Springer machte und dem sie ein Vermögen von mindestens einer halben Milliarde Mark einbrachte, kann sich anders erinnern. Danach habe Brandt ihn gefragt, ob die Chance bestünde, den freiwerdenden Posten zu erhalten.

Brost vermittelte jedenfalls den Vorschlag nach Hannover, Brandt solle sein Nachfolger werden. Er schätzte ihn wegen seines »unabhängigen Charakters«, der gegenüber dem rechthaberischen Schumacher von Vorteil sein würde. Er hielt ihn für klug, außerordentlich geduldig und voller Goodwill. Sein einziger Vorbehalt war, daß Brandt ihm etwas bohemienhaft erschien und politisch links von ihm selbst stehend, doch sah er dies nicht als gravierend an. Schumacher bat Brandt zu einem Gespräch nach Hannover. Anfang November diskutierten die beiden im Beisein von Propagandachef Fritz Heine Brandts Aufgaben in Berlin. Es sei selbstverständlich, versicherte Brandt, daß er als Berliner Vertreter des Parteivorstandes dessen Auffassung zu übermitteln habe. Ihm würde das aber um so leichter fallen, wenn er Gelegenheit erhielte, bei möglichen Meinungsverschiedenheiten seinen persönlichen Standpunkt vor den leitenden Körperschaften der Partei darzulegen. Schumacher gestand ihm dies zu – die Parteileitung habe ja schließlich auch nicht die Weisheit mit Löffeln gefressen.

Zurück in Berlin, bereitete Brandt mit großem Eifer eine Skandinavienreise für Schumacher vor. Sie wurde zum Fiasko – für beide. Auf die zurückhaltenden Norweger machte Schumacher den Eindruck eines übersteigerten Nationalisten und blinden Antibolschewisten. In Stockholm begegnete der SPD-Chef Brandts Intimfeind Kurt Heinig. Ähnlich, wie er schon Brandts Übertritt von der SAP zur SPD zu verhindern versucht hatte, intrigierte Heinig jetzt erneut. Brandt sei mehr Norweger als Deutscher. Er habe aus Gewinnsucht die Staatsbürgerschaft gewechselt. Er sei ein fragwürdiger Sozialdemokrat, ihm fehle jede politische und nationale »Prinzipientreue«. Insgeheim befürworte er immer noch die Einheitspartei, er sei ein »verkappter SED-Mann« und stehe deshalb auch immer noch mit Jacob Walcher in Verbindung.

Im Vertrauen auf seine Verabredung mit Schumacher hatte Brandt umgehend seine norwegische Tätigkeit aufgekündigt. Schon am 7. November schickte er einen Eilbrief an Außenminister Lange, der in New York weilte. Darin beteuerte er, es habe für ihn viel mehr als etwas Äußerliches bedeutet, norwegischer Staatsbürger zu sein. Jetzt aber wolle er versuchen, »dabei zu helfen, daß Deutschland nach Europa zurückgeführt wird und nach Möglichkeit ein Teil jener dritten Kraft wird, die erforderlich ist, um der größten Katastrophe aller Zeiten zu entgehen«. Brandt schrieb auch: »Es ist ziemlich sicher, daß ich Enttäuschungen erleben werde, vielleicht auch mehr als dies.«

Das geschah schneller, als er sich hatte träumen lassen. Erich Brost suchte ihn auf und unterrichtete ihn, Schumacher sei mit erheblichen Vorbehalten aus Skandinavien zurückgekehrt. Er wolle die Entscheidung, Brandt mit dem Berliner Amt zu betrauen, von einer weiteren persönlichen Unterhaltung abhängig machen. Dieses Gespräch könne aber nicht vor dem 10. Januar stattfinden, da Schumachers Terminkalender bis dahin voll sei.

Brandt saß jetzt zwischen allen Stühlen. Er hatte nicht nur seinen norwegischen Posten aufgekündigt, sondern inzwischen auch Myrdals Angebot abgelehnt. In seinem Schreiben an Lange hatte er, um sein Ausscheiden aus den norwegischen Diensten zu rechtfertigen, zudem davon gesprochen, die SPD-Führung habe ihn »eindringlichst« gebeten, für sie zu arbeiten. Die drohende Blamage vor Augen, setzte er sich am Vorabend des Weihnachtsfestes 1947 hin und schrieb einen langen Brief an Schumacher, voll verhaltenem Zorn und kaum verdeckter Niedergeschlagenheit. Er vermied das in der SPD übliche Genossen-Du. Die gegen ihn vorgebrachten Vorwürfe tat er als das Anschwärzen von Leuten ab, die ihm seinen Erfolg während der Exiljahre neideten.

In deutlicher Anspielung auf Heinig, der noch in Stockholm lebte, bezeichnete er es als Dreistigkeit, daß Leute, »denen es offenbar bei den skandinavischen Fleischtöpfen immer noch ganz gut ge-

fällt«, ihm, »der freiwillig die deutschen Rationen wählt«, gewinn-
süchtige Motive unterstellten. Er habe nie verschwiegen, Anhänger
einer einheitlichen sozialistischen Partei gewesen zu sein. Dieser
Streit aber sei durch die Entwicklung überholt. Doch widerspreche
es wohl nicht der Linie der Partei, um den »vom ehrlichen Willen
geleiteten Teil« der kommunistischen Arbeiter zu ringen – »bei
schärfster Frontstellung gegen das Regime des Terrors und der
Lüge«.

Brandt ersuchte dringend um ein baldiges neues Gespräch: »Eine
mehrwöchige Vertagung erscheint mir unerträglich.« Er wies darauf
hin, daß er sich nach reiflichem Überlegen entschlossen habe,
»meine Stellung und noch einiges mehr aufzugeben«. Jetzt gerate er
»gegenüber meinen norwegischen Freunden und Kollegen und gegenüber den alliierten Stellen, die vom geplanten Standortwechsel
erfahren haben, in eine unmögliche Lage«. Dann warb er um Vertrauen: Er sei niemals ein einfacher Ja-Sager gewesen. »Aber ich
habe seit langem gelernt, mich einzuordnen und von dem mir einmal zugewiesenen Platz aus mit voller Kraft für unsere Sache zu wirken. Nach den vielen Jahren der Vorbereitung und des Kommentie-
rens sehne ich mich nach aktivem Einsatz.« Der Schlußabsatz des
Sechs-Seiten-Briefes lautet: »Seien Sie nicht böse, Genosse Schumacher, wenn der Brief etwas gereizt klingen sollte. Im Grunde soll damit nichts anderes gesagt werden als: Ich will mich nicht aufdrän-
gen, ich sehe keine Veranlassung, mich zu verteidigen, aber ich
stehe zur Sache und zu meinem Wort. Ihr Willy Brandt.«

Der Brief wirkte. Der Parteivorstand bestätigte Brandts Berufung.
Mit vierwöchiger Verspätung trat er sein neues Amt am 1. Februar
1948 an. Bis dahin konnte er weiter in der norwegischen Mission
arbeiten. Der neue Posten war kein schlechter Tausch, auch wenn er
nicht mehr die alliierten Vorrechte mit sich brachte. Brandt erhielt
eine Dienstvilla, ein Haus am Halensee mit Wassergrundstück. Er
hatte einen Dienstwagen – einen VW – mit Chauffeur. In der damaligen Zeit, wo schon ein Fahrrad ein Statussymbol war, bedeutete
dies einen unerhörten Luxus. Einen Führerschein hatte er nie gemacht. In einem Interview nannte er später den Grund: Der Großvater habe als Kraftfahrer »ein- oder zweimal Malheur gehabt – er
konnte beide Male nichts dafür –, wo jemand umgekommen ist. Das
hat mich in meinen jungen Jahren verfolgt.«

Auch eine Sekretärin hatte Brandt nun, dazu noch eine Haushaltshilfe. Für seine Gäste und sich selbst hatte er vorsorglich einen Vorrat der so begehrten US-Zigaretten angelegt. Nachfolger in der Militärmission wurde sein Freund und Reisegefährte aus spanischen Tagen, Per Monsen. Von ihm und anderen skandinavischen Freunden wurden die Brandts mit Lebensmittelpaketen und Spirituosen versorgt. Es ließ sich also gut leben auf dem neuen Posten. Brandt selbst jedoch gab rückblickend eine andere Bewertung: »Den nicht unbehaglichen Status eines skandinavischen Staatsbürgers mit Diplomatenpaß hatte ich gegen die Lebensbedingungen eingetauscht, die in Berlin vor der Währungsreform herrschten.«

Der neue Posten bedeutete auch, daß Brandt in der Partei die mühsame »Ochsentour« erspart blieb. Statt dessen gelang ihm der Einstieg »von oben«. Mit diesem Einstieg war zugleich die Entscheidung darüber gefallen, welche Staatsbürgerschaft er endgültig annehmen würde. Am 5. Mai 1948 ging bei der Landesregierung in Kiel, die für Lübecker Bürger zuständig war, Brandts Gesuch um Einbürgerung ein. Der zuständige Justizminister war Rudolf Katz, selber einst von den Nazis ausgebürgert.

Am 1. Juli 1948 erhielt Brandt seine Einbürgerungsurkunde. Er verlor damit automatisch seine norwegische Staatsbürgerschaft. Das befreundete Ehepaar Enderle hatte er um Rat gefragt, ob er seinen Decknamen beibehalten sollte. Irmgard Enderle: »Wir haben ihm zugeredet, sich nicht wieder Frahm zu nennen.« In der Urkunde – aus Sparsamkeit hatte die Landesregierung alte NS-Formulare benutzt, auf denen das Hakenkreuz mit schwarzer Tinte ausgetuscht worden war – hieß es: »Herbert Ernst Karl Frahm, genannt Willy Brandt.« Beim Berliner Polizeipräsidenten beantragte Brandt dann eine formelle Namensänderung. Am 11. August 1949 wurde sein Antrag genehmigt, von da an konnte er sich mit amtlichem Segen Willy Brandt nennen. Das war drei Tage, bevor er in den Bundestag entsandt wurde.

Die SPD stellte ihm mit Amtsantritt ein neues Mitgliedsbuch aus. Seine SAP-Vergangenheit wurde darin getilgt. Als Eintrittsjahr ist 1930 angegeben, und über die Dauer der Mitgliedschaft lautet der Eintrag schlicht: »ohne Unterbrechung«. Ausgestellt ist der Ausweis vom Landesverband Groß-Berlin.

Aufstieg in Berlin
(1948 bis 1960)

»Berlin gehört nicht zu Sibirien.«

KALTER KRIEG

Für den Aufbau seiner politischen Karriere in Berlin brachte Willy Brandt eine einschlägige Grundausbildung mit: »Die nordischen Jahre waren in mancher Hinsicht die prägendsten meines Lebens.« Er hatte den Wandel der NAP von einer linkssozialistischen zu einer reformorientierten Partei miterlebt und mitvollzogen. Er hatte im Exil Weltläufigkeit und Sprachkenntnisse erworben. Er hatte gelernt, in internationalen Zusammenhängen zu denken und außenpolitische Konzeptionen zu entwerfen. In der harten Schule der Partei- und Fraktionskämpfe hatte er ein Talent zum Ausgleich entwickelt, das er selbst einmal mit der Formel persiflierte: »Ein kräftiges Sowohl-als-auch«. Als Journalist hatte er gelernt, Texte zu formulieren, Nachrichten zu erfassen und Kontakte zu pflegen. Und nicht zuletzt hatte er die Einsicht gewonnen, daß die Welt für die einfachen Menschen nicht aus »Ismen« besteht, sondern aus »Essen, Schlafen, Fußballspielen, Kanarienvögeln, Schrebergärten und anderen schönen Dingen«.

Nur konnte Brandt diese Erfahrungen in den Jahren der Trümmer und des Aufbaus nicht umsetzen. Die Berliner SPD unter Franz Neumann lag zwar auf einer Linie mit Schumacher, doch nach dem siegreichen Kampf gegen die Kommunisten mochte sie keinen Aufpasser aus Hannover akzeptieren. Als solchen aber empfanden die Berliner Genossen Brandt. Seine Situation wurde noch schwieriger, als er sich einem anderen »Außenseiter« anschloß: Ernst Reuter.

Der frühere Magdeburger Oberbürgermeister hatte die Nazi-Zeit im türkischen Exil überstanden. Er war 1912 als Zweiundzwanzigjähriger der SPD beigetreten, hatte dann als deutscher Kriegsgefangener die russische Oktoberrevolution erlebt und sich den Kommunisten angeschlossen. Nach Deutschland zurückgekehrt, war er in die Führungsspitze der KPD aufgestiegen, hatte aber auf dem Um-

163

weg über die USPD schon 1922 zur SPD zurückgefunden. Aus dem Exil in Ankara war er mit der Erwartung zurückgekehrt, in Berlin Oberbürgermeister zu werden. Doch die Partei hatte vorerst für ihn nur das Verkehrsdezernat übrig.

Trotz seines bescheidenen Amtes war Reuter dank seiner Ausstrahlung bald die beherrschende Figur in der Berliner SPD, auch wenn er im Parteiapparat nicht Fuß fassen konnte. Noch als norwegischer Major hatte der 33jährige Brandt den 57jährigen Reuter im Hause von Annedore Leber, der Witwe Julius Lebers, kennengelernt. Er entdeckte seine neue Leitfigur: »So wie ich als junger Mann den Altersunterschied von zwanzig Jahren zwischen Julius Leber und mir als nichts Trennendes empfunden hatte, so fühlte ich auch im ersten Augenblick, daß Reuter und ich uns gut verstanden.«

Brandt erkannte in Reuter einen »innerlich selten reichen Menschen«, lobte ihn als »freundlich und friedfertig«. An dem Politiker Reuter lernte er schätzen, daß er »positive Lösungen aufzeigte und immer wieder an das Gute im Menschen appellierte«. Er empfand seinen neuen Mentor, ganz im Gegensatz zu dem aggressiven Schumacher, als »vornehm und versöhnlich«. Geradezu lyrisch schildert Brandt im Rückblick sein Gefühl der Geborgenheit an der Seite Ernst Reuters: »Wir hatten am politischen Himmel und in der Welt des Geistes dieselben Sterne.«

Berlin hatte sich inzwischen zum Zentrum des Kalten Krieges entwickelt. Die alte politische Konstellation – hier Sieger, dort Besiegte – galt nicht länger. Die neue Ordnung kannte zwei Lager: Ost und West. Die beiden Führungsmächte Sowjetunion und USA umwarben die Deutschen als Partner für ihr jeweiliges System. Die gemeinsame Verwaltung Berlins geriet in eine Krise. Aus ihrem Wahlsieg im Herbst 1946 hatten die Sozialdemokraten ihren politischen Führungsanspruch hergeleitet und Otto Ostrowski, einen farblosen Kommunalpolitiker und früheren Lehrer, zum Oberbürgermeister bestimmt. Bei der Übernahme der Kommunalverwaltung mußten sie aber feststellen, daß die maßgeblichen Posten von den Kommunisten bereits mit Leuten ihrer Couleur besetzt worden waren. Um die Regierbarkeit der Stadt herzustellen, versuchte Ostrowski, ohne Wissen seiner Partei, sich mit der SED zu arrangieren.

Als der SPD-Vorsitzende Neumann von diesen Kontakten erfuhr, zwang er Ostrowski im April 1947 zum Rücktritt. Zum neuen Oberbürgermeister nominierten die Genossen demonstrativ ihre profilierteste Persönlichkeit, Ernst Reuter. Die Sowjets sahen in diesem Mann einen Renegaten und fühlten sich provoziert. Sie verweigerten ihm die Bestätigung.

Der gewählte, aber nicht bestätigte Oberbürgermeister, dessen Amtsgeschäfte stellvertretend die Altgenossin Louise Schröder wahrnahm, entwickelte sich zu einem aggressiven Antikommunisten und Volkstribunen. In seiner Haltung sah er sich bestätigt, als die Kommunisten im Februar 1948 in der Tschechoslowakei die bürgerlichen Parteien ausschalteten und die Macht übernahmen. Die allgemeine Furcht war, daß die Sowjetunion als nächstes Finnland gleichschalten und die an Berlin nur mäßig interessierten Westmächte aus der Sektorenstadt vertreiben würde. »Prag war dran, Finnland soll drankommen, Berlin wird nicht drankommen«, putschte Reuter als Kundgebungsredner den Widerstandswillen der Westberliner auf.

Auch für Brandt wurde Prag, das er erst sieben Monate zuvor als freiheitliche Stadt erlebt hatte, zum Wendepunkt. Er verabschiedete sich endgültig von seiner Vorstellung, ein demokratisches sozialistisches Europa könne als dritte Kraft zwischen Ost und West bestehen. Zum erstenmal seit 1945 – abgesehen von kurzen Wahlauftritten im Herbst 1946 in Lübeck – trat er jetzt öffentlich als Redner auf und bezog eindeutig Position. Es war die Position Reuters: Frontstellung gegen die Kommunisten, Anlehnung an die Amerikaner – und damit Absage an eigene frühere Überzeugungen.

In einer Rede vor der Berliner SPD am 12. März 1948 sagte Brandt: »Die erste Voraussetzung ist heute, daß wir in unserem Teil Europas und der Welt Ordnung schaffen, daß wir unsere eigenen Reihen ordnen und keinen Schritt zurückweichen.« Und: »Wer sich auf die kommunistische Einheitsfront einläßt, geht daran zugrunde.«

Seit diesem Auftritt wurde er ein vielgefragter Redner. Gestählt durch die langjährigen Auseinandersetzungen mit dem Kommunismus Moskauer Prägung, erwies er sich rasch als fähiger antikommunistischer Agitator. »Berlin gehört zu Europa und nicht zu Sibirien«, verkündete er zum Beispiel. Die Beamten der sowjetzonalen politischen Sonderpolizei K 5, »des verlängerten Armes des russischen NKWD«, seien nach den im Nürnberger Kriegsverbrecherprozeß aufgestellten Richtlinien abzuurteilen. Der Vereinigung der Verfolgten des Naziregimes (VVN) warf er vor, nur für die Opfer des Faschismus, nicht aber für die des Kommunismus zu demonstrieren. Kontrollen sowjetzonaler Behörden waren für ihn »getarnte Diebstähle«. Das SED-Regime sei eine »Protektoratsherrschaft«, und es gebe »eine nationale Pflicht zum Widerstand gegen das widerrechtliche System in der Zone«. Die Londoner Zeitschrift »New Statesman«, ein Blatt der Labour Party, erkannte in solchen Tönen »eine bedenkliche Neigung zum Chauvinismus«.

Als Parteibeauftragter war Brandt der Vorposten der westlichen SPD. Er war die Anlaufstelle für Sozialdemokraten, die aus der Sowjetzone flüchteten oder von dort wichtige Informationen überbringen wollten. Zu einem solchen Schritt entschlossen sich in der Mehrzahl die geistig aktiven, kämpferischen SPD-Genossen, die zur Elite der Partei gehörten. Brandt nahm sich Zeit für sie und bewirtete sie in seinem Haus am Halensee. Aus bedrängten Verhältnissen kommend, fühlten sie sich geborgen und wurden in Westdeutschland zu seinen unbedingten Parteigängern – eine Gefolgschaft, auf die er später bauen konnte. Allerdings nicht in allen Fällen. Einer der Besucher war der Dresdener Rechtsanwalt Günther Nollau, der sich als Verteidiger von Regimekritikern hervortat. Er gewann den Eindruck, daß Brandt von konspirativer Arbeit viel verstand. Jahrzehnte später trug er – inzwischen Präsident des Bundesamtes für Verfassungsschutz und oberster Kommunistenjäger der Bundesrepublik – zu Brandts Scheitern als Bundeskanzler wesentlich bei.

Seine Kenntnisse verarbeitete Brandt zu einer Dokumentation »Terror in der Ostzone«. Sie listete die Verhaftung von 342 Menschen auf, berichtete über eine Zwangsverschleppung von 536 Jugendlichen und zahlreichen deutschen »Spezialisten«, klagte die Massendeportation von Frauen an und schilderte die Zustände in den KZs der Ostzone. Der Westberliner »Telegraf«: »Eine furchtbare Anklage gegen den Kommunismus.« Brandts Schlußfolgerung: »Man kann heute nicht Demokrat sein, ohne Antikommunist zu sein.«

Amerikanische Dienststellen in Berlin überlegten, ob sie diesen Mann für die Leitung der »Kampfgruppe gegen Unmenschlichkeit« gewinnen könnten. Diese Organisation betrieb Widerstandsarbeit

gegen die Sowjetzone mit Flugblattaktionen, Plakaten und Dokumentationen, später auch mit Sprengstoffanschlägen. Für Brandt,
der nun endgültig eine politische Laufbahn eingeschlagen hatte, war
ein solches Angebot unattraktiv. Leiter der Gruppe wurde dann der
Sozialdemokrat Ernst Tillich. In sanfter Untertreibung meinte später
der Pensionär Brandt über die damalige Zeit: »Wer wollte bestreiten,
daß sich mancher von uns in der Gefahr befand, zum Gefangenen
der Denkmuster des Kalten Krieges zu werden?«

In der Ostpresse gewann Brandt rasch den Ruf eines »Amerika-
Agenten«. Und er erfuhr am Beispiel seines Parteifreundes Heinz
Kühne, wie die ostzonalen Sicherheitsdienste mit Leuten verfuhren,
die sie zu politischen Gegnern erklärt hatten. Nach einem Besuch bei
Brandt wollte Kühne, ein ehemaliger Schiffskoch, der jetzt für die
SPD seinem Hang zu abenteuerlichen Geheimdienstaktionen nach-
ging und sich dabei als Journalist Herbert Hintze tarnte, noch zu
einer weiteren Verabredung im Norden Berlins, nahe der Grenze
zum Sowjetsektor. Brandt stellte ihm seinen Wagen zur Verfügung.
Mitten in der Nacht rief der Fahrer aufgeregt im Hause Brandt an:
Heinz sei verschleppt worden. Der Fahrer hatte ihn am Zielort abgeliefert und dort auf ihn gewartet. Plötzlich hörte er einen Schrei und
sah, wie der Mann in ein anderes Fahrzeug gestoßen wurde, das
dann mit hohem Tempo davonraste. Die alarmierte Polizei drang in
die Wohnung ein, in der Heinz Kühne seine Verabredung gehabt
hatte. Sie entdeckte Injektionsspritzen, Reste von Betäubungsmit-
teln und Blutspuren sowie vor der Tür einen Schuh und einen
Strumpf. Die Wohnung entpuppte sich als Menschenfalle.

Ein halbes Jahr später schrieb Heinz Kühne für seine neuen Auf-
traggeber eine Broschüre »Kuriere, Spitzel, Spione« über die Ostar-
beit der SPD: Brandt sei daran indirekt beteiligt. Er habe als Verbindungsmann unter dem Decknamen Gerd Lang die Hilfe der
norwegischen Spionageorgane für die SPD mobilisiert. Brandts
Wohnung am Halensee habe er – Kühne – »sehr oft als illegalen
Treffpunkt für prominente Agenten« benutzt. Das Weißbuch wurde
von der KPD in Frankfurt/Main mit amerikanischer Lizenznummer
vertrieben.

Brandt vermied es seit dieser Erfahrung, mit dem Auto oder der
Eisenbahn in die Westzonen zu fahren. Er fürchtete, daß die Behörden der Sowjetzone ihn verhaften würden. Erst 1955, dann schon

Präsident des Berliner Abgeordnetenhauses, wagte er sich zum ersten Mal auf die Interzonenautobahn. Seitdem, so erinnert er sich, sei er »von den kommunistischen Kontrollbeamten ausgesprochen höflich behandelt worden«.

»In einer unabhängigen Position.«

IM ERSTEN DEUTSCHEN BUNDESTAG

Im Jahr 1948 entschied sich die Zukunft Deutschlands. Die Westmächte unter Führung der USA verabredeten die Gründung eines separaten deutschen Weststaates, der eng mit den westeuropäischen Staaten verflochten werden sollte. Die Sowjetunion verließ aus Protest im März 1948 den Alliierten Kontrollrat. Mit der Währungsreform und der Einführung der D-Mark begann die politische Neuordnung der Westzonen. Amerikanische Aufbaukredite und Warenlieferungen – der sogenannte Marshallplan – sicherten den Neubeginn. Die Sowjetunion nahm die Währungsreform zum Anlaß, um im Juni 1948 mit einer Blockade Berlins die Westmächte in die Zange zu nehmen: entweder schmählicher Abzug aus Berlin oder Rückkehr zur vereinbarten Viermächteverwaltung.

Ernst Reuter erkannte in der Blockade nicht nur eine Bedrohung, sondern auch eine Herausforderung. Er verpflichtete durch spektakuläre Massenkundgebungen die unschlüssigen Amerikaner zum Ausharren: »Ihr Völker der Welt! Schaut auf diese Stadt und erkennt, daß ihr diese Stadt nicht preisgeben dürft, nicht preisgeben könnt.« Die im Blockadewinter frierenden Berliner rief er zum Durchhalten auf: »In Berlin ist es kalt, in Sibirien ist es kälter.« Die Luftbrücke, mit der die USA das eingeschlossene Berlin über zehn Monate am Leben erhielten, wurde zum Fundament der neuen deutsch-amerikanischen Freundschaft.

Reuter sah die Chance, im Windschatten der Auseinandersetzung um Berlin den westdeutschen Staat aufzubauen. Er setzte gegen die verhandlungsbereiten Westmächte und kompromißlerischen Berliner Christdemokraten die Einführung des neuen Geldes auch in

West-Berlin durch und nahm dabei bewußt das Risiko einer Teilung Deutschlands und Berlins in Kauf. Seine Losung: »Wer die Währung hat, hat die Macht.« Als die westdeutschen Länderchefs zögerten, das Angebot der Westmächte anzunehmen und einen Separatstaat zu gründen, reiste der gewählte, aber nicht bestätigte Oberbürgermeister auf eigene Faust an deren Konferenzort Jagdschloß Niederwald bei Koblenz und erklärte: »Wir in Berlin sind der Meinung, daß die politische und ökonomische Konsolidierung des Westens eine elementare Voraussetzung für die ... Rückkehr des Ostens zum gemeinsamen Mutterland ist.« Und: »Die Spaltung Deutschlands wird nicht geschaffen, sie ist schon vorhanden.«

An Reuters Seite war Willy Brandt. Aus den Auftritten von US-Militärgouverneur Clay vor den versammelten Ministerpräsidenten gewann er den Eindruck, daß eine deutsche Zurückweisung des westlichen Angebots auch Berlin gefährden könnte. Für ihn waren – ganz auf der Linie Reuters – die Vorschläge der Westalliierten eine akzeptable Basis für den neuen Staat. Auf der Rückreise mit amerikanischen Militärflugzeugen brachte er Gartengeräte und Gemüsesamen mit nach Hause. Im Garten ihrer Dienstvilla pflanzten die Brandts während der Blockadezeit Tomaten, Salat, Kohl und Küchenkräuter.

Der Reuter-Kurs, den Schumachers Mann in Berlin, Brandt, unterstützte, stand im krassen Gegensatz zur Politik des Parteivorsitzenden. Schumachers Antikommunismus war eher noch schärfer als der Reuters. Aber er wollte den neuen Staat zentralistisch aufbauen, während die Alliierten als Sicherung vor einem neuen deutschen Machtstaat eine föderalistische Verfassung vorgeschrieben hatten. Außerdem forderte er Gleichberechtigung mit den anderen europäischen Staaten.

Während Reuter und Brandt ständig zwischen der Sektorenstadt und den Westzonen unterwegs waren und in der politisch entscheidenden Phase 1948/49 die Kontakte zu den Amerikanern pflegten, war Schumacher nach seiner Beinamputation ans Bett gefesselt. Auf dem Düsseldorfer Parteitag im September 1948 mußte sein Referat verlesen werden. Der junge Berliner Delegierte Brandt meldete sich in der anschließenden Diskussion zu Wort. Anders als Schumacher plädierte er für die amerikanische Europapolitik. Für die Wahl in den Parteivorstand vorgeschlagen, verzichtete er auf eine Kandidatur, als er sah, daß er keine Chancen hatte.

Es kam zu einer zunehmenden Entfremdung zwischen Brandt und seinem Arbeitgeber. Schumacher, so glaubt Brandt, »hatte das Gefühl, daß ich, statt die Parteileitung zu vertreten, ›Reuters Mann‹ geworden sei«. Es gab noch einen anderen Einwand Schumachers: Brandts Ostaktivitäten lagen außerhalb seines eigentlichen Auftrags und gerieten zunehmend in Konkurrenz zu den Aktivitäten des Ostbüros der SPD, einer Mischung aus parteieigenem Nachrichtendienst und Hilfsorganisation für verfolgte Sozialdemokraten in der Ostzone. Das Ostbüro unterstand direkt Kurt Schumacher und war mit über dreißig hauptamtlich Beschäftigten die größte Abteilung beim Parteivorstand. Dazu kamen zahlreiche Kuriere, die politische Literatur in die Sowjetzone brachten und von dort Nachrichten nach West-Berlin.

Durch den Ausgang der Westberliner Wahlen im Dezember 1948 konnte sich Brandt in seiner Anlehnung an Reuter bestätigt sehen. Die einheitliche Stadtverwaltung war inzwischen zerbrochen, der Magistrat unter dem Druck kommunistischer Demonstranten aus seinen Amtsgebäuden im Sowjetsektor geflohen und nach West-Berlin übergesiedelt. Die SPD errang ihren höchsten Wahlsieg: 64,5 Prozent. Reuter wurde erneut zum Oberbürgermeister gewählt und jetzt von den drei westlichen Alliierten in seinem Amt bestätigt. Entsprechend der damals geltenden Berliner Verfassung wurden alle Parteien an der Stadtregierung beteiligt. Brandt: »In Berlin hatten die Sozialdemokraten die Führung im Freiheitskampf übernommen. In Westdeutschland wurden sie überrundet und an die Wand gedrückt.«

Mit dem Ende der Blockade am 12. Mai 1949 verlagerte sich der Schwerpunkt des politischen Geschehens von Berlin nach Westdeutschland. Am 23. Mai wurde das Grundgesetz der neuen Republik verkündet. Zur Hauptstadt wurde nicht Berlin, sondern Bonn erklärt. Berlin wurde kein volles Mitglied des Bundes, erhielt aber das Recht, in das neue Parlament acht – später zweiundzwanzig – nicht stimmberechtigte Mitglieder zu entsenden.

Im Wahlkampf zum ersten Bundestag war nicht die hervorragende Rolle der SPD bei der Selbstbehauptung Berlins das beherrschende Thema; gestritten wurde vielmehr über die Alternative Markt- oder Planwirtschaft. Es gelang der CDU, Schumachers Sozialisierungsprogramm als Rückfall in die Bewirtschaftung darzu-

170

stellen und zudem die Sozialdemokraten in die Nähe der Kommunisten zu rücken. Am Wahlabend des 14. August 1949 kam es für die siegesgewisse SPD zu einer verheerenden Niederlage. Der bis vor kurzem so gut wie unbekannte Führer der Christdemokraten, Konrad Adenauer, errang für seine Sammelpartei CDU/CSU einen Vorsprung von vierhunderttausend Stimmen.

Rechnerisch gab es zwei Möglichkeiten: entweder eine bürgerliche Koalition unter Führung der Christdemokraten oder eine Große Koalition von CDU/CSU und SPD. Dieses Zusammengehen der großen Parteien war in der Nachkriegszeit in den Ländern die Regel gewesen. Doch schon in der Wahlnacht entschied sich Schumacher für einen Kurs der »intransigenten Opposition« (Theo Pirker) und verpflichtete wenig später auf einer Sitzung des Parteivorstands in Bad Dürkheim seine Partei auf ein Sechzehn-Punkte-Programm, das mit seinen Forderungen nach Planwirtschaft, Verstaatlichung und Entmachtung des Großkapitals die Möglichkeiten eines Zusammengehens mit der CDU/CSU ausschloß. Er arbeitete damit ungewollt seinem politischen Gegner Adenauer in die Hände, der gegen Widersacher in der eigenen Partei ein bürgerliches Regierungsbündnis gegen die SPD zusammenschmiedete und am 15. September 1949 erster Kanzler der Bundesrepublik wurde.

Einer der 136 SPD-Abgeordneten war der 35jährige Willy Brandt. Er gehörte zum Berlin-Kontingent. Das Bundestagsmandat bedeutete für ihn eine neue Karriere. Ihm war schon früh klar geworden, daß sein Posten als Verbindungsmann Schumachers in Berlin nicht von Dauer sein konnte. Außer der zunehmenden Entfremdung zwischen beiden war auch der sachliche Gesichtspunkt dazugekommen, daß Berlin nicht länger Sitz der Viermächteverwaltung war. Schumacher hatte versucht, Brandt auf elegante Weise loszuwerden, und ihm den Wahlkreis Pinneberg in Schleswig-Holstein angeboten. Brandt: »Das hätte jedoch bedeutet, meine Zelte in Berlin abzubrechen, und gerade das wollte ich nicht. Um so lieber machte ich von der Möglichkeit Gebrauch, durch die damalige Stadtverordnetenversammlung als einer der acht Berliner Abgeordneten in den ersten Bundestag entsandt zu werden.«

Für diese Laufbahn hatte Brandt auch eine Offerte ausgeschlagen, mit der ihn Ernst Reuter aus seiner Abhängigkeit von Schumacher befreien wollte. Reuter hatte ihm angeboten, als Verkehrsdezernent

in den Berliner Magistrat einzutreten. Er sah in der Kommunalarbeit
so etwas wie eine Grundschule für einen Politiker, der ins nationale
Parlament überwechseln wollte. Doch Brandt schrieb dem »Lieben
Genossen Reuter« unter dem Datum des 16. Mai 1949: ». . . möchte
ich meinen persönlichen Standpunkt dahingehend zum Ausdruck
bringen, daß ich der Bewegung in einer unabhängigen Position
wahrscheinlich wertvollere Dienste leisten kann als bei Übernahme
einer ausgesprochen administrativen Aufgabe.« Diese Absage hat
Reuter tief verärgert. Sein Sohn Edzard, heute Daimler-Benz-Vorsit-
zender, erinnert sich: »Es hat eine deutliche Spannung gegeben, fast
einen Bruch.«

Ende 1949 war Brandts Tätigkeit für Schumacher beendet. DPA
meldete: »Der bisherige Vertreter des SPD-Parteivorstandes in Berlin, Willy Brandt, wird sein Amt als Verbindungsmann zwischen der
westdeutschen und der Berliner SPD niederlegen.« Für Brandt bedeutete das einen herben Verlust. Er mußte die Dienstvilla am Halensee räumen. Mit Ehefrau Rut und Sohn Peter bezog er eine kleine
Wohnung in einem Reihenhaus im Marinesteig am Schlachtensee.
Eigene Möbel hatten die Brandts noch nicht. Rut Brandt: »In den
ersten Wochen sah das ›neue Heim‹ so ungemütlich aus, daß wir
Weihnachten kurzentschlossen nach Norwegen fuhren.«

Als Bundestagsabgeordneter bezog Brandt Diäten in Höhe von
1950 Mark. Das war damals viel Geld, aber, so Brandt: »Große
Sprünge waren damit nicht zu machen.« Er hatte hohe Ausgaben.
An Fraktion und Partei waren vierhundert Mark abzuführen. Er
mußte in Bonn ein möbliertes Zimmer mieten und in Restaurants
essen gehen. Er gab viel Geld aus – »Ich habe keine Anlage zum As-
keten« – und mußte dazuverdienen. So übernahm er den Posten des
Chefredakteurs der kränkelnden Parteizeitung »Berliner Sozialdemokrat«. Um das Blatt attraktiver zu machen und Leser außerhalb
der SPD anzusprechen, plazierte er statt richtungweisender Äußerungen Schumachers auch schon mal einen Filmstar auf Seite eins.
Außerdem veränderte er den Titel in »Berliner Stadtblatt«. Auf Lan-
desparteitagen der Berliner SPD trug ihm dies harsche Kritik ein.

Die Zeitung bot Brandt die Möglichkeit, Ansichten zu verbreiten,
die nicht unbedingt auf Parteilinie lagen. Mal ging er gegen Ideen
einer Neutralisierung Deutschlands an, die damals in der SPD an
Boden gewannen, und meinte, damit liefere man sich einer kommu-

nistischen Ausbeutung offen aus. Mal gratulierte er Adenauer zu dessen Bereitschaft, mit den Gewerkschaften über die Mitbestimmung zu verhandeln – eine Spitze gegen Schumacher. US-Hochkommissar John McCloy erhielt den Beifall des Leitartiklers Brandt, weil er sich weigerte, mehrere zum Tode verurteilte Kriegsverbrecher zu begnadigen.

Die Leser fesselte das wenig. Schon Mitte 1951 wurde das »Stadtblatt« als Tageszeitung eingestellt, da es nur noch 3500 Käufer hatte, und in ein wöchentlich erscheinendes Mitgliederblatt umgewandelt, die »Berliner Stimme«. Vom Berliner »Tagesspiegel« bekam Brandt zum Abschied bescheinigt, daß sich seine Leitartikel »durch eine ruhige und sachlich abwägende Sprache« ausgezeichnet hätten.

Eine andere journalistische Nebentätigkeit war die Weiterarbeit für skandinavische Blätter, insbesondere für seine alte Zeitung »Arbeiderbladet«. Hier erschien 1950 ein nicht gezeichneter Artikel, der sich kritisch mit der Oppositionspolitik Kurt Schumachers auseinandersetzte. Schumacher stellte Brandt deswegen zur Rede. Brandt bestritt, der Autor zu sein, und sagte – so jedenfalls erinnert sich Annemarie Renger –, seine Frau Rut habe den Artikel geschrieben. Renger: »Schumacher konnte alles vertragen, nur nicht, daß man ihn anmogelte. Diesen Eindruck hatte er aber.« Das Verhältnis der beiden war von da an für lange Zeit zerrüttet. Schumacher empfing Brandt nicht mehr.

Für kundige Beobachter erkennbar wurde der Konflikt auf dem Parteitag in Hamburg im Mai 1950. Der junge Bundestagsabgeordnete Brandt trat – wenn auch vorsichtig – gegen Schumacher auf, der ein unbedingtes Nein zur Europapolitik der Bundesregierung vertrat, die er »konservativ, klerikal, kapitalistisch und kartellistisch« nannte. Brandt dagegen sprach sich für die von Adenauer betriebenen Schritte aus: Eintritt in den Europarat und Beitritt zur Montanunion, einer Kohle- und Stahlgemeinschaft Deutschlands, Frankreichs, Italiens und der Beneluxstaaten. Brandt: »Ich glaube, daß das Ja zu Europa, auch zu seinen Ansätzen . . . gesagt werden müßte.«

Schwerpunkt der politischen Arbeit des Parlamentariers Brandt war die Vertretung Berliner Belange in Bonn und das Ringen um die Verlegung möglichst vieler Bundesbehörden nach Berlin. Er saß im Berlin-Ausschuß und im Haushaltsausschuß des ersten Bundestages. Seine erste Rede vor dem Plenum hielt er am 24. März 1950.

Ganz im Frontstadtgeist Ernst Reuters sagte er: »Die Aufgabe Berlins besteht unter anderem darin, die Stabilisierung einer sowjetischen Ordnung der Sowjetzone so sehr wie möglich zu erschweren und damit Wege für eine Wiedervereinigung des deutschen Westens und Ostens offenzuhalten.« Ausdrücklich verteidigte er in einem Wortgefecht mit kommunistischen Abgeordneten die von West-Berlin ausgehenden Ostaktivitäten des Bundes und der SPD: »Ist derjenige ein Spion, der versucht, sich über das, was in seinem eigenen Lande vorgeht, Aufklärung zu verschaffen? Oder ist derjenige ein nichtswürdiger Agent, der entgegen dem Willen der Bevölkerung seines Landes die Interessen einer fremden Unterdrückungsmacht wahrnimmt?« Bravorufe und Händeklatschen bei der SPD, in der Mitte und rechts entlohnten ihn.

1952 wurde Brandt im Auswärtigen Ausschuß des Bundestags Hauptberichterstatter über die von der Bundesregierung ausgehandelten Westverträge und den Beitritt zu der – später gescheiterten – Europäischen Verteidigungsgemeinschaft. Getreulich gab er die Argumente der bürgerlichen Mehrheit für Westintegration und Aufrüstung und die Gegenargumente der sozialdemokratischen Minderheit wieder. Vom Krankenbett schimpfte Schumacher in Interviews: »Wer diesem Generalvertrag zustimmt, hört auf, ein Deutscher zu sein.«

Für Schumacher wurde die Wiederherstellung der deutschen Einheit immer mehr zum zentralen Thema. Sie hatte für ihn Vorrang vor der europäischen Integration. Die Bundesrepublik wollte er nur als Provisorium aufgebaut sehen. Demonstrativ verlegte die SPD Anfang der fünfziger Jahre ihr Hauptquartier von Hannover nach Bonn in eine »Baracke«.

Seit Herbst 1951 verschlechterte sich Schumachers Gesundheitszustand. Am 21. Dezember erlitt er einen Schlaganfall. Die Animositäten zwischen ihm und Brandt traten zurück. Im Mai 1952 führten beide noch einmal ein langes Gespräch auf der Terrasse von Schumachers Haus auf dem Bonner Venusberg. Es sollte das letzte sein. Schumacher, schon vom Tode gezeichnet, brachte Verständnis auf für den eigenwilligen jungen Abweichler. Auch er kritisierte jetzt die Starrheit der Parteifunktionäre, forderte größere geistige Unabhängigkeit, sah die Notwendigkeit, die Partei zu verjüngen und die Jugend zu gewinnen. Doch er bezweifelte, ob ihm die Partei auf diesem Wege der Erneuerung folgen würde. Brandts Kommentar nach dieser Begegnung: »Ein merkwürdiger, beinahe pathetischer Widerspruch zeigte sich in manchen seiner Ausführungen. Er nimmt Abschied von seinem Leben und fühlt wohl, daß es der letzte Frühling ist, den ihm das Schicksal schenkt. Die meisten seiner Pläne werden keine Erfüllung mehr finden. Deshalb ist er wohl auch den Menschen gegenüber versöhnlicher gestimmt. Wir sind nicht als Freunde geschieden, es kam aber auch kein Gegensatz auf.«

Am 20. August 1952 starb Kurt Schumacher. Brandt erreichte die Nachricht im Urlaub in Norwegen. Für das »Arbeiderbladet« schrieb er einen Nachruf. Schumachers Tod sei ein »schwerer Schlag für die Partei, ein harter Verlust für Deutschland. . . . Schumachers Unbedingtheit, seine Charakterstärke, sein Idealismus waren ein gewaltiges Kapital für die Bundesrepublik, für das deutsche Volk.«

». . . da haben Sie eben Pech gehabt.«

KAMPF UM DIE BASIS

Anders als Reuter war Brandt Taktiker und Parteipolitiker. Er hatte die Schule der SAP-Intrigen und Volksfrontmanöver durchgemacht. Bei aller Vorliebe für die parlamentarische Arbeit in Bonn ließ er nicht außer acht, daß er als Politiker nur dann wirklichen Einfluß gewinnen konnte, wenn er über eine Hausmacht verfügte. So machte er sich daran, die SPD-Basis in Berlin zu erobern. Das waren zwölf Kreisorganisationen im West- und acht im Ostteil der Stadt. Unbestrittener Platzhirsch war Franz Neumann, als Freiheitsheld gefeiert, seit er die Vereinigung der Berliner SPD mit den Kommunisten verhindert hatte.

Eigentlich hätte Brandt einfaches Spiel haben müssen: Fähige Nachwuchskräfte waren nach Krieg und Nazi-Terror nur spärlich vorhanden. Er war auslandserfahren, sprachgewandt, ideenreich und jung. Doch die von Neumann dominierte Partei fühlte sich als ein geschlossener Proletarier-Verein. Brandt wirkte in dieser Umgebung wie ein Exote. Außerdem hatte er sich mit der Festlegung auf

175

den Reuter-Kurs in eine Minderheitsposition begeben. Seine Überzeugung aber hatte für ihn Vorrang vor kurzfristiger Karriereplanung. Langfristig behielt er recht. Doch damals erkannten nur wenige – wie zum Beispiel der Publizist und spätere Professor für Politische Wissenschaft Richard Löwenthal, der von der Gruppe »Neubeginnen« zur SPD gefunden hatte – in ihm den kommenden Mann.

Wollte Brandt etwas werden, so mußte er darum ringen. Acht Jahre sollte der innerparteiliche Machtkampf dauern. Reuters Sohn Edzard meinte später, Brandt habe »das einzige Mal in seinem Leben einen Kampf geführt, einen massiven und erbitterten Polarisierungskampf gegen Franz Neumann«.

Die Frontstellungen waren von simpler Klarheit. Auf der einen Seite Neumann und seine »Keulenriege«. Das waren die Traditionalisten. Auf der anderen Seite der Reuter-Flügel, zu dem Brandt gehörte. Das war die »amerikanische Fraktion«. Den Begriff hatte die Ostpresse geprägt, er wurde von den Traditionalisten übernommen. Als der Kampf begann, hatte Brandt sich drei Positionen in Berlin gesichert: Ende 1949 war er Kreisvorsitzender in Wilmersdorf geworden. 1950 war er ins neue Abgeordnetenhaus von West-Berlin eingezogen; im selben Jahr wurde er Vorsitzender des Arbeitskreises »Außenpolitik und europäische Zusammenarbeit« der Berliner SPD.

Um Einfluß an der Basis zu gewinnen, zog Brandt Anfang der fünfziger Jahre systematisch durch die »Abteilungen«, wie in Berlin die Ortsvereine heißen. In Kneipen-Hinterzimmern lieferte er mit Vorträgen über das Bonner Geschehen Politik aus erster Hand. Zugleich scharte er eine kleine Gruppe junger Helfer um sich. Dazu zählten der Studentenfunktionär Dietrich Spangenberg, der ihm zuliebe sein Medizinstudium an den Nagel hängte, Klaus Schütz, der sein Studium der Politikwissenschaft ebenfalls vorzeitig beendete, und der Berliner Bundessenator Günther Klein. Der stellte sein Haus am Breitenbachplatz als Treffpunkt zur Verfügung. Spangenberg: »Wir jungen Männer, alle Kriegsgeneration, waren von der Persönlichkeit Brandts gefesselt.« Schütz: »Willy nannten wir immer nur den ›Meister‹.«

Inhaltlich wurde die Auseinandersetzung mit Neumann über vier Hauptkomplexe ausgetragen. Als erstes ging es um die grundsätzli-

che Frage der Partei. Neumann sah die SPD als klassische Arbeiterpartei in der Tradition der Weimarer Zeit und verlangte für sich als
Parteivorsitzenden eine Art Weisungsrecht gegenüber den Senatoren und dem Bürgermeister. Brandt wollte die Partei bürgerlichen
Wählern öffnen und lehnte die Form des imperativen Mandats ab.

Der zweite Streitpunkt war das Verhältnis Berlins zum Bund. Der
beginnende wirtschaftliche Aufschwung in der Bundesrepublik
blieb in Berlin aus. Reuter und Brandt sahen einen Ausweg aus dieser Notlage nur durch die Übernahme aller Bundesgesetze, die Dek-
kung des Berliner Haushaltsdefizits durch Bonn und, als Fernziel,
die volle Eingliederung Berlins als zwölftes Bundesland. Der Neu-
mann-Flügel hingegen wollte die sozialen Errungenschaften Berlins
aus der Nachkriegszeit wie Einheitsschule, moderne Sozialversiche-
rung und Öffnung der Beamtenlaufbahn auch für Angehörige der
Arbeiterschicht erhalten. Durch das Dritte Überleitungsgesetz übernahm Berlin dann ab Januar 1952 die Bundesgesetze: Reuters Politik
hatte sich durchgesetzt.

Beim dritten Streitpunkt, der Europapolitik, lag der Neumann-
Flügel anders als Reuter und Brandt voll auf dem Kurs des Bonner
Parteivorstands.

Vierter Konfliktstoff schließlich war die Koalitionsfrage. Bei Neuwahlen im Dezember 1950 hatte die Berliner SPD eine empfindliche
Niederlage erlitten. Ihr Stimmenanteil war um mehr als ein Viertel
auf 44,7 Prozent gesunken. Der Erfolg der bürgerlichen Regierung
Adenauers verhalf auch in Berlin CDU und FDP zur Mehrheit. Unterstützt von Schumacher, verlangte Neumann, die SPD solle in die
Opposition gehen, um ihr Profil nicht zu verlieren. Der Gegenflügel
wollte Reuter unbedingt im Amt halten und trat für eine Weiterführung der Allparteien-Koalition ein. Nur mühsam gelang ein Koali-
tionsabkommen, und Reuter wurde wieder zum Regierungschef gewählt, der nach der neuen Landesverfassung »Regierender Bürgermeister« hieß.

Auf beiden Seiten wurde mit harten Bandagen gekämpft. Zeitweise geriet die Berliner SPD an den Rand der Spaltung. Im Abgeordnetenhaus ließ Neumann 1952 seine Gefolgsleute in der Hoffnung, den Koalitionssenat zu stürzen, gegen eine Regierungserklärung Reuters stimmen. Doch das Manöver mißlang. Der zur
»amerikanischen Fraktion« gehörende Senator Paul Hertz bezeich-

nete die Gegner einer Großen Koalition in Berlin als »Helfer für die Kommunisten«, für die »in der SPD kein Platz« sei. Bei einem Streit im Landesvorstand steigerte sich der dem Reuter-Brandt-Flügel zugerechnete Parteisekretär Theo Thiele derart in Rage, daß er mit einer Bierflasche auf Neumann losging und drohte, ihm »den Schädel kaputtzuhauen«. Aus Bonn flog mehrfach Herbert Wehner als Krisenmanager in die ehemalige Reichshauptstadt.

Um sich der ständigen Quertreibereien Neumanns zu erwehren, schickte Reuter bei der Neuwahl des Landesvorsitzenden 1952 Brandt als Gegenkandidat ins Rennen. Mit nur 93 Stimmen gegenüber 196 für Neumann ging er weit abgeschlagen durchs Ziel. Reuter tröstete ihn: »Nehmen Sie es nicht so tragisch, da haben Sie eben Pech gehabt.« Für Brandt aber war es die erste große Abfuhr seiner sorgfältig geplanten Karriere. Er empfand es als »schweren Schlag«, wie Klaus Schütz sich erinnert.

Eine kurze Zeit lang erwog Brandt, seine Berliner Parlamentslaufbahn abzubrechen und sich ganz auf Bonn zu konzentrieren. Neumann, der in ihm noch keinen ernsthaften Konkurrenten sah, überredete ihn bei einer gemeinsamen Autofahrt von Köln nach Bonn, neben dem Bonner auch das Berliner Mandat zu behalten. Brandt beherzigte den Rat und verstärkte seinen Einsatz an der Berliner Front. Er systematisierte die Basisarbeit, etwa durch Kaffee-und-Kuchen-Nachmittage für SPD-Rentner. Sein Gehilfe Schütz legte eine Kartei der Delegierten an, notierte ihre politischen Ansichten und die Chance, auf sie einzuwirken. Unter vier Augen wurden noch nicht festgelegte Parteigenossen bearbeitet. Ihnen wurde die Unterstützung der Brandt-Gefolgschaft bei der Delegiertennominierung angeboten, ihnen wurden Vorteile bei ihrer Karriere in der Partei oder im öffentlichen Dienst in Aussicht gestellt. Allmählich, Kreis für Kreis, sorgten Schütz und seine Brandt-Helfer für neue Mehrheiten.

1954 trat Brandt erneut gegen Neumann an. Jetzt fehlten dem Herausforderer nur noch zwei Stimmen. Das Wahlergebnis lautete 143 zu 145. Schütz schimpfte: »Brandt ist nur unterlegen, weil irgendein Arschloch von den Delegierten nicht da war. Ich glaube, der Spangenberg war's.« Brandt wurde aber nun stellvertretender Vorsitzender. Er trat auf diesem Parteitag bereits als der politische Erbe Reuters auf. Der war am 29. September 1953 gestorben. Sein politischer Traum, Außenminister einer Großen Koalition in Bonn zu werden, blieb unerfüllt. Der Erbe sollte es schaffen.

Brandt hatte auf Wunsch der Witwe die Totenrede auf Reuter gehalten. Es wurde sein erster großer öffentlicher Auftritt. Die Rede war eine Distanzierung von der in der Berliner SPD vorherrschenden ideologischen Linie und ein Bekenntnis zum ethischen Sozialismus: »Reuter wußte, daß an den eigentlichen Wendepunkten der geschichtlichen Entwicklung den geistigen Kräften und den moralischen Werten ein besonderes Gewicht innewohnt.« Um seine Nähe zu Reuter zu dokumentieren, bemühte sich Brandt um das Einverständnis der Familie, zusammen mit Richard Löwenthal eine Biographie über Reuter zu schreiben. Eine Schar von wissenschaftlichen Hilfskräften arbeitete den beiden Autoren zu. Ein Mitarbeiter erinnert sich: »Es war ein chaotischer Vorgang, weil Brandt nicht diszipliniert arbeiten konnte.«

»Er war der neue Held.«

DER DURCHBRUCH

Nach Reuters Tod flog die Allparteien-Regierung in Berlin auf. Für ein Jahr, bis Ende 1954, regierte der farblose Christdemokrat Walther Schreiber die Stadt. Die Neuwahlen im Dezember 1954 brachten eine Gewichtsverschiebung. Mit einer Stimme Mehrheit setzte sich die SPD im Abgeordnetenhaus wieder an die Spitze. Neuer Regierender Bürgermeister wurde der Sozialdemokrat Otto Suhr, bisher Präsident des Abgeordnetenhauses. Er bildete eine Koalition aus SPD und CDU, die FDP wurde nicht mehr am Senat beteiligt.

Durch das Stühlerücken wurde das repräsentative Amt des Parlamentspräsidenten frei. In dieser Situation machte Franz Neumann einen entscheidenden Fehler. Er nominierte den Chef der Berliner Klassenlotterie, Herbert Theis. Der hätte als mittelbarer Staatsbediensteter für das neue Amt seinen bisherigen lukrativen Posten aufgeben müssen. Dazu aber war er nicht bereit. Damit ergab sich eine Chance für Brandt. Gegen den Widerstand Neumanns konnte er eine Mehrheit für sich organisieren. Im Januar 1955 bezog er im Rathaus Schöneberg seine neuen Amtsräume – ein großes Büro mit pompösem Schreibtisch, getäfelter Wand und Kassettentür. Jetzt hatte er auch wieder eine Sekretärin und einen neuen Dienstwagen. Die karge Zeit, wo er durch das Schreiben von Artikeln dazuverdienen mußte, war vorüber. Seinen Posten beim norwegischen »Arbeiderbladet« gab er auf.

Aus seiner Zeit als Pressemann hatte Brandt die Erkenntnis verinnerlicht, daß Journalisten gepflegt werden müssen und dann für einen Politiker unentbehrliche Propagandisten sein können. Nach jeder Sitzung des Ältestenrates, der den Ablauf der Parlamentssitzungen plante, lud Präsident Brandt die Rathaus-Korrespondenten zu sich, ließ Kaffee und Cognac auffahren und lieferte Hintergrundinformationen. Er gewann so eine Gefolgschaft, deren Wert bald erkennbar wurde.

In der Springer-Zeitung »Welt am Sonntag« griff der Journalist Klaus Harpprecht unter dem Pseudonym Stefan Brant in die Harfe. Berlin erfordere den »politischen Eros« – »Willy Brandts Stimme gewinnt einen Klang, dem sich die Ohren und die Herzen der Insulaner öffnen«. Er wisse den Funken zu schlagen, der überspringt. »Er hütet das kämpferische Feuer, das in der Reichshauptstadt immer wieder entfacht werden muß.« Und: »Er ist der geistige Sohn Ernst Reuters, und es könnte ihm nichts Schöneres gelingen, als das Erbe dieses großen, sehr klugen und sehr menschlichen Mannes zu erwerben.«

Schon bald nach seinem Amtsantritt erkrankte Otto Suhr. Immer häufiger übernahm nun Brandt als zweiter Mann im Stadtstaat die Sprecherrolle Berlins. Die Berliner Zeitungen wetteiferten mit Fotos und Aussprüchen des jugendlich wirkenden Präsidenten. Zum Presseball 1955 erschienen die Brandts wie ein Paar aus der Filmwelt. Ehefrau Rut trug ein trägerloses Satin-Abendkleid mit breiter Schärpe um die Hüften in der aktuellen H-Linie, natürlich aus einem Berliner Modehaus. Dazu weiße Handschuhe, die bis über die Ellenbogen reichten. Um den Hals viel Glitter. Willy Brandt erschien im Smoking. Das war damals »die Sensation in der Partei«, erinnert sich Klaus Schütz. In Berlin druckten die Zeitungen das Ball-Foto als Beleg für die moderne Einstellung des sozialdemokratischen Spitzenpolitikers; in Bonn reichten es übelwollende Parteifreunde mit der Bemerkung herum: »So etwas nennt sich Sozialdemokrat!«

Kaum eine Party in Berlin, die die Brandts ausließen. »Willy sprach mit jedem, der ihm in die Quere kam«, erzählte Frau Rut in einer Zeitungsserie. Er vertraute ihr auch an, warum: »Manchmal kann solch ein zufälliges Gespräch auf einer Party nützlicher sein als eine stundenlange Sitzung im Rathaus – du wirst es schon noch merken.«

Die ersten Auslandsreisen, 1954 in die USA, 1955 nach Italien und Jugoslawien, mehrten Brandts Popularität in Berlin. Obgleich Suhr noch täglich ins Büro ging, wurde den politisch Handelnden an der Spree bald klar, daß er sein Amt nicht mehr lange ausführen konnte. Ein Nachfolger mußte gefunden werden. Franz Neumann machte sich Hoffnungen. Doch seine Chance verspielte er am 5. November 1956.

In Budapest hatten die Sowjets einen Aufstand der Ungarn zusammengeschossen. Die Westmächte blieben passiv, sie respektierten die nach dem Zweiten Weltkrieg entstandenen Einflußzonen. Hunderttausend Berliner demonstrierten vor dem Schöneberger Rathaus gegen die sowjetische Intervention. Die Vorsitzenden von SPD, CDU und FDP berieten, wie die Lage in den Griff zu bekommen sei. In einem waren sie sich einig: Willy Brandt sollte nicht sprechen. Sie vereinbarten, daß jeder Parteivorsitzende drei Minuten zur Menge reden solle. Der CDU-Vorsitzende Ernst Lemmer ergriff als erster das Wort. Seine beschwichtigenden Floskeln gingen in Buh-Rufen unter. Franz Neumann hielt eine vorgezogene Wahlrede und versuchte, sich als künftiger Regierungschef zu profilieren. Die Leute schrien: »Aufhören!« Sprechchöre forderten »Zum Brandenburger Tor!«, dem offenen Übergang zum Sowjetsektor.

Die Mikrofone der Parteiredner wurden bereits abgebaut, da erschien aus eigenem Entschluß Brandt auf dem Rathausbalkon. Er verurteilte in scharfen Worten die Intervention der Roten Armee, warnte aber vor einem Marsch nach Ostberlin. Unten auf dem Platz verstand kaum jemand richtig, was er sagte. Ein Teil der Zuhörer meinte, den Satz gehört zu haben: »Wir holen uns Waffen in Dahlem – bei den Amerikanern«.

Die Parole wurde weitergegeben, ein Zug von Demonstranten setzte sich nach Dahlem in Marsch. Brandt, dessen Frau Rut inzwischen zu ihm gekommen war, eilte aus dem Rathaus, sprang in einen Lautsprecherwagen der Polizei und lenkte den Demonstrationszug zum Steinplatz, wo ein Mahnmal für die Opfer des Stalinismus steht. Dort sprach er wieder. Dann stimmte er das Lied vom »Guten Kameraden« an. Alle sangen mit. Die Versammlung verlief sich.

Da meldete die Einsatzleitung, daß es unweit des Brandenburger Tors zu blutigen Zusammenstößen zwischen einem anderen Demonstrationszug und der Polizei gekommen war. Die Menge wollte in den Ostsektor marschieren. Dort waren bereits starke Einheiten der Volkspolizei zusammengezogen worden. In den Nebenstraßen rollten russische Panzer auf. Brandt ließ sich in einem Polizeiwagen zum Ort des Geschehens bringen. Dort rief er den Demonstranten – zum größten Teil Studenten und Jugendliche – zu, daß sie »das Geschäft der anderen Seite« betreiben würden, wenn sie sich auf Prügeleien mit der Polizei einließen. Sie sollten sich nicht provozieren lassen. Wieder stimmte er das Lied vom »Guten Kameraden« an. Demonstranten und Polizisten, die sich eben noch Straßenschlachten geliefert hatten, sangen gemeinsam mit.

Noch ein weiteres Mal mußte Brandt an diesem Abend eingreifen, direkt am Brandenburger Tor. Dort hatten sich inzwischen mehrere hundert Menschen versammelt, nur aufgehalten von einer Polizeikette. Brandt steigerte sich: Ein blutiger Zusammenstoß könne den Ungarn nicht helfen, wohl aber einen Krieg entfesseln. Er rief die Menge auf, zu dem in der Nähe auf Westberliner Gebiet gelegenen sowjetischen Kriegerdenkmal zu ziehen. Diesmal variierte er die Gesangseinlage. Er forderte die Menschen auf, »trotzig die deutsche Nationalhymne zu singen«. Es sei »auch in politischen Situationen nützlich, sich daran zu erinnern, daß meine deutschen Landsleute ein sangesfreudiges Volk sind«, amüsierte er sich danach. Aber er hielt auch fest: »Jener Abend hat sicherlich dazu beigetragen, daß Rut und ich uns die Herzen der Berliner gewannen.«

»Diese Geschichte, bei der die alte Parteiführung um Neumann versagte, ist der zentrale Punkt in Willy Brandts Berliner Laufbahn. Er war der neue Held«, meint Klaus Schütz im Rückblick, und er erinnert sich: »Wir haben danach gleich versucht, einen Parteitag zu kriegen, um die Stimmung auszunutzen.« Das aber mißlang. Statt dessen gab es eine achtstündige Diskussion im Landesvorstand, bei der Neumann heftig kritisiert wurde und Brandt weitere entscheidende Punkte sammelte.

Neumann verlegte sich jetzt auf eine Schmutzkampagne gegen Brandt, der immer offener seinen Anspruch anmeldete, Otto Suhr auch im Amt des Regierenden Bürgermeisters nachzufolgen. Mit allen Mitteln versuchte Neumann, Einzelheiten über Brandts Emigranten-Vergangenheit in Erfahrung zu bringen. Der einstige SAP-Gefährte und Quartiermacher Brandts auf dem Untergrundparteitag der SAP in Dresden, Arno Behrisch, erinnert sich: »Der Neumann lief mir dauernd nach und wollte, daß ich ihm schlechtes Zeug von Willy erzähle. Das war so widerlich, von mir hat er nichts bekommen. Aus allen Nähten schaute dem Neumann der Neid heraus. Der spürte natürlich, daß der Willy ihm mit Abstand überlegen war.«

Neumanns Dossier landete beim »Montagsecho«, einer in Berlin erscheinenden Zeitung des rechten FDP-Abweichlers Hermann Fischer. Das Blatt bezichtigte Brandt, er sei aus unehrenhaften Gründen emigriert und habe in Spanien in den Roten Brigaden und in Norwegen mit der Waffe in der Hand gegen die Deutsche Wehrmacht gekämpft. Seine norwegische Uniform spielte in dieser Kampagne zum ersten Mal eine große Rolle.

Brandt setzte sich vor Gericht zur Wehr. Der Zeitung wurde vom Westberliner Landgericht verboten, verleumderische Behauptungen über seine Emigration aufzustellen. Er ließ außerdem seinen Status als politischer Flüchtling feststellen und erhielt als »Heimkehrergeld« und für »Schaden in der Ausbildung« eine Wiedergutmachung von insgesamt 16 000 DM. Davon überwies er 10 000 DM auf das Konto eines Hilfsfonds für Studentenflüchtlinge aus der DDR.

Wichtiger als diese gerichtliche Klärung, die zum Teil erst Jahre später erfolgte, war die Reaktion in den großen Tageszeitungen Berlins. Die »Berliner Morgenpost« aus dem Ullstein Verlag engagierte sich für Brandt. Ihr Chefredakteur gab die Parole aus: »Der zukünftige Regierende Bürgermeister heißt Willy Brandt.« Den Einwand einiger Kollegen – »Den kennt doch niemand« – wies er ab: »Dafür sitzen wir ja hier zusammen, wir werden ihn bekannt machen.«

Das Gegenteil versuchte Konrad Adenauer, der mit wachem Machtinstinkt in dem aufstrebenden Berliner Politiker den künftigen Konkurrenten erkannte. Bisher hatte er in dem jungen Abgeordneten, der seine Europapolitik unterstützte, einen Helfer im gegnerischen Lager gesehen. Als er nach seiner Moskaureise 1955 im Auswärtigen Ausschuß Bericht erstattete, schob er Brandt einen

Zettel über ein Gespräch mit dem sowjetischen Regierungschef zu: »Bulganin interessiert sich sehr für Berlin. Er hat mich gefragt, ob Kempinski noch steht. Er hat da früher gut gegessen.« Brandt schrieb Adenauer, dessen Antipathie gegen Berlin allgemein bekannt war, einen Antwortzettel: »Und wußten Sie, ob Kempinski noch steht?«

Doch mit derlei Vertraulichkeiten war es nun vorbei. Nach einem Berlinbesuch 1957 begleiteten Bürgermeister Suhr und Parlamentspräsident Brandt den Kanzler vom Rathaus zum Flughafen Tempelhof. Adenauer und Suhr saßen im Fond des Wagens, Brandt nahm vorne Platz. Adenauer hielt ihn für einen Sicherheitsbeamten und sagte zu dem todkranken Suhr: »Ich weiß, daß Sie krank sind, Herr Suhr. Aber Sie müssen alles tun, damit Sie wieder gesund werden. Sie sind hier unentbehrlich, und Sie wissen ja, daß Sie mein Vertrauen haben.« Suhr antwortete, glücklicherweise könne ja Brandt seinen Platz einnehmen, wenn es notwendig werden sollte. Darauf Adenauer: »Da habe ich ja meine Zweifel. Ich will Ihnen mal sagen, was der will. Der will Sie weg haben.« Dann erkannte er plötzlich Brandt und überspielte im Plauderton die peinliche Szene: »Ach, da sitzt ja der Herr Präsident. Nun sagen Sie mal, wofür interessieren Sie sich eigentlich, Herr Brandt? Sie wissen, ich interessiere mich für Gartenbau und Blumenzucht.« Brandt drehte sich halb um: »Ich interessiere mich für politische Biographien, Herr Bundeskanzler.« Adenauer: »Was wollen Sie denn damit sagen?« Darauf Schweigen bis zur Verabschiedung.

»Eine Art naturgegebener Widerspruch.«

REGIERENDER BÜRGERMEISTER

Am 30. August 1957 starb Otto Suhr. Eine Woche darauf veröffentlichte die »BZ« auf der Titelseite das Porträt Willy Brandts, daneben die Balkenüberschrift: »Das ist der richtige Mann für uns«. Der politische Redakteur Horst Fust, später Chefredakteur der »Bild«-Zeitung, schrieb: »Berlin hat große Chancen, wenn Brandt Regierender würde.«

Brandt war in den zurückliegenden zwei Jahren in die Rolle des »Mister Berlin« hineingewachsen. Immer wieder hatte er gefordert, die Bundesregierung solle ihre Ministerien an die Spree verlegen. Unter dem Titel »Von Bonn nach Berlin« hatte er eine »Dokumentation zur Hauptstadtfrage« herausgegeben. Doch mit seinen Bemühungen hatte er nur begrenzten Erfolg. Das Gesamtdeutsche Ministerium unterhielt ein Ministerbüro am Kurfürstendamm. Im »Bundeshaus«, einer ehemaligen Kaserne an der Berliner Bundesallee, saßen Vertreter der anderen Bonner Ministerien. Seit 1954 wurde außerdem der Bundespräsident in Berlin gewählt. Seit 1955 tagte auch der Bundestag dort, und die Fraktionen hielten fortan regelmäßige Sitzungen an der Spree ab.

Unterstützung erhielt Brandt, als im Herbst 1956 der CDU-Bundestagsabgeordnete und »Zeit«-Verleger Gerd Bucerius eine Initiative zur Verlegung der Bundeshauptstadt von Bonn nach Berlin startete und vollmundig erklärte: »Daß Berlin spätestens in sechs Monaten Hauptstadt der Bundesrepublik wird, ist mir nicht zweifelhaft.« Seine Leitartiklerin Marion Gräfin Dönhoff proklamierte: »Jetzt oder nie!« Die Öffentlichkeit, besonders die Berliner Presse, reagierte begeistert.

Der außenpolitische Realist Adenauer wußte, daß die Westalliierten für solch eine spektakuläre Aktion nicht zu haben waren; auch wollte er es nicht auf eine Kraftprobe mit den Sowjets ankommen lassen. Das Bundeskabinett beendete die euphorische Berlin-Debatte mit der Feststellung, zum gegenwärtigen Zeitpunkt sei die Verlegung der Regierungstätigkeit nach Berlin nicht zu verantworten. »Eine Enttäuschung für Deutschland«, kommentierte Brandt.

Es blieb bei symbolischen Maßnahmen, wie zum Beispiel der feierlichen Erklärung des Bundestags »Berlin ist die Hauptstadt Deutschlands« und der Bereitstellung von Bundesmitteln für den hauptstädtischen Ausbau. Dazu gehörten der Wiederaufbau des Reichstags und die Renovierung des Schlosses Bellevue als Berliner Amtssitz des Bundespräsidenten. Aus der Ruinenwüste erstand schon bald wieder eine der quirligsten Metropolen Europas. Oper, Philharmonie, Hochschulen waren teils im Bau, teils schon fertiggestellt. Der Bau der Stadtautobahn und der Ausbau des U-Bahn-Netzes standen an. Internationale Bauausstellung, Filmfestspiele und Festspielwochen gaben der Teilstadt hauptstädtisches Flair. Und

Brandt, der immer häufiger Repräsentationsaufgaben wahrnahm, wirkte wie eine Verkörperung dieser alten jungen Stadt.

Trotz alledem glaubte Franz Neumann, den Siegeszug Brandts noch stoppen zu können. Unter dem Vorwand, das Amt des Regierenden Bürgermeisters erfordere einen erfahrenen Kommunalpolitiker, suchte er im Bundesgebiet nach Gegenkandidaten. Er hatte die Rückendeckung des SPD-Vorsitzenden Ollenhauer. Ohne Erfolg sprach er Carlo Schmid und Fritz Erler an. Es gelang ihm schließlich, den renommierten sozialdemokratischen Juristen Adolf Arndt zu interessieren. Doch als Arndt von Carlo Schmid über die Hintergründe der Berliner Intrige aufgeklärt wurde, zog er seine Zusage zurück. Im letzten Augenblick mobilisierte Neumann den Kreuzberger Bezirksbürgermeister Willy Kressmann. Dieser Lokalmatador – Spitzname: »Texas-Willy« – war jedoch kein ernstzunehmender Gegner für Brandt.

Am 3. Oktober 1957 wurde Willy Brandt zum Regierenden Bürgermeister gewählt. Er war noch nicht vierundvierzig Jahre alt. Bundespräsident Theodor Heuss schickte ein Glückwunsch-Telegramm: »Wie Sie sich denken können, hat mich in den vergangenen Wochen Ihr persönliches und politisches Schicksal stark beschäftigt. Die Begleitmusik, die aus Berlin kam, machte mich manchmal ziemlich besorgt. . . . Nun sollen Ihnen diese Zeilen meinen aufrichtigen Glückwunsch sagen. Ihre prüfende Gelassenheit und Ihre furchtlose Energie werden die Aufgaben meistern.«

Kaum im neuen Amt, machte Brandt klar, woher der Wind jetzt wehte. Berlin lasse sich nicht mit »zwei alten Broschüren unter dem Arm« regieren – dem Kommunistischen Manifest von 1848 und dem Erfurter Programm der SPD von 1891. Sozialisierung nannte er ein »Schreckgespenst des 19. Jahrhunderts«. Seiner verdutzten Partei erklärte er, daß er kein Parteimann sein könne: »Es besteht eine Art naturgegebener Widerspruch zwischen dem, was die Sozialdemokratie an sich, und dem, was sie in der Regierungsverantwortung darstellt.« Genossen wie der Rathaus-Referent Karl Germer, 1946 Mitvorsitzender der SPD, die ihm nach der Wahl mit dem vertraulichen »Du« gratulierten und ihre weiteren Dienste anboten, erhielten eine kühle Antwort: »Ich muß bei der Knappheit der zur Verfügung stehenden Stellen darauf verzichten, Sie hier in der Senatskanzlei weiter zu verwenden . . . Indem ich Ihnen noch einmal für Ihre bisher geleistete Arbeit danke, verbleibe ich mit vorzüglicher Hochachtung Willy Brandt.«

Im Rathaus galt künftig kein Genossen-Du mehr. Zum neuen Protokoll gehörten das »Sie« und die Anrede »Herr Regierender Bürgermeister«. Die Berliner aber mochten den neuen Mann. Vertraulich grüßten sie ihn auf der Straße mit »Hallo, Willy«. Keiner konnte so schön wie er »Bäähliin« zerdehnen und in der Rundfunksendung »Wo uns der Schuh drückt« allwöchentlich auf die Sorgen des »kleinen Mannes« eingehen.

Die Westberliner Zeitungen gingen zur Hofberichterstattung über. Die »BZ« bereitete eine 38-Folgen-Serie vor »Exklusiv – Rut Brandt erzählt ihr Leben«: Sohn Peter bei Kerzenlicht im Oktober 1948 geboren, ein richtiges Blockadekind; drei Jahre später Sohn Lars, genannt Lasse. Eine heile Familie. Zuhause wurde norwegisch gesprochen, für die Berliner damals eher ein Zeichen von Weltläufigkeit als ein Anlaß der Diffamierung. Sie erfreuten sich an dem reizenden Akzent von Rut, deren Sohn Peter ihr inzwischen Deutschunterricht gab. »In Norwegen hat Willy Brandt Geschichte studiert, in Berlin macht er selbst Geschichte«, schrieb die Zeitung unter ein Foto, das den gedankenvoll in ein Buch versunkenen Brandt zeigt.

Willy Brandt war der erste Sozialdemokrat mit medienwirksamem Familienleben. Er machte Figur sowohl als Staatsmann im Maßanzug wie als Familienvater in Freizeithemd und Popelinejacke. Bislang hatte Hobbygärtner und CDU-Kanzler Adenauer das Monopol auf derartige PR-Arbeit gehabt. Die Bonner Sozialdemokraten lehnten das ab – sie wollten politisch überzeugen. Es hatte aber auch am Interesse der einschlägigen Presse gemangelt.

Brandt war ein Medienwunder, gerade auch im beginnenden Fernsehzeitalter. Mit Journalisten – »Das war ja auch mein Beruf« – pflegte er bei Bedarf einen kumpelhaften Umgang. »Kennt ihr einen Witz?« fragte er dann. Blieb eine Antwort aus, gab er selbst einen zum besten. Sein Favorit war die Geschichte zweier norwegischer Bauern, die sich den ganzen Winter nicht gesehen hatten und nun einen Trinkabend verabredeten. Als die erste Flasche Korn zu Ende ging, sagte einer der beiden »Prost«. Der andere entgegnete empört: »Sind wir hier zum Schwätzen oder zum Trinken?« Brandt erschien zu Leserfesten der Berliner Zeitungen, und als gelernter Journalist formulierte er bei der Rückkehr von Auslandsreisen die Agenturmeldungen selber. Was das Bild vom strahlenden Bürgermeister mit der strahlenden Gattin und dem Kinderglück hätte trüben können, fiel unter den Redaktionstisch.

Zum Antrittsbesuch war Brandt auch nach Karlshorst gefahren, dem Ostberliner Sitz des sowjetischen Stadtkommandanten. Es war der erste offizielle Ostkontakt eines hochrangigen westdeutschen Repräsentanten nach Adenauers Moskaubesuch im September 1955. Der Gastgeber, Andrej S. Tschamow, traktierte Brandt mit Kaviar, Wodka und einem politischen Wechselbad. Er beschuldigte ihn, in West-Berlin die Hauptquartiere zahlreicher Spionageorganisationen zu dulden. Dann wieder pries er den schnellen Aufbau in den Westsektoren. Brandt: »Ich kam her, um einen Höflichkeitsbesuch zu machen, nicht aber auf der Anklagebank zu sitzen. Wenn Sie Vorwürfe erheben wollen, kann ich Ihnen einiges über die Brutalitäten der Geheimpolizei erzählen, über Menschenraub und andere Dinge, die Ihre Aufmerksamkeit verdienten.«

Bei der Rückkehr zum Schöneberger Rathaus erwarteten Brandt zahlreiche Reporter. Der Regierende Bürgermeister, sichtlich alkoholisiert, wurde an ihnen vorbei in sein Dienstzimmer geführt. Pressechef Hans Hirschfeld tröstete die Zeitungsleute mit Papirossy, russischen Zigaretten mit luftigem Mundstück, und dem – wie sich bald zeigte – voreiligen Kommentar: »Das Eis ist gebrochen«. Der Besuch brachte keinen politischen Klimawechsel.

Den ganzen Nachmittag über war Hirschfeld damit beschäftigt, die Chefredakteure der Berliner Zeitungen darauf einzuschwören, nicht über den Vorgang zu berichten. Nur der »Kurier« hielt sich nicht an die Senatslinie und schrieb ironisch: »Hoffentlich hat unser Regierender Bürgermeister seine Gastgeber in dem Zustand zurückgelassen, in dem er hier im Rathaus eingetroffen ist.« Der Vorgang wurde zu einem derartigen Politikum, daß Brandt sich auf dem nächsten SPD-Parteitag bemüßigt sah, in die Offensive zu gehen: »Ich habe nicht nötig, über einen Wodka mehr oder weniger Rechenschaft abzulegen . . .«

Brandts Hang zum Alkohol war allgemein bekannt. Das Wort von »Weinbrand-Willy«, das sein Gegenspieler Neumann ausgegeben hatte, machte hinter vorgehaltener Hand die Runde. Ebenso diskret wurden seine zahlreichen Amouren behandelt, zu denen er sich später bekannte: »Meine Berliner Freunde haben immer gewußt, daß ich kein Säulenheiliger bin.«

Der neue Stil, der mit Brandt ins Rathaus einzog, zeigte sich auch im Arbeitsrhythmus. Brandt hatte nie einen Hehl daraus gemacht, daß ihm sture Schreibtischarbeit nicht behagte. Höchstens drei Stunden am Tag müsse ein schöpferischer Mensch am Schreibtisch zubringen. Die übrige Zeit benötige er dringender, um sein Urteil über die großen politischen Zusammenhänge und Probleme zu bilden. Über den Bienenfleiß seines Vorgängers Suhr konnte er sich nur lustig machen: »Der hat sogar seine Bleistifte sich selbst gespitzt.« Brandt wußte, daß seine Arbeit auch ein gut Teil Show war. Ständig war er unterwegs, um pressewirksame Eröffnungsansprachen zu halten, Besichtigungen zu absolvieren, Besucher zu empfangen und an die Sektorengrenze zu führen.

Wenn er keinen Abendtermin hatte, nahm er Akten in einem schwarzen Lederköfferchen mit nach Hause. Er hatte sich vorgenommen, sich täglich eine Stunde seiner Familie zu widmen. Das sah an den wenigen Tagen, wo er früh nach Hause kam, so aus: Nach dem Abendessen schaltete er die Tagesschau oder eine politische Magazinsendung ein. Oft schlief er dann vorm Fernseher ein. Die Familie ging zu Bett, und Brandt machte sich nach einem kurzen Nickerchen an die Aktenarbeit. Dazu trank er Mosel. Der unregelmäßige Lebenswandel war bald auch äußerlich sichtbar. Der einst so schlanke Schwarm der Frauen legte deutlich zu. Die Anzugjacke spannte. Sein volles Haar wurde lichter. Eine schüttere, schwer zähmbare Stirnlocke – Ehefrau Rut: »Sie erinnert mich an die Luftbrücke« – wurde sein Markenzeichen, auf das sich die Karikaturisten stürzten.

Der erst 44jährige gab nun auch seine erste Autobiographie in Auftrag. Die strahlende Gegenwart sollte mit einem positiven Bild der Vergangenheit angereichert werden. Der deutsch-amerikanische Schriftsteller Leo Lania, ursprünglich Lazar Herman, ließ sich von Brandt das Buch »Mein Weg nach Berlin« diktieren – eine idealisierende und auf dramatische Effekte bedachte Darstellung, die stromlinienförmig Brandts Entwicklung vom linken Revoluzzer zum rechten sozialdemokratischen Bürgermeister nachzeichnet. Zugleich bat Brandt seine skandinavischen Freunde, seine Frühschriften aus den Bibliotheken zu nehmen, nachdem seine Gegner Aussagen daraus aus dem zeitlichen und politischen Zusammenhang rissen und gegen ihn zu verwenden suchten.

Mit dem Amtsbonus im Rücken und der generalstabsmäßigen Vorbereitung von Klaus Schütz zog Brandt in das letzte Gefecht gegen Neumann. Auf dem Landesparteitag am 12. Januar 1958 eroberte er den Parteivorsitz. Er besiegte Neumann mit 163 gegen 124 Stimmen. Zu einem Händedruck der Rivalen langte es nicht mehr. Rückschauend meint Brandt: »Ich hätte gern mit ihm zusammengearbeitet, mit ihm über unsere politische Linie gesprochen, darüber, wie man sie verwirklichen könnte. Seit 1952 hat er immer wieder seine Anhänger gegen mich mobilisiert. Ich versuchte, meinen Frieden mit ihm zu machen, aber er war unversöhnlich.«

Das Urteil ist zumindest einseitig. Denn nach dem Sieg vom Januar 1958 setzte Brandt nach. Ein Jahr später wurde Neumanns eigener Kreis Reinickendorf in das Brandt-Lager geholt. Aufmüpfigen Neumann-Anhängern, wie Harry Ristock oder Willy Kressmann, wurde der Ausschluß aus der Partei angedroht. Weniger prominente »Traditionalisten« wurden tatsächlich rausgeschmissen, zum Beispiel der Ristock-Vertraute Peter Weiss.

In der Vergangenheit hatte die Brandt-Gruppe mehr innerparteiliche Demokratie gefordert. Jetzt betrieb sie reine Machtpolitik. Der Partei wurde bei den nächsten internen Wahlen das umstrittene Blockwahlsystem aufgezwungen, bei dem so viele Kandidaten angekreuzt werden mußten, wie Ämter zu besetzen waren. Das wirkte sich zugunsten der Brandt-Fraktion aus. Selbst kleine Funktionäre, die als Neumann-Freunde galten, verloren ihre Posten. Annemarie Renger erinnert sich, daß ihr Schwager, der in einem Berliner Bezirk Kassierer war, und ihre Schwester, eine Wilmersdorfer Bezirksabgeordnete, ihre Posten verloren. Renger: »Freunde von Franz Neumann sind hoppla hopp jeder Funktion verlustig gegangen. Da blieb kein Auge trocken. Alles, was damals als ›links‹ galt, das mußte weg.« Auch der Brandt-freundliche SPD-Forscher Abraham Ashkenasi kommt zu dem Urteil: »Brandt war offensichtlich der Meinung, daß Linke und Traditionalisten in Grund und Boden gestampft werden mußten.«

Die letzten Männer der Keulenriege Neumanns verschwanden 1959 aus der Parteiführung. Der Vorstand der Berliner SPD setzte sich fortan ausschließlich aus Brandt-Anhängern oder Neutralen

190

zusammen. 1960 wurde Neumann genötigt, auch sein Mandat im Abgeordnetenhaus aufzugeben und sich auf den Bundestag zu beschränken. Als einfacher Abgeordneter fristete er bis 1969 ein politisches Hinterbänklerdasein. Für Wehner war es ein »politischer Brudermord«.

Ein strahlender Sieg bei den Wahlen zum Berliner Abgeordnetenhaus im Dezember 1958 krönte Brandts Aufstieg. Er eroberte mit 52 Prozent der Stimmen der SPD die absolute Mehrheit zurück, die sie 1950 verloren hatte. Gleichwohl führte er die Große Koalition fort, um die Gemeinsamkeit der Demokraten in der bedrängten Frontstadt zu demonstrieren. In Bonn notierte Bundespräsident Heuss in seinen »Tagebuch-Briefen«: »Niederlage von Adenauer und Ollenhauer.«

Willy Brandt war der neue jugendliche Held auf der politischen Bühne. In Berlin hatte er eine Position erreicht, die Reuter nie vergönnt gewesen war: Er war Regierender Bürgermeister, er war Vorsitzender der Berliner SPD, und er kontrollierte den Landesverband. Die Große Koalition sicherte ihn gegen Angriffe aus der CDU. Turnusgemäß wurde er 1957 für ein Jahr Präsident des Bundesrates und damit Stellvertreter des Bundespräsidenten. Von 1958 bis 1963 präsidierte er auch dem Deutschen Städtetag. Damit war er zu einer Figur in der Bundespolitik geworden.

»Wir erwarten, daß Konsequenzen gezogen werden.«

PARTEIREFORM

Die Tage, in denen Erich Ollenhauer das Gesicht der SPD bestimmen konnte, waren gezählt. Seit er im Herbst 1952 den SPD-Vorsitz übernommen hatte, war die Partei zu einem Funktionärsverein erstarrt. Ollenhauer regierte sie mit seinem »Büro«, einer Handvoll hauptamtlicher Vorstandsmitglieder. Von dem stolzen »Nach Hitler – wir« war nichts geblieben als die Lust am Verfolgtsein in der neuen Republik. Die Partei sah sich als Opfer immer neuer Komplotte des bürgerlichen Lagers und war nicht bereit, die ständigen Mißerfolge den eigenen Fehlern zuzuschreiben. Bei der zweiten Bundestagswahl am 6. September 1953 stagnierte die SPD bei 28,8 Prozent, während die von Adenauer geführte Union fast fünfzehn Prozent zulegte und auf 45,2 Prozent der Stimmen kam. »Ein gnädiges Schicksal hat es Kurt Schumacher erspart, dieses Wahlergebnis miterleben zu müssen«, so der Kommentar von Herbert Wehner.

Gegen Ludwig Erhards erfolgreiche Politik der freien Marktwirtschaft wußten die Sozialdemokraten nur düstere Krisen-Prophezeiungen zu setzen. Und in der Frage der Wiederbewaffnung boten sie der Öffentlichkeit ein eher verwirrendes Bild. Kurt Schumacher hatte auf Aufrüstungsofferten der Amerikaner nach Ausbruch des Koreakriegs 1950 noch mit der überdrehten Forderung reagiert, es müsse sichergestellt werden, daß die zu erwartende Entscheidungsschlacht an der Weichsel ausgetragen werde. Doch an der Parteibasis gab es eine antimilitaristische Grundstimmung. Eine neue deutsche Wehrmacht, so fürchtete man, diene nur den reaktionären Kräften und könne der jungen Demokratie schaden. Diese Ansicht machte sich dann auch die Bonner SPD-Führung zu eigen.

Hauptargument der sozialdemokratischen Opposition gegen die Wiederbewaffnung war die Sorge, daß damit die Wiedervereinigung blockiert werde. Seit 1951 forderte die SPD im Bundestag gesamtdeutsche freie Wahlen und Verhandlungen der vier Siegermächte über die Wiedervereinigung. Als Stalin in einer Note vom 10. März 1952 und in späteren Zusatzerklärungen die Wiedervereinigung Deutschlands, bewaffnete Neutralität und freie Wahlen anbot, verlangte die SPD eindringlich, darüber zu verhandeln. Sie scheute sich aber, den von Adenauer unbeirrt weiterbetriebenen Westkurs mit radikalen Methoden zu bekämpfen, etwa einem politischen Streik oder eigenen Verhandlungen mit der DDR.

Als am 17. Juni 1953 die Arbeiter in Ost-Berlin und anderen ostdeutschen Städten gegen das politische System der DDR revoltierten und die Sowjets Panzer gegen die Aufständischen auffahren ließen, verharrte die SPD genau wie die Bundesregierung und die Westalliierten in Passivität. Ihre Solidarität mit den Arbeitern im anderen deutschen Staat dokumentierte sie mit dem Antrag, den 17. Juni zum Staatsfeiertag zu erheben. Willy Brandt, der am Tag des Aufstands in Bonn gewesen war, begründete vierzehn Tage später im Bundestag die SPD-Initiative und hob hervor, daß die Erhebung in erster Linie ein »Werk der Arbeiterschaft« gewesen war. »Diese Arbeiter haben sich als Vorkämpfer an der Spitze des Ringens um die Einheit in Freiheit bewährt. Sie haben, wie in allen großen revolutionären Krisen, den Kampf um ihre unmittelbaren wirtschaftlichen und sozialen Forderungen mit den Interessen der gesamten Nation verknüpft und den Kampf um die Einheit, um unser zentrales nationales Anliegen auf eine höhere Ebene gehoben.« Durch die Untätigkeit der Alliierten kam Brandt gleichwohl zu der Einsicht, daß die Wiedervereinigung nur als Langzeitziel zu verwirklichen sei. Skeptisch betrachtete er deshalb die nächste Aktion seiner Partei.

Als Anfang 1955 die endgültige Entscheidung über die Westverträge anstand – NATO-Mitgliedschaft und Souveränität der Bundesrepublik – organisierte die Bonner SPD gemeinsam mit den Gewerkschaften eine landesweite Protestwelle gegen die Wiederbewaffnung. Auf einer Kundgebung am 29. Januar 1955 in der Frankfurter Paulskirche, die der Bewegung ihren Namen geben sollte, wurde das »Deutsche Manifest« verkündet: »Aus ernster Sorge um die Wiedervereinigung Deutschlands sind wir überzeugt, daß jetzt die Stunde gekommen ist, Volk und Regierung in feierlicher Form zum entschlossenen Widerstand gegen die sich immer stärker abzeichnenden Tendenzen einer endgültigen Zerreißung unseres Volkes aufzurufen.«

Der Wunsch nach Wiedervereinigung war für die Brandt-Gruppe in Berlin kein Ersatz für praktische Politik. So wie Adenauer sah Brandt keine Alternative zur Westintegration. Er befürwortete ausdrücklich eine westdeutsche Wiederbewaffnung. Die neutralistischen Ansätze der »Paulskirchen-Bewegung« störten ihn. Deutschland sei nicht mit Österreich oder Finnland zu vergleichen; es stelle ein viel zu großes wirtschaftliches und militärisches Potential dar. Brandt: »Wir sollten wissen, daß man aus Europa und aus der Welt nicht austreten kann wie aus einem Kegelclub.«

Brandt war zu jener Zeit noch in einer Außenseiterposition. Er hütete sich, mit direkten Forderungen gegen die Linie des Parteivorstandes anzugehen. Denn er wollte auch in der Bundespartei Karriere machen. Nur vorsichtig äußerte er auf dem Bundesparteitag am 24. Juli 1954 in Berlin, die SPD müsse sich darauf einstellen, daß die Spaltung andauere, und deshalb ihre Haltung zur Wiederbewaffnung überdenken: »Genossen, wir müssen, so schwer es uns erscheinen mag, mit dem Problem des Verhältnisses zwischen demokratischer Ordnung und bewaffneter Macht fertig werden. Sonst werden wir mit dem Problem der Demokratie überhaupt nicht fertig werden.« Doch selbst solche moderaten Hinweise waren verpönt. Brandt kandidierte zum ersten Mal für den Bundesvorstand und fiel glatt durch. Nur 155 Delegierte stimmten für ihn.

Beim zweiten Versuch, im Juni 1956 in München, ging Brandt noch behutsamer vor. Die SPD hatte inzwischen ihr grundsätzliches Nein aufgegeben und an der neuen Wehrverfassung mitgearbeitet. Ihr Widerstand richtete sich nur noch gegen die allgemeine Wehrpflicht, sie trat für ein Berufsheer ein. Brandt zu den Delegierten: »Es wäre gut, wenn wir uns im Sinne der Ausführungen von Erich Ollenhauer überflüssige Streitigkeiten ersparen könnten.«

Doch wieder scheiterte er. Unmittelbar nach der Vorstandswahl versammelten sich die Delegierten zu einer Dampferfahrt auf dem Starnberger See. Die Beisitzer, die an der Auszählung der Stimmen teilgenommen hatten, verbreiteten unter der Hand die Ergebnisse, die eigentlich erst am nächsten Morgen bekanntgegeben werden sollten. Brandt erfuhr von seiner Niederlage. Mit versteinertem Gesicht setzte er sich an einen der Tische. Während die Genossen bei Bier und Schuhplattler langsam in Stimmung kamen, kullerten ihm dicke Tränen übers Gesicht. Schließlich war er doch schon wer: Präsident des Berliner Abgeordnetenhauses, stellvertretender Landesvorsitzender, Liebling der Presse – und dann dies.

Ein Jahr später, bei der Bundestagswahl am 15. September 1957, erlebte die SPD ihre bislang schlimmste Niederlage. Die Unionsparteien hatten einen professionellen Wahlkampf geführt, wie es ihn bis dahin nur in Amerika gegeben hatte, mit kurzen, eingängigen Slogans wie »Keine Experimente« und »Wohlstand für alle«. Eine rechtzeitig vor der Wahl in Kraft gesetzte Rentenreform bescherte auch den Sozialrentnern, die bisher die Wahlreserve der SPD waren, ein Stück Wirtschaftswunder. Und Adenauer hatte die Sozialdemokraten mit der Behauptung, daß ein Sieg der SPD »den Untergang Deutschlands« bedeute, völlig in die Defensive gedrängt.

Die Wahlbeteiligung erreichte die Rekordhöhe von 88,2 Prozent. Die CDU/CSU errang mit 50,2 Prozent die absolute Mehrheit der Stimmen und Mandate. Die SPD kam nur auf 31,8 Prozent. Acht

Jahre Opposition hatten ihr ein Stimmenplus von nur 2,6 Prozent eingebracht – und dies im wesentlichen deshalb, weil die KPD 1956 verboten worden war und ihren Mitgliedern empfohlen hatte, für die SPD zu stimmen.

Die starre Abwehrfront der SPD-Funktionäre, die mit den Parteilinken ein Überlebensbündnis geschlossen und bislang eine politische Erneuerung der Partei systematisch verhindert hatten, wurde zum erstenmal durchbrochen. Die sozialdemokratische Bundestagsfraktion setzte eine Teilentmachtung des Parteivorsitzenden Ollenhauer, der gleichzeitig Fraktionschef war, durch. Sie wählte seine bisherigen, ihm ergebenen Stellvertreter Erwin Schoettle und Wilhelm Mellies ab und ersetzte sie durch Carlo Schmid, Herbert Wehner und Fritz Erler, die gemeinsam antraten, die Politik der SPD zu erneuern und die Abhängigkeit der Fraktion vom Parteivorstand abzuschaffen. Es war der Beginn einer großen, drei Jahre währenden Reform der Partei. Das politische Schwergewicht verlagerte sich tatsächlich bald vom Parteivorstand zur Fraktion. Das Bemühen um ein neues Programm nahm jetzt Gestalt an. Es begann der Aufstieg jener Garde, die in den siebziger Jahren hohe Staatsämter erringen und das neue Gesicht der SPD prägen sollte: Alex Möller, Karl Schiller, Helmut Schmidt, Gustav Heinemann, Klaus Schütz, Hans-Jürgen Wischnewski, Georg Leber – und bald auch Willy Brandt.

Die Diskussion über eine Reform der SPD hatte schon nach der verlorenen Wahl 1953 begonnen. Im November 1953 hatte Carlo Schmid in einem Rundfunkinterview gefordert, die SPD solle »Ballast über Bord werfen« und eine Volkspartei werden. Anfang 1954 hatten Berliner Mitglieder des »Sozialistischen Deutschen Studentenbundes« (SDS) Thesen zur Reform der Partei vorgelegt und deren Umwandlung von einer »marxistischen Klassenpartei« zur »Volkspartei« sowie die Abschaffung der Symbole der Arbeiterbewegung verlangt: »Worte wie Marxismus, Genosse, Planwirtschaft und die rote Fahne sind vom Bolschewismus restlos kompromittiert.« Doch für den ewigen Funktionär Ollenhauer waren die Parteisymbole unverzichtbar: »Ohne die rote Fahne wäre die SPD eine Partei ohne Herz. Ohne die Lieder und Kampfgesänge, ohne das kameradschaftliche ›Du‹, ohne die verbindende und verpflichtende Anrede ›Genosse‹ würde sie eine Partei ohne Blut sein.«

Brandt, der zweimal mit den SDS-Reformern im SPD-Quartier in der Berliner Zietenstraße diskutiert hatte, schaltete sich auf einem Landesparteitag im Juni 1954 in die Reformdiskussion ein. Doch er beließ es bei allgemeinen Wendungen: »Ich möchte nicht von Ballast abwerfen reden. Aber der Kapitän entledigt sich toter Ladung, wenn er dadurch lebendiges Gut erhalten kann.« Oder: »Die Zeit der Postkutsche ist längst vergangen. Das Gesicht der Partei muß vor dem Gericht der Epoche bestehen können.« Die SPD müsse sich von einer Partei der »Nein-Sager« zu einer Partei entwickeln, die ihre Forderungen positiv vertrete.

Erst im Januar 1958, nach der neuerlichen Wahlpleite der SPD und der eigenen Inthronisierung als Regierender Bürgermeister, griff Brandt auf einem Landesparteitag das Thema Parteireform wieder auf. Doch auch wenn er jetzt nicht mehr in einer Außenseiterposition war und erkennen konnte, daß die Entwicklung in der Bonner SPD in seine Richtung lief, beließ er es bei unverbindlichen Tendenzaussagen. Sozialismus war für ihn Ausdruck der »im Kern unveränderlichen Menschheitswerte«. Die SPD solle als »Volkspartei alle Schichten des schaffenden Volkes und alle freiheitlich denkenden Menschen« erreichen. Er warnte die Parteilinken vor der Vorstellung, »schon allein mit Hilfe einer parlamentarischen Mehrheit könne die Welt aus den Angeln gehoben werden«. Leerformeln wie »Haltung überprüfen«, »neue Ideen aufgreifen«, »diskutieren statt zitieren« und »Tabus durchbrechen« konnten die Zuhörer mit eigenen Vorstellungen füllen.

Anfang April 1958 – inzwischen war er auch SPD-Chef in Berlin geworden – trat Brandt auf einem Sonderparteitag der Berliner SPD erstmals mit Forderungen an die Bundespartei auf, doch auch die waren noch zurückhaltend formuliert: »1. Wir erwarten, daß Konsequenzen aus dem Wahlergebnis des Jahres 1957 gezogen werden, das heißt, daß der ernste Versuch unternommen werden muß, unserer Partei möglichst viel Profil und Werbekraft zu geben. 2. Wir erwarten, daß die Diskussionen zu den politischen Erfordernissen des Tages wie zu den Grundfragen offen geführt werden . . . 3. Wir werden in erster Linie daran gemessen, ob es uns gelingt, eine verständliche Synthese zwischen sozialistischer Theorie und dem praktischen Wollen unserer Partei zu entwickeln. 4. Klarheit und Wahrheit des Wollens bedingen, daß jeder von uns ehrlich seine Meinung sagen darf und sie auch sagt.«

Brandt brauchte nur noch geduldig abzuwarten. Die Reformdis-
kussion in der Bonner SPD bewegte sich auf seine Positionen hin –
Volkspartei statt Klassenpartei, Gemeinsamkeit mit der CDU statt
Oppositionspolitik um jeden Preis, »Ein Leben für die Freiheit« (so
der Titel von Brandts 1957 erschienener Reuter-Biographie) statt
»Ein Leben für Freiheit und Sozialismus« (so der Titel der ersten
Reuter-Biographie von 1949). Auch in der Europapolitik hatte die
Bonner SPD einen Schwenk in seinem Sinne vollzogen und der
Gründung der Europäischen Wirtschaftsgemeinschaft (EWG) zuge-
stimmt. Und schließlich wurde ein neues Grundsatzprogramm,
schon vor drei Jahren in Auftrag gegeben, aber nur lustlos disku-
tiert, jetzt zügig fertiggestellt und sollte zum Stuttgarter Parteitag im
Mai 1958 vorgelegt werden.

Doch das mühsame Unterfangen, die SPD durch eine Parteireform für die westdeutschen Wähler attraktiver zu machen, geriet
Anfang 1958 noch einmal ins Stocken. Ollenhauer glaubte ein
Thema gefunden zu haben, das ihm die gewünschten Wahlerfolge
auch ohne große Reformanstrengungen bescheren würde.

Politische Vorschläge des polnischen Außenministers Adam Ra-
packi und des US-Diplomaten George F. Kennan hatten Ende 1957
die Diskussion über eine atomwaffenfreie Zone in Mitteleuropa in
Gang gesetzt. Sie sollte Ansatzpunkt für ein militärisches Auseinan-
derrücken von NATO und Warschauer Pakt sein und die Grundlage
für ein wiedervereinigtes, aber neutrales Deutschland bilden.

Für die CDU/CSU-Regierung waren solche Pläne völlig indisku-
tabel. Adenauer wies in einer Rundfunkansprache im Januar 1958
derartige Projekte mit der Bemerkung brüsk zurück, sie bedeuteten
»das Ende der Freiheit«. Die Bundesregierung betrieb zu jener Zeit
in Übereinstimmung mit der NATO-Planung die Ausrüstung der
Bundeswehr mit Atomwaffen. Sie provozierte damit einen Protest-
sturm von Pazifisten, Schriftstellern, Kirchenleuten und Gewerkschaftern.

Kaum war die Protestbewegung aufgeflammt, unterbreitete Ollenhauer dem SPD-Vorstand den Vorschlag, sie zu vereinnahmen
und eine große Aufklärungskampagne zu initiieren. Im März 1958
bildete sich daraufhin unter Führung von SPD-Politikern ein Komitee »Kampf dem Atomtod«. Als propagandistische Begleitung erzwangen die Sozialdemokraten im Bundestag eine Atomdebatte, in

der sich Helmut Schmidt mit dem Satz profilierte, der Entschluß, beide Teile Deutschlands atomar zu bewaffnen, werde dereinst im historischen Rückblick »als genauso schwerwiegend und verhängnisvoll« gelten, »wie es damals das Ermächtigungsgesetz für Hitler war«. SPD-Anträge gegen die Atomwaffenrüstung wurden von der Regierungsmehrheit abgelehnt.

Die SPD entschied sich daraufhin zum außerparlamentarischen Protest. Sie forderte einen Volksentscheid gegen die Atombewaffnung und brachte eine entsprechende Gesetzesvorlage im Parlament ein. Vergeblich warnte Kronjurist Adolf Arndt davor, daß die Vorlage mit dem Grundgesetz nicht vereinbar sei. Einige sozialdemokratisch regierte Landesparlamente bereiteten gleichzeitig regionale Volksbefragungen vor. Als Hamburg und Bremen entsprechende Gesetze beschlossen, erwirkte die Bundesregierung beim Bundesverfassungsgericht eine einstweilige Anordnung.

Brandt hielt aus verschiedenen Gründen nichts von der Anti-Atomtod-Bewegung. Berlin war von der amerikanischen Schutzmacht abhängig und außerdem kein Stationierungsort für Atomwaffen. Zudem sah er, daß die Diskussion die neutralistischen Tendenzen in der SPD bestärkte. Da er jedoch seine Karriere sowohl in Berlin wie in Bonn nicht gefährden wollte, mußte er umsichtig taktieren. Der SPD-Forscher Ashkenasi: »Da Brandt in jeder Situation seinem politischen Instinkt (oder vielleicht – wie seine Kritiker sagen würden – seinem Opportunismus) nachgab, ist es in der Tat oft schwierig, aus seinen offiziellen Verlautbarungen in dieser Zeit zu erkennen, welche Politik er eigentlich verfolgte.« Positiv ausgedrückt: Brandt lieferte in jenen Monaten sein taktisches Meisterstück. Einerseits unterschrieb er den Appell »Kampf dem Atomtod« und duldete eine große Demonstration auf dem Kurfürstendamm. Andererseits marschierte er selber nicht mit und verhinderte insbesondere eine Volksabstimmung in dem Stadtstaat. Er brachte es schließlich sogar fertig, daß sich der Landesparteitag in einer Entschließung einstimmig hinter ihn stellte.

Brandts Taktieren war im wesentlichen vom Datum des bevorstehenden Stuttgarter Parteitages bestimmt. Nicht mehr das neue Grundsatzprogramm stand dort nun im Mittelpunkt, sondern die Diskussion um die Atombewaffnung. Das Parteitagsmotto lautete denn auch: »Hände weg von den Atomwaffen!« Die Parteilinke fühlte sich trotz der Wahlniederlage vor einem halben Jahr durch diese neue Entwicklung moralisch berechtigt, den Ton anzugeben. Herbert Wehner, der nach seiner Wahl zum stellvertretenden Fraktionsvorsitzenden in die Position des starken Mannes der Partei aufgerückt war und an den Wochenenden fleißig Bezirksparteitage, Kreisverbände und Ortsvereine besuchte, diente sich in Stuttgart den Linken als ihr Mann an: »Ich gehöre, das sage ich offen, zu den altmodischen Leuten, für die der sogenannte Klassenbegriff noch nicht überwunden ist.«

Der 44jährige Brandt wollte nun endlich, nach zwei vergeblichen Anläufen, den Sprung in den Parteivorstand schaffen. Um nur ja nicht Gefahr zu laufen, noch einmal als Außenseiter zu erscheinen, kam er im blauen Falkenhemd mit rotem Schlips nach Stuttgart. Zum ersten Mal auf einem Bundesparteitag sprach er nicht zur Außenpolitik, sondern nur zur Neuorganisation der Partei. Er schickte den Bürgermeister von Berlin-Wedding, seinen Vertrauten Helmut Matthis, vor. Unter Hinweis auf seine Berliner Herkunft machte der den Genossen klar, daß die SPD ihre politischen Ziele nur im Bündnis mit dem Westen erreichen könne. Bei den Wählern aber herrsche der Eindruck vor, daß sie die Bundesrepublik aus allen Bindungen an den Westen lösen wolle. Die Öffentlichkeit sei des ewigen Nein der Sozialdemokraten überdrüssig. Die Partei solle endlich eine eigene, realistische Politik entwickeln.

Seine Zurückhaltung in Stuttgart und das Gewicht des neuen Amtes als Regierender Bürgermeister in Berlin ließen Brandt diesmal ans Ziel gelangen: Er wurde mit 268 von 383 möglichen Stimmen in den Parteivorstand gewählt. Außer ihm wurden zehn weitere »Neue« berufen, darunter die Reformer Heinrich Deist, Gustav Heinemann, Alex Möller, Martha Schanzenbach, Helmut Schmidt und Käte Strobel. Es war das größte Vorstandsrevirement, das die Partei seit Ende des Zweiten Weltkrieges erlebt hatte.

Ollenhauer wurde als Parteivorsitzender bestätigt. Er erhielt aber nur 319 von 380 abgegebenen Stimmen. Außer Enthaltungen gab es 45 Gegenstimmen. Das galt als massives Unmutssignal. Der Parteitag stellte ihm zwei neue Stellvertreter zur Seite: Herbert Wehner und den prominenten Bayern und Kulturpolitiker Waldemar von Knoeringen, der sogar mehr Stimmen als Ollenhauer erhielt.

In Stuttgart wurde endlich auch der Entwurf für ein neues Parteiprogramm verteilt. Die Delegierten entschieden, daß ein außerordentlicher Parteitag spätestens 1960 das neue Grundsatzprogramm beschließen solle. Es sollte das aus dem Jahr 1925 stammende Heidelberger Programm ablösen, das noch den Klassenkampf proklamierte. Solange dieses alte Programm formal gültig war, konnten die Unionsparteien die SPD als marxistische Klassenkampfpartei bezeichnen – auch wenn die Sozialdemokraten es längst im Archiv abgelegt hatten.

»Ein Gegenkönig zu Adenauer.«

BERLINKRISE

Die Auseinandersetzungen mit der Neumann-Gruppe hatte Brandt jahrelang mit dem Argument bestritten, in Berlin sei die Außenpolitik wichtiger als die Innenpolitik. Das sollte sich jetzt – für seine Person – als richtig erweisen.

Im Frühjahr 1958 hatte im Kreml Nikita Chruschtschow die Alleinherrschaft errungen. Die DDR-Führung drängte schon seit längerem in Moskau darauf, etwas zu unternehmen, weil der ständige Flüchtlingsstrom über die offene Grenze in Berlin nicht eindämmbar war und das Regime auszubluten drohte. Mit neuem Selbstbewußtsein – wenige Monate zuvor hatte die Sowjetunion durch den Start des Sputnik die USA in der Raketentechnik überflügelt – unternahm der sowjetische Regierungschef nun den Versuch, die Westmächte aus Berlin hinauszudrängen. Am 27. November 1958 verschickte die Sowjetregierung eine Note an die Westmächte, in der sie in ultimativer Form binnen eines halben Jahres die Umwandlung West-Berlins in eine entmilitarisierte »Freie Stadt« forderte, in deren Leben sich »kein Staat, auch keiner der beiden deutschen Staaten«, einmischen dürfe. Die Stadt könne ihre eigene Regierung haben und ihre Angelegenheiten selbst lenken. Nach Ablauf der Frist werde die Sowjetunion der DDR einseitig sämtliche Rechte für den Transitverkehr nach West-Berlin, also auch die Kontrollrechte über alliierte Militärtransporte, übertragen.

Zwei Monate später, am 10. Januar 1959, schob Chruschtschow den Entwurf eines Friedensvertrages für Deutschland nach. Wie in den frühen fünfziger Jahren wünschten die Sowjets auch jetzt wieder eine Neutralisierung Deutschlands – nun aber auf der Grundlage der Teilung. Artikel 2 sah vor: »Bis zur Wiedervereinigung ... werden unter dem Begriff Deutschland die beiden bestehenden deutschen Staaten – die DDR und die BRD – verstanden.« Artikel 25 knüpfte an das Ultimatum an: »Bis zur Wiederherstellung der Einheit Deutschlands erhält West-Berlin die Stellung einer entmilitarisierten Freien Stadt.« Wenig später kündigte Chruschtschow den Abschluß eines separaten Friedensvertrages mit der DDR an.

Fünf Jahre lang stand West-Berlin fortan unter sowjetischem Druck. Die neue Berlinkrise änderte zwar nichts an dem Status der Stadt – Chruschtschows Ultimatum lief Ende Mai 1959 sang- und klanglos ab –, wohl aber am Status Brandts. Aus dem Regierenden Bürgermeister wurde ein international bekannter Politiker, aus dem zögerlichen Reformer ein selbstbewußter Herausforderer des SPD-Establishments. Und aus der Berliner Gemeinsamkeit von SPD und CDU wurde ein Modell für die Bundesrepublik.

Die Adenauer-Regierung investierte fünfzig Millionen Mark in eine großangelegte Berlin-Kampagne. Als Botschafter der geteilten Stadt reiste Brandt durch die Welt und sprach mit den bedeutendsten Politikern der damaligen Zeit. Auf dem New Yorker Broadway bekam er eine Konfetti-Parade. US-Präsident Dwight D. Eisenhower empfing ihn im Weißen Haus und versicherte ihm, die USA würden sich durch keine sowjetische Drohung aus West-Berlin vertreiben lassen. In Springfield, Illinois, durfte er als erster deutscher Politiker die traditionelle Ansprache zum Geburtstag Abraham Lincolns halten. »In Lincoln sehe ich den Mann, der sich mit Wärme und Verständnis auf die Seite jener stellte, die für ihre Freiheit kämpften«, erklärte er. Im Reisegepäck hatte er zweitausend Brandenburger-Tor-Plaketten, die er in Tokio, Colombo, Kalkutta, Neu-Delhi und Rangun unters Volk brachte. In Honolulu legte er eine Erholungspause ein, versicherte anwesenden Reportern jedoch, er sei sofort zum Abbruch seiner Reise bereit, falls die Lage in Berlin dies erfordern sollte. Vor der Welt-Tournee hatte Bundespräsident Heuss ihn noch rasch mit dem Großen Bundesverdienstkreuz dekoriert – »damit Sie nicht so nackt aussehen«.

Brandts im Inland nur schwer verkäufliches Buch »Mein Weg nach Berlin« erschien in zahlreichen Sprachen und wurde von Madrid bis New York an Pressevertreter verteilt. Das Kuratorium Unteilbares Deutschland verteilte insgesamt zwanzig Millionen Brandenburger-Tor-Abzeichen unter dem Slogan »Macht das Tor auf« – das zu jener Zeit noch offenstand. Auch diese Aktion diente zur Verstärkung der Popularität Brandts. Adenauers PR-Berater Klaus Otto Skibowski eröffnete ein Büro im Schöneberger Rathaus und arrangierte zweimal die Woche Termine für ausländische Journalisten mit Brandt. Bald sorgte sich ein hoher CDU-Beamter des Auswärtigen Amtes, in Brandt werde mit Bonner Geldern »ein Gegenkönig zu Adenauer« aufgebaut, und empfahl, die Berlin-Kampagne einzustellen. Wehners lapidarer Kommentar: »Aber es war zu spät.« Und so mußte das Bundespresseamt zwei Jahre danach viel Geld investieren, um das Image des SPD-Kanzlerkandidaten wieder zu demontieren, unter anderem mit der Broschüre »Willy Brandt – Mann ohne Kompaß«.

Auf die sowjetische Bedrohung Berlins hatte die Adenauer-Regierung rein defensiv reagiert und auf Zeitverzögerung gespielt, um über die Halbjahresfrist des Chruschtschow-Ultimatums hinwegzukommen. In dieser Situation sahen die Bonner Sozialdemokraten die Chance, sich vom Image der Neinsager-Partei zu lösen und mit einem eigenen Entwurf zur Deutschlandpolitik sich als gestaltende politische Kraft auszuweisen.

Eine Kommission, der unter anderem Fritz Erler, Helmut Schmidt, Gustav Heinemann und als führender Kopf Herbert Wehner angehörten, erarbeitete einen »Deutschlandplan« für eine Wiedervereinigung. Sie ließ sich in ihrem Eifer auch nicht von dem enttäuschenden Reisebericht bremsen, den Carlo Schmid und Erler nach einem Erkundungsbesuch in Moskau erstatteten. Dort sei man, so hatte Chruschtschow ihnen gesagt, an dem Thema Wiedervereinigung nicht mehr interessiert. Das Papier, das am 18. März 1959 veröffentlicht wurde, geriet rasch zu einem Rohrkrepierer.

Der Plan umfaßte zwei Teile. Teil eins beschrieb die Schritte zur militärischen Entspannung bis hin zur Schaffung eines europäischen Sicherheitssystems ohne NATO und Warschauer Pakt. Der eigentlich bedeutende zweite Teil entwarf ein Stufenmodell für die Wiedervereinigung: In eine gesamtdeutsche Konferenz sollten beide Staaten gleichviel Delegierte schicken. Diese Konferenz sollte innerdeutsche Angelegenheiten regeln und ein gesamtdeutsches Gericht für Menschenrechte und Grundfreiheiten einsetzen. Anschließend sollten Ost- und Westdeutschland gleichfalls je zur Hälfte einen gesamtdeutschen Parlamentarischen Rat wählen. Dieser Rat sollte bereits Gesetze erlassen können, die aber noch die Zustimmung der jeweiligen Regierungen brauchten. Mit Zweidrittel-Mehrheit sollte er schließlich ein Gesetz für die Einberufung einer verfassunggebenden Nationalversammlung verabschieden. Sollte diese Mehrheit nicht zustande kommen, war ein Volksentscheid vorgesehen.

Die Bonner Regierung attackierte das SPD-Produkt insbesondere deswegen, weil es die Anerkennung der DDR vorsehe, die Gefahr der Machtergreifung der Kommunisten enthalte und die Zerstörung der NATO beabsichtige. Der Vorwurf der »politischen Unzuverlässigkeit«, mit dem die Christdemokraten die SPD prompt neu eindeckten, wurde noch dadurch gesteigert, daß Parteiführer Ollenhauer Anfang März 1959, also wenige Tage vor Veröffentlichung des Planes, mit Chruschtschow in Ost-Berlin zusammengetroffen war und sich von dem Russen zu der gegenseitigen Anrede »Genosse« hatte überreden lassen. Adenauer bemerkte sarkastisch: »Mit der SPD in den Abgrund.«

Für die Großmächte war die Frage der Wiedervereinigung damals kein Thema, ganz abgesehen davon, daß sie nicht geneigt waren, ihre Politik nach den intellektuellen Produkten einer westdeutschen Oppositionspartei auszurichten. Die Außenminister der vier Siegermächte kamen zwar vom Mai bis August 1959 in Genf zu einer Deutschland-Konferenz zusammen, in deren erster Phase sie pro forma Pläne für die Wiedervereinigung und für einen Friedensvertrag diskutierten. An Katzentischen durften sogar Beraterdelegationen aus West- und Ostdeutschland teilnehmen. Das eigentliche Konferenzgeschehen verlagerte sich aber bald auf die Ebene informeller Arbeitsessen der vier Außenminister unter Ausschluß der Deutschen, wobei es nur noch um eine Interimsregelung für West-Berlin ging. Die USA waren zu weitestgehenden Konzessionen bereit, bis hin zu einer Einschränkung der politischen Bindungen West-Berlins an den Bund.

In dieser für die Westdeutschen prekären Situation ließ die Bundesregierung Brandt als Experten für die Freiheit West-Berlins nach Genf einfliegen. Sein Auftrag war es, die USA zu einer festeren Haltung zu bringen. Im Gepäck hatte er die Einladung an US-Außenminister Christian A. Herter, nach Berlin zu kommen, um dort an der feierlichen Umbenennung der Zeltenallee im Tiergarten in John-Foster-Dulles-Allee teilzunehmen. Dulles, Herters Amtsvorgänger, war erst kürzlich verstorben. So in die Pflicht genommen, versicherten die USA, daß sie weiter zu Berlin stünden, und zogen ihre Konzessionen an die Ostseite zurück.

Brandt war vorab über den Inhalt des Deutschlandplanes informiert gewesen. Sein enger Mitarbeiter Kurt Mattick hatte an den Beratungen im SPD-Hauptquartier teilgenommen. Zu keinem Zeitpunkt versuchte Brandt, die Veröffentlichung des Planes zu verhindern. Er fehlte, als der Parteivorstand ihn verabschiedete. Anschließend aber kritisierte er ihn und nannte ihn »ein abstraktes Planspiel« und einen »Akt der Verzweiflung«. Und im Rückblick meinte er: »In der Außen- und Deutschlandpolitik verließ ich mich eher auf die Einsichten, die meine Partei gerade in Berlin gewonnen hatte.«

Zu diesen Einsichten gehörten in erster Linie die feste Bindung an die amerikanische Schutzmacht und die Nichtanerkennung der DDR. In West-Berlin wäre wahrscheinlich jeder Sozialdemokrat, der vor Veröffentlichung des Deutschlandplanes gemeinsame, paritätisch besetzte Organe und damit die Anerkennung der DDR gefordert hätte, aus der Partei ausgeschlossen worden. Und Brandt, so Herbert Wehner, »schwamm auf der Berlin-Welle«.

Brandt kalkulierte das Scheitern des Planes und damit die Schwächung der Bonner SPD-Führung ein. Nach Veröffentlichung des Planes war Ollenhauer nach Berlin geeilt, um etwas mehr Enthusiasmus von der dortigen Parteispitze zu fordern. Er blieb erfolglos. Brandt sagte öffentlich, der Deutschlandplan sei kein Parteidogma, »kein politisches Glaubensbekenntnis im Sinne eines Grundsatzprogramms«. Und sibyllinisch meinte er, zu Ollenhauer gewandt, die Bundesparteiführung befinde sich offensichtlich in einer intensiven außenpolitischen Auseinandersetzung, »wenn nicht sogar im Kampf um die Kontrolle über die Partei«.

Ollenhauer trat einen halben Rückzug an. Er verteidigte den Plan, stufte ihn aber zum »Arbeitspapier« herunter. Einige Monate später rückte er auch im Bundestag von dem Produkt ab. In der Folgezeit verlor er rapide an politischem Einfluß. Wehner nahm als Konsequenz aus der Pleite eine Neuorientierung vor. Seine Linksstimmung verflog, und er näherte sich der gemäßigten Gruppe um Brandt an.

»Da kommt das rein, was du haben willst.«

GODESBERGER PROGRAMM

Die Debatte um den Deutschlandplan hatte nur vorübergehend die Vorbereitung des neuen Grundsatzprogramms in den Hintergrund drängen können. Zwei Männer leisteten bei der Formulierung die Hauptarbeit. Die philosophische Neuorientierung schrieb der Parteiideologe und Vorsitzende der Programmkommission Willi Eichler nieder. Auf marxistische Gesellschaftstheorien sollte bewußt verzichtet werden. Als die Wurzeln des demokratischen Sozialismus wurden nun christliche Ethik, Humanismus und klassische Philosophie herausgestellt, als unverfängliches Bekenntnis Grundwerte wie Freiheit, Gerechtigkeit und Solidarität.

Die neue sozialdemokratische Wirtschaftspolitik – Abschied von Sozialisierungsforderungen und Bekenntnis zur sozialen Marktwirtschaft – faßte der Wirtschaftsexperte Heinrich Deist zusammen. Vom Klassenkampf war nicht mehr die Rede, dafür wurde die Formel des erfolgreichen CDU-Wirtschaftsministers Ludwig Erhard – »Wohlstand für alle« – kopiert. Die Überführung einzelner Industriezweige in »Gemeineigentum« wurde nur noch als letztes Mittel begriffen; sie sei dort »zweckmäßig und notwendig, . . . wo mit anderen Mitteln eine gesunde Ordnung der wirtschaftlichen Machtverhältnisse nicht gewährleistet werden kann«. Der Hamburger Wirtschaftsprofessor Karl Schiller steuerte die Formel bei: »Soviel Wettbewerb wie möglich, soviel Planung wie nötig.«

Frühere, aus dem Marxismus abgeleitete Vorstellungen, daß am Ende der gesellschaftlichen Entwicklung der Sozialismus siegreich sein werde, wurden indirekt sogar zurückgewiesen. Sozialismus, so hieß es jetzt, sei »eine dauernde Aufgabe – Freiheit und Gerechtigkeit zu erkämpfen, sie zu bewahren und sich in ihnen zu bewähren«. Von dem Proletarier, den die SPD einst vor der Ausbeutung durch die herrschende Klasse bewahren wollte, hieß es jetzt, daß er als Staatsbürger »seinen Platz mit anerkannten gleichen Rechten und Pflichten« einnehme. Die SPD sei aus einer Partei der Arbeiterklasse zu einer »Partei des Volkes« geworden. Als solche konnte sie sich natürlich nicht an der Frage vorbeidrücken, über die noch immer am meisten gestritten wurde; ohne Einschränkung hieß es jetzt: »Die SPD bejaht die Landesverteidigung.«

Die für manchen treuen Genossen bittere Pille der Abkehr von den alten Werten und Idealen wurde mit einer getragenen Präambel versüßt: »Das ist der Widerspruch unserer Zeit, daß der Mensch die Urkraft des Atoms entfesselte und sich jetzt vor den Folgen fürchtet; ... Aber das ist auch die Hoffnung dieser Zeit, daß der Mensch im atomaren Zeitalter sein Leben erleichtern, von Sorgen befreien und Wohlstand für alle schaffen kann, wenn er seine täglich wachsende Macht über die Naturkräfte nur für friedliche Zwecke einsetzt; daß der Mensch den Weltfrieden sichern kann, wenn er die internationale Rechtsordnung stärkt, das Mißtrauen zwischen den Völkern mindert und das Wettrüsten verhindert; daß der Mensch dann zum erstenmal in seiner Geschichte jedem die Entfaltung seiner Persönlichkeit in einer gesicherten Demokratie ermöglichen kann. ... Nur durch eine neue und bessere Ordnung der Gesellschaft öffnet der Mensch den Weg in seine Freiheit. Diese neue und bessere Ordnung erstrebt der demokratische Sozialismus.«

In Hunderten von Versammlungen auf allen Ebenen der Parteiorganisation stimmten Eichler und Deist die Genossen auf das neue Grundsatzprogramm ein. Die Parteilinken und die Anhänger der alten Tradition leisteten hinhaltenden Widerstand. Hessen-Süd und Bremen galten als Hochburgen des marxistischen Flügels. Aus Hannover ging der spätere niedersächsische Kultusminister Peter von Oertzen gegen das Programm an. Auch aus Hamburg kam – von Brandts einstigem SAP-Gefährten, dem Bundestagsabgeordneten Peter Blachstein – scharfe Kritik. Der Marburger Politologe Wolfgang Abendroth, ein früherer KPD-Mann, von den Nazis als Sozialist verfolgt und nun Mitglied der Programmkommission, arbeitete einen Gegenentwurf aus. Doch sie alle kämpften auf verlorenem Posten.

Schließlich wurde ein außerordentlicher Parteitag zur Beschluß-
fassung für den 13. bis 15. November 1959 nach Bad Godesberg einberufen. Noch am Vorabend des Parteitages hielt Wehner das Reformprogramm für undurchsetzbar. In einem Gespräch mit Parteifreunden schmiß er plötzlich den Entwurf in die Ecke und brüllte:
»Dieser Fetzen Papier.«

Auch Brandt war unsicher. Als Pragmatiker hatte er von früh an
Bedenken gehabt, die Grundsätze des demokratischen Sozialismus
durch ein Programm neu zu fixieren und die Partei damit auf längere Zeit festzulegen. Ein kurzes Aktionsprogramm wäre ihm lieber
gewesen, hätte ihn elastischer agieren lassen. An einem der letzten
Oktobertage 1959 ging er mit seinem Vertrauten Klaus Schütz um
den Berliner Schlachtensee spazieren. Er sorgte sich, wie das neue
Programm nach den Beratungen durch die Delegierten in Bad Godesberg letztlich aussehen werde. Die Absage an Marxismus und
Antikapitalismus ging ihm in der vorliegenden Fassung noch nicht
weit genug. Auch wollte er eine schärfere Abgrenzung vom Kommunismus. Schütz redete ihm zu: »In das Godesberger Programm
kommt das rein, was du haben willst.«

»Geh mit der Zeit – geh mit der SPD!« – unter diesem Spruchband
tagten die Parteidelegierten. Brandt ergriff in Godesberg nur einmal
das Wort. Er stellte den werblichen Aspekt des Programms in den
Vordergrund: »Es ist eine im ganzen und im wesentlichen zeitgemäße Aussage, die es unseren Gegnern schwerer machen wird, sich
mit einem Zerrbild statt mit der Wirklichkeit der deutschen Sozialdemokratie auseinanderzusetzen.« Am Schluß seiner Rede verhieß
er den Genossen den Lohn für ihren Ideologieverzicht: »Wir wollen
die politische Führung des Staates übernehmen, und wir werden sie
übernehmen.«

Wehner arbeitete auf dem Parteitag seinen Rückschlag als Initia-
tor des Deutschlandplans auf. Viermal warf er sich in die Debatte. Er
übernahm es, das Programm gegenüber Kritikern, die den Marxismus nicht einfach verbannt sehen wollten, zu verteidigen. Dabei benutzte er seine Biographie als Druckmittel: »Glaubt einem Gebrann-
ten!« Mit seinen leidenschaftlichen Reden begründete er den –
unzutreffenden – Ruf, Wegbereiter der SPD zur Volkspartei und
Vater des Godesberger Programms zu sein.

Das Grundsatzprogramm wurde schließlich gegen nur sechzehn

Stimmen verabschiedet. Noch nie war sich die SPD auf einem Parteitag so einig gewesen wie in Godesberg. Der Widerspruch von Theorie und Praxis, von revolutionärer Rhetorik und reformerischer Praxis war jetzt ausgeräumt. Die SPD hatte mit dem Godesberger Programm aufgehört, eine antikapitalistische, sozialistische Partei zu sein.

Nach der innenpolitischen stand die außenpolitische Neuorientierung noch aus. Hier war nun Brandt ungleich stärker engagiert als in den Beratungen des Godesberger Programms. Er, der als Regierender Bürgermeister die Koalition mit der CDU fortführte, verlangte jetzt angesichts der Bedrohung Berlins einen außenpolitischen Burgfrieden zwischen den Bundestagsparteien.

Noch war der Deutschlandplan nicht offiziell begraben. Vielmehr geriet die Parteiführung zunehmend dadurch unter Druck, daß linke Gruppierungen wie die »Falken« und die »Naturfreunde« sowie der ungeliebte, seit der Atomtod-Bewegung auf Linkskurs segelnde SDS die Grundgedanken des Planes aufgegriffen und eine aktive Wiedervereinigungspolitik forderten. Wollte die SPD aber bei den nächsten Wahlen eine Chance haben, dann mußte sie als Koalitionspartner für die bürgerlichen Parteien akzeptabel werden. Die außenpolitische Situation bot Anlaß genug, mit Gemeinsamkeitsappellen einer Allparteien-Koalition den Boden zu bereiten. Damit konnte zumindest eine weitere Koalition von CDU und FDP verhindert werden. Der Illusion, daß die SPD stärkste Partei werden könnte, gab sich damals kein Sozialdemokrat hin.

Schon im Juli 1959 war eine Siebener-Kommission zur Beratung der Strategie für die Bundestagswahl im Herbst 1961 eingesetzt worden. Außer Ollenhauer, Carlo Schmid, Fritz Erler und Heinrich Deist gehörten ihr auch die drei prominentesten sozialdemokratischen Landesregenten an: Willy Brandt, Max Brauer (Hamburg) und Georg-August Zinn (Hessen).

Herbert Wehner war nicht berufen worden. Seine Abwesenheit akzentuierte Brandts Bedeutung. Zwei Ereignisse beschleunigten die Festlegung auf die Brandt-Linie. Im Februar 1960, während einer Berlin-Debatte des Bundestags, sprach plötzlich auch Adenauer von einer Gemeinsamkeit der Parteien »in den entscheidenden Lebensfragen des deutschen Volkes«. Eine für Mai 1960 in Paris vereinbarte Gipfelkonferenz der vier Großmächte über Berlin platzte, als unmittelbar vor Konferenzbeginn die Sowjets nahe Swerdlowsk ein amerikanisches Spionageflugzeug vom Typ U-2 abschossen. Der amerikanische Präsident Eisenhower weigerte sich, der Aufforderung Chruschtschows nachzukommen und sich öffentlich zu entschuldigen.

»Gemeinsame Haltung in allen die Nation betreffenden Fragen«, diese von Brandt vertretene Linie setzte sich jetzt in der Siebener-Kommission durch. Kaum ein Tag verging fortan, wo nicht führende Sozialdemokraten oder die SPD-Zeitung »Vorwärts« nach einer »gemeinsamen Bestandsaufnahme« in der Deutschland- und Außenpolitik riefen.

Wehner, der die Verbannung aus der Kommission als ein Zeichen beginnender Isolierung begriff, übernahm es, am 30. Juni 1960 im Bundestag die außenpolitische Kehrtwendung der SPD zu verkünden. Er legte ein Bekenntnis zu den europäischen Verträgen, zu dem von der CDU eingeschlagenen Westkurs und zum NATO-Pakt ab. Ausdrücklich erklärte er, daß der Deutschlandplan »der Vergangenheit angehört«. Über das sozialdemokratische Verlangen nach »gemeinsamer Bestandsaufnahme« ging er mit einem Angebot zur gemeinsamen Außenpolitik noch hinaus. Es komme darauf an, »die Zeichen der Zeit zu deuten: nicht Selbstzerfleischung, sondern Miteinanderwirken im Rahmen des demokratischen Ganzen, wenn auch in sachlicher innenpolitischer Gegnerschaft. . . . Das geteilte Deutschland kann nicht unheilbar miteinander verfeindete christliche Demokraten und Sozialdemokraten ertragen.« Und schließlich: Das atlantische Vertragssystem sei »Grundlage und Rahmen für alle Bemühungen der deutschen Außen- und Wiedervereinigungspolitik«. Mit stoischer Ruhe ertrug Wehner den Spott der Christdemokraten. Als er erklärte: »Die Sozialdemokratische Partei Deutschlands bekennt sich in Wort und Tat zur Verteidigung der freiheitlichen demokratischen Grundrechte und der Grundordnung und bejaht die Landesverteidigung«, rief der CDU-Abgeordnete Ernst Majonica dazwischen: ». . . und die Feuerwehr«.

Das Godesberger Programm war langfristig vorbereitet worden. In der Außenpolitik vollzog die SPD innerhalb weniger Monate ihren Kurswechsel um hundertachtzig Grad. Wehner: »Godesberg wäre ein Blatt Papier geblieben, hätte ich nicht die außenpolitischen Konsequenzen in dieser Rede gezogen.«

»So wahr mir Gott helfe.«

KANZLERKANDIDAT

Die neuen Kleider waren da. Noch aber hatte die SPD nicht entschieden, wer sie tragen sollte. Wer kam in Frage, den Wandel vom Bürgerschreck zum Bürgerfreund persönlich am überzeugendsten darzustellen?

Jahrelang hatte der Parteiapparat um Ollenhauer verhindert, daß für die Wählermassen attraktive Persönlichkeiten als Spitzenkandidat oder Regierungsmannschaft herausgestellt wurden. Klaus Bölling, Sozialdemokrat und kritischer Beobachter der Parteigeschichte, geht sogar so weit zu sagen: »Der Vorstand sah statt dessen sein Ziel darin, die im Parlament oder in den Länderregierungen bewährten Sozialdemokraten vom Zentrum der Parteimacht bewußt fernzuhalten.«

Die Personaldiskussion aber, das hatte der deutliche Stimmenrückgang bei der Wiederwahl Ollenhauers auf dem Stuttgarter Parteitag bewiesen, war nicht mehr aufzuhalten. Das sah jetzt auch der SPD-Vorsitzende. In der Wahlkommission der Partei teilte er im Herbst 1959, noch vor dem Godesberger Parteitag, mit, daß er nicht mehr als Spitzenkandidat für die Bundestagswahl 1961 in Betracht komme. Vorsichtig versuchte er, als neuen Spitzenmann Carlo Schmid ins Gespräch zu bringen.

Schmid erreichte damals in Umfragen die höchste Beliebtheitsquote aller SPD-Politiker. Die Partei hatte ihn Anfang 1959 bereits als Kandidaten für die Wahl des Bundespräsidenten aufgestellt. Da aber von vornherein feststand, daß er keine Mehrheit über den Unionskandidaten bekommen würde, war er auch als Spitzenkandidat für die Kanzlerwahl denkbar. Für Ollenhauer war Schmid ein idealer Kandidat: Er hatte keine eigene Hausmacht und neigte als Schöngeist nur bedingt zum praktischen Handeln. Er wäre für den Parteivorsitzenden eine Art Frühstücksdirektor gewesen.

Auf dem Godesberger Parteitag aber wurde bereits ein anderer Tip gehandelt. Unter der Hand nannten die Delegierten Willy Brandt – eine Vorstellung, die dem Regierenden Bürgermeister von Berlin keineswegs fremd war. Im Oktober 1959, bei einem der regelmäßigen Spaziergänge um den Schlachtensee, sagte Klaus Schütz zu Brandt, für die Wahl 1961 werde wohl Carlo Schmid als Spitzenmann nominiert werden – »... dann werden wir sehen, wie wir das mit 1965 machen«. Schütz weiter in seiner Erinnerung: »Da blieb Brandt stehen, schaute mich an und sagte: ›Warum eigentlich Carlo?‹«

Anfang 1960 ereignete sich etwas, das Brandt zum Entscheidungskampf in der Partei anspornte. In München wurde der erst 34jährige Sozialdemokrat Hans-Jochen Vogel zum Oberbürgermeister gewählt. In einem Land, in dem bisher nur gereifte Persönlichkeiten für gehobenere politische Ämter in Frage kamen, stellte dies einen unerhörten Vorgang dar. Die Zeitungen des Axel Springer Verlages, die damals keine Gelegenheit ungenutzt ließen, das Ansehen des Berlinhelden Brandt zu mehren, ermutigten ihn. Am 27. Juni 1960 schrieb Sebastian Haffner in der »Welt« einen Artikel mit der Überschrift »Ein Kronprinz von der Opposition«. Darin bezeichnete er Brandt als den logischen Nachfolger Adenauers im Kanzleramt.

Brandt hatte schon im Duell mit Franz Neumann bewiesen, daß er kämpfen konnte. Jetzt trat er wieder an. Denn es galt, neben Carlo Schmid zwei weiteren Rivalen zuvorzukommen: dem populären hessischen Landeschef Georg-August Zinn und dem volkstümlichen Hanseaten Max Brauer. Zwei Berliner Gehilfen, der 34jährige Klaus Schütz und der vier Jahre ältere SPD-Bundestagsabgeordnete Kurt Neubauer, bekamen von Brandt den Auftrag, eine Zusammenkunft der mittleren Generation arrivierter Sozialdemokraten aus Bundestag, Landtagen und Kommunen mit dem Berliner Bürgermeister zu arrangieren. Diese dreißig- bis fünfzigjährigen Politiker waren die sogenannte »Frontgeneration«. Nahezu konspirativ riefen Schütz und Neubauer achtzig Politiker zusammen. Zu den Geladenen gehörten Jochen Vogel, Helmut Schmidt (41), der Bielefelder Bundestagsabgeordnete Ulrich Lohmar (32) und der Berliner Innensenator Joachim Lipschitz (42). Die aufstrebenden Genossen prägten für sich selber die Kennung »die jungen Unternehmer der SPD«. Tagungsort war, der zentralen Lage wegen, das Sporthotel Barsinghausen, ein Fußballerheim nahe Hannover.

Ollenhauer wurde geschickt ausgeschaltet. Die Brandt-Mannen dachten nicht daran, den Parteivorsitzenden um Genehmigung für die Zusammenkunft zu bitten. Sie schickten ihm auch keine Einladung. Statt dessen erwähnte Brandt bei einem Mittagessen mit Ollenhauer im Haus der Berliner Vertretung in der Bonner Joachimstraße beiläufig »die Absicht eines Informationsgespräches mit jüngeren Genossen«. Als Zeugen hatte er den Chef seiner Senatskanzlei Albertz mitgebracht – eine Vorsichtsmaßnahme, die sich bald als wertvoll erweisen sollte.

Auch Ollenhauers Stellvertreter Wehner und von Knoeringen bekamen keine Einladungen. Wohl aber wurde Ollenhauers persönlicher Sekretär, Heinz Castrup, nach Barsinghausen gebeten. Damit war sichergestellt, daß die Parteiführung informiert war und nicht den Vorwurf der »Fraktionsbildung« gegen das Treffen erheben konnte. Nachdem alle Einladungen verschickt waren, schrieb Brandt einen scheinheiligen Brief an Ollenhauer: Wenn Bedenken ernsterer Art bestünden, sei er dafür, »die Geschichte abzublasen«.

»Wahre Freundschaft kann nicht wanken / wenn sie gleich entfernet ist / lebet fort noch in Gedanken / und der Treue nie vergißt . . .«, intonierte der »Hannoversche Knabenchor«, der in Barsinghausen »Singefreizeit« machte, als der 46jährige Brandt am 9. Juli 1960 vor dem Sportheim vorfuhr. Mit einer programmatischen Rede stellte er sich als künftiger Kanzlerkandidat vor. Zur Außenpolitik wiederholte er sein Konzept: Anpassung an die CDU und ein Ende des von den Christdemokraten künstlich am Leben gehaltenen Streites darüber, ob die Bundeswehr mit Atomwaffen ausgerüstet werden sollte oder nicht. Zur Innenpolitik nannte er erstmals die Stichworte »öffentliche Armut – privater Reichtum«, Umweltschutz (»Der Himmel über der Ruhr muß wieder blau werden«), Altenfürsorge und Gesundheit (»Wir müssen eine Gesundheitsrakete in den Mikrokosmos schicken«). Vor allem aber verlangte er, den Wahlkampf durch einen Kanzlerkandidaten zu personalisieren.

Den heftigsten Beifall für seine Forderung erhielt er von dem Hamburger SPD-Bundestagsabgeordneten Helmut Schmidt, der sich im Parlament das Etikett »Schmidt-Schnauze« verdient hatte. Den 41jährigen Hanseaten plagte insbesondere die Sorge, daß Brandt genügend Bewegungsfreiheit behalte und nicht vom Bonner Parteivorstand an die Leine gelegt werde. Schmidt: »Wir müssen von unserem Kanzlerkandidaten richtige Führung fordern, die er sich von niemandem aus der Hand nehmen lassen darf.« Die Politik der Partei dürfe künftig nur im Einverständnis mit Brandt formuliert werden.

Zwei Tage dauerte die Diskussion. Außerhalb des Tagungsraumes wurde die Bar des Sporthotels bis in die frühen Morgenstunden zum Kontakthof der aufstrebenden Genossen. Vier Themenkomplexe standen im Mittelpunkt: 1. Das Verhältnis von SPD und Gewerkschaften. Die Gewerkschaften hatten den schnellen Positionswechsel der SPD nicht mit vollzogen. Klassenkampf, Sozialisierung und der Kampf gegen die Atomrüstung bestimmten noch ihr Denken. Die traditionelle Freundschaft zwischen SPD und Gewerkschaften, so die Genossen von Barsinghausen, sei ungemein wichtig, dürfe aber nicht ständig einseitig belastet werden. Die politische Führung komme der Partei zu. 2. Sympathiewerbung. Wahlentscheidungen fußten nur zum Teil auf rationalen Überlegungen, machte der Politologe Klaus Schütz, der seit Jahren Wahlforschung betrieb, den Tagungsteilnehmern klar. Entscheidend für Sympathie und Antipathie der Wähler sei das »Image« einer Partei. Stichworte wie »Rote Gefahr«, »Kommunisten und Sozialdemokraten« oder »Volksfront« seien gängige Klischees, die überwunden werden müßten. Die SPD müsse über ihren eigenen Schatten springen und endlich ihre ideologischen Vorbehalte ablegen, wenn sie »anziehend« erscheinen wolle. »Die Armen, um die sich die Partei sorgt, schaffen sich inzwischen Kühlschränke, Autos und Waschmaschinen an«, sekundierte ihm Brandt. 3. Solidarität. Der Zusammenhalt mit der Stammwählerschaft dürfe durch den neuen Kurs nicht unnötig strapaziert werden. Es sei deshalb wichtig, taktische Anpassungen stets mit den regionalen Gremien der Partei abzusprechen. »Das Bewußtsein um die Kontinuität unserer Politik darf nicht getrübt werden«, notierte der anwesende SPD-Werbechef Karl Garbe. 4. Auftreten im Wahlkampf. Entscheidend sei die Ausstrahlung von Kraft, Zuverlässigkeit, Sicherheit, Selbstbewußtsein und Optimismus. Bei Umfragen, die die Einstellung der Bevölkerung zum Thema »Optimismus – Pessimismus« erkunden sollten, hätten Mandatsträger der SPD die höchsten Pessimismus-Werte erreicht. Hans-Jochen Vogel: »Die Partei muß es sich abgewöhnen, mit Salzsäure-Gesichtern herumzulaufen.«

Barsinghausen wurde für Brandt das, was für Adenauer eine Woche nach der ersten Bundestagswahl vom 14. August 1949 die Einladung von CDU-Würdenträgern in sein Privathaus nach Rhöndorf gewesen war. So wie damals ein willkürlich zusammengewürfeltes Gremium die Entscheidung für eine bürgerliche Regierung mit dem Kanzler Adenauer traf, so fällte in Barsinghausen der institutionell nirgendwo verankerte Kreis sozialdemokratischer Jungtürken die, wie sich erweisen sollte, richtungweisende Vorentscheidung für den Kanzlerkandidaten Brandt. Dem peniblen Juristen Vogel wurde das Verfahren allerdings zunehmend unheimlich. Er erwog, zusammen mit dem bayerischen SPD-Jungmann Volker Garbert am ersten Tag schon wieder abzureisen.

Brandt, der von Barsinghausen nach Bonn weiterreisen wollte, erhielt den Auftrag mit auf den Weg, für den Wahlkampf eine Regierungsmannschaft aufzustellen. Ferner sollte er in der Parteiführung ein Regierungsprogramm mit konkreten, kurzfristig durchsetzbaren Zielen verlangen. Das war eine weitere Distanzierung von der Bonner Führungsriege, der man weder personell noch programmatisch den nächsten Wahlkampf anvertrauen wollte. »Natürlich war Barsinghausen ein Putsch«, bestätigt Klaus Schütz im Abstand von fast dreißig Jahren. Ollenhauer und Wehner jedenfalls hätten das auch so empfunden.

In der Tat. Auf einer Sitzung des Parteivorstands kurz nach Barsinghausen beklagte sich Ollenhauer über das Verhalten Brandts und seiner Truppe. Die Einladung Castrups sei kein Ersatz für eine ordnungsgemäße Unterrichtung des Präsidiums gewesen. »Solche Geschichten« sollten in Zukunft vermieden werden. Es könnten sonst »ganz andere Kreise« sich ermutigt fühlen, »Zusammenkünfte mit ganz anderer Tendenz« durchzuführen. Als er bestritt, von Brandt rechtzeitig mündlich informiert worden zu sein, korrigierte ihn Brandts Zeuge Albertz.

Wehner war der erste, der die Bedeutung von Barsinghausen begriff. Und er verstand es, als Nicht-Geladener zur zentralen Figur bei der »Machtergreifung« Brandts zu werden. In Erkenntnis der kommenden Dinge hatte er für den Tag nach dem Putschisten-Treffen eine Klausurtagung des SPD-Präsidiums und der Siebener-Kommission nach Schloß Auel nahe Bonn einberufen. Die Tagesordnung klang harmlos: »Vorbereitung für den geplanten Wahlparteitag«. Doch die Absichten Wehners gingen in eine andere Richtung. Nach Auel gab es in der SPD eine neue Hackordnung.

Arglos reiste Ollenhauer an. Er wollte die Personalfragen noch immer möglichst lange offenhalten. Erst im November 1960 sollten auf einem Bundesparteitag der Kanzlerkandidat und seine Mannschaft nominiert und der Öffentlichkeit vorgestellt werden. Doch in Auel erzwang Wehner die sofortige Entscheidung: Kanzlerkandidat solle Willy Brandt sein. Der grimmige SPD-Vize verpflichtete Ollenhauer sodann, auf jede Führungsrolle im Wahlkampf und auf eine Aufnahme in die geplante Regierungsmannschaft zu verzichten. Nur so meinte Wehner die Erneuerung der Partei glaubhaft machen zu können. Seinen Abfall vom Parteichef rechtfertigte er später vor Vertrauten mit einer Anleihe bei Noske – »einer muß schließlich den Bluthund machen«. Ollenhauer wurde als Abfindung zugesichert, weiterhin den Partei- und Fraktionsvorsitz behalten zu können.

Carlo Schmid, der sich insgeheim doch noch Chancen ausgerechnet hatte, brach auf der Sitzung in Tränen aus. Für ihn hatte Wehner ein Trostpflaster parat. Er sollte als Stellvertreter des Kanzlerkandidaten in die Regierungsmannschaft aufgenommen werden. Wehners Argument: In Berlin könne mal eine Situation eintreten, die es unmöglich mache, daß der Kandidat die Stadt »in dem wünschenswerten Ausmaß« verlasse. In einem solchen Fall würde ein Stellvertreter von »großem Wert« sein.

Wehner siegte auf der ganzen Linie. Die SPD-Führung in Auel beugte sich seinem Zeitplan und seinen Personalvorschlägen. Neben dem Kanzlerkandidaten Brandt wurde auch die Mannschaft nominiert. Ihr gehörten unter anderem an: die beiden stillen Brandt-Rivalen Brauer und Zinn, der Wirtschaftsexperte Heinrich Deist, der Außenpolitiker Fritz Erler, der »Genosse Generaldirektor« (der Karlsruher Lebensversicherungs-AG) Alex Möller, der stellvertretende Vorsitzende des Bundes der Vertriebenen Wenzel Jaksch und der DGB-Vorsitzende Willi Richter.

Um Ollenhauer entgegenzukommen, beschloß die Runde in Auel strikteste Geheimhaltung. Erst auf dem Parteitag sollte die Regierungsmannschaft verkündet werden. Doch die Absprache hielt keine vierundzwanzig Stunden. Dem entrüsteten Ollenhauer erwiderte Brandt-Gefährte Helmut Schmidt: offenbar gebe es kein Mittel gegen Indiskretionen. Der Parteivorstand billigte daraufhin schon am 19. Juli 1960 die Empfehlungen von Auel und gab darüber ein Kommuniqué heraus. Am 24. August bestätigten Parteivorstand und Parteirat, eine Art kleiner Parteitag, das neue Team.

Später nahm Wehner für sich in Anspruch:»Ich habe Brandt aufgebaut und durchgeboxt.« Er habe verhindert, daß Ollenhauer einen Brief gegen Brandt verwendete, den ihm Londoner Emigranten zugeschickt hatten und in dem es unter Berufung auf britische Geheimdienstquellen hieß, Brandts Vater sei Bulgare oder Russe. Wehner:»Das sind so meine Versuche gewesen, mal in heikelsten Sachen, in denen jemand praktisch schon politisch um den Ruf gebracht worden war, etwas zu tun.« Dabei hatte er bis in den Frühsommer 1960 hinein starke Vorbehalte gegen den neuen Kandidaten gehabt. Der ehemalige Kommunist, der im Untergrundkampf gegen die Nazis jahrelang sein Leben riskiert hatte, spottete über Brandt, der sich als junger Mann in der Emigration einzurichten verstanden hatte:»Immer, wenn es Dreck gab, war der Journalist.« An Brandts gewinnendem Aussehen –»dieser Partei-Beau« – nahm der bärbeißige Wehner genauso Anstoß wie an dessen Berliner Lebensstil:»Für den gibt's nur Pferde, Weiber, Sekt.«

Jetzt aber, nach Brandts Nominierung, schickte ihm Wehner einen handgeschriebenen Brief und diente sich für die Zukunft an:»Du kannst erstens immer mit mir rechnen, wenn es darum geht, aus dieser Partei eine wirkliche, konsequente Reformpartei zu machen und sie als solche weiterzuentwickeln. Du kannst zweitens immer mit mir rechnen, wenn es darum geht, denen entgegenzutreten, die meinen, es reiche aus, etwas ›Rouge‹ aufzulegen.«

Willy Brandt lag im Trend. Meinungsumfragen signalisierten, daß er mit 51 zu 49 Punkten in der Gunst der Bevölkerung sogar knapp vor Konrad Adenauer lag. Es war offensichtlich, daß mit den fünfziger Jahren eine Epoche zu Ende ging. Die Aufbauzeit der Bundesrepublik war beendet. Adenauer hatte 1959 mit dem Gedanken gespielt, sich auf das Amt des Bundespräsidenten zurückzuziehen. Die Bewerbung Kennedys um die Präsidentschaft der Vereinigten Staaten signalisierte einen Generationswechsel in der Weltpolitik.

Kaum war Brandt zum Kanzlerkandidaten nominiert, sann Adenauer auf Wege, den Konkurrenten zu diffamieren. Man müsse der Öffentlichkeit klarmachen, so der Kanzler in einem Gespräch mit dem Bonner Ministerialdirigenten Karl Hohmann, daß für die SPD offensichtlich »die parteipolitischen Ziele und Interessen wichtiger sind als die Interessen unseres Landes und die Zukunft Berlins«. In einem Gedächtnisprotokoll hielt Hohmann weitere Kanzlerworte fest: Brandt lasse sich zwar gut fotografieren und habe eine nette Frau, sei aber im übrigen außerordentlich hohl. In gemeinsamen Verhandlungen habe sich immer wieder erwiesen, daß er zwar eine gewisse Begabung zur Beredsamkeit, aber wenig Substanz habe. Das hätten ihm – Adenauer – selbst seine Sekretärinnen bestätigt.

Dem jungen Emporkömmling demonstrierte der alte Fuchs Adenauer zunächst einmal, daß er durchaus noch in der Lage war, das politische Geschehen auch in der SPD zu manipulieren. Dabei hatte sie alles so feierlich arrangiert. Auf einem Wahlparteitag in Hannover sollte Brandt Ende November 1960 als Kanzlerkandidat inthronisiert werden. Adenauer aber durchkreuzte die sorgsam ausgeklügelte Regie. Unmittelbar vor Eröffnung des Parteitages forderte er die SPD auf, endlich klar zu sagen, ob sie die Atombewaffnung der Bundeswehr wolle oder nicht. In seiner Eröffnungsrede tapste der biedere Ollenhauer prompt in die Falle. »Wir lehnen die atomare Aufrüstung der Bundeswehr ab!« rief er in den Saal und erhielt dafür starken, langanhaltenden Beifall.

Brandt saß mit versteinerter Miene auf der Vorstandstribüne. Er hatte es versäumt, das von Ollenhauer ihm vorab überlassene hundert Seiten lange Redemanuskript gründlich zu lesen. Nicht die Kür des Kanzlerkandidaten, sondern der Atomstreit beherrschte nun die Berichterstattung in den Zeitungen. Die SPD sei sich treu geblieben und habe nichts dazugelernt, so der Tenor. Im »Spiegel« zeigte Rudolf Augstein Verständnis für Ollenhauer: »Von allen SPD-Führern ist er der einzige, dem ein Wahlsieg Brandts nicht nur nichts Gutes, sondern den Nachteil schlechthin einbrächte.«

Der unglückliche Ollenhauer flüchtete sich auf dem »festlichen Abend« des Parteitages in die Erinnerung an seine sozialistische Arbeiterjugend. Gemeinsam mit Ehefrau Martha und einem kleinen Häuflein Getreuer sang er zur Klampfe in einer Ecke des Festsaales die alten Lieder – »Ade nun zur guten Nacht«.

Brandt war um seine Premierenshow gebracht. Aber nicht nur durch Ollenhauer. Auch die Parteidelegierten hatten ihm schon einen Dämpfer verpaßt. Sie ließen ihn bei den Wahlen zum Vorstand auf Platz 22 abrutschen. Auch ins Parteipräsidium kam Brandt nicht. Er durfte dort lediglich als Gast erscheinen. Die Bonner

Christdemokraten sahen sich in ihrer Einschätzung bestätigt, daß der neue Kanzlerkandidat der SPD nicht mehr als eine Galionsfigur sei.

Der unterlegene Rivale Carlo Schmid unternahm es, den Delegierten den neuen Kandidaten vorzustellen: »Was mich betrifft, Willy, ich werde immer bei Dir stehen, in Treue und Freundschaft.« In seinen »Erinnerungen« überhöhte Schmid seinen Auftritt. Eigentlich sei alles auf ihn als Kanzlerkandidaten zugelaufen. Er aber habe in weiser Kenntnis seiner Grenzen und seines mangelnden Machtwillens Willy Brandt vorgeschlagen.

Seine einstündige Ansprache baute Brandt als vorgezogene Regierungserklärung auf. Kaum eine seiner politischen Erfahrungen fehlte.Die Inschrift des Lübecker Holstentors »Concordia Domi. Foris Pax« zitierte er, um seinen Gemeinschaftsappell zu untermauern: »Die Eintracht im Innern fördert den Frieden nach außen.« Die Frage der Gemeinsamkeit, so kündigte er an, werde nicht mehr von der Tagesordnung der deutschen Politik verschwinden.

In Norwegen hatte Brandt 1935 erlebt, wie Regierungschef Johan Nygaardsvold im Streit mit seiner Arbeiterpartei kurzerhand erklärte: »Wir sind die Regierung Norwegens, nicht der Partei.« Jetzt wandte er diese Maxime an, um die Panne in der Atomwaffen-Frage notdürftig zu reparieren. Brandt: »Es ist vielleicht nicht populär, wenn ich hier erkläre, daß ich nicht einfach nur Willensvollstrecker der Partei sein kann, sondern daß ich nach ernsthafter Überlegung in eigener Verantwortung jene Entscheidungen werde treffen müssen, die im Interesse unseres Volkes erforderlich sind.«

Am Ende seiner Thronrede spielte er einen Effekt aus, den er in Amerika dem jugendlichen Präsidentschaftsbewerber John F. Kennedy abgeguckt hatte. Er beendete seine Ansprache mit dem Amtseid des Bundeskanzlers: »Der Inhaber des Amtes, für das ich nominiert worden bin, steht unter dem im Grundgesetz vorgeschriebenen Eid, er werde seine Kraft dem Wohle des deutschen Volkes widmen, seinen Nutzen mehren, Schaden von ihm wenden, das Grundgesetz und die Gesetze des Bundestages wahren und verteidigen, seine Pflichten gewissenhaft erfüllen und Gerechtigkeit gegen jedermann üben. Daran werde ich mich halten. So wahr mir Gott helfe.«

Hindernislauf zur Macht
(1960 bis 1969)

»Man kann auch des Guten zuviel tun.«

AUSGRENZUNG UND ANPASSUNG

Das Zentralorgan der SPD, der »Vorwärts«, war von Brandts Auftritt in Hannover so angetan, daß er beim Abdruck seiner Rede jede Seite mit der Beschwörungsformel übertitelte: »So wahr mir Gott helfe.« Fortan galten keine sozialistischen Götzen mehr. Die Partei wurde umdekoriert. Das traditionelle aggressive Rot verschwand, weil es die Verbindung zum Kommunismus signalisierte. Es wurde ersetzt durch das beruhigende, konservativ anmutende Blau, mit dem auch amerikanische politische Werbung in Europa betrieben wurde und das der Grundton der NATO-Flagge ist. Die Jahrbücher der Partei, bis 1960 in rotem Leinen mit Goldprägung gebunden, kamen nun zwischen weiß-blaue Deckel. Klaus Schütz meinte dazu lakonisch, die SPD habe lediglich »der Farbe wieder jene Rolle zugewiesen, die ihr in der Gebrauchsgrafik zukommt«.

Zur neuen Farbenlehre gehörte auch die Entdeckung von Schwarz-Rot-Gold. Parteikongresse wurden fortan geschmückt mit Plakaten im Blauton, darauf in weißer Schrift »Voran mit Willy Brandt«, das ganze umrahmt in den Nationalfarben. Anstelle der solidarischen Anrede »Genosse« trat das bürgerliche »Verehrte Anwesende, liebe Freunde«. Parteischreiben wurden nicht mehr »mit sozialistischem Gruß«, sondern »mit freundlichen Grüßen« unterzeichnet. An die Stelle des brüderlichen »Du« trat das distanzierte »Sie«. Als Brandt auf einer Visite in London alte Sozialdemokraten besuchte, die nach dem Krieg nicht aus dem Exil zurückgekehrt waren, fühlte er sich von deren proletarischem Gehabe abgestoßen. »Ich wurde sofort mit Genosse angeredet. Das war mir so peinlich. Wir sind darüber hinweg in Deutschland.«

Damit das neue schöne Image der SPD als moderne Volkspartei unbeschädigt blieb, wurde eine scharfe Abgrenzung nach links eingeleitet. Das Disziplinierungsinstrument war ein neues Organisa-

221

tionsstatut, das in Hannover beschlossen worden war. Der neuge-faßte Paragraph 29 des Statuts erinnerte an stalinistische Vorbilder: »In denjenigen Fällen, in denen eine schwere Schädigung der Partei durch schnelles Eingreifen verhindert werden muß und zu erwarten ist, daß im Schiedsgerichtsverfahren gegen den Beschuldigten auf Ausschluß erkannt werden würde, können sowohl der zuständige Bezirksvorstand als auch der Parteivorstand, ohne daß ein Antrag vorliegt, den Beschuldigten mit sofortiger Wirkung ausschließen.« Außerdem konnte die SPD-Führung fortan gleich ganze Gruppen durch die Feststellung der »Unvereinbarkeit« loswerden. Wörtlich hieß es im neuen Statut: »Diese Entscheidung ist endgültig. Das Recht der Beschwerde ist nicht gegeben.« Von beiden Möglichkei-ten der Maßregelung wurde künftig reichlich Gebrauch gemacht.

Erstes Opfer wurde der Sozialistische Deutsche Studentenbund (SDS), der bislang die Partei mit akademischem Nachwuchs versorgt und der die programmatischen Reformen mit herbeigeführt hatte. Viele prominente Sozialdemokraten waren aus ihm hervorgegan-gen, wie etwa Helmut Schmidt, SDS-Vorsitzender in der britischen Zone 1948. Der Fehler des SDS war es jetzt, am Kampf gegen Atom-waffen und an der Forderung nach Verhandlungen mit der DDR ge-mäß dem sozialdemokratischen Deutschlandplan ein Jahr länger als die Partei festgehalten zu haben. Auf Wehners Betreiben faßte die SPD den Beschluß, daß Parteibuch und SDS-Mitgliedschaft nicht miteinander zu vereinbaren seien.

Vergebens appellierten zwei Dutzend Hochschullehrer an die SPD, sie möge »im Interesse der akademischen Freiheit und der de-mokratischen Erziehung des studentischen Nachwuchses« ihre Hal-tung noch einmal überprüfen. Um dem SDS finanziell unter die Arme zu greifen, konstituierte sich in Frankfurt unter Führung des Politologen Wolfgang Abendroth eine Förderergesellschaft. Die SPD-Führung erließ daraufhin eine weitere Sperre: Auch die Mit-gliedschaft in der Förderergesellschaft galt jetzt als unvereinbar mit der Zugehörigkeit zur SPD. Abendroth, der bis vor kurzem noch in der Beratungskommission für das Godesberger Programm gesessen hatte, mußte die Partei verlassen. Sein Ausschluß war der Auftakt zum Exodus einer Reihe kritischer Intellektueller aus der SPD, dar-unter der Politik-Professor Ossip Flechtheim und die Journalistin Carola Stern.

Dem Großreinemachen fielen manche von Brandts Weggefährten aus dem Exil zum Opfer, ohne daß der neue Kanzlerkandidat sich für sie verwendete. Der ehemalige SAP-Mann und jetzige Bundestagsabgeordnete Arno Behrisch machte die Kursschwenkung der SPD nicht mit und kritisierte insbesondere das Einschwenken auf die Außenpolitik Adenauers. Wehner veranlaßte daraufhin ein Ordnungsverfahren gegen ihn, das Anfang 1961 eingeleitet wurde, so daß Behrisch gemäß den Statuten nicht für den neuen Bundestag kandidieren konnte. Er verließ daraufhin die SPD und versuchte sein politisches Glück bei der Deutschen Friedensunion, die sich als Anti-Atom-Partei 1960 gebildet hatte. In Briefen an Brandt erinnerte er an das »Programm zur Nachkriegspolitik deutscher Sozialisten«, das sie gemeinsam in Stockholm erarbeitet hatten. Brandt reagierte nicht persönlich, sondern ließ durch sein Vorzimmer antworten.

Max Köhler, den Brandt 1934 von Oslo aus erfolgreich vor einem Terrorurteil des Volksgerichtshofs bewahren konnte, schrieb ein Jahr nach dem Godesberger Parteitag in der »Stimme des Freidenkers«, in Deutschland habe der Humanismus gegen die Kirche durchgesetzt werden müssen und Hitler habe mit seinen Judenverfolgungen nur das vollzogen, was Martin Luther an Haß gegen die Juden gepredigt habe. Die Berliner SPD bezeichnete diesen Artikel als »eklatanten Verstoß gegen das Godesberger Programm« und schloß Köhler »wegen parteischädigenden Verhaltens« aus. Der rief das Schiedsgericht beim Parteivorstand an mit der Begründung, in seinem Artikel werde die SPD in keiner Weise erwähnt. Seiner Beschwerde wurde stattgegeben. Erst zwanzig Jahre später fand Brandt selbstkritische Worte: Köhler habe es nicht verdient, daß er – »ohne daß ich energisch widersprochen hätte« – aus der Berliner SPD ausgeschlossen wurde. Brandt: »Man kann im Verhältnis zwischen Partei und Kirche auch des Guten zuviel tun.«

In ihrem Godesberger Programm hatte sich die SPD »zur Zusammenarbeit mit den Kirchen und Religionsgemeinschaften« bekannt. Seither arbeitete sie systematisch daran, die unverhüllte Ablehnung durch die katholische Kirche zu überwinden. Typisch für das Denken vieler Kirchenfürsten in jener Zeit war der Münsteraner Bischof Michael Keller: »Die Frage, kann ein katholischer Arbeiter, überhaupt ein gläubiger Katholik, es mit seinem Gewissen vereinbaren, sozialdemokratisch zu wählen, muß mit einem eindeutigen ›Nein‹ beantwortet werden.«

Die Sozialdemokraten gingen jetzt dazu über, in ihren Wahlbroschüren ihre führenden Persönlichkeiten immer mit der Konfessionszugehörigkeit auszuweisen. Der Parteivorstand gab eine in den Kirchenfarben violett-weiß gehaltene Schrift mit dem Titel »Katholik und Godesberger Programm« in Auftrag. Darin wurde eine enge Übereinstimmung mit den Ansichten des Reformpapstes Johannes XXIII. erklärt. Der traditionell linke Bezirk Hessen-Süd verbuchte Grußworte der Bischöfe von Limburg und Mainz zu einer Festsitzung als politischen Erfolg.

Als Regierender Bürgermeister war Brandt im Herbst 1960 von Johannes XXIII. in Audienz empfangen worden. Doch diese Begegnung hatte keine politischen Folgen für ihn. Als Kanzlerkandidat wurde er von der katholischen Kirche geschnitten und in seinem Bemühen um den kirchlichen Segen von seinen politischen Gegnern gebremst. Die präsentierten seine Frühschrift »Ein Jahr Krieg und Revolution in Spanien« aus dem Jahr 1937. Darin hatte er geschrieben: »Die bestorganisierten Mächte der spanischen Gesellschaft waren Kirche und die Armee. . . . Die katholische Kirche war nicht nur der erste Grubenbesitzer im Lande, sondern besaß alle Arten von Unternehmungen, von Banken und Fabriken bis zu Zeitungen und Bordellen.« Brandt hatte dann die Revolution gefeiert: »Ein reinigender Sturm hat die Kirchen und Klöster gesäubert. Die Macht der Kirche als eines sozialen und ökonomischen Faktors ist gebrochen.«

Diese Vorhaltungen beantwortete Brandt jetzt mit dem Hinweis, daß er getauft, nie aus der Kirche ausgetreten und kirchlich getraut worden sei; auch seine Kinder seien getauft worden und besuchten den Religionsunterricht. In einer Ansprache zum Thema »Staat und Kirche in gemeinsamer Verantwortung« beschrieb er als seine Überzeugung – »die Überzeugung eines Protestanten« –, daß die Kirche die Politiker daran gemahnen müsse, »daß es für uns nur ein vorletztes Handeln gibt und der Staat nicht die Stelle göttlicher Macht beanspruchen darf«.

Der »Simplicissimus« veröffentlichte damals eine Karikatur, die Willy Brandt, Carlo Schmid und Herbert Wehner betend in der ersten Kirchenbank zeigt. Sie sahen aus den Augenwinkeln Adenauer und einige andere Christdemokraten auf sich zuschreiten und raunten sich zu: »Du lieber Marx, denen wird es stinken, daß wir auf ihren Stammplätzen sitzen.« Die Karikatur eilte der tatsächlichen Entwicklung etwas voraus. In der Amtskirche stießen die Annäherungsversuche der Sozialdemokraten auf Ablehnung. Die Würdenträger ahnten, was Fritz Erler intern als Ziel der SPD-Taktik festhielt: Es gehe darum, die politische Kraft der Kirchen zu neutralisieren. Die Fuldaer Bischofskonferenz formulierte auch 1961 wie in jedem vorangegangenen Wahljahr ein Hirtenwort, in dem sie zur Wahl christlicher Politiker aufrief.

Die Sozialdemokraten versuchten jetzt auf dem Umweg über Rom, den Widerstand der katholischen Kirche zu brechen, und baten um eine Audienz für Spitzengenossen beim Heiligen Vater. Doch der Vatikan verwies sie auf den Dienstweg: Das Gesuch solle über den Nuntius in Bonn, Bischof Bafile, eingereicht werden. Der unterrichtete prompt die Bonner Christdemokraten von der sozialdemokratischen Initiative. Die fürchteten um ihr Monopol und versuchten, die Audienz zu hintertreiben. Zunächst mit Erfolg. Erst im März 1964 reiste eine vierköpfige Delegation, angeführt von Fritz Erler, zum Vatikan. CSU-Chef Franz-Josef Strauß tröstete sich: »Beim Heiligen Vater waren auch schon Schlagersänger oder der Chefredakteur der ›Iswestija‹.«

Als Zeichen ihres guten Willens sprachen sich die Sozialdemokraten inzwischen sogar für die Beibehaltung von Konfessionsschulen aus, die sie bis zum Godesberger Parteitag heftig bekämpft hatten. Ihre Selbstverleugnung ging schließlich so weit, daß sie 1965 der Kirche zuliebe eine Landesregierung platzen ließen. In Niedersachsen zerbrach die Koalition von SPD und FDP, weil die Genossen darauf bestanden, in ein Konkordat mit dem Vatikan die »Beibehaltung und Neueinrichtung von katholischen Bekenntnisschulen« hineinzuschreiben. Soviel Demut honorierte schließlich der neue Papst, Paul VI., indem er 1969 Herbert Wehner und den von der SPD zum Renommierkatholiken aufgebauten Gewerkschafter Georg Leber in Privataudienz empfing.

Mit der evangelischen Kirche hatten es die Sozialdemokraten leichter. Schon 1964 konnte sich Wehner als Laienprediger in der Hamburger Michaeliskirche zum evangelischen Männersonntag vor den Altar stellen. Sein Thema: »Mit der Kirche leben«.

»Aber Herr Brandt, ich weiß gar nicht, was Sie wollen.«

WAHLKAMPF 1961

Die Politik gegenüber der Kirche war ein wesentlicher Bestandteil der sozialdemokratischen Strategie der Gemeinsamkeit, um auch außerhalb des sozialdemokratischen Milieus Wähler zu gewinnen und mehrheitsfähig zu werden. Brandt verfolgte diese Linie mit großer Konsequenz. Der Regierende Bürgermeister hieß in Berlin die Teilnehmer des Deutschen Burschentages willkommen. Er besuchte das Hausfrauen-Parlament der »Bild«-Zeitung und meinte in einem Grußwort: »Es möge mithelfen, die Frauen stärker an die öffentlichen Dinge heranzuführen. Damit dient es der Demokratie in unserem Lande.«

Im Sommer 1960 warnte der von Brandt geführte Berliner Senat vor dem Besuch einer Ausstellung »Ungesühnte Nazi-Justiz« in einer Galerie neben der Gedächtniskirche. Der Grund: Die ausgestellten Fotokopien von Bluturteilen noch amtierender Richter und Staatsanwälte der Bonner Republik stammten aus der DDR. Dabei hatte Generalbundesanwalt Max Güde ausdrücklich die Echtheit der fotokopierten Dokumente bestätigt. Führende Sozialdemokraten schickten zur selben Zeit Kondolenzschreiben an die Witwe eines Generals der Waffen-SS. Der SPD-Bundestagsabgeordnete Ulrich Lohmar trat in Lemgo in Westfalen bei einem Treffen der »Hilfsgemeinschaft auf Gegenseitigkeit der Soldaten der ehemaligen Waffen-SS« (HIAG) auf und sprach ein Grußwort über den »gemeinsamen Weg in die Zukunft«. Und Brandt erkannte es als eines der großen Verdienste Adenauers an, beim Aufbau der Bundesrepublik die Aufspaltung des deutschen Volkes in Nazis und Nichtnazis verhindert zu haben.

Pfingsten 1960 reiste Brandt zum Schlesiertreffen nach Hannover. Entgegen dem Arrangement der Kongreß-Manager setzte er sich, eine weiße Nelke im Knopfloch, dicht neben den Ehrengast, Konrad Adenauer. Ein einziger leerer Stuhl zwischen beiden Politikern markierte den Rest von noch nicht überwundener Distanz.

Anpassung, Gemeinsamkeit und Versachlichung der politischen

Auseinandersetzung waren der Weg, auf dem die Sozialdemokraten hofften, die gegen sie bestehenden Vorurteile im bürgerlichen Lager zu überwinden und die Mehrheit zu erringen – dazu fehlten noch fünf Millionen Stimmen. Die SPD wollte vergessen machen, daß sie eine Oppositionspartei war. Ihre höchste Stufe fand die Politik der Gemeinsamkeit mit sprachlichen Anklängen an die Ideologie der Volksgemeinschaft, die seit Hitler diskreditiert war. Brandt: »Allen Anfeindungen zum Trotz gehen wir von der einfachen Wahrheit aus, daß wir eine Familie sind und uns vor allem anderen um den Bestand, die Zukunft, das Wohlergehen dieser unserer Familie, unseres Volkes zu bemühen haben.«

Der konservative Bonner Journalist Wilhelm Wenger (»Rheinischer Merkur«) verfaßte für den Almanach zum Bundespresseball eine Satire auf den »Jedermanns-Willy, hochflexibler Universalkandidat für alle Stände und Umstände«. Auszug: »Fürs Land: Willy Brandt; für die Männer: Willy Brenner; für die Fraun: Willy Braun; für die Mädchen: Willy Frettchen; für die Frommen: Willy Brommen; für die Armen: Willy Barmen; für den Dandy: Willy Brandy; für die Dame: Willy Frahme.«

Die Vorbereitungen für den Wahlkampf zur Bundestagswahl 1961 wurden betrieben, als gehe es um die Einführung eines neuen Waschmittels. Klaus Schütz, der schon Brandts siegreichen Wahlkampf 1958 in Berlin nach amerikanischen Methoden organisiert hatte, reiste wieder in die USA, um die Kampagnen von John F. Kennedy und Richard M. Nixon zu beobachten. Er brachte von dort die Erkenntnis mit: »Es gibt prinzipiell keinen Unterschied zwischen der Werbung für einen kommerziellen Artikel und der Werbung für die Politik.«

Aus Amerika übernahm Schütz die wesentlichen Elemente für den kommenden Wahlkampf. Die Wähler sollten als unpolitische Konsumenten angesprochen werden. Der Spitzenmann wurde zur glatten, politisch unverbindlichen Sympathiefigur aufgebaut, komplettiert durch Regierungsmannschaft und Regierungsprogramm, um ihn als Kanzler im Wartestand erscheinen zu lassen. Der gesamte Wahlkampf wurde wie bei einer Werbekampagne in drei Phasen eingeteilt: Sympathiewerbung, argumentative Phase, Schlußphase.

Zu den Sympathie-Versatzstücken gehörte eine Metapher aus der

Welt des Autos. Das war modern und beherrschte das Denken der Deutschen. Nichtführerscheinbesitzer Brandt: »Unser Weg hat keine Schlaglöcher. Er ist breit und gut ausgeleuchtet. Auf ihm läßt sich zügig fahren. Diesen Weg werden wir fahren. Ohne selbstmörderische Raserei. So unfallsicher, wie es der Respekt vor unserem Volk gebietet. Aber mit dem Tempo, das unserer Zeit angemessen ist.« Zur Sympathie-Phase gehörten »Willy« unter Tage mit Bergmannshelm, »Willy« beim Bundeswehr-Manöver im Kampfanzug, »Willy« als Dirigent einer Trachtenkapelle.

Auf SPD-Kongressen umrahmten Show-Girls im Glitzer-Bikini die Rednerauftritte, Wahlkabaretts sorgten für Stimmung. Die ersten Wahlplakate zeigten auf blauem Grund Brandts Halbprofil mit dem bei Wirtschaftsminister Erhard entliehenen Slogan »Wohlstand ist für alle da« – das Erhardsche Original hieß »Wohlstand für alle«. Den Tageszeitungen, vornehmlich in der Provinz, wurden die Wahlillustrierten »Davon spricht Deutschland« und »Vertrauen« beigelegt. Fotos von Brandt mit Kennedy waren die Hauptmotive. Im Jahrbuch der SPD für 1960/61 hieß es zu dieser ersten Phase: »Durch die allgemeinen Mittel, die über Presse, Rundfunk und Fernsehen ausstrahlten, wurde versucht, das ›Leitbild‹ beim Wähler günstiger für die SPD zu gestalten.«

Mit der Verkündung des Regierungsprogramms am 28. April 1961 durch den Kanzlerkandidaten auf einem Wahlkongreß in der Bonner Beethovenhalle wurde die zweite, die argumentative Phase eingeleitet. Der Schwerpunkt des Programms lag auf der Innenpolitik, weil die Wahlforschung ergeben hatte, daß die Wähler zuerst nach innenpolitischen Gesichtspunkten entscheiden. Zudem hatte die SPD in der Außenpolitik, nachdem sie auf den Adenauer-Kurs eingeschwenkt war, kein eigenes Angebot mehr.

Das Programm war eine bunte Mischung aus Detailaussagen und pauschalen Forderungen. Als »Gemeinschaftsaufgabe« forderte Brandt »reine Luft«, »reines Wasser« und »weniger Lärm«. Daß mit Umweltproblemen Wahlkampf betrieben werden konnte, war ein Mitbringsel von Klaus Schütz aus Amerika. Im Detail versprach Brandt mehr Urlaub, kostenlose Voruntersuchungen, verbilligte Darlehen für Familien, Erziehungs- und Ausbildungsbeihilfen, Wohnungseigentum, die Ausgabe der »Deutschen Volksaktie« und eine bessere Altersversorgung. Dieser Neckermann-Katalog gipfelte in dem Versprechen an alle Rentner, ihnen ihren Lebensabend durch den Kauf von Fernsehgeräten »verschönern zu helfen«. Brandt beteuerte am Schluß seiner Rede, dies seien keine leeren Versprechungen. Unabhängige Fachleute hätten das Programm durchgerechnet, es sei ohne Steuererhöhung zu verwirklichen. »Ich verbürge mich für seine Durchführbarkeit.«

In der Pose eines deutschen Kennedy stürzte sich Brandt sodann in den Wahl-Nahkampf. Von der Aura des jugendlichen Präsidenten hatte Brandt etwas abbekommen, als er Kennedy im März 1961 in Washington besuchte. Seit dieser drei Jahre zuvor in einem Artikel in »Foreign Affairs« davor gewarnt hatte, sich zu fest auf einen einzigen Mann und seine Partei – Adenauer und die CDU – festzulegen, glaubten die Sozialdemokraten, in dem neuen Mann im Weißen Haus einen heimlichen Wahlhelfer gefunden zu haben. Und wie Jackie Kennedy wurde auch Rut Brandt im Wahljahr schwanger: Im Oktober 1961 gebar sie Sohn Matthias.

Am 10. Mai begann die »Deutschlandfahrt des Kanzlerkandidaten«, eine Kopie des amerikanischen »Canvassing«. Im gemieteten cremefarbenen Mercedes-Cabriolet mit roten Ledersitzen und Vierfarb-Innenbeleuchtung zur Anstrahlung der Insassen reiste Brandt kreuz und quer durch die Bundesrepublik, von Rosenheim bis Aurich, von Uelzen bis Cochem. Der Wagen hatte eigens die Kennzeichen der Bundeshauptstadt bekommen: BN-NL 71. Auf dem Kotflügel war der Stander des Berliner Bürgermeisters angebracht.

Wichtigstes Zubehör des Kandidaten aber: ein silbergrauer Homburg, wie ihn wahre Staatsmänner tragen. Wann immer Brandt einen Menschen am Straßenrand entdeckte, zog er mechanisch den Hut vom Kopf. Der niedersächsische Sozialdemokrat Karl Ravens, der später Wohnungsbauminister wurde und eine Zeitlang Brandt als Parlamentarischer Staatssekretär diente, erinnert sich: »Das ging dann so rauf und runter wie ein Winker, der an der Autobahn steht. Also, diese Bewegung werde ich nie wieder vergessen, so ganz ohne Anteilnahme.«

Ravens, der damals Ausbilder bei Borgward war, war nur mit Widerwillen in das Luxusauto gestiegen, »mit innerer Ablehnung«. Brandt fuhr damit vor Fabriktore und auf Bauerngehöfte. Er hielt auf Marktplätzen und vor den Redaktionen der Lokalpresse. Die meisten Genossen dachten anders als Ravens. Sie sahen zum erstenmal in ihrem Leben einen leibhaftigen Parteivorsitzenden, von Ollenhauer und Schumacher hatten sie nur aus Broschüren und Parteizeitungen erfahren.

Dies allerdings war nicht der Effekt, auf den die Deutschlandfahrt angelegt war. Sie sollte in erster Linie dazu dienen, den Kanzlerkandidaten bei den politisch nicht festgelegten Wählern, insbesondere auf dem Lande und in Kleinstädten, wo die SPD unterrepräsentiert war, bekanntzumachen. Dies gelang zwar, Brandt erreichte täglich vierzig- bis fünfzigtausend Menschen, doch sein Ansehen sank ausgerechnet zu dieser Zeit auf den Tiefpunkt. Karl Garbe, PR-Chef der SPD: »Es war sehr schwierig, den Amtsbonus Willy Brandts als Regierender Bürgermeister auf die Position des Kanzlerkandidaten der SPD zu übertragen.« Dabei war Brandt fleißig: Bis zum 12. August reiste er vierzigtausend Kilometer, hielt siebenhundert Reden und verbrauchte drei Homburgs. Einen Tag danach, am 13. August 1961, waren alle Wahlkampfkonzepte Makulatur. Die der SPD genauso wie die der Regierungsparteien.

Die CDU/CSU hatte bisher ihren Wahlkampf auf »Adenauer, Erhard und die Mannschaft« abgestellt und ihre Regierungserfahrung gegen die Jugendlichkeit des SPD-Führers gesetzt. Gegen die Vereinnahmung der nationalen Symbole durch die SPD starteten die Unionsparteien parallel zum offiziellen Wahlkampf einen Untergrundkrieg. Brandts Emigrationszeit wurde Verdächtigungen ausgesetzt: Er sei Rotbrigadist in Spanien gewesen und habe im Zweiten Weltkrieg in norwegischer Uniform gegen deutsche Soldaten gekämpft. Eine historische Studie, die Brandt 1942 über den Guerillakrieg geschrieben hatte, wurde in eine Anleitung für den Partisanenkrieg gegen deutsche Soldaten umgefälscht. Die Unionsparteien legten ihren Wahlrednern nahe, Brandt als »Verräter des Vaterlandes« erscheinen zu lassen.

Gegen die Flüsterpropaganda konnte sich Brandt nicht zur Wehr setzen. Als aber einige Zeitungen, so die »Deutsche Zeitung« aus Köln und die »Passauer Neue Presse« des bayerischen Verlegers Hans Kapfinger, das katholische Wochenblatt »Neue Bildpost« und die »Deutsche National- und Soldatenzeitung« sich die Vorwürfe zu eigen machten, rief Brandt erfolgreich die Hilfe der Gerichte an. Doch die Verleumdungen hatten längst ihren Zweck erfüllt, als Gerichte oder Ehrenerklärungen Willy Brandt rehabilitierten.

Das hinderte indes prominente Christdemokraten nicht, diese Verdächtigungen in ihren Wahlversammlungen weiter zu verbreiten und sich dadurch juristisch abzusichern, daß sie sie in Frageform kleideten oder daß sie in allgemeinen Wendungen über die Problematik der Emigration sprachen. Diese Runde eröffnete der CDU-Wahlkampfleiter und Ministerpräsident von Schleswig-Holstein, Kai-Uwe von Hassel. In Heide rief er aus: »Ich bekenne mich als Deutscher und bin bereit, das Schicksal des deutschen Volkes und Vaterlandes zu tragen und zu teilen. . . . Ich verleugne nicht meine Volks- und Staatsangehörigkeit persönlicher oder sonstiger Vorteile wegen. Ich kann diese Schicksalsgemeinschaft nicht verlassen, weil es mir persönlich gefährlich erscheint, und ihr wieder beitreten, wenn das Risiko vorüber ist.«

Mitte Februar 1961 polemisierte Franz-Josef Strauß in Vilshofen direkt gegen Brandt: »Eines wird man doch aber Herrn Brandt fragen dürfen: Was haben Sie zwölf Jahre lang draußen gemacht? Wir wissen, was wir drinnen gemacht haben.« Der damalige Bundestagsvizepräsident Richard Jaeger von der CSU ging wenig später so weit, Brandts Namenswechsel mit Hitler in Verbindung zu bringen: »Wenn es ihm wie weiland Adolf Hitler, dessen Familienname eigentlich Schicklgruber war, danach gelüstet, unter einem fremden Namen in die Weltgeschichte einzugehen, so ist dies das geringste, was uns an seinem Vorhaben stören könnte.«

Zeitgleich mit dieser Hetze gegen Brandts antifaschistische Vergangenheit war in Israel der Prozeß gegen den Judenmörder Adolf Eichmann angelaufen. Im Bundestag forderte Erler vergeblich die Regierungsparteien auf, ihre Kampagne zu stoppen, da sie dem ohnehin ramponierten Ansehen des deutschen Volkes im Ausland zusätzlich schade. Brandt selber suchte Adenauer im Palais Schaumburg auf und brachte das »erbärmliche Niveau« des Wahlkampfs zur Sprache. Adenauers Antwort: »Aber Herr Brandt, ich weiß gar nicht, was Sie wollen. Wenn ich was gegen Sie hätte, würde ich es Ihnen doch sagen.«

Im Bewußtsein der latenten Emigrantenfeindlichkeit in der breiten deutschen Öffentlichkeit beschränkte sich die SPD vorerst auf die weiche Linie. Sie verschwieg am liebsten, daß Brandt während der Nazizeit nicht in Deutschland war, und Brandt selber versuchte, das Thema »Emigration« dadurch zu entschärfen, daß er an die

»Flüchtlinge aus der Zone« erinnerte. Sie hätten aus ähnlichen Motiven wie die Emigranten des Dritten Reichs gehandelt, und ihnen könne man doch wohl schwerlich unedle Motive unterstellen. Eine Umfrage zeigte der SPD-Führung die Gefährlichkeit der Unions-Propaganda: Vierzig Prozent aller Wähler, unabhängig von ihrer politischen Orientierung, hatten »Bedenken«, wenn ein Emigrant Mitglied der Bundesregierung würde.

Für die CDU/CSU war diese Umfrage eine Bestätigung ihres Diffamierungskurses, mochte die »Neue Zürcher Zeitung« auch schreiben, daß der Wahlkampf wegen der unklaren Haltung der CDU »allmählich faschistoide Charakterzüge« annehme. Bundespostminister Richard Stücklen, heute Vizepräsident des Bundestages, fragte am 11. August 1961 auf einer Wahlversammlung in Niederbayern, was wohl zwischen 1945 und 1947 leichter gewesen sei: ». . . daß Millionen deutscher Männer und Frauen die Ziegelsteine in den zertrümmerten Städten abkratzten oder daß man nicht wußte, ob man Norweger oder Deutscher sein wollte«. Weitere Wahlkampfmunition lag für die »heiße Phase« noch im Arsenal. Es waren Schmähschriften, die Brandt persönlich herabsetzen sollten.

Auch die SPD wollte in der dritten Phase ihres Wahlkampfes von der weichen Welle auf einen harten Konfrontationskurs gegen die Bundesregierung umschwenken. Zum Auftakt dieser dritten Phase hatten sich die Sozialdemokraten am 12. August zu einem »Deutschland-Treffen« in Nürnberg versammelt, einer Großkundgebung, wie sie die SPD früher nicht zustande gebracht hatte. Brandt hielt eine kämpferische Rede mit harten Attacken gegen CDU/CSU und Bundesregierung. Er warf den Unionsparteien »Gottesdienst vor dem eigenen Hochmut« vor, nannte ihre Wahlversprechen »ein Programm des geistigen Bankrotts« und bezichtigte sie politischer Unfähigkeit – sie hätten sich mit der »Teilungsdiktatur Moskaus« abgefunden. Es sei einfacher, links des Rheins zu stehen, als »in Berlin den Buckel hinzuhalten«, spielte Brandt auf alte Separatismus-Vorwürfe gegen Adenauer an und stellte sich selbst als nationalen Kämpfer für die deutsche Einheit dar.

Nach dem Deutschland-Treffen wollte Brandt seine Kampagne fortsetzen und bestieg einen Sonderzug nach Kiel. Kurz nach Mitternacht legte er sich schlafen. Um fünf Uhr morgens, der Zug hatte Hannover erreicht, klopfte ein Bahnbeamter an die Abteiltür. Brandt setzte sich auf und blickte den Beamten benommen an. Der überbrachte ihm eine dringende Botschaft vom Chef der Berliner Senatskanzlei, Heinrich Albertz. Kern der Mitteilung: Der Osten schließe die Sektorengrenze und habe den S- und U-Bahn-Verkehr eingestellt. Brandt möge sofort nach Berlin zurückkehren.

»Hört mal! Was soll das?«

MAUERBAU

Der 13. August 1961 war ein Sonntag. Mit der ersten Linienmaschine flog Willy Brandt von Hannover-Langenhagen nach Berlin. Im Flugzeug entwarf der gelernte Journalist eine erste Stellungnahme des Senats: Durch Berlin werde ein KZ-Zaun gezogen. Senat und Bevölkerung der Stadt erwarteten energische Schritte der Westmächte.

Am Flughafen Tempelhof empfingen ihn Albertz und der Westberliner Polizeipräsident Johannes Stumm. Gemeinsam bestiegen sie den Bürgermeister-Mercedes. Brandt ließ sich zum Potsdamer Platz chauffieren. Während der Fahrt sprach er kein Wort. Auf dem Potsdamer Platz stieg er aus und ging auf ein paar Männer zu, Angehörige der Ostberliner Betriebskampfgruppen in blauen Arbeitsuniformen. Mit Preßluftbohrern rissen sie das Pflaster auf. »Hört mal! Was soll das?« war Brandts erste, unbeholfene Reaktion. Die Arbeiter gaben keine Antwort und schaufelten weiter. Mehrere Minuten lang sah Brandt ihnen sprachlos zu, dann ließ er sich zum Brandenburger Tor fahren, von dort zum Rathaus. Wieder wurde kein Wort gesprochen.

Im Büro angekommen, schloß Brandt die Tür seines Amtszimmers und bat, man möge ihn allein lassen. Er las die eingelaufenen Meldungen. Auf einer Länge von 46 Kilometern, so hieß es, würden Stacheldraht ausgerollt, spanische Reiter aufgestellt, Gräben ausgehoben, Betonpfähle eingerammt. In den Zügen der Reichsbahn würden Flüchtlinge abgefangen und in ihre Heimatorte zurückgeschickt. Rings um Berlin seien Truppen der Sowjetunion und der

DDR-Volksarmee aufmarschiert, offensichtlich um die Westmächte einzuschüchtern und die Bevölkerung der DDR von Protestaktionen abzuhalten. Der Vorsitzende des Staatsrates der DDR, Walter Ulbricht, habe bereits den bewaffneten Einheiten bei einem Inspektionsbesuch am Brandenburger Tor zu ihrem erfolgreichen Einsatz gratuliert. Erst später wurde bekannt, wie vorsichtig die DDR operierte: Die martialisch aussehenden Verbände hatten keine scharfe Munition, sondern nur Platzpatronen; auch hatten sie Befehl, sich in keine Auseinandersetzung mit alliierten Soldaten einzulassen.

Brandt erinnert sich an die Fragen, die ihm durch den Kopf schossen: »Mußte man den brutalen Akt der Verletzung des geltenden Rechts hinnehmen? Mußte man dulden, was unseren Landsleuten, was den Bürgern Ost-Berlins und der ›Zone‹ angetan wurde? Würden die Alliierten die Hände in den Schoß legen und geschehen lassen, was hier begonnen wurde?« Die Antwort auf seine Fragen erhoffte er sich von einem Besuch bei den westlichen Stadtkommandanten im Haus der ehemaligen Viermächte-Kommandantur in Berlin-Dahlem. Es war sein erster Besuch in dieser Residenz der Siegermächte – um politische Unabhängigkeit zu demonstrieren, hatte er sich hier bisher nicht blicken lassen.

Als er jetzt eintraf, berieten die drei Generäle. Eine halbe Stunde lang mußte Brandt auf dem Flur warten. Sein Zorn steigerte sich. Schließlich wurde er in das Konferenzzimmer gebeten. Von hier aus hatten in den ersten Nachkriegsjahren die vier Alliierten über die Stadt regiert. An der mahagonigetäfelten Seitenwand des Saales erblickte Brandt das Porträt des letzten sowjetischen Stadtkommandanten Alexander Kotikow. Die Begrüßung war kurz und kühl. Keiner forderte ihn zum Sitzen auf.

Mit erregter Stimme brach Brandt das Schweigen. Auf deutsch sagte er: »Meine Herren, Sie haben sich letzte Nacht von Ulbricht in den Arsch treten lassen.« Darauf wieder eisiges Schweigen. Der amerikanische Kommandant Albert Watson forderte schließlich: »Kommen Sie zur Sache.« Brandt: »Was letzte Nacht geschehen ist, ist ein Bruch der bestehenden Viermächte-Vereinbarungen über den freien Verkehr in Berlin. Das mindeste, was zu geschehen hat, ist ein scharfer, energischer Protest Ihrer Regierungen in Moskau. Protestieren Sie doch wenigstens – nicht nur in Moskau, auch in den anderen Hauptstädten der Staaten des Warschauer Pakts.« In der Hoffnung, durch ein tatkräftiges Eingreifen der Westmächte könnten die Grenzsperren wieder beseitigt werden, drängte er die Stadtkommandanten, Flagge zu zeigen und Patrouillen an die Sektorengrenze zu schicken.

Übereinstimmend wiesen die drei Generäle diese Aufforderung zurück. Von ihren Regierungen hatten sie Geheimbefehle, im Krisenfall nichts zu unternehmen, solange nicht die Westsektoren oder die alliierten Streitkräfte unmittelbar angegriffen würden. Sie erklärten jetzt dem Berliner Bürgermeister, ein Truppeneinsatz würde zu internationalen Verwicklungen führen. Sie müßten sich erst mit ihren Regierungen beraten. Statt dessen forderten sie Brandt auf, er solle Westberliner Polizei an die Grenze schicken, um Zusammenstöße zwischen Westberliner Demonstranten und den DDR-Kampftruppen zu verhindern. Abrupt stand Brandt auf und brach die Begegnung ab: »Wenn das alles ist, was die westlichen Kommandanten unternehmen wollen, dann lacht der ganze Osten von Pankow bis Wladiwostok.«

Kurze Zeit überlegte Brandt, ob er nicht die Bevölkerung der DDR über Rundfunk auffordern solle, die Grenzsperren wieder abzureißen. Doch: »Ich habe mich zum Aufstandsappell nicht durchringen können.« Statt dessen beschwor er über den Rundfunk die Westberliner: »Lassen Sie sich nicht fortreißen, ergeben Sie sich nicht der Verzweiflung! Wir werden uns niemals mit der widernatürlichen Spaltung abfinden, auch wenn die Welt voll Teufel wäre.«

Zurück im Rathaus, fluchte Brandt: »Kennedy haut uns in die Pfanne.« Sein Pressechef Egon Bahr sekundierte sarkastisch: »Wir sind verkauft, aber noch nicht geliefert.« Beim Besuch Brandts im Weißen Haus fünf Monate zuvor hatte Kennedy noch einen langen, gewundenen Kommuniquétext, den das State Department vorbereitet hatte, eigenhändig durchgestrichen und durch den einfachen Satz ersetzt, die Vereinigten Staaten stünden zu ihren Berlin-Verpflichtungen, »wie durch Vertrag und Überzeugung festgestellt«. Brandt hatte als Gegengabe eine silberüberzogene Porzellankopie der Freiheitsglocke überreicht, die 1950 mit den Spenden amerikanischer Bürger für das Schöneberger Rathaus gegossen worden war. Allerdings hatte Brandt schon bei dieser Reise den Eindruck gewonnen, daß die Amerikaner dem Druck Chruschtschows nachzugeben bereit waren und künftige Berlin-Verhandlungen auf West-Berlin beschränken würden. In einer Denkschrift an amerikanische Regierungsstellen riet er dringend, nur über Gesamtberlin zu verhandeln und auch Ansprüche auf Präsenz in Ost-Berlin geltend zu machen. Sonst gerate die Rechtsbasis der drei Mächte in Gefahr.

Auf ihrer Frühjahrstagung wenige Wochen später in Oslo gaben die NATO-Außenminister aber nur eine auf West-Berlin beschränkte Schutzgarantie ab. Anfang Juni 1961 trafen sich Kennedy und Chruschtschow zum Zweiergipfel in Wien. Der US-Präsident hatte sich im Frühjahr mit einem dilettantisch organisierten Invasionsversuch an der Schweinebucht gegen das kommunistische Kuba blamiert. Durch massive Drohungen versuchte Chruschtschow nun in Wien, Kennedy, den er für naiv und unerfahren hielt, einzuschüchtern. Er kündigte den Abschluß eines separaten Friedensvertrages mit der DDR noch im selben Jahr an, falls die Westmächte weiterhin Verhandlungen über West-Berlin verweigerten. Kennedy erwiderte, er könne die Sowjetunion nicht daran hindern, in ihrem Machtbereich zu tun, was sie wolle. Er werde aber nicht zulassen, daß die Rechte der Westalliierten in West-Berlin und auf den Zugangswegen beeinträchtigt würden.

Am 25. Juli verkündete Kennedy dann drei »essentials« als Grundsätze der amerikanischen Berlin-Politik: Recht auf Präsenz der Westmächte, Recht auf freien Zugang durch Ostdeutschland, Sicherung der politischen Freiheit und Lebensfähigkeit West-Berlins. Um seine Entschlossenheit zu demonstrieren, ordnete er ein Aufrüstungsprogramm und massive Truppenverstärkungen an. Auch Chruschtschow verlegte sich auf Drohgebärden. Er stoppte die Entlassung von Reservisten und ließ Truppen im Berliner Umkreis zusammenziehen.

DDR-Staatschef Walter Ulbricht hatte inzwischen auf einer Pressekonferenz zum erstenmal das Stichwort »Mauer« erwähnt. Die Berliner Korrespondentin der »Frankfurter Rundschau«, Annemarie Doherr, hatte gefragt, ob nach einem Friedensvertrag die Sektorengrenze zu einer Staatsgrenze umgewandelt würde. Ulbrichts Antwort: »Ich verstehe Ihre Frage so, daß es in Westdeutschland Menschen gibt, die wünschen, daß wir die Bauarbeiter der Hauptstadt der DDR dazu mobilisieren, eine Mauer aufzurichten. Mir ist nicht bekannt, daß eine solche Absicht besteht. Die Bauarbeiter unserer

236

Hauptstadt beschäftigen sich hauptsächlich mit Wohnungsbau, und ihre Arbeitskraft wird dafür voll eingesetzt. Niemand hat die Absicht, eine Mauer zu errichten.«

In der DDR breitete sich dennoch die Befürchtung aus, daß Ulbricht die offene Grenze in Berlin dichtmachen würde. Immer mehr DDR-Bürger entschlossen sich zur Flucht. Im Juli 1961 waren es insgesamt 30 415. Allein am letzten Wochenende meldeten sich 3859 Flüchtlinge im Westberliner Notaufnahmelager Marienfelde. Es waren vorwiegend junge Menschen mit guter Ausbildung, qualifizierte Facharbeiter, Ärzte, Ingenieure, Lehrer und Professoren. Dies war für die DDR ein Substanzverlust, den sie auf Dauer nicht verkraften konnte.

Vom 3. bis 5. August tagten die KP-Führer der Warschauer-Pakt-Staaten in der polnischen Hauptstadt. Sie gaben Ulbricht grünes Licht für den Bau einer Mauer an der Grenze zu West-Berlin. Sorgsam achteten sie darauf, daß keine Maßnahme beschlossen wurde, die gegen Kennedys »essentials« verstoßen hätte.

Für die Westmächte, die monatelang eine neue Blockade befürchtet hatten, war die am 13. August vollzogene Abriegelung Ost-Berlins die harmloseste Variante in ihrem Krisen-Szenario. Beamte des State Departments kamen in einer Analyse des Geschehens zu dem Urteil, daß die Absperrmaßnahmen eine »schlimme Niederlage für die Kommunisten und einen moralischen Sieg für den Westen« darstellten. US-Außenminister Dean Rusk unterrichtete den Präsidenten: Amerikanische Interessen seien nicht beeinträchtigt. Kennedy meinte gelassen: »Das ist die Lösung«, und begab sich an Bord seiner Ferienyacht »Marlin«. Der britische Premierminister Macmillan setzte in Schottland seine Jagd auf Moorhühner fort.

So kam es, daß erst mit zwanzig Stunden Verspätung die von Brandt erbetenen Militärstreifen an der Sektorengrenze auftauchten. Vierzig Stunden verstrichen, bis eine müde Beschwerde an den sowjetischen Stadtkommandanten geschickt wurde. Und es dauerte gar zweiundsiebzig Stunden, bis auch in Moskau eine zurückhaltende Protestnote überreicht wurde.

Die deutsche Öffentlichkeit war tief aufgewühlt. Sie lebte in einer Mischung aus Kriegsfurcht und Empörung über die östlichen Sperrmaßnahmen. Allgemein rechnete man mit einer harten Reaktion der Westmächte, insbesondere der USA. Man wartete darauf, daß US-

Panzer die Stacheldrahtverhaue niederwalzen würden. Am 16. August aber wurde der Stacheldraht durch eine gemörtelte Mauer ersetzt. Nun schlug die Stimmung in tiefe Enttäuschung um. In einer riesigen Balkenüberschrift, umrahmt von Stacheldraht, verkündete die »Bild«-Zeitung: »Der Westen tut NICHTS!«

Brandt war in einer ähnlichen Situation wie 1956 beim Ungarn-Aufstand. Er mußte versuchen, den erregten Berlinern neuen Mut zu machen und eine Vertrauenskrise gegenüber den Westmächten aufzufangen, obgleich er keine Möglichkeiten hatte, wirklich etwas zu ändern. Der zufällig in Berlin weilende Direktor des amerikanischen Informationsdienstes, Edward R. Murrow, ein Freund Kennedys, riet Brandt, einen Brief an den US-Präsidenten zu schreiben.

Brandt folgte dem Ratschlag. In seinem Brief an Kennedy verband er herbe Kritik an der bisherigen Untätigkeit – »verspätete und nicht sehr kraftvolle Schritte« – mit einer Reihe mehr oder minder realistischer Vorschläge: Die Westmächte sollten einen Drei-Mächte-Status für West-Berlin proklamieren und ihre Position durch eine Volksabstimmung in der Halbstadt und in der Bundesrepublik unterstützen lassen; der Westen solle das Berlin-Thema vor die Vereinten Nationen bringen, um dort die Sowjetunion anzuklagen; die amerikanische Garnison solle demonstrativ verstärkt werden. Einen Einsatz amerikanischer Truppen zur Beseitigung der Sperranlagen verlangte er nicht. In Erinnerung an den freundschaftlichen Ton, der bei seiner Begegnung mit Kennedy im Weißen Haus fünf Monate zuvor aufgekommen war – Kennedy hatte ihn aufgefordert, direkten Kontakt mit ihm aufzunehmen, wann immer er es für richtig und nützlich halte –, schloß er den Brief mit den Worten: »Ich schätze die Lage ernst genug ein, um Ihnen, verehrter Herr Präsident, mit dieser letzten Offenheit zu schreiben, wie sie nur unter Freunden möglich ist, die einander voll vertrauen.«

Am Nachmittag des 16. August sprach Brandt vor dem Schöneberger Rathaus. Wieder einmal erwies er sich als ein Meister subtiler Massenführung. Obgleich er nichts in der Hand hatte, gelang es ihm, den Zuhörern das Gefühl der Führung und Sicherheit zu vermitteln. Die Berliner, so sagte er, seien stark genug, die Wahrheit zu ertragen. Die Sowjetunion habe ihrem Kettenhund Ulbricht ein wenig längere Leine gegeben und ihm erlaubt, internationales Recht zu brechen. »Die Stadt wünscht Frieden, aber sie wird nicht kapitulieren. Frieden ist niemals durch Schwäche gerettet worden.«

Brandt forderte die Bürger Westdeutschlands auf, kulturellen und sportlichen Veranstaltungen in der DDR fernzubleiben und die Leipziger Messe zu boykottieren. Auch kündigte er eine sofortige »Gegenmaßnahme« an: Der Lohnumtausch für Bürger West-Berlins, die im Ostsektor arbeiten, werde im Einverständnis mit den Schutzmächten abgeschafft.

Dann erwähnte er seinen Brief an Kennedy und wiederholte daraus die Forderung nach einem Drei-Mächte-Status West-Berlins. Vor Beginn seiner Rede war er noch unsicher gewesen: »Was soll ich den Leuten bloß erzählen?« Jetzt erhielt er starken Beifall. Zum Schluß der Rede ließ Pressechef Bahr vom Schöneberger Rathaus die Freiheitsglocke läuten.

In Washington löste Brandts Brief wenig Begeisterung aus. Kennedy fühlte sich durch die vertrauliche Ansprache als Freund irritiert. Der US-Präsident, der im Weißen Haus einen rauhen Umgangston pflegte, polterte los: »Dieser Bastard in Berlin versucht, mich in die bevorstehenden deutschen Wahlen hineinzuziehen.« Seine Antwort aber war sachlich. Er wies zwar Brandts Vorschläge eines Drei-Mächte-Status und einer UNO-Debatte über Berlin mit freundlichen Worten zurück, kündigte aber die Verstärkung der amerikanischen Garnison und die Entsendung seines Stellvertreters Lyndon B. Johnson an. Kennedy schmeichelte den Westberlinern, sie seien nicht nur ein Vorposten der Freiheit, sondern auch ein wichtiger Teil der freien Welt. »Ich habe festes Vertrauen, daß wir uns auch in Zukunft aufeinander verlassen können.«

Brandt blieb in den folgenden Tagen in Berlin. Er zog durch die Bezirke und hielt Durchhalte-Reden, die er stets mit der Formel beendete: »Die Mauer muß weg!«

»Jetzt wissen es alle.«

BUNDESTAGSWAHL 1961

Das Geschehen in Berlin wurde sofort zum bestimmenden Element des bundesdeutschen Wahlkampfes. Die Vorbereitungen der Parteien für die Schlußphase der Wahlschlacht waren nicht mehr zeitgemäß. Der sozialdemokratische Spitzenkandidat geriet durch die Ereignisse als Berlinheld in eine nahezu unangreifbare Position. Er stand jetzt im Mittelpunkt des öffentlichen Interesses. Ein Umkippen der Stimmungslage des Wahlvolks kündigte sich an.

Adenauer reagierte auf die Alarmnachrichten aus Berlin so wie im Blockadejahr 1948 und nach dem Aufstand vom 17. Juni 1953: Er blieb der gebeutelten Stadt zunächst einmal fern. Aus der Krisenplanung der Alliierten wußte er, daß der Westen gegen einseitige Maßnahmen der Sowjetunion und der DDR, die sich auf Ost-Berlin beschränkten, nichts unternehmen würde und daß insbesondere der deutsche Bundeskanzler keinen Handlungsspielraum hatte. Zudem wollte er die Verantwortung der Alliierten für die Sicherheit West-Berlins nicht durch einen demonstrativen Auftritt verwischen. Auch als ihn zahlreiche Parteifreunde zu einer Berlinreise drängten, blieb Adenauer bei seiner Weigerung und verkannte damit völlig die öffentliche Stimmungslage. Das Bundeskanzleramt empfahl den Rundfunk- und Fernsehanstalten eine distanzierte Berichterstattung. Als sich der sowjetische Botschafter Andrej Smirnow mit einem vorbereiteten Kommuniqué im Kanzleramt anmeldete, empfing Adenauer ihn sofort und unterzeichnete das Dokument, in dem es abschließend hieß, »daß die Bundesregierung keine Schritte unternimmt, welche die Beziehungen zwischen der Bundesrepublik und der UdSSR erschweren und die internationale Lage verschlechtern«. Brandts Brief an Kennedy und Kennedys Antwort spielte das Kanzleramt der »FAZ« zu, um den Berliner Bürgermeister als einen unerfahrenen, großsprecherischen und vor allem auch noch erfolglosen Außenpolitiker bloßzustellen.

Zu Adenauers Abwiegelungstaktik gehörte auch die Fortsetzung des Wahlkampfs, als sei nichts gewesen. Am 14. August reiste er programmgemäß zu einer Kundgebung nach Regensburg. Sein Öffentlichkeitsarbeiter Klaus-Otto Skibowski hatte ihm eine einstündige »staatsmännische« Rede ausgearbeitet, die auf den Ernst der Berliner Situation Bezug nahm.

Nur zehn Minuten lang hielt sich der Kanzler an den vorbereiteten Text. Dann übernahm das Wetter die Regie. Eine Windböe fegte die Redeblätter vom Podest. Adenauer sprach jetzt frei. Er verfiel wieder in seinen üblichen harten Wahlkampfstil und beglich eine Rechnung mit Brandt, die seit dessen Separatismus-Verdächtigungen auf der Nürnberger Deutschland-Kundgebung der SPD zwei Tage zuvor offenstand. Auf Brandts uneheliche Geburt anspielend, verstieg er sich zu dem Satz: »Wenn irgend jemand von seinen politischen Gegnern mit größter Rücksicht behandelt worden ist, so ist es Herr Brandt alias Frahm.«

Mit diesem Tiefschlag handelte Adenauer sich einen weiteren Absturz in der Publikumsgunst ein. Doch der 85jährige Kanzler blieb bei seinem Kurs. Auf einer Wahlkundgebung in der Omnibusabstellhalle der Stadt Bonn vor etwa sechstausend Zuhörern verunglimpfte er Brandt erneut. Jetzt fiel ihm ein, daß sich Brandt in der Illegalität einmal »Willy Flamme« genannt habe, ein andermal, während seines Aufenthalts in Berlin zur NS-Zeit, »Martin«.

Diese Diffamierungskampagne entsprach dem vor dem 13. August niedergelegten Konzept der CDU für die »heiße Phase« des Wahlkampfs. Und auch andere Minen wurden jetzt wie geplant gezündet. Die kurzlebige Münchener Illustrierte »Aktuell« des skandalfreudigen konservativen Verlegers Kapfinger veröffentlichte eine Dokumentation über Brandts Jahre in der Emigration, wobei sie Sätze aus seinen Frühschriften aus dem Zusammenhang riß und jeweils so zitierte, daß sich das Bild eines linken Revoluzzers, Trunkenbolds und Casanovas ergab. Zur selben Zeit veröffentlichte der Kapfinger-Autor Hans Frederik unter dem Pseudonym Claire Mortensen das Buch ». . . da war auch ein Mädchen«. Frederik hatte monatelang in skandinavischen Archiven nach Material über Brandt geforscht. Richtig fündig aber wurde er erst, als sich ihm eine frühere Geliebte Brandts anvertraute.

Brandt hatte Anfang der fünfziger Jahre als Abgeordneter in Bonn die Parlamentssekretärin und spätere Journalistin Susanne Sievers kennengelernt. Die rothaarige geschiedene Frau und Brandt schrieben sich intime Briefe mit gegenseitigen Kosenamen – »Lieber Bär«

für Willy Brandt, »Lieber Puma« für Susanne Sievers –, die im Buch im Faksimile wiedergegeben wurden. Im Juni 1952 war Susanne Sievers im Ostsektor von Berlin verhaftet und nach monatelangen Vernehmungen vom Obersten Gericht der DDR wegen Agententätigkeit zu acht Jahren Zuchthaus verurteilt worden. Bei einer allgemeinen Amnestie im Jahr 1956 kam sie frei und versuchte vergeblich, bei dem gerade zum Präsidenten des Berliner Abgeordnetenhauses avancierten Brandt Unterstützung zu finden. Die Veröffentlichung ihrer Lebensgeschichte rechtfertigte Autor Frederik im Klappentext: »Gerade die sittlichen Qualitäten eines im öffentlichen Leben stehenden Menschen interessieren immer, denn sie sind die Grundlage für Bewährung und Wahrhaftigkeit.« Für sein Werk erhielt er Beifall vom damaligen CSU-Generalsekretär Friedrich Zimmermann. Es handele sich um eine Dokumentation von großem Wert, meinte der.

Erfolgreicher als Agentin arbeitete Susanne Sievers einige Jahre später. Sie heuerte beim BND an. Anfang der siebziger Jahre stöberte das inzwischen von Brandt regierte Bundeskanzleramt sie als BND-Residentin in Hongkong auf und bewirkte ihre Entlassung, allerdings gegen eine Abfindung von dreihunderttausend Mark.

Das Buch ». . . da war auch ein Mädchen« landete unmittelbar nach Erscheinen auf Brandts Schreibtisch im Schöneberger Rathaus. Als er, unter der doppelten Anspannung von Wahlkampf und Berlinkrise stehend, darin seine Briefe wiederfand, erlitt er einen Weinkrampf. Ein enger Mitarbeiter aus der damaligen Zeit: »Er wollte mit allem aufhören, als Regierender Bürgermeister und als Kanzlerkandidat. Er glaubte, es nicht mehr zu schaffen.« Heinrich Albertz brauchte Stunden, um ihn im Vier-Augen-Gespräch wieder aufzubauen. Währenddessen wartete im Vorzimmer die Wahlmannschaft, um mit Brandt nach Westdeutschland zu fliegen. Seine Sekretärin Trudchen Boer sicherte den Zugang zum Dienstzimmer: »Das dauert noch, der Regierende Bürgermeister hat eine Besprechung.«

Brandt fing sich wieder und ging mit Hilfe Berliner Gerichte gegen das Buch vor. Es gelang ihm, eine einstweilige Verfügung gegen die ersten fünfunddreißig Seiten zu erwirken und später eine Beschlagnahme des gesamten Buches. Es mußte aus dem Verkehr gezogen und eingestampft werden. Die Schmutzkampagne aber hatte ihre Wirkung getan. Zwar entrüsteten sich viele Zeitungen über diesen Wahlkampfstil – die »Stuttgarter Zeitung« etwa konterte: »Der Wahlredner Adenauer alias der Kanzler«. Aber in der Öffentlichkeit war die latente Aversion gegen Emigranten neu angefacht.

Die Gelegenheit, sich an Adenauer für die Gemeinheiten des Wahlkampfes zu rächen, kam rasch. US-Vizepräsident Johnson kündigte seinen Berlinbesuch für den 19. August an. In seiner Begleitung war der Held der Luftbrücke, General Clay. Als Brandt erfuhr, daß Adenauer die Absicht hatte, die Amerikaner auf ihrer Berlinreise zu begleiten, erklärte er einem US-Diplomaten: Wenn der Bundeskanzler nach all den Beleidigungen der letzten Tage in Berlin auftauche, »dann fliegen hier Steine«. Umgehend schickte die US-Mission in Berlin die Empfehlung nach Washington, Adenauer solle auf jeden Fall in Bonn bleiben.

Auf seinem Flug nach Berlin legte Johnson einen Zwischenstop in der Bundeshauptstadt ein und besuchte zusammen mit US-Botschafter Walter C. Dowling den Bundeskanzler im Palais Schaumburg. Als Adenauer seinen Wunsch äußerte, mit nach Berlin zu kommen, zogen sich Johnson und Dowling in ein Nebenzimmer zur Beratung zurück. Sie erklärten schließlich dem Kanzler, sein Besuch in Berlin könne krisenverschärfend wirken.

Allein an der Seite Johnsons und Clays nahm Brandt im offenen Wagen den Jubel der Berliner entgegen. Johnson fühlte sich wie im amerikanischen Wahlkampf und verteilte Kugelschreiber an die Menge. Zusammen mit Johnson empfing Brandt die von Kennedy angekündigte Kampfbrigade zur Verstärkung der US-Garnison, die über die Interzonenautobahn in die Sektorenstadt gekommen war.

Am Abend des Ankunftstages, es war ein Samstag, zitierte Johnson eine Wendung aus Brandts Brief an Kennedy: »Sie haben Taten statt Worte gefordert, jetzt will ich Taten sehen.« Johnson hatte an Brandts Schuhen Gefallen gefunden und wollte, daß ihm trotz Geschäftsschlusses ein gleiches Modell gebracht würde. Da er unterschiedlich große Füße hatte, mußten zwei Paar Schuhe beschafft werden. Einmal in Shopping-Laune, wünschte der US-Vizepräsident tags darauf, als Mitbringsel ein Dutzend elektrischer Rasierapparate einzukaufen. Kurz vor seiner Abreise bestellte er schließlich beim Direktor der Berliner Porzellanmanufaktur zwei Service und ein Sortiment Aschenbecher. Johnson zu Brandt: »Die sehen aus, als würden sie mindestens einen Dollar kosten, und dabei kriege ich sie für nur fünfundzwanzig Cents.«

Erst zwei Tage nach Johnsons Abreise, am 22. August, flog Adenauer nach Berlin. Von seinem Stellvertreter Franz Amrehn (CDU) ließ sich Brandt überreden, den Kanzler am Flughafen mit Handschlag zu begrüßen. Er tat es mit frostiger Miene. Die Westberliner höhnten mit Spruchbändern: »Hurra, der Retter ist da! Aber zu spät!« Als der Konvoi durch Brandts Wahlbezirk Wedding fuhr, riefen die Leute am Straßenrand: »Willy, Willy!«

Brandt ging als klarer Punktsieger aus dieser ersten Woche nach dem 13. August hervor. Er flimmerte in diesen Tagen insgesamt zehn Stunden lang als Fernsehstar in die Wohnzimmer, Gegenkandidat Adenauer brachte es nur auf zwei Stunden. Adenauer erkannte rasch den wahltaktischen Vorteil Brandts und schimpfte, mit dem Mauerbau habe Chruschtschow der SPD helfen wollen.

Inzwischen hatte Klaus Schütz das Wahlkonzept umgestellt. Die Sozialdemokraten schlachteten die Berlinkrise propagandistisch voll für sich aus. Ihre Wahlplakate im Bundesgebiet überklebten sie mit Streifen »Deutsche, denkt an Berlin«. In den Wochenendausgaben der großen Zeitungen plazierten sie die Anzeige: »Jetzt wissen es alle. Willy Brandt ist der Mann der Entschlossenheit und des Friedens. Berlin ist das Beispiel für Deutschland.«

Brandt arbeitete nun jeweils den halben Tag im Schöneberger Rathaus. Um vierzehn Uhr bestieg er eine von den Engländern gecharterte zweimotorige De-Havilland-Maschine und flog durch einen der Luftkorridore in die Bundesrepublik. Dort absolvierte er pro Abend drei bis vier große Kundgebungen. Nachts flog er wieder zurück nach Berlin.

In seinen Reden verzichtete er jetzt weitgehend auf die Propagierung des Katalogs innenpolitischer Versprechungen. Er konzentrierte sich darauf, Gemeinsamkeit in der Außenpolitik und in nationalen Fragen zu fordern: »Nun endlich keine Zwietracht mehr.« In Erinnerung an Kennedys erfolgreiches Fernsehduell mit Nixon verlangte er eine TV-Diskussion mit Adenauer. Der ließ sich darauf aber nicht ein.

Um die negative Gedankenkette der Bundeswähler zu durchbrechen, Brandt sei zwar Berlin, aber Berlin sei gleich Krise, prägte der SPD-Kandidat den Satz: »In Berlin lag der Krieg auf der Straße. Wir haben den Frieden gerettet, fest, kühl, mit klarer Überlegung. Sonst sähe es heute anders aus in der Bundesrepublik.«

Sorgsam vermied er direkte Angriffe auf Adenauer. Er begnügte sich mit der ironischen Wendung, daß er dem Kanzler einen »ruhigen Lebensabend als Pensionär« wünsche.

»Das Schöne der Deutschland-Reise ist weg. Aber jetzt kriegen wir noch mehr Stimmen«, freute sich Klaus Schütz. Doch die hohen Erwartungen der SPD erfüllten sich nicht. Am frühen Abend des Wahlsonntags, des 17. September 1961, flog Brandt in seinem britischen Charterflugzeug von Berlin nach Bonn. Während des Fluges wurden ihm erste Teilergebnisse durchgegeben. Brandt war enttäuscht. In der Bonner Parteibaracke empfing ihn Ollenhauer mit der herablassenden Bemerkung, es habe sich gezeigt, daß andere auch nur mit Wasser kochen.

Die Endergebnisse bestätigten das. Die SPD hatte sich zwar um 4,4 Prozent gesteigert und erreichte 36,2 Prozent der Stimmen. Die CDU aber lag mit 45,3 Prozent immer noch weit voraus, auch wenn sie die absolute Mehrheit des Jahres 1957 eingebüßt hatte. Herbert Wehner gratulierte Brandt dennoch: »Der Vorsprung der CDU/CSU ist im Vergleich zur vorigen Wahl halbiert worden.« Was Wehner übersah: Fünf Prozent Protestwähler waren von der CDU/CSU zur FDP übergelaufen, die versprochen hatte, eine Koalition mit der CDU, wenn auch ohne Adenauer, einzugehen. Die Sozialdemokraten mußten erkennen, daß die Mehrheit der Wähler in einer Krisensituation nicht zu einem grundsätzlichen Wechsel bereit war.

Mit der Forderung nach einer nationalen Allparteien-Regierung versuchte Brandt noch kurze Zeit, im Bonner politischen Geschäft zu bleiben. Die vier führenden Sozialdemokraten Brandt, Ollenhauer, Erler und Wehner trafen sich mit Bundestagspräsident Eugen Gerstenmaier, der sich Hoffnungen auf eine Kanzlerschaft in einer solchen Allparteien-Koalition machte. Doch scheute er vor einer Konfrontation mit Adenauer zurück. Brandt versuchte es – »allen persönlichen Vorbehalten zum Trotz« – dann sogar mit dem CSU-Vorsitzenden Strauß – wieder ohne Ergebnis.

Rechnerisch wäre auch eine Koalition von SPD und FDP möglich gewesen. Es kam zu einem Gespräch zwischen Brandt und dem FDP-Vorsitzenden Erich Mende im Hause des Düsseldorfer Warenhaus-Konzernchefs Helmut Horten. An der Seite Mendes war

Wolfgang Döring, einer der Anführer der »Jungtürken«, die Ende 1956 die CDU-geführte Landesregierung von Nordrhein-Westfalen gestürzt und durch eine sozialliberale Koalition ersetzt hatten. Döring sagte Brandt offen, daß an ein Bonner Regierungsbündnis von SPD und FDP unter den gegebenen Umständen noch nicht zu denken sei. So blieb auch nur Episode, was Wehner dem FDP-Vorsitzenden vorschlug: ein sozialliberales Kabinett unter Führung Mendes mit Brandt als Vizekanzler. Mende wies dieses Ansinnen als unseriös zurück.

Die Regie führte wiederum Konrad Adenauer. Für den 25. September lud er Ollenhauer, Brandt und Wehner zu sich ins Palais Schaumburg. Er zog den Staatssekretär des Auswärtigen Amtes, Karl Carstens, hinzu, da es sich um ein Gespräch über die von den Sozialdemokraten geforderte »Bestandsaufnahme« handeln sollte.

Der von Adenauer gewünschte Nebeneffekt trat prompt ein: Die Freidemokraten, die sich auf eine Neuauflage der Koalition mit der CDU/CSU festgelegt hatten, aber Adenauers Kanzlerschaft beenden wollten, wurden nervös. Wehner erwies dem Kanzler ungewollt einen wertvollen Dienst, als er wenig später in Nürnberg die bedingungslose Bereitschaft der SPD zu einer Großen Koalition unter Adenauer bekundete. Auf die besorgte Frage eines Parteifreundes antwortete Wehner: »Wenn wir einmal mit sechs oder acht Bundesministern vier Jahre lang in der Regierung in Bonn sind, dann wollen wir mal sehen, ob der ›rote Bürgerschreck‹ noch in Deutschland sitzt und ob dann nicht eine neue Zeit begonnen hat. Wir müssen in die Regierung. Die Person Adenauer ist völlig sekundär.«

Die Freidemokraten zeigten Wirkung. Sie gaben sich nunmehr mit einer Erklärung Adenauers zufrieden, daß er vor Ablauf der Legislaturperiode zurücktreten würde. FDP-Chef Mende schlug die Chance seines Lebens aus, Außenminister zu werden, was ihm Adenauer angeboten hatte, und blieb aus Grundsatztreue außerhalb des Kabinetts. Dennoch mußte er jahrelang den Vorwurf einstecken, er sei »umgefallen«. Am 2. November 1961 wurde die neue bürgerliche Regierung unter Adenauer gebildet.

»Er kriegt seine Grippe.«

RÜCKKEHR NACH BERLIN

Brandt hatte den Berlinern versprochen, er würde nur dann nach Bonn überwechseln, wenn er als Bundeskanzler mehr für seine Stadt tun könnte. Als nach zweimonatigem Zuwarten endgültig klar war, daß es keine Chance auf einen sozialdemokratischen Kanzler gab, legte er Ende Dezember 1961 sein Bundestagsmandat nieder und kehrte nach Berlin zurück. Seine Partei informierte er, daß er nicht »als Dauerkandidat« zu betrachten sei. Darüber, wer den Wahlkampf 1965 als Kanzlerkandidat führen sollte, müsse neu entschieden werden.

Für den Regierenden Bürgermeister bedeutete die neue Lage nach dem 13. August, daß es vorbei war mit dem Traum, Berlin könnte in absehbarer Zeit wieder deutsche Hauptstadt werden. Vorrangig war jetzt, West-Berlin vor dem Niedergang zu sichern. Durch die Sektorensperren verlor die Stadt die sogenannten »Grenzgänger«, besonders fleißige Arbeitnehmer aus Ost-Berlin. Sie machten sieben Prozent des gesamten Westberliner Arbeitskräftepotentials aus. Außerdem wanderten qualifizierte Fachkräfte und zahlreiche Firmen aus der umzingelten Stadt nach Westdeutschland ab, und anders als in den Jahren zuvor wurde diese Lücke nicht durch Flüchtlinge aus der DDR gefüllt.

Das neue Stichwort für die Zukunft Berlins hieß: »Ausbau zur Kulturmetropole«. Außerdem sollte die Stadt für Zuzügler attraktiv gemacht werden. Ein umfangreiches Finanzprogramm sollte der Anwerbung junger ausgebildeter Arbeitskräfte aus dem Westen dienen. Die Einkommensteuer wurde gesenkt, Arbeiter mit niedrigen Einkommen erhielten Barzuwendungen, kleine Geschäftsleute bekamen besonders günstige Kredite, es gab Ehestandsdarlehen, Übersiedlungszuschüsse und kostenlose Heimatflüge. Die Flugpreise von Berlin nach Westdeutschland wurden subventioniert. Vorbild für diese Maßnahmen war die frühere Ostpreußenhilfe der Reichsregierung, die nach Ende des Ersten Weltkriegs für die durch den Polnischen Korridor abgetrennte Provinz gewährt wurde. Die Berliner tauften die Zuwendungen »Zitterprämien«.

Brandt gelang es, als Wirtschaftssenator nach dem Tod von Paul Hertz den prominenten SPD-Reformpolitiker Karl Schiller zu verpflichten. Albertz übernahm die Innenbehörde, neuer Chef der Senatskanzlei wurde Dietrich Spangenberg. Berlin sei, so meinte Schiller, »vom Schaufenster zum Testfall« geworden. Brandt hatte noch eine andere Funktion für die Stadt: »Es bleibt die Aufgabe Berlins, der mahnende Pfahl im Fleische des Unrechts zu sein.«

Die Protesthaltung Brandts und seine stereotype Mahnung »Die Mauer muß weg« wirkten stimulierend auf zahlreiche Idealisten, vornehmlich Studenten, die Sperren durch waghalsige Fluchthilfeunternehmen zu überwinden. Angehörige der Technischen Universität spezialisierten sich auf den Bau von Tunnels zwischen West- und Ostsektor. Bald wurden die Unternehmungen kommerzialisiert. Die erste Stufe bestand darin, daß die Tunnelbauer ihre Kosten durch den Verkauf von Reportagerechten an Fernsehanstalten und Illustrierte finanzierten. Dann übernahmen professionelle Fluchthelfer das Geschäft. Gegen Kopfprämien von viertausend, später bis zu zwanzigtausend Mark schleusten sie zahlungskräftige DDR-Bürger mit gefälschten Pässen in den Westen.

Zahlreiche DDR-Bürger entschlossen sich auf eigene Faust zur Flucht. Zum Symbol wurde die Bernauer Straße, deren Häuser direkt an der Grenze standen. Wer die Gebäude erreichte, konnte aus dem Fenster nach West-Berlin springen. Die Westberliner Feuerwehr rettete die Verzweifelten mit dem Sprungtuch. Doch für viele wurde es ein Sprung in den Tod. Da die Grenzsperren noch nicht perfekt mit Panzersperren, Stacheldraht, Todesstreifen, Wachtürmen und Selbstschußanlagen gesichert waren, gelang es immer wieder Ostdeutschen, über die Grenzanlagen zu klettern oder mit schweren Lastwagen und gepanzerten Fahrzeugen die Mauer zu durchbrechen.

Kurz nach dem ersten Jahrestag des Mauerbaus, am 17. August 1962, versuchten zwei Maurerlehrlinge, die auf einer Baustelle Unter den Linden arbeiteten, während ihrer Mittagspause nach West-Berlin zu flüchten. Einem von ihnen gelang die Flucht. Der 18jährige Peter Fechter aber wurde von Schüssen der DDR-Grenzposten getroffen. Schwer verletzt sackte er von der Kuppe der Mauer zurück und blieb im Stacheldrahtverhau liegen. Auf Ostberliner Gebiet half ihm niemand. Eine Stunde lang rief er um Hilfe. Westberliner Polizeibeamte warfen ihm Verbandszeug über die Mauer zu, er war jedoch zu schwach, danach zu greifen. Er verblutete. Ostberliner Grenzpolizisten warfen Nebelpatronen und transportierten den Leichnam ab.

Die Stelle, an der Peter Fechter erschossen wurde, lag nur hundert Meter vom Ausländerübergang Friedrichstraße, dem »Checkpoint Charlie« entfernt. Hier war amerikanische Militärpolizei stationiert. Erregte Westberliner forderten einen amerikanischen Leutnant in seinem gepanzerten Fahrzeug auf, den Sterbenden zu retten. Der US-Soldat wies sie ab: »This ist none of my business.« Die »Bild«-Zeitung veröffentlichte das Zitat in der Variante »It's not our problem«. Die Bedeutung blieb die gleiche. Knapper, aber auch brutaler als je zuvor war damit deutlich gemacht, wo das amerikanische Berlin-Engagement endete.

Die Berliner, die gerade den Schock des Mauerbaus überwunden hatten – Brandt: »West-Berlin kann mit dem Status quo leben« –, wurden durch den Tod Peter Fechters aus dem mühsam zurückgewonnenen seelischen Gleichgewicht gebracht. Es kam zu Kundgebungen an der Mauer, Steinwürfen gegen Vopos und Sprengstoffanschlägen an der Grenze. »Berlin-Krise wird heiß« lautete die Schlagzeile der »Bild«-Zeitung vom 25. August 1962 – und viele erkannten darin eine Aufforderung zu weiteren Protesten. Der englische »New Statesman« schrieb, man solle »einer Horde randalierender Berliner nicht gestatten, den Westen in den Abgrund eines Krieges zu ziehen«. Im US-Senat wurde Präsident Kennedy aufgefordert, den führenden deutschen Politikern die Situation »kristallklar zu erläutern«. Die Westberliner Polizei kam nun in die absurde Situation, die Ostberliner Mauer gegen Westberliner Demonstranten schützen zu müssen. Auch Brandt mußte wieder zum Einsatz. Über den Lautsprecher eines Polizeiwagens rief er den Demonstranten zu: »Die Mauer ist härter als die Köpfe, die gegen sie anrennen.«

Die Empörung über die Grenzposten der DDR, denen man ohnehin inzwischen jede Mordtat zutraute, schlug um in eine Vertrauenskrise gegenüber den westlichen Schutzmächten, insbesondere den Amerikanern. Sie wurde verschärft, als bekannt wurde, daß zwischen Amerikanern und Sowjets Sondierungsgespräche über eine Beilegung der Berlinkrise begonnen hatten. Die Amerikaner waren wiederum zu umfangreichen Konzessionen bereit: Aufgabe der engen Bindungen Berlins an den Bund, Anerkennung der Oder-Neiße-Grenze, Anerkennung der DDR und Kontrolle sämtlicher Zufahrtswege nach Berlin, einschließlich der Luftkorridore, durch eine internationale Zugangsbehörde, die auch mit DDR-Vertretern besetzt sein sollte. Auch einen Verzicht Bonns auf Atomwaffen bot die NATO-Führungsmacht an. Weder der Berliner Senat noch die Bundesregierung hatten Einfluß auf diese Verhandlungen. Bundeskanzler Adenauer versuchte das sowjetisch-amerikanische Arrangement zu stören, indem er die US-Positionspapiere vorzeitig dem »Rheinischen Merkur« zuspielen ließ. »Wird Deutschland jetzt verkauft?« hieß es in der »Bild«-Zeitung.

Mutlosigkeit überkam Brandt. Am Ende einer illusionären Politik angelangt, die der Vorstellung anhing, daß man von Berlin aus die Deutschlandpolitik ändern und die Mauer wieder wegbekommen könne, fiel er in eine tiefe Krise. Seine engsten Mitarbeiter waren schon damit vertraut, daß er in den regnerischen Herbsttagen regelmäßig depressive Schübe bekam. Klaus Schütz: »Wir nannten das immer ›er kriegt seine Grippe‹.«

Diesmal allerdings erreichte seine Niedergeschlagenheit einen bisher nicht gekannten Tiefpunkt. Alkohol kam hinzu. Brandt verlor die Kontrolle über sich. Eines Abends kam er schwer angeschlagen nach Hause. Als er merkte, daß sein 14jähriger Sohn Peter noch Besuch von einem Mitschüler hatte, jagte er den verängstigten Jungen mit derben norwegischen Schimpfworten aus der Wohnung. Am nächsten Tag entschuldigte sich Frau Rut bei dem Jungen, der aus einfachen Verhältnissen stammte und in ihr eine Ersatzmutter gefunden hatte. Sie buk ihm einen Kuchen.

Wenn Brandt in diesen Wochen morgens in sein Bürgermeisterbüro kam, war er oft noch nicht wieder nüchtern. Er verschloß sich in seinem Dienstzimmer und gab seiner Sekretärin strikte Anweisung, keinen Besucher vorzulassen. Der für den Polizeieinsatz zuständige Ministerialdirektor Joachim Prill aus der Innenbehörde, ein früherer Marineoffizier, versuchte nach Zwischenfällen an der Mauer mehrfach vergeblich, Brandt zu sprechen. Als es wieder zu einem schweren Zusammenstoß gekommen war, standen Prill und sein Innensenator Albertz gemeinsam im Vorzimmer. Die Sekretärin wollte ihnen auftragsgemäß den Zutritt zu Brandt verweigern. Da sagte Albertz zu ihr: »Das ist mir jetzt egal, gehen Sie bitte rein und geben Sie ihm einen Zettel. Wir müssen eine Entscheidung haben.« Die beiden wurden vorgelassen, und Prill berichtete später: »Es war ein erschütterndes Bild. Brandt hatte getrunken, die Augen tränten ihm. Er greinte und war praktisch unfähig, irgend etwas zu tun.«

»Wo kriegen wir Passierscheine her?«

WANDEL DURCH ANNÄHERUNG

Neun Tage nach dem Mauerbau, am 22. August, verfügte das DDR-Innenministerium unter dem Hinweis, der freie Zugang würde zu Fluchthilfeaktionen mißbraucht, daß Westberliner fortan nur mit einer Aufenthaltsgenehmigung nach Ost-Berlin kommen konnten. Die DDR eröffnete zur Bearbeitung entsprechender Anträge zwei Büros auf den S-Bahnhöfen Westkreuz und Zoo, die zum Betriebsgelände der DDR-Reichsbahn gehörten. Der Westberliner Senat ließ diese Büros umgehend schließen. Sein Vorgehen hatte zwei Gründe. Zum einen erklärte er, die DDR maße sich damit Hoheitsrechte in West-Berlin an; zum anderen drang er auf eine Beseitigung der Grenzsperren – mit Passierscheinen wollte er sich nicht abspeisen lassen.

Wenige Wochen später bereuten die Westberliner Behörden ihr Verhalten. In einer Ansprache zum Jahresende sagte Brandt, es werde das Ziel des Senats sein, im neuen Jahr 1962 die Transitwege nach Berlin zu sichern und den innerstädtischen Verkehr wieder in Gang zu setzen. Doch alle Verhandlungen scheiterten an Statusfragen.

Um eine Anerkennung der DDR zu vermeiden, hatte Brandt angeregt, die Behörden von Ost- und West-Berlin sollten im Auftrag der Stadtkommandanten Verhandlungen über Passierscheine führen – entweder nach dem Muster Koreas in einem »Panmunjom-Zelt« dicht an der Sektorengrenze oder in den Büros des Deutschen Roten Kreuzes von West- oder Ost-Berlin. Er hatte sich damit eine Zurückweisung der DDR-Behörden eingehandelt: Es sei »in keinem

Staat üblich, Reise- und Verkehrsfragen über das Deutsche Rote Kreuz zu regeln«, verlautete aus dem Ostteil der Stadt.

Als nächstes versuchte Brandt ein Geschäft: Passierscheine gegen Kredite über die Interzonen-Treuhandstelle. Dies war als nachgeordnete Behörde des Bundeswirtschaftsministeriums eine getarnte Handelsvertretung bei der DDR, geleitet von Kurt Leopold. Sie handelte im Auftrag der Bundesregierung und des Westberliner Senats Wirtschaftsabkommen mit der DDR aus, ohne die Ostberliner Regierung anzuerkennen. Für seine neue Passierschein-Idee holte sich Brandt das Einverständnis von Bundeskanzler Adenauer, den er in dessen italienischem Urlaubsort Cadenabbia besuchte. Adenauer glaubte damals, die neuerwachte Weltmacht China würde die Sowjetunion derart unter Druck setzen, daß mit Konzessionen in der Berlin-Frage zu rechnen sei. So beendete er das Mittagessen mit Brandt mit einem Trinkspruch: »Prost auf Leopold und die Chinesen.« Doch auch dieser Verhandlungsweg scheiterte, weil Ulbricht schließlich jede Koppelung zwischen wirtschaftlichen und politischen Vereinbarungen als »unsittliches Geschäft« abwies.

Der Tod Peter Fechters führte zu einem neuen Denken. Brandt, sein Vertrauter Albertz und Egon Bahr klopften in einer gemeinsamen Runde die Möglichkeiten ab, doch noch Passierscheine zu erhalten. Bahr erinnert sich: »Wir haben uns damals überlegt, wo kriegen wir Passierscheine her? Von der Bundesregierung nicht, von den Amis nicht, von den Russen nicht – ich hab damals in Anspielung auf Adenauers Denken gesagt: Leider nicht einmal von den Chinesen. Auch nicht vom roten Rathaus, der Stadtverwaltung Ost-Berlins. Sondern nur von der Regierung der DDR! Also müssen wir uns vorbereiten auf Verhandlungen mit der Regierung der DDR.«

Damals aber hielt der Westen noch strikt an seiner Linie fest, die DDR nicht als Staat anzuerkennen. Nach dem Mauerbau wurde diese Nichtanerkennungspolitik sogar noch verschärft, indem man ostdeutschen Funktionären die Einreise in NATO-Staaten verweigerte. Brandt lag voll auf dieser Linie. Die Politik des freien Deutschland, so erklärte er, stehe vor der »Notwendigkeit, sich jeder Anmaßung und Aufwertung des Ulbrichtschen quasi-staatlichen Gebildes zu widersetzen«. Doch er ließ sich ein Schlupfloch offen: »Andererseits werden wir im freien Deutschland immer wieder prüfen müssen, was wir tun können und was wir uns zutrauen, tun zu können, um das Leben der Landsleute im anderen Teil zu erleichtern und den Zusammenhalt des gespaltenen Volkes wachzuhalten.«

Albertz hatte schließlich den rettenden Einfall. Er erfand das, was im Diplomatenjargon »salvatorische Klausel« heißt. Man solle Verhandlungen aufnehmen und dabei gegenseitig die Formel akzeptieren, daß über Orts- und Behördenbezeichnungen keine Übereinstimmung erzielt werden konnte. Der jeweilige Verhandlungspartner hieß »die andere Seite« – eine Bezeichnung ohne staatsrechtliche Relevanz. Die Formel war da, aber noch gab es keine Verhandlungen.

Überlagert wurde das Bemühen um eine Regelung des innerstädtischen Berlinverkehrs durch die Kubakrise. Um Kennedy unter Druck zu setzen, hatte Chruschtschow auf der Karibikinsel Abschußbasen für Mittelstreckenraketen bauen lassen. Der amerikanische Präsident nahm die Herausforderung an. Er verhängte eine Blockade gegen die sowjetischen Raketenfrachter und setzte seine Atombomberflotte in Alarmbereitschaft. Die Kraftprobe, die die Welt im Oktober 1962 an den Rand des Dritten Weltkriegs brachte, endete nach einer dramatischen Zuspitzung mit einem Nachgeben der Russen und leitete die Phase der Koexistenz-Politik zwischen den beiden Weltmächten ein. Sie installierten einen »heißen Draht« für eine direkte Konfliktregelung und begannen schon bald Verhandlungen über ein Abkommen zum Stopp der überirdischen Atomwaffentests.

Brandt erkannte in dem neuen Verhältnis der Großmächte die Chance zu eigenem politischen Handeln. Er war inzwischen zwei weitere Male mit Kennedy zusammengetroffen, im Herbst 1961 und Anfang Oktober 1962. Er sei es leid, hatte ihm Kennedy bei der zweiten Begegnung gesagt, aus Bonn immer nur negative Reaktionen auf die amerikanischen Deutschlandvorschläge zu hören. Die Deutschen sollten nicht nur sagen, was sie ablehnten, sie sollten auch sagen, was sie selbst wollten. Brandt empfand dies als Aufforderung auch an sich selbst.

Unter dem Titel »Koexistenz – Zwang zum Wagnis« veröffentlichte er Vorlesungen, die er vor der amerikanischen Harvard-Universität gehalten hatte. Doch das Neuartige war nur der Titel, irgendein gedankliches Wagnis ging Brandt darin nicht ein – dazu war er ein viel zu vorsichtiger Taktierer. Im Juli 1963 aber hielt sein

Pressechef Bahr eine Rede, die bald als Beginn eines neuen Denkens galt. Der Rundfunkjournalist Egon Bahr, ein gebürtiger Thüringer, der von den Nazis wegen seiner jüdischen Großmutter keine Erlaubnis zum Musikstudium erhielt, hatte nach dem Krieg in der sowjetisch lizensierten (Ost-)»Berliner Zeitung« als Redakteur seine journalistische Karriere begonnen. In den fünfziger Jahren war er Bonner Korrespondent des Senders Rias. 1956 war er aus Protest gegen Adenauers kühle Haltung in der Wiedervereinigungsfrage der SPD beigetreten und bald darauf in den engeren Kreis um Brandt geraten, der ihn 1960 zu seinem Pressechef gemacht hatte.

Druck und Gegendruck, so der Ausgangspunkt von Bahrs Gedanken, hätten nur zu einer »Erstarrung des Status quo« geführt, die bisherige deutsche Politik habe im Hinblick auf die Wiedervereinigung ein »absolut negatives Ergebnis« gezeigt. In Anlehnung an Kennedys einen Monat zuvor an der Universität von Washington verkündete »Strategie des Friedens« meinte er, die Überlegenheit des Westens erlaube den Versuch, »sich selbst und die andere Seite zu öffnen und die bisherigen Befreiungsvorstellungen zurückzustellen«. Dies bedeute, »daß die Politik des Alles oder Nichts ausscheidet«. Die Sowjetunion werde sich »die Zone« nicht einfach entreißen lassen; sie müsse »mit Zustimmung der Sowjets transformiert werden«. Jeder Versuch zum direkten Sturz »des Regimes drüben« sei aussichtslos.

Dieser Ausgangspunkt führte bei Bahr zu der »rasend unbequemen« Folgerung, daß Änderungen nur durch das »verhaßte Regime« zu erreichen seien. Es gebe keinen praktikablen Weg, Erleichterungen durch den Sturz des Ulbricht-Regimes zu erlangen. Deshalb müsse man erwägen, ob es nicht Möglichkeiten gebe, dem Ostberliner Regime seine Existenzsorge »graduell soweit zu nehmen, daß auch die Auflockerung der Grenzen und der Mauer praktikabel wird, weil das Risiko erträglich ist«. Die Ablehnung der rechtlichen Anerkennung Ost-Berlins hielt Bahr weiterhin für richtig. Doch gleichzeitig bezeichnete er sie als zu steril, um alleinige Grundlage westlicher Politik zu sein. Für seine neue Politik prägte Bahr die Formel »Wandel durch Annäherung«.

Die Rede erschien dem Autor und seinem Chef Brandt, der den Text vorab gelesen hatte und Bahrs Gedankengänge teilte, als so brisant, daß man es für besser hielt, sie auf dem neutralen Forum der

Evangelischen Akademie Tutzing an die Öffentlichkeit zu tragen. So konnte sie als »Privatmeinung eines verantwortungsbewußten Bürgers« dargestellt werden, für die weder der Berliner Senat noch der Parteivorstand der SPD verantwortlich gemacht werden konnten. Auch Brandt hielt sich bedeckt. Er selber trug in Tutzing nur eine farblose Rede voll allgemeiner Wendungen vor.

In den nächsten sechs Jahren, bis zur eigenen Regierungserklärung als Bundeskanzler, wurde diese Doppelbödigkeit Brandts Taktik. Sein Denken bewegte sich hin zu einer Anerkennung der Nachkriegsrealitäten als Voraussetzung für eine neue Ostpolitik und eine Entspannung in Europa. Doch seine neuen Einsichten verbarg er hinter vagen Formulierungen oder überließ Dritten konkretere Hinweise. Offiziell hielten Brandt und auch Bahr bis Ende 1969 an der Nichtanerkennungspolitik gegenüber der DDR fest.

Bahrs Tutzinger Rede wurde in Ost- und Westdeutschland kritisiert. Ulbricht, der in dem Vortrag stets nur negativ angesprochen wurde, sah in der neuen Formel eine »Aggression auf Filzlatschen«. Ähnlich auch Herbert Wehner. Er fürchtete, hinter Bahrs Thesen verberge sich nur der deutschnationale Wunsch, die DDR zu unterminieren, und nannte sie »Ba(h)rer Unsinn«. Die CDU wiederum erkannte in der Tutzinger Rede »gefährliche Schritte zur Anerkennung der DDR«. Der Journalist Matthias Walden formulierte die konservative Gegenposition: Im Kampf gegen den Kommunismus gebe es nur Sieg oder Niederlage. Man dürfe nicht die »Gewöhnung an das Ungewöhnbare« fördern.

Die langfristige Bedeutung der Bahr-Rede lag in fünf Punkten: Zum erstenmal wurde das Bekenntnis zu eigener Initiative ausgesprochen und der Verzicht darauf, nur an die Verantwortung der Siegermächte zu appellieren; die DDR wurde, wenn auch in sehr vorsichtigen Wendungen, als Partner künftiger politischer Verhandlungen angesprochen; es wurde Abschied genommen von perfekten Lösungen, die zur Wiedervereinigung nach einem vorgefertigten Plan führen sollten; anders als Adenauer, dessen Politik in den letzten Jahren nur auf eine Störung der amerikanisch-sowjetischen Verhandlungen angelegt war, versuchte Bahr mit seiner Rede, den Anschluß an die Koexistenz-Politik der Amerikaner zu finden; und schließlich hatte die Rede auch einen wichtigen innenpolitischen Aspekt: Sie setzte allmählich eine Umorientierung in der öffentlichen Meinung in Gang. Es fanden sich immer mehr Befürworter einer Verständigungspolitik mit dem Osten anstelle von Antikommunismus und Kaltem Krieg.

Auch die DDR konnte sich dem neuen Verhältnis der beiden Großmächte nicht entziehen. Schon kurz nach der Kubakrise hatte Ulbricht in Cottbus erklärt, man müsse Kompromisse mit der Bundesrepublik hinnehmen, »obwohl wir sie nicht besonders lieben«. Anfang Dezember 1963, pünktlich vor Weihnachten, offerierte der stellvertretende Ministerpräsident der DDR, Alexander Abusch, in einem Brief an den Regierenden Bürgermeister Brandt das Angebot, über Passierscheine für Westberliner zu verhandeln. Es beschränkte sich auf Verwandtenbesuche und auf den Zeitraum zwischen Weihnachten und Neujahr. Zwei Tage später veröffentlichte das SED-Zentralorgan »Neues Deutschland« den Brief, um den Westberliner Senat unter Verhandlungsdruck zu setzen.

Die Passierscheinverhandlungen begannen schließlich am 12. Dezember in Ostberlin. Die östliche Delegation wurde vom Staatssekretär im DDR-Kulturministerium, Erich Wendt, geleitet, für den Senat trat Senatsrat Horst Korber an, ein Flüchtling aus Jena. Brandt hatte ihn deshalb ausgewählt, weil er während der internen Beratungen dem neuen Denken besonders skeptisch gegenüberstand. Ein Großteil der Verhandlungsenergie von Korber und Wendt wurde darauf verwandt, Etikettierungen zu finden, mit denen die umstrittenen Statusfragen verdeckt wurden. Sogenannte »Postbeamte« der DDR sollten auf Westberliner Gebiet die Passierscheinanträge entgegennehmen und sie, nachdem der hoheitliche Akt der Genehmigung angeblich in Ost-Berlin vollzogen worden war, wieder an die Westberliner aushändigen.

Am 17. Dezember wurde das Abkommen unterzeichnet. Nach achtundzwanzig Monaten Trennung kamen 1,2 Millionen Westberliner wieder in den Ostteil der Stadt. Es war die erste Umsetzung der Bahrschen Formel. Brandt mußte das Abkommen gegen die Kritik der CDU/CSU abschirmen. Im Abgeordnetenhaus sagte er, »daß sich unsere Einstellung zum Zonenregime nicht geändert hat und auch nicht ändern kann«. Die zeitlich beschränkten Passierscheinaktionen wurden bis ins Jahr 1966 fortgeschrieben. Als dann die DDR die salvatorische Klausel nicht länger mehr akzeptieren mochte, kam es zu einem Abbruch der Besuchskontakte. Nur eine Härte-

Als Dreijähriger mit
Pickelhaube und Luftgewehr

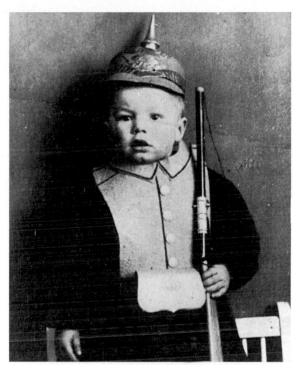

Als Schüler (ca. 1921)

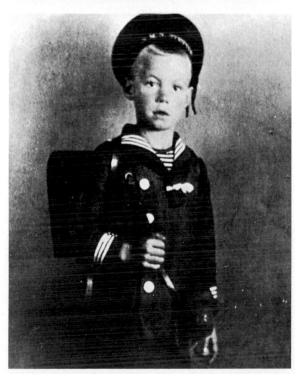

In Paris, 1936

Mit seiner ersten Frau Carlota
und Tochter Ninja in
Stockholm, 1. Mai 1944

Ernst Reuter im Gespräch mit Kurt Schumacher in dessen Wohnung auf dem
Bonner Venusberg, 1952
Oben: Schumacher, Franz Neumann und Reuter auf einer Pressekonferenz in
Berlin, 1948

Ehepaar Brandt, 1955

Auf dem Berliner Presseball,
1955

Mit Ehefrau Rut und den
Söhnen Lars, Peter und
Matthias, 1961

Mit den Söhnen Lars und
Peter bei einer Kahnpartie auf
dem Berliner Schlachtensee
am Tag der Bundestagswahl
1961

Mit Bundeskanzler Konrad Adenauer, 1959
Oben: Bundespräsident Theodor Heuss überreicht das Bundesverdienstkreuz,
1959

Mit US-Präsident John F. Kennedy und Bundeskanzler Adenauer in Berlin, 1963
Oben: Begrüßung Kennedys in Berlin-Tempelhof

Mit Herbert Wehner, 1969
Oben: Amtsübergabe im Kanzleramt. Altkanzler Kurt-Georg Kiesinger gratuliert
seinem Nachfolger

Nach dem konstruktiven Mißtrauensvotum 1972. Der gescheiterte
Oppositionsführer Rainer Barzel gratuliert dem Kanzler.
Oben: Mit Außenminister Walter Scheel, 1972

Im norwegischen Ferienhaus, August 1972
Oben: Besuch bei der Mutter, Martha Frahm, 1969

Im Hotelfenster in
Erfurt beim ersten
deutsch-deutschen
Gipfeltreffen, März 1970

Mit Leonid Breschnew nach
der Unterzeichnung des
Moskauer Vertrags,
August 1970

Am Denkmal für die Opfer des Warschauer Ghettoaufstands, Dezember 1970

Mit Günther Guillaume, 1974

Nach der Rücktrittserklärung
vor der Fraktion, Mai 1974

BUNDESREPUBLIK DEUTSCHLAND
DER BUNDESKANZLER

den 6. Mai 1974

Sehr geehrter Herr Bundespräsident!

Ich übernehme die politische Verantwortung für Fahrlässigkeiten im Zusammenhang mit der Agentenaffaire Guillaume und erkläre meinen Rücktritt vom Amt des Bundeskanzlers.

Gleichzeitig bitte ich darum, meinen Rücktritt unmittelbar wirksam werden zu lassen und meinen Stellvertreter Bundesminister Scheel, mit der Wahrnehmung der Geschäfte des Bundeskanzlers zu beauftragen, bis ein Nachfolger gewählt ist.

Mit ergebenen Grüßen
Ihr

Handschriftliche Rücktrittserklärung an den Bundespräsidenten

Mit »Enkel« Oskar Lafontaine, 1985
Oben: Mit Helmut Schmidt, 1982

Mit Ehefrau Brigitte Seebacher-Brandt in Moskau, 1985

stelle für dringliche Familienbesuche arbeitete weiter. Erst 1972, als die neue Ostpolitik Brandts längst Regierungspolitik war und das Berlin-Abkommen in Kraft trat, wurde die Mauer wieder durchlässig.

»Willy the Winner.«

CHRUSCHTSCHOW UND KENNEDY

Willy Brandt taktierte um so vorsichtiger, als er schon zweimal bei Initiativen in der Ostpolitik Rückzieher hatte machen müssen. Um die Jahreswende 1958/1959 – zu Beginn der Berlinkrise – hatte er sich an Bruno Kreisky gewandt, seinen alten Freund aus Stockholmer Exiltagen. Kreisky, der damals noch Staatssekretär im Wiener Außenministerium war, bald aber zum Außenminister avancierte, hatte den Ruf eines stillen Vermittlers zwischen Ost und West. Brandt ließ über Kreisky sondieren, ob ein informelles Gespräch zwischen ihm und dem sowjetischen Regierungschef Chruschtschow über eine Beilegung der Berlinkrise möglich sei. Als Kreisky dann in einem Vortrag ein Sonderstatut für ganz Berlin anregte und vorschlug, Truppen der Vereinten Nationen in der Stadt zu stationieren und Korridore zur Bundesrepublik zu garantieren, vermuteten die Sowjets dahinter einen Versuchsballon Brandts. Obgleich sie bislang den Regierenden Bürgermeister als unbedingten Parteigänger der Amerikaner angesehen hatten, waren sie jetzt ebenfalls an einer Zusammenkunft interessiert. Im März 1959 erklärte der sowjetische Botschafter in Wien, Lapin, gegenüber Kreisky, Chruschtschow sei zu einem Treffen mit Brandt bereit. Kreisky erinnert sich: »Ursprünglich war der Vorschlag Chruschtschows, bei der Leipziger Messe Willy Brandt zu sprechen. Da hatte ich gesagt, das vermittle ich dem Brandt gar nicht, das kann ihm keiner zumuten. Dann hatte Chruschtschow gesagt: ›Also bitte, wenn er will, ich komme auch zu ihm ins Rathaus‹. Dann hatten wir uns schließlich auf die russische Botschaft in Ost-Berlin geeinigt. Das war der unverfänglichste Ort.«

Brandt informierte zunächst Bundeskanzler Adenauer. Der stellte ihm anheim, die Einladung zu akzeptieren, riet aber nicht ausdrücklich ab. Brandts Berliner Senatskollegen beurteilten den Besuch zurückhaltend. In Adenauers vorsichtiger Einwilligung witterten sie eine parteipolitische Falle, um den Möchtegern-Außenminister auflaufen zu lassen.

Und so kam es auch. Als Brandt das Einverständnis der Alliierten einholen wollte, überschüttete ihn der amerikanische Gesandte in Berlin, Bernard Gufler, mit heftigen Vorwürfen. Brandt mußte das Treffen kurzfristig absagen. Vermittler Kreisky schrieb einen »sehr bösen Brief« an ihn. »Ich habe ihm gesagt, hier sei eine große Chance vertan worden«, erinnert er sich. Später entschuldigte er sich bei Chruschtschow für Brandts Verhalten. Dessen Antwort: Der Fehler liege nicht bei Kreisky, er – Chruschtschow – habe sich getäuscht und die politische Bewegungsfreiheit Brandts gegenüber den Amerikanern überschätzt. Auf einer Kundgebung mokierte sich der Kremlchef dann über den kalten Krieger Brandt: »Ich weiß nicht, wo er während des Krieges war, ob er überhaupt mal an der Front war und ob er weiß, wonach es da riecht.«

Vier Jahre später, im Januar 1963, mußte Brandt wieder eine Einladung Chruschtschows ablehnen. Der sowjetische Parteichef war nach Ost-Berlin zu einem Parteitag der SED gekommen. Über einen Beamten seiner Botschaft und über den österreichischen und schwedischen Generalkonsul ließ er Brandt wissen, daß er zu einem Gespräch bereit sei. Brandt telefonierte mit Adenauer, der ihm sagte: »Wenn ich in Ihrer Lage wäre, würde ich hingehen.« SPD-Vize Wehner riet ab. Um nicht wieder in der US-Mission aufzulaufen, wollte Brandt dann Präsident Kennedy anrufen. Er kam nur bis zum State Department. Die protokollbewußten Diplomaten brachten ihn von einer Intervention bei Kennedy ab, doch sie erhoben keine Einwände gegen den Besuch.

Am 12. Januar 1963, um 15 Uhr, überbrachte Egon Bahr den Russen Brandts Zusage. Eine Stunde später tagte der Senat. Brandts CDU-Stellvertreter Amrehn legte diesmal sein Veto ein. Er drohte mit dem Bruch der Koalition. Es dürfe, so Amrehn, keine eigene Berlin-Außenpolitik geben.

Der Preis eines zerbrochenen Senats für die Begegnung mit Chruschtschow war Brandt zu hoch. Um achtzehn Uhr brachte Bahr den Sowjets die Absage. Vom sowjetischen Botschafter in Ost-Berlin, Pjotr Abrassimow, erfuhr Brandt später, wie konsterniert Chruschtschow gewesen sei. Abrassimow hatte seinen Parteichef über die Absage informiert, als der sich gerade umzog. Chruschtschow habe fast die Hosen fallenlassen. Er hätte sich Brandts Sinneswandel nicht erklären können.

In Bonn notierte Adenauers Vertrauter Heinrich Krone in sein Tagebuch: »Ich glaube, die Berliner CDU zieht den kürzeren.« In der Tat: Brandt gelang es, Amrehns Manöver als Erpressung darzustellen, das ihn daran gehindert habe, Fortschritte für die Berliner zu erreichen. Als einen Monat später, am 17. Februar 1963, in Berlin gewählt wurde, erkämpfte Brandt für die SPD das Traumergebnis von 61,9 Prozent. Das war gegenüber der vorangegangenen Wahl ein Zugewinn von nahezu zehn Prozent. Die CDU sackte von 37,7 Prozent auf 28,8 Prozent ab.

Brandt, bislang unbedingter Befürworter einer Politik der Gemeinsamkeit mit der CDU, kündigte die Große Koalition auf und entschied sich für ein sozialliberales Bündnis. Zum erstenmal in der Berliner Nachkriegsgeschichte kam es zu einer Koalition von SPD und FDP. Die FDP an der Spree hatte sich von einer deutschnationalen Gruppierung zu einer Partei gewandelt, die auf seiner Linie einen Neubeginn in der Deutschlandpolitik und einen Entspannungskurs befürwortete.

Aus einem Tal tiefer Depression tauchte Brandt 1963 mit gestärktem Selbstvertrauen wieder auf. Sein Berliner Wahlsieg war die Chance zu einem neuen Einstieg auch in der Bundespolitik. »Willy the Winner« tauften ihn amerikanische Journalisten.

Im Juni 1963 machte Präsident Kennedy einen Deutschlandbesuch. Zum Höhepunkt der Reise wurde der Abstecher nach Berlin. Hunderttausende säumten die Straßen, als Kennedy im offenen, eigens eingeflogenen Lincoln mit Brandt und Adenauer zum Schöneberger Rathaus fuhr. Der greise Adenauer, dessen Rücktritt für Oktober schon feststand, wirkte wie ein Stück politischer Vergangenheit. Der 49jährige Brandt an der Seite des 46jährigen Kennedy schien dagegen den Aufbruch in eine neue Epoche zu verkörpern. Nachdem die Stadt mit dem Abflauen der Berlinkrise zunehmend an den Rand des politischen Interesses geraten war, rückte sie mit Kennedys Auftritt wieder in das Rampenlicht der Weltpolitik. »Ich bin ein Berliner«, rief der amerikanische Präsident auf deutsch vom Balkon des Rathauses der Menge zu. Obwohl er mit keinem Wort in seiner Rede neue Verpflichtungen übernahm, galt dieser Satz doch als Unterpfand für eine unverbrüchliche Schutzgarantie. Von jedem Amerikareisenden wollte Brandt fortan wissen: »Wie geht es unserem Präsidenten?«

Der Name Kennedy stand für Weltfrieden, Verständigung mit der Sowjetunion, Hilfe für die Dritte Welt, Rüstungsbegrenzung, Abbau des Kalten Krieges, Unterstützung der Vereinten Nationen, innere Reformen und Menschenrechte sowohl draußen als auch im eigenen Land. »Voller Vertrauen und ohne Furcht werden wir weiterarbeiten, nicht in Richtung auf eine Strategie der Vernichtung, sondern in Richtung auf eine Strategie des Friedens«, hatte Kennedy am 10. Juni in einer Ansprache vor der Universität von Washington ausgerufen.

Adenauer hatte zu Kennedy kein Verhältnis gefunden und dessen Entspannungspolitik mit großem Mißtrauen beobachtet. Er hatte versucht, die Bonner Außenpolitik auf einen Zweibund mit dem Frankreich de Gaulles festzulegen, war damit aber selbst in den eigenen Reihen auf Widerstand gestoßen. Der Begeisterungstaumel für Kennedy übertraf noch den Jubel, den de Gaulle bei seinem Deutschlandbesuch ein Jahr zuvor hatte entgegennehmen können, und machte deutlich, daß die Amerika-Orientierung der Deutschen ungebrochen war. Der Dreiklang Brandt-Kennedy-Berlin sicherte schließlich auch in der bislang gegenüber den USA skeptischen Bonner SPD den Durchbruch des »Ja« zur atlantischen Partnerschaft.

Der Mantel des Kennedy-Mythos sank endgültig auf Brandts Schultern, als der amerikanische Präsident am 22. November 1963 in Dallas/Texas ermordet wurde. Auch Brandt reiste zur Beerdigung. Der neue amerikanische Präsident und bisherige Vize Johnson zog ihn mit einer Sondereinladung zu einem Empfang im US-Außenministerium hinzu, der eigentlich den Staats- und Regierungschefs vorbehalten war. Noch während des Empfangs wurde Brandt durch einen Kurier ins Weiße Haus zur Familie Kennedy gebeten. Kennedys Witwe Jackie unterhielt sich mit ihm über den vergangenen Berlinbesuch – immer wieder habe sich ihr Mann den Film über den Tag in Berlin angesehen. Brandt erzählte ihr, daß zur selben Stunde

Hunderttausende Berliner sich zu einer Trauerfeier versammelt hätten. Der Senat habe bereits den Platz vor dem Rathaus in John-F.-Kennedy-Platz umbenannt.

In seinem Buch »Begegnungen mit Kennedy«, das Brandt unmittelbar danach schrieb, empfahl er sich als Vollstrecker des politischen Vermächtnisses von Kennedy: »Die Fackel der Hoffnung für eine geplagte Menschheit, die John F. Kennedy entglitten ist, muß weitergetragen werden.«

»Gestützt auf das Vertrauen breiter Schichten . . .«

PARTEIVORSITZENDER

Der Berliner Wahlerfolg und der geschickt genutzte Kennedy-Appeal festigten Brandts Stellung in der Bundes-SPD. Mitte 1963 war er keineswegs mehr der unangefochtene Spitzenkandidat für die nächste Bundestagswahl gewesen, denn die innenpolitischen Verhältnisse der Bundesrepublik hatten sich entscheidend verändert. Im Oktober 1963 war Konrad Adenauer zurückgetreten. Die bisherige Gleichung Adenauer = alt und verbraucht und Brandt = jung und dynamisch stimmte nicht mehr. Denn der neue Kanzler Ludwig Erhard, Vater des Wirtschaftswunders, profilierte sich selber mit Neuerungsappellen. Er verkündete eine eigene Gemeinschaftsideologie, die mit »Formierter Gesellschaft« und »Deutschem Gemeinschaftswerk« das Zurücktreten der Einzelinteressen zugunsten der Gesamtheit anstrebte.

Eine starke Gruppe in der SPD-Bundestagsfraktion glaubte, ihr amtierender Fraktionsvorsitzender Erler sei als Herausforderer Erhards geeigneter. Erler war ein glänzender Redner. Sein analytischer Intellekt sprach das Bildungsbürgertum an, zumal er schon früh überzeugter Verfechter des Westkurses in der SPD-Außenpolitik war. Seine Vergangenheit bot keine Angriffspunkte: Während des Dritten Reiches war er nicht emigriert, sondern KZ-Häftling gewesen. Die regierenden Christ- und Freidemokraten schätzten ihn gleichermaßen, er hatte keine politischen Feinde.

Hinzu kam, daß Brandt, der 1962 als Trostpflaster für seinen opfervollen Einsatz als Kanzlerkandidat stellvertretender Parteivorsitzender geworden war, von den »Bonnern« zunehmend wegen seines Führungsstils kritisiert wurde: Er kümmere sich zu wenig um sein Parteiamt und könne, weil er sein Bundestagsmandat niedergelegt habe, weder in der Fraktion noch im Parlament auftreten, den Zentren des Bonner Geschehens.

Als im Herbst 1963 deutlich wurde, daß der erkrankte Partei- und Fraktionsvorsitzende Ollenhauer nicht mehr lange leben würde, zeichnete sich für die SPD die Notwendigkeit ab, über die künftige Führungsspitze zu entscheiden. Der Bundestagsabgeordnete Ulrich Lohmar, ein umtriebiger Bildungsexperte, schrieb Brandt Anfang November 1963 einen Brief, in dem er die Sorge eines großen Teiles seiner Kollegen formulierte: Es sei problematisch, das Amt des Kanzlerkandidaten und das des Regierenden Bürgermeisters in Berlin weiterhin zu kombinieren. Die »Süddeutsche Zeitung« wußte gar aus Bonn zu berichten, daß Erler »nie« einen Parteivorsitzenden Brandt »über sich dulden« würde. Erler trat diesem Bericht nicht entgegen.

Brandt versuchte, die Wogen zu glätten, und versprach mehr Bonn-Präsenz. Im SPD-Vorstand leistete er Abbitte und »gelobte Besserung« (»Süddeutsche Zeitung«). Er verwies darauf, daß er nach der gewonnenen Berliner Wahl einen Großteil seiner dortigen Aufgaben auf Albertz übertragen habe, der in der Nachfolge Amrehns Brandts Stellvertreter als Bürgermeister geworden war. Er selbst könne deshalb künftig drei Tage in der Woche in der Bonner SPD-Baracke zubringen, zumal er auch das Amt des Berliner Parteivorsitzenden an den Bundestagsabgeordneten Kurt Mattick abgegeben habe.

Brandt hatte in diesen Wochen verdeckter Konkurrenzkämpfe einen starken Verbündeten: Herbert Wehner. Schon unmittelbar vor der Bundestagswahl 1961, unter dem Eindruck des Jubels für den Kanzlerkandidaten, hatte Wehner ihn aufgefordert, er solle jetzt Ollenhauer auch als Parteivorsitzenden ablösen. Brandt hatte das aus Loyalitätsgefühlen abgelehnt. Als nun die Spekulationen über eine Nominierung Erlers zum neuen Kandidaten ihren Höhepunkt erreichten, entschloß sich Wehner zu einem öffentlichen Auftritt. In Kenntnis der Nachricht, daß Ollenhauer gerade gestorben war, erklärte er am 14. Dezember vor den noch ahnungslosen Delegierten eines Bundeskongresses der Partei in Bad Godesberg: »Willy Brandt ist, solange die Krankheit Erich Ollenhauers dauert, der amtierende Vorsitzende. Fritz Erler ist der amtierende Fraktionsvorsitzende.« Am frühen Abend dieses Tages sagte Wehner zu Brandt bei einem Zusammentreffen in der Hamburger Landesvertretung in Bonn: »Du mußt Parteivorsitzender werden.« Brandt im Rückblick: »So hatte es auch Ollenhauer gesehen.«

Erler beugte sich Wehners Hierarchie-Verdikt. Zu Brandts fünfzigstem Geburtstag am 18. Dezember 1963 schrieb er auf Betreiben Wehners eine Würdigung im SPD-Zentralorgan »Vorwärts«. Dort heißt es: »Gestützt auf das Vertrauen breiter Schichten unseres Volkes und auf die tatkräftige Mitarbeit seiner Freunde, wird der nun Fünfzigjährige in einem Ringen das Jahr 1965 zu einem weiteren Jahr des Erfolges machen. In diesem Sinne wünschen wir Willy Brandt und uns viel Glück.«

Noch am selben Tag, an dem Ollenhauer in einem Staatsbegräbnis auf dem Bonner Süd-Friedhof beigesetzt wurde, drängte Wehner in einer Vorstandssitzung auf die Regelung des Erbes. Es dürfe kein Vakuum entstehen, die Spekulationen in- und außerhalb der Partei müßten so schnell wie möglich beendet werden. Wehner verlangte die Einberufung eines außerordentlichen Parteitages und legte auch gleich fest, was dort zu beschließen sei: die Wahl Brandts zum Parteivorsitzenden, die Erlers und Wehners zu seinen Stellvertretern. Wehner walzte damit alle Alternativvorschläge nieder, etwa Erler oder ihn selbst zum Vorsitzenden zu wählen oder für ihn, Wehner, das Amt eines geschäftsführenden Vorsitzenden zu schaffen.

Wehners Vorschlag wurde Mitte Februar 1964 von einem außerordentlichen Parteitag in Bad Godesberg akzeptiert. Zugleich nominierten die Delegierten ihren neuen Parteivorsitzenden Brandt zum Kanzlerkandidaten für die Wahl 1965. Wehner legte auch gleich die Arbeitsteilung fest: Brandt war fürs Repräsentative zuständig, mit Parteibüros in Bonn und Berlin; Erler übernahm die Abteilung Politik im Parteivorstand und die Fraktionsarbeit; er selbst wurde der eigentliche Herr der »Baracke«. »Ich mache es niemandem streitig, die Galionsfigur zu sein«, sagte er Jahre später in einem Interview. Als Brandt überlegte, seinen engsten politischen Berater Egon Bahr als neuen Pressechef im SPD-Hauptquartier zu installieren und sich damit Einfluß auf die Außendarstellung der Partei zu sichern, blockten Wehner und Erler gemeinsam ab: Seine »Berliner Clique« sollte bleiben, wo sie war. Auf einer Sitzung des Parteivorstandes gab Brandt nach.

Das Zimmer Ollenhauers in der »Baracke« ließ Brandt nach eigenem Geschmack umbauen: viel Teak, Stahlrohr und weißes Resopal, auf dem Boden ein schwarz-roter Afghan und an der Längswand die Bilder der Vorgänger – hinter Glas und ohne Rahmen. Weil das Zimmer die halbe Woche leerstand, wurde es als Besprechungsraum genutzt. Mit der Einrichtung änderte sich auch der Arbeitsstil. Wie im Berliner Rathaus verlangte Brandt von den Parteireferenten schriftliche Vorlagen, die nicht länger als eine halbe Schreibmaschinenseite sein durften.

Erler, der sich bei der Aufteilung von Ollenhauers Erbe benachteiligt fühlte, suchte einer weiteren Zurücksetzung vorzubeugen. Der Berliner Wahlkampfstab Brandts, nörgelte er, dürfe sich nicht zu einem Nebenvorstand entwickeln. Erler: »Willy Brandt kann die Partei nur führen, wenn das Präsidium der Partei seine politischen Ratgeber darstellt und nicht ein von keiner Beschlußkörperschaft legitimierter Personenkreis in Berlin.« Als Brandt schon wieder im Wahlkampf stand, verhehlte Erler nicht seinen Amtsneid. Im Fernsehen befragt, ob er nicht selber gern der Erste wäre, antwortete er: »Es ist gut zu wissen, daß man es auch kann!«

Für Wehner war die Förderung Brandts ein Zweckbündnis. Er kannte die Stärken und Schwächen des Spitzenkandidaten. Brandt haftete nicht der Funktionärsmuff der alten SPD an, er verkörperte die reformfreudige Volkspartei und verfügte über eine natürliche Ausstrahlung auf Massen, die dem kühlen Intellektuellen Erler fehlte. Brandt war außerdem kein Organisator und durch seine Berliner Aufgaben nur zeitweise in Bonn präsent. Gerade dies aber gereichte Wehner zum alleinigen Vorteil. Für sich selbst konnte er nie das Amt des Parteivorsitzenden oder Kanzlerkandidaten erreichen – seine kommunistische Vergangenheit und sein galliges Auftreten ließen ihn zu sehr als Bürgerschreck erscheinen. Auch fehlten ihm Kreativität und Wagemut. Puritanischer Fleiß, ständige Präsenz, ein Netz von Vertrauensleuten in der gesamten Partei sicherten ihm aber die Rolle des heimlichen Generalsekretärs. Den Parteiapparat schnitt er sich auf seinen Machtanspruch zu.

Wehner richtete sechs Abteilungen ein, von denen er sich vier unterstellte: den Organisationsapparat, an dem die zwanzig Bezirke, achttausend Ortsvereine sowie die Frauen- und Jugendorganisationen hingen und der auch die Verbindung zu Gewerkschaften, Kirchen und Vertriebenen hielt; die Beziehungen zu befreundeten Parteien, zur Sozialistischen Internationale und zu ausländischen Regierungen; die Abteilung für Parteipublikationen und die Öffentlichkeitsarbeit. Außerdem schüchterte er den ihm unterstellten Parteiapparat durch die Einstellung eines »Sicherheitsbeauftragten« ein. Dieser – ein gewisser Karl Tromsdorf, der sein Handwerk bei der SED gelernt und sich nach einem Zwischenspiel als deutsch-deutscher Doppelagent in den Westen abgesetzt hatte – legte über jeden in der »Baracke« arbeitenden Sozialdemokraten ein umfangreiches Dossier an. Grundlage war ein Fragenkatalog, den alle Beschäftigten beantworten mußten. Geforscht wurde nach Verwandten in der DDR, nach der politischen Einstellung des Vaters, nach Ratenschulden für Möbel ebenso wie nach Liebesbeziehungen.

Das Gleichgewicht zwischen dem neuen Spitzentrio war labil. Immer wieder versuchte Brandt, sich die Abteilungen Öffentlichkeitsarbeit und internationale Beziehungen als die dem Parteivorsitzenden gemäßen Ressorts zu unterstellen, doch Wehner schmetterte diese Versuche ab und ließ das von ihm festgelegte Organisationsschema im Jahrbuch der Partei veröffentlichen. Übereinstimmung aber bestand trotz aller persönlichen Rivalitäten in der politischen Zielsetzung: Die SPD müsse zu einer für alle Bevölkerungsschichten annehmbaren undoktrinären Volkspartei werden. Der mit Godesberg 1959 eingeschlagene Anpassungskurs wurde systematisch fortgesetzt und sogar noch forciert.

»Mir ist von Konflikten nichts mehr bekannt.«

POLITIK DER GEMEINSAMKEIT

Die SPD gerierte sich immer mehr als Partner einer imaginären All-parteien-Regierung und verzichtete, wie zu Zeiten Schumachers, auf eine grundsätzliche Opposition. Der Parteineuling Klaus von Dohnanyi lieferte die ebenso großspurige wie politisch fragwürdige Formel »Regieren aus der Opposition«. Die sich häufenden Affären der regierenden CDU in den sechziger Jahren nutzten die Sozialdemokraten nicht zum politischen Kampf, sondern sie übten allenfalls Detailkritik. Als beispielsweise Verteidigungsminister Franz Josef Strauß durch Zeitungsveröffentlichungen in die sogenannte Fibag-Affäre verwickelt wurde – von Strauß protegierte CSU-Größen wollten Kasernen für US-Soldaten bauen und erhofften sich davon ein großes Geschäft –, verzögerte Erler die Einsetzung eines Untersuchungsausschusses mit der seltsamen Begründung: »Es ist nicht Aufgabe der SPD, der Presse Vorspanndienste zu leisten.«

Mit dieser Einstellung ging die SPD auch an die »Spiegel«-Affäre heran. Im Oktober 1962 wurde die Redaktion des Nachrichtenmagazins von der Bonner Sicherungsgruppe des Bundeskriminalamtes wegen des Verdachts des Landesverrats besetzt. Ausgelöst wurde die Aktion wegen des Artikels »Bedingt abwehrbereit«, der eine mangelhafte Verteidigungsfähigkeit der Bundeswehr konstatierte. Mehrere Redakteure kamen in Untersuchungshaft. Der stellvertretende Chefredakteur Conrad Ahlers wurde auf Intervention von Verteidigungsminister Strauß in Spanien verhaftet. Kommentar von Innenminister Höcherl: »Etwas außerhalb der Legalität.«

Nur unter dem Druck spontaner Proteste in der Öffentlichkeit ließ sich die SPD zu einigen kritischen Nachfragen in einer Fragestunde des Bundestags bewegen. Im übrigen kündigte sie auch jetzt nicht die Politik der Gemeinsamkeit auf. Ihre führenden Köpfe, wie Erler und Wehner, waren vielmehr bestrebt, sich in der Sache nicht mit Augstein und dem »Spiegel« zu solidarisieren. Sie fürchteten, zumal die Affäre gerade auf dem Höhepunkt der Kubakrise ablief, selber in den Geruch des Landesverrates zu kommen.

Die Oppositionsrolle übernahm in dieser Affäre der Regierungspartner FDP. Ihre Minister traten zurück und erzwangen die Ablösung von Strauß. Die Sozialdemokraten hingegen nutzten die Chance, sich der CDU/CSU als neuer Partner anzudienen. In Gesprächen mit dem CDU-Bundesbauminister Paul Lücke und dem führenden CSU-Abgeordneten Karl Theodor Freiherr von und zu Guttenberg akzeptierte Wehner eine Verlängerung der Kanzlerschaft Adenauers bis zum Ende der Legislaturperiode. Außerdem verabredete er mit den Christdemokraten ein Mehrheitswahlrecht, das für die FDP bei der nächsten Wahl das Aus bedeutet, der CDU aber möglicherweise die absolute Mehrheit gesichert hätte.

Wehner trieb die Gespräche so weit voran, daß schließlich schon eine Verhandlungskommission gebildet wurde. Ihr gehörte auch Brandt an, der bis dahin abseits gestanden hatte. Wehners Überrumpelungsversuch stieß aber auf heftigen Widerstand in der Fraktion. Insbesondere die Fortsetzung der Kanzlerschaft Adenauers wollten die Sozialdemokraten im Bundestag nicht mitmachen. Als Adenauer die Meldung über das Nein der SPD-Fraktion auf den Schreibtisch bekam, sagte er den schon arrangierten Termin mit der SPD-Verhandlungskommission ab. Immerhin eines hatte Wehner erreicht: Die Gespräche mit der CDU/CSU bescheinigten der SPD die Regierungsfähigkeit.

Auch die sogenannte Starfighter-Affäre Anfang 1965 nutzte die SPD nicht zum Angriff auf die Regierung. Die Bundeswehr war auf Betreiben von Strauß mit einem zum Bomber umgestalteten Modell des amerikanischen Abfangjägers F 104 ausgerüstet worden. Die technisch unausgereifte Maschine wurde zu einer gigantischen Fehlinvestition. Die Abstürze mehrten sich. Der SPD-Abgeordnete Karl Wienand recherchierte im Alleingang die Hintergründe des Skandals und lieferte der Illustrierten »Stern« einen Artikel über die Versäumnisse der Regierung bei der Anschaffung des Flugzeugs. »Stern«-Chefredakteur Henri Nannen zeigte vor der Veröffentlichung bei einem Abendessen im Hamburger Edelrestaurant »Schümann's Austernkeller« dem SPD-Wehrexperten und Innensenator der Hansestadt, Helmut Schmidt, das Manuskript. Der bestätigte ihm die Richtigkeit von Wienands Recherchen.

Die »Stern«-Veröffentlichung führte zu einer Bundestagsdebatte, in deren Verlauf der neue Verteidigungsminister Kai-Uwe von Hassel Wienand falsche Angaben vorwarf und den schwer kriegsbeschädigten Abgeordneten höhnisch aufforderte, im Starfighter mit-zufliegen. Als sich Wienand dagegen wehren und vor dem Bundestag weiteres Beweismaterial ausbreiten wollte, hielt ihn der parlamentarische Geschäftsführer der SPD-Fraktion, Karl Mommer, zurück. Statt dessen ging das Wort an den auf Anpassungskurs liegenden Sozialdemokraten Friedrich Schäfer, der die Sache herunterspielte.

Zu einem Musterbeispiel sozialdemokratischer Politik des »Regierens aus der Opposition« wurde die konstruktive Mitarbeit an der Notstandsgesetzgebung. Die SPD wußte, daß die Christdemokraten auf ihre Kooperation angewiesen waren, da die Grundgesetzänderung einer Zweidrittelmehrheit bedurfte. Auf ihrem Kölner Parteitag im Mai 1962 hatte die SPD einen Katalog von Vorschlägen für die Notstandsgesetzgebung ausgearbeitet, den die CDU/CSU zum großen Teil übernahm und in einen Regierungsentwurf umsetzte. Die Gewerkschaften aber fürchteten eine Beschneidung ihres Streikrechts sowie der demokratischen Grundrechte und kündigten entschiedenen Widerstand an. Brandt nannte in einem Brief an Erler die abweisende Haltung des DGB »schrecklich«.

Die »Spiegel«-Krise hatte zwar in der sozialdemokratischen Bundestagsfraktion das Mißtrauen gegenüber der Gemeinsamkeitsstrategie der SPD-Führung verschärft, doch Wehner und Erler kämpften für eine weitere Mitarbeit an der Notstandsgesetzgebung und setzten sich mit ihrer Haltung durch. Das Wahljahr 1965 und die andauernden außerparlamentarischen Proteste verhinderten letztlich die Verabschiedung einer von Regierung und Opposition gemeinsam erarbeiteten Notstandsverfassung. Doch eine Reihe einfacher Notstandsgesetze, etwa zum Komplex Zivilschutz, wurde mit den Stimmen der SPD in Kraft gesetzt.

Brandt war in diesen Anpassungskurs, der bis zur Selbstverleugnung ging, nicht sichtbar verstrickt, da er nicht Mitglied des Bundestags war. Seine dortige Abwesenheit, die ihm nicht nur von parteiinternen Rivalen, sondern auch von der CDU/CSU vorgeworfen wurde, gereichte ihm später zum Vorteil. Sie wahrte ihm das Flair des unbelasteten sozialdemokratischen Erneuerers. Doch dieser Schein trog: Brandt lag während dieser Jahre der Anpassung voll auf der Linie Wehners und Erlers. Und er trug seinen Teil zur Unterstützung dieses Kurses bei.

Zu Adenauers Rücktritt im Oktober 1963 verlieh Brandt dem scheidenden Kanzler die Ehrenbürgerwürde Berlins. Es sollte eine Geste der Versöhnung gegenüber dem Mann sein, der ihn im Wahlkampf mit Tiefschlägen attackiert, der zu Berlin nie ein Verhältnis gefunden und der Brandts Hauptstadtpläne in den fünfziger Jahren torpediert hatte. Brandt bei der Verleihung: »Zur Ehrung gehört Ehrlichkeit. Hier soll nicht so getan werden, als habe es keine Spannung zwischen Bonn und Berlin gegeben, keinen Gegensatz zwischen Adenauer und Reuter, keinen Konflikt zwischen Adenauer und Brandt. Aber das alles ändert nichts daran, daß die deutsche Hauptstadt den Mann ehrt, der vierzehn Jahre lang an der Spitze des freien Deutschland stand, und daß auch der innenpolitische Gegner diesem Mann seinen Respekt bekundet.« Adenauers Antwort: »Mir ist von Konflikten nichts mehr bekannt.«

Im selben Jahr nutzte die SPD-Führung die Feierlichkeiten zum hundertsten Parteijubiläum, um den Nachweis der Reform-Tradition der Sozialdemokratie zu führen. Schon die Auswahl des Gründungsdatums war eine Gewichtung. Die SPD feierte den »Allgemeinen Deutschen Arbeiterverein«, den Ferdinand Lassalle am 13. Mai 1863 in Leipzig ins Leben gerufen hatte, nicht aber die »Sozialdemokratische Arbeiterpartei«, die 1869 von August Bebel und Wilhelm Liebknecht in Eisenach gegründet worden war und in der die marxistische Ausrichtung der Arbeiterbewegung zum Tragen kam. In ihrem Streben, als Staatspartei anerkannt zu werden, bemühte sich die SPD auch um die Aneignung der deutschen Geschichte. Brandt feierte Bismarck und Bebel als sich gegenseitig ergänzende bedeutende Figuren. Sie seien nicht nur Gegner gewesen, sondern hätten beide für die demokratische, soziale Entwicklung Deutschlands gearbeitet.

Das Titelblatt der Jubiläums-Sonderausgabe des »Vorwärts« zeigte bereits Brandt anstelle Ollenhauers. Das Kinn im Kennedy-Look gereckt, erschien er vor schwarz-rot-goldenem Hintergrund auf einer Fernsehmattscheibe. Als Kontrast wurde daneben das Porträt Ferdinand Lassalles in einem ovalen, mit Ornamenten geschmückten Rahmen abgebildet. Die Verbindung von Altem und Neuem, in zahlreichen Broschüren der Partei wiederholt, sollte der SPD Gediegenheit, Verläßlichkeit und Modernität bescheinigen.

Um den neuen Lack der Bürgerlichkeit vor Kratzspuren zu bewahren, verschärfte der SPD-Vorstand das Verbot von Ostkontakten. Sozialdemokratischen Funktionären wurden Informationsreisen in den »kommunistischen Herrschaftsbereich« ebenso untersagt wie die Entgegennahme von Einladungen, Gesuchen oder Gesprächsbemühungen »sowjetzonaler Stellen«. Man wollte es auf diese Weise den regierenden bürgerlichen Parteien unmöglich machen, auch nur den Anschein einer Gemeinsamkeit zwischen Kommunismus und Sozialdemokratie zu suggerieren und damit die SPD zu beschädigen.

Der Opportunismus der sozialdemokratischen Führungsspitze erreichte 1964 bei der Wahl des Bundespräsidenten einen vorläufigen Höhepunkt. Die Parteiführung verzichtete auf die Aufstellung eines eigenen Kandidaten und schlug auf Wehners Anraten vor, den amtierenden Bundespräsidenten Heinrich Lübke (CDU) nicht nur für eine zweite Amtsperiode wiederzuwählen, sondern ihn sogar als Kandidaten der SPD zu nominieren. Lübke, ein biederer Sauerländer, den das repräsentative Amt des Bundespräsidenten überforderte, war den Sozialdemokraten teuer, weil er sie fair behandelte und sich als Anhänger einer Großen Koalition zu erkennen gegeben hatte. Erler: »Wir wissen, was wir an ihm haben.«

Brandt machte sich den Nominierungsvorschlag Wehners zu eigen – »törichterweise«, wie er später meinte. Doch die zur Wahl des Bundespräsidenten in Berlin versammelten Sozialdemokraten begehrten auf. Diesmal ging ihnen der Anpassungskurs der Parteispitze zu weit. Sie mochten Lübke nicht als eigenen Kandidaten nominieren, sondern begnügten sich mit dessen Wiederwahl.

Je näher das Jahr 1965 rückte, das Jahr der nächsten Bundestagswahl, desto stärker trieb Wehner die SPD an, jede ihr auch noch so feindlich gesonnene Gruppierung zu umwerben. Als sich die CDU daranmachte, die Wähler der ehemaligen Flüchtlings- und Vertriebenenpartei »Gesamtdeutscher Block« einzusammeln, mochte auch Wehner nicht hintanstehen. Über eine Bemerkung Adenauers, er habe nie die Wiederherstellung der Grenzen von 1937 gefordert – »Ich bin doch nicht verrückt« –, erregte sich der SPD-Vize: »Preisgabe deutscher Rechtsposition«. Als Adenauers Nachfolger Ludwig Erhard eine Rede des polnischen Ministerpräsidenten Cyrankiewicz über die Endgültigkeit der Oder-Neiße-Grenze gelassen hinnahm, jammerte Wehner, daß es ihm »kalt ans Herz greift«. Auf einer

»Volkspolitischen Tagung der SPD« in Bad Godesberg überhöhte er die sozialdemokratische Forderung nach einer Zusammenführung der Familien aus den Ostgebieten mit der mythischen Formel: »Volk will zu Volk und kommt zu Volk.«

Die Sozialdemokraten wußten genauso wie die regierenden Christdemokraten spätestens seit Mitte der fünfziger Jahre, daß eine Wiederherstellung der deutschen Vorkriegsgrenzen außerhalb jeder politischen Realität lag. Doch genauso wie die CDU/CSU immer wieder die Hoffnung auf eine Rückkehr in die Ostgebiete nährte, weckte jetzt auch die SPD auf der Jagd nach Vertriebenenstimmen Illusionen. Zum Parteitag im November 1964 in Karlsruhe, der den Wahlkampf einleitete, hatte sich die Parteiführung eine besondere Dekoration ausgedacht: Die Stirnseite der Schwarzwaldhalle war mit einer riesigen schwarzen Kulisse verhängt, die Deutschland in den Grenzen von 1937 zeigte. Links und rechts prangten die überdimensionalen Porträts der beiden verstorbenen Parteiführer Schumacher und Ollenhauer. Dazu die Inschrift: »Erbe und Auftrag«. Doch alles war Schwindel. Mit dem Konfrontationskurs Schumachers wollte die SPD nichts mehr zu tun haben, mit dem Funktionärsmief Ollenhauers genauso wenig, und die Grenzen von 1937 waren ohnehin eine fiktive Größe.

Auf diesem Parteitag bekannte sich die SPD auch ausdrücklich zur atomaren Bewaffnung. Die Amerikaner hatten die Atomflotte »MLF« (Multi-Lateral Force) erfunden: Schiffe, ausgerüstet mit Polarisraketen und bemannt mit Seeleuten mehrerer NATO-Länder, sollten als Frachter getarnt über die Weltmeere fahren. Während die meisten NATO-Staaten und auch Adenauer bald den begrenzten Wert der MLF erkannten, begeisterten sich die Sozialdemokraten vorbehaltlos für die Atomschiffe und duldeten in den eigenen Reihen keinen Widerstand. Ein einziger Delegierter machte in Karlsruhe Front gegen die Raketenflotte. Der Hamburger Ex-Bürgermeister Max Brauer sorgte sich: »Diese Sache mit den Schiffen, die als getarnte Handelsschiffe auf die See geschickt werden sollen und für die wir dann die Verantwortung mittragen sollen – Finger weg!« Prompt erlitt er Schiffbruch. Die Genossen wählten ihn nicht wieder in den Vorstand. Der Parteirechte Helmut Schmidt lobte die Konformisten. Sie hätten sich »skandinavischer Sachlichkeit und kühler Distanziertheit« befleißigt.

Die Entscheidung für die MLF war die logische Konsequenz der bedingungslosen Amerika-Orientierung der SPD, die zu jener Zeit die seltsamsten Blüten trieb. So machte sich Fritz Erler zum Anwalt des zunehmenden militärischen Engagements der USA in Vietnam und meinte: »Berlin wird auch in Vietnam verteidigt!« Brandt lag auf dieser Linie. In seinem 1976 erschienenen außenpolitischen Erinnerungsbuch »Begegnungen und Einsichten« gesteht er ein: »Vietnam war für mich ein Bereich, über den ich einfach nicht genug wußte; vielleicht wollte ich auch nicht genug wissen, weil mich dies in einen Konflikt mit der amerikanischen Politik gebracht hätte, auf die ich als Berliner Bürgermeister angewiesen war.«

Der Anpassungsparteitag von Karlsruhe, auf dem sich die meisten Delegierten nur noch als »liebe Parteifreunde« anredeten, zeigte Brandt auf dem Höhepunkt seiner neu errungenen Macht in der SPD. Im Bonner Regierungslager war die Hochstimmung nach der Inthronisierung Erhards als neuem Kanzler rasch verflogen. In der CDU/CSU galt er bereits als Übergangskanzler. Die Diadochen lieferten sich hartnäckige Positionskämpfe und profilierten sich auf Erhards Kosten. Die SPD hingegen lag im Aufwind. Bei Kommunalwahlen in Nordrhein-Westfalen, Niedersachsen und Hessen hatte sie ihren Vorsprung vor der CDU ausgebaut, im katholischen Saarland die Christdemokraten erstmals überrundet und auch im konservativen Rheinland-Pfalz einen kräftigen Sprung nach vorn getan. Der »Genosse Trend« war in die Partei eingetreten.

Brandt ließ in Karlsruhe keinen Zweifel daran aufkommen, daß er die Nummer eins der Partei war. Er stellte sich über Erler und Wehner, indem er beide in seiner Parteitagsrede in ihren begrenzten Aufgaben und damit jeden als guten zweiten Mann darstellte: »Fritz Erler ist ein brillanter Vorsitzender unserer Fraktion. Er ist der sachkundige und unangefochtene Oppositionsführer.« Und: »Herbert Wehner ist ein vielzylindriger Motor dieser unserer Partei. Er ist die vorwärtsdrängende Kraft in den kleinen und großen Fragen der Organisation.« Beides waren Aufgaben, vor denen Brandt sich mit Erfolg gedrückt hatte.

Das Schattenkabinett, das Brandt in Karlsruhe vorstellte, war erheblich überzeugender als die Mannschaft von 1961. Statt im Dienst ergraute Landesfürsten präsentierte er durch Sachverstand und parlamentarischen Einsatz in der Öffentlichkeit akzeptierte Politiker:

den Sozialexperten Ernst Schellenberg, den Juristen und Vertreter der Evangelischen Kirche Gustav Heinemann, Fritz Erler für die Außenpolitik, Käte Strobel für Familienangelegenheiten, Waldemar von Knoeringen als Bildungspolitiker, Herbert Wehner für Gesamtdeutsches, Carlo Schmid für Wissenschaft, Alex Möller für Finanzen, den Wirtschaftsprofessor und Berliner Senator Karl Schiller für das Wirtschaftsressort sowie den Hamburger Innensenator Helmut Schmidt als Wehrexperten.

Bei den Vorstandswahlen bestätigten die Delegierten Brandts Führungsrolle eindrucksvoll. Anders als vier Jahre zuvor in Hannover, wo der frisch gekürte Kanzlerkandidat bei den Wahlen zum Vorstand auf Platz 22 abgerutscht war, bekam Brandt jetzt stolze 314 von 329 Stimmen.

Parteiorganisator Wehner hatte den Ablauf der Veranstaltung straff geplant. Die Delegierten wurden in »Arbeitsgemeinschaften« und »Arbeitsgruppen« eingeteilt. Ihre Aufgabe war es, die im Prinzip schon fertig formulierten »Gemeinschaftsaufgaben« zu diskutieren. Dazu durften sie auch Beschlüsse fassen. Die allerdings benutzte Brandt nur als Materialsammlung für die allgemein gehaltenen Grundzüge seines Regierungsprogramms – aus dem dann die »Wahlplattform« wurde, auch ein Begriff, den er aus Amerika importiert hatte. In die aufkommende Langeweile rief Brandt hinein: »Dies ist ein Parteitag der Zuversicht und der Entschlossenheit. Das realistische Ziel ist, stärkste Partei auch im Bundestag zu werden. Wir wollen nicht bloß mitregieren, wir wollen regieren!«

Mit feinem Gespür erkannte Brandt aufkommenden Frust im SPD-Fußvolk. Der stromlinienförmige Ablauf des Parteitags, die neuen Umgangsformen, der Traditionsverlust, die Wandlung der Partei zu einer Aktiengesellschaft zum Erwerb von Macht riefen bei manchen alten Genossen Unmut und Erschütterung hervor. Sie fühlten sich heimatlos in einer SPD, in der akademisch vorgebildete Managertypen wie Klaus Schütz plötzlich den Ton angaben. Am Festabend hielt Brandt eine Stegreif-Rede, die dem Parteivolk teure Erinnerungen wiedergab: Fetzen des Sozialistenmarsches, ratternde Vervielfältiger bei Flugblattaktionen, prasselnde Lagerfeuer in der Mark, Schrapnellfeuer vor Madrid und Kochgeschirrgeklapper in Bautzen und Buchenwald. Und dann stimmte er mit heiserer Stimme den verfemt geglaubten Partei-Psalm an: »Wann wir schreiten Seit' an Seit' und die alten Lieder singen ...« Zum Ausklang des Parteitages aber mußten die Delegierten ein anderes Lied singen. Bedacht auf die Außenwirkung als staatstragende Partei ließ Brandt die dritte Strophe des Deutschlandliedes intonieren: »Einigkeit und Recht und Freiheit für das deutsche Vaterland ...«

»Ich will um die Dinge überhaupt nicht herumreden.«

BUNDESTAGSWAHL 1965

Trotz aller Vorarbeit stand Brandts Wahlkampf von Anbeginn unter einem unguten Stern. Die SPD-Spitze glaubte, mit dem christdemokratischen Kanzler Erhard leichtes Spiel zu haben. Sie war gefangen in den Denkkategorien des Bonner Polit-Ghettos, wo über Erhard selbst von seinen Parteifreunden meist nur gespottet wurde. Er galt als »Gummilöwe«, entscheidungsschwach, außenpolitisch unerfahren, und sein eigener Parteivorsitzender und Amtsvorgänger Adenauer hatte öffentlich gesagt: »Den bringe ich noch auf Null.« Doch außerhalb des politischen Bonns herrschten andere Maßstäbe. Die Wähler sahen in Erhard den Vater des Wirtschaftswunders und Garanten ihres Wohlstandes. Seine Abneigung, sich in das parteipolitische Getümmel zu stürzen, geriet ihm zum Vorteil. Die Deutschen achteten ihn als über den Parteien stehenden Volkskanzler. Sein Erscheinungsbild hatte seit dem Besuch von Königin Elizabeth II. sogar etwas höfischen Glanz bekommen.

Wehner installierte in der Bonner »Baracke« eine »Zentrale Wahlkampfleitung«, die aus Brandt, den beiden Vize-Parteivorsitzenden und Schatzmeister Alfred Nau bestand. Mit der Vorbereitung des Wahlkampfes beauftragte er seinen Vertrauten, PR-Chef Karl Garbe. Aus Umfrageergebnissen wußte Garbe, daß Brandt, dessen Berlin-Bonus kaum noch Wirkung hatte, dem CDU-Kanzler in einer direkten Gegenüberstellung hoffnungslos unterlegen war. Um den Kompetenzvorsprung Erhards zu neutralisieren, entwickelte er an Brandt vorbei und nur von Wehner gedeckt ein

Wahlkampfkonzept, in dem der Kanzlerkandidat einen sehr viel geringeren Stellenwert hatte als 1961. Der Wahlkampf wurde dezentralisiert und auf die 248 Wahlkreise verteilt. Die Wahlkreiskandidaten erhielten eine auf ihre regionalen Erfordernisse zugeschnittene Wahlillustrierte, bei der nur ein Teil bundeseinheitlich war. In der Plakatwerbung wurden die Kandidaten vornehmlich an der Seite ihrer erfolgreichen sozialdemokratischen Landesherren vorgestellt. Karl Garbe: »Die Wähler sollten glauben, in Hessen müßten sie eigentlich Zinn wählen.« Auch das Schattenkabinett, das 1961 kaum in Erscheinung trat, wurde jetzt in den Vordergrund gerückt – sowohl in der Plakatwerbung als auch in der politischen Darstellung.

Auf eine Mobilisierungskampagne wurde verzichtet, weil eine hohe Wahlbeteiligung die CDU/CSU begünstigt hätte. Die Wahlentscheidung sollte entdramatisiert werden. Garbe: »Die Botschaft der SPD-Werbung war: Nehmt doch mal die anderen, sagt doch mal ›Ja‹ dazu, beim nächstenmal könnt ihr es ja wieder ändern.«

Entsprechend unpolitisch wurde die Werbung angelegt. Es gab Schallplatten mit den beiden Liedchen »Einmal muß man es probieren« und »Alle drücken ihm (Brandt) den Daumen«. Die SPD plakatierte das Wort »JA« und erfand als Zeichen der Modernität das Autokennzeichen »SPD-1965«. Die einzige politische Aussage war wieder einmal ein Plagiat aus der CDU-Werbung: »Sicher ist sicher«. Diese konservative Parole war problematisch, weil die Wähler mit dem Begriff Sicherheit eher die Unionsparteien als die SPD identifizierten. SPD-Forscher Klotzbach nannte sie denn auch ein »klassisches Beispiel für Imageverfehlung«.

Die Zentrale Wahlkampfleitung, die dieses Konzept absegnen sollte, kam im Juli 1965 zu ihrer ersten Sitzung zusammen. Zum anberaumten Termin im Zimmer des SPD-Fraktionsvorstandes im Bundeshaus erschien Wahlkampforganisator Wehner, in jeder Hand eine schwere Aktentasche, mit zehn Minuten Verspätung. Er breitete seine Utensilien vor sich aus und begann, seine Pfeife zu stopfen. Das dauerte noch einmal fünf Minuten. Dabei schwieg er die ganze Zeit. Schließlich warf Brandt wütend den Kugelschreiber vor sich hin: »Also, wir haben jetzt lange genug gewartet. Herbert, du hast das Wort.«

Schweigend stopfte Wehner weiter seine Pfeife. Da stand Brandt auf, nahm seine Mappe und marschierte zur Tür: »Wir haben ja auch noch Wichtigeres zu tun.«

Erst jetzt nahm Wehner die Pfeife aus dem Mund und bequemte sich zum Reden: »Entschuldigung, ich habe gar nicht gemerkt, daß ich gemeint war.« Und er fügte hinzu: »Also, eines will ich dir sagen, Willy. Du solltest deine Nerven schonen. Demnächst werden noch ganz andere Dinge auf dich zukommen.« Es war das erste vor Parteifreunden ausgetragene Kräftemessen, und Brandt verlor es. Er ging zu seinem Platz zurück. Wehner trieb das Spiel weiter. Er begrüßte die Versammlung und meinte, er habe eigentlich wenig zu sagen. Der Genosse Garbe werde jetzt die neue Wahlkampfstrategie erläutern.

Eigentlich sollte das Gremium alle vierzehn Tage zusammenkommen. Doch nach dieser Erfahrung hat Brandt es nie wieder zusammengeholt. Garbes Wahlkampf-Konzept behagte ihm ohnehin nicht. Er wollte – in falscher Selbsteinschätzung – die direkte Auseinandersetzung mit Erhard. Und er wollte diesmal auch offensiv das Thema Emigration angehen. Die SPD sollte im Wahlkampf seine antifaschistische Vergangenheit positiv herausstellen.

Mit beiden Vorschlägen scheiterte er. Wehner bedeutete ihm, daß mit dem Thema Emigration keine Wähler zu gewinnen seien. Auch sei es zu spät, die Planung der Parteizentrale noch zu ändern. Brandt beugte sich dem Verdikt. Verärgert zog er sich nach Berlin zurück und beriet sich fortan vorzugsweise mit einem Kreis Intellektueller, deren Brandt-Begeisterung größer war als ihr politischer Sachverstand.

Zu dieser Gruppe gehörten Hans-Georg und Werner Steltzer, die beiden Söhne des alten Brandt-Sympathisanten aus Stockholmer Tagen, Theodor Steltzer. Weitere Mitglieder waren der deutsch-amerikanische Soziologe Harold Hurwitz, der Politologe Ulrich Dübber, der Journalist Piet Severin und die Studentin Gudrun Ensslin. Ein bleibender Beitrag dieser Berater war der Ankauf von Trittbänkchen für den Kanzlerkandidaten, um ihn beim Bad in der Menge zu erhöhen. Eines der Bänkchen landete mitsamt Expertise als Muster in der Bonner Parteibaracke, wo es Wehner in einem Wutanfall von sich schmiß. PR-Chef Garbe sammelte es auf und konserviert es bis heute in seinem Keller.

Vornehmlich mit Formulierungshilfen für Brandt-Reden beschäftigte sich »Willys Wahlkontor« – junge Schriftsteller wie Peter Härtling, Marianne Eichholz oder der Verleger Kurt Wagenbach. Sie waren von dem Schriftsteller Günter Grass und dem Leiter der Gruppe 47, Hans Werner Richter, zusammengetrommelt worden. Gegen einen Stundenlohn von zehn Mark, der auf Treu und Glauben abgerechnet wurde, lieferten sie Versatzstücke wie: »Es bringt nichts ein, in einem Wartesaal stumm vor sich hinzudösen. Wir sollten uns wenigstens nach dem nächsten Zug erkundigen« – gemeint war damit die Deutschlandpolitik.

Als Einzelkämpfer zog Günter Grass an der Seite von Karl Schiller durchs Land: »Ich rat euch, Es-Pe-De zu wählen.« Profi-Werber Garbe stöhnte in Bonn: »Ich müßte Mitglied der Gruppe 47 werden. Dann hätte ich Gelegenheit, einen Sonntag mit Brandt über wichtige Parteifragen zu sprechen.« Und Wehner nannte das Berliner Milieu nur abfällig »Melange«. Die Wirkung dieses Intellektuellen-Engagements in einem Wahlkampf, in dem die SPD das Bürgertum zu sich herüberziehen wollte, blieb umstritten. Ludwig Erhard traf mit seinem Schimpfwort »Pinscher« gegenüber Schriftstellern, die ihn kritisierten, eher das »gesunde Volksempfinden«.

Umfragen zeigten schon früh, daß der Kanzlerkandidat Brandt nicht mehr zog. Nur knapp dreißig Prozent der Deutschen wollten ihn als Regierungschef, fünfzig Prozent aber Ludwig Erhard. Brandts Reputation litt auch in diesem Wahlkampf wieder an einer schleichenden Kampagne wegen seiner Emigrationszeit. Auch der selbstgefällig auftretende Erhard stieg in diese Niederungen. Mehrfach verkündete er, er habe bereits an den Plänen zur Währungsreform gearbeitet, als »Brandt noch nicht einmal wieder deutscher Staatsbürger« geworden sei. Und über dem Ruhrgebiet zogen Flugzeuge Spruchbänder hinter sich her: »Wo war Brandt 1948? – In Sicherheit!«

Zudem hatte Brandt in diesem Wahlkampf einen wichtigen Helfer verloren. Bis zum Frühjahr 1963 hatte enges Einvernehmen zwischen ihm und dem Verleger Axel Springer geherrscht. Der hielt Brandt für die überragende Figur der deutschen Sozialdemokratie nach Ernst Reuter. Erst Springer, so sieht es Helmut Schmidt, habe Brandt zum Staatsmann aufgebaut. In warmen Worten hatte Brandt in einem Brief an Springer für dessen Berlin-Engagement und den Entschluß, die Zentrale des Verlages in einem Neubau an der Mauer anzusiedeln, gedankt: »Ich wollte Ihnen auf diesem Wege nur ein Wort meiner persönlichen und amtlichen Freude über Ihre Pläne in Berlin sagen. Sie werden sicher nichts dagegen haben, wenn wir Sie als ein Beispiel deutscher Investitionen in Berlin bezeichnen werden.«

Die Entfremdung begann mit der Tutzinger Rede Egon Bahrs, die für Springer ein Abweichen von der Grundsatztreue und Geradlinigkeit in der Deutschlandpolitik Brandts war. Zum Bruch kam es, als Springer am Ende eines langen Gesprächs über die Einführung eines privaten Fernsehens von Brandt zu hören bekam, er vertraue den unzulänglichen öffentlich-rechtlichen Rundfunkanstalten immer noch mehr als der Lauterkeit eines privaten Verlegers. Die »Bild«-Zeitung favorisierte fortan den heimlichen Brandt-Rivalen Erler. Er sei der eigentliche Star und künftige Mann in der SPD.

Unbeirrt aber sprach Brandt von dem aussichtsreichsten Wahlkampf in der SPD-Geschichte. Brachte ihm der Leiter des SPD-eigenen Forschungsinstituts Infas, Klaus Liepelt, ungünstige Umfragezahlen, dann drohte Brandt damit, den Vertrag mit Infas zu lösen, und wählte die Nummer der Münchner Konkurrenz Infratest. Dieses Institut, das zum Teil dem Brandt-Bewunderer Klaus von Dohnanyi gehörte, lieferte positivere Werte. Aber auch andere Institute wie Allensbach und Emnid prognostizierten ein Kopf-an-Kopf-Rennen der beiden großen Parteien. Mit der festen Erwartung, daß ab 19. September 1965 nicht mehr ohne die SPD regiert werden könne, ging Brandt in den Wahlsonntag. Selbstsicher erklärte er: »Ich gehe davon aus, die SPD wird stärkste Partei. Und sie wird nicht nur in der Regierung sein, sie wird die nächste Regierung führen.«

Die Wahlkampfprofis der SPD sahen das anders. Bei einem Glas Wein in Garbes Wohnung versuchten der SPD-Wahlleiter und der gemeinsame Freund Klaus Schütz vorsichtig, Brandt darauf vorzubereiten, daß die Deutschen wohl kaum die erfolgreichste Regierung in Europa abwählen würden. Mehr als drei bis fünf Prozent Zugewinn seien für die SPD nicht zu erwarten. Es käme nach dem Wahltag darauf an, dafür zu sorgen, daß die Enttäuschung in der Partei nicht zu einer Abkehr vom Godesberger Programm führe.

Die Wahlnacht wurde zum Schockerlebnis für die SPD. Die Unionsparteien erreichten mit dem Zugpferd Erhard ihren bis dahin zweithöchsten Erfolg in der Geschichte der Bundesrepublik: 47,6

Prozent. Die SPD fuhr mit 39,3 Prozent zwar ihr bislang bestes Ergebnis ein. Aber das Ziel, stärkste Fraktion im Bundestag zu werden oder gar die Führung der Regierung zu übernehmen, war weit verfehlt. Noch in der Wahlnacht gestand die Parteiführung ihre Niederlage ein. Brandt, der in der »Baracke« bei Zigaretten und Rotwein gleichzeitig die Rundfunk- und Fernsehberichterstattung verfolgte, schrieb von Hand eine Presseerklärung: »Ich will um die Dinge überhaupt nicht herumreden. Die SPD hat das Wahlziel nicht erreicht.«

Der Wahlausgang war für Brandt nicht nur eine politische, sondern auch eine tiefe menschliche Enttäuschung. Die breite Mehrheit der Bevölkerung hatte, so erkannte er, dem Emigranten Brandt nicht abnehmen wollen, daß auch er ein guter Deutscher sei. »Ich bin mit sauberen Händen nach Deutschland zurückgekommen, mit sauberen Händen« – diese Beteuerung verriet seine tiefe Erschütterung. Mit Bitternis sprach er die Hetzparolen des Wahlkampfes an: »Ich gebe es zu: Ich bin nicht unversehrt aus dieser Kampagne herausgekommen.« Seinem Parteifreund Helmut Schmidt sagte er: »Das deutsche Volk hat nicht gegen die SPD entschieden, es hat gegen mich entschieden.« Die politische Konsequenz zog er noch in der Wahlnacht und ohne Absprache mit seinen Stellvertretern: »Ich bin kein Anwärter auf das Amt des Kanzlerkandidaten für 1969.«

Parteistratege Wehner war der erste, der die Fassung wiedergewann und die Auflösungserscheinungen stoppte. Er schlug vor, Brandt solle als Oppositionsführer in den Bundestag gehen. Tief erregt machte Erler Front gegen Wehner: »Ich habe in den vergangenen Jahren die Hauptlast der parlamentarischen Auseinandersetzung getragen, und ich bin nicht bereit, in der Führung der Fraktion jetzt einem anderen Platz zu machen.« Damit war Wehners Plan gestoppt. Und erst recht auch seine weitere Überlegung, Erler mit dem Posten des Berliner Bürgermeisters zu entschädigen. Denn Fritz Erler sah sich bereits als den kommenden Kanzlerkandidaten.

»Komm nach Hause, Willy«, hatte Rut Brandt ihrem Mann am Telefon in der Wahlnacht auf norwegisch gesagt; in der Berichterstattung wurde daraus prompt: »Komm, Willy, wir gehen nach Norwegen.« Aber erst einmal erholte sich Brandt im Oktober an der Côte d'Azur vom Wahlkampfstreß und der schon obligatorischen Depression zur Herbstzeit. Als Selbsttherapie ging er daran, seine Emigrationszeit aufzuarbeiten. Zusammen mit seinem jugendlichen Redenschreiber Günter Struve veröffentlichte er das Buch »Draußen – Schriften während der Emigrationszeit«. In einem Nachwort schrieb er: »Ich war nicht gegen Deutschland, ich war gegen seine Verderber.«

Zur Selbstfindung gehörte auch die Erkenntnis, daß politischer Erfolg nicht allein durch geschickte Werbemethoden machbar war, wie sie ihm Karl Garbe und Klaus Schütz aufgezwungen hatten. Mit dem Abschütteln des Kanzlerkandidaten gab Brandt auch die Maske des jugendlichen Helden in der Requisitenkammer der Parteiwerber ab. Brandt: »Das Jahr 1965 war für mich eine Zäsur – und die war sehr heilsam. Und seitdem waren die Entscheidungen, die ich zu treffen hatte, einfacher, weil sie nicht mehr davon handelten – auch gemessen an dem, was andere von mir erwarteten –, ob man etwas wird, sondern davon, ob man etwas will.«

»Wir müssen weiter Gewehr bei Fuß stehen.«

KRISE DER REGIERUNG ERHARD

Anders als 1961, als Brandt sein Bundestagsmandat in der Hoffnung auf eine Allparteien-Regierung zunächst annahm, entschloß er sich jetzt sofort, in Berlin zu bleiben. Er hatte dort inzwischen eine repräsentative Bleibe gefunden. Aus der engen Wohnung am Marinesteig war er mit seiner Familie in eine Sechs-Zimmer-Villa in Grunewald umgezogen, die dem Land Berlin gehörte. Sie lag auf demselben Parkgrundstück wie das Gästehaus des Senats, dessen beheizten Swimmingpool Brandt mitbenutzen konnte. Drei Gartenzwerge mit den Zügen Adenauers, de Gaulles und Chruschtschows gaben dem Brandtschen Anwesen etwas Privates. Die Empfangsräume der Villa dagegen wirkten steril. Ein schmiedeeisernes Gitter teilte das Eßzimmer vom Wohnzimmer ab. Dort standen wuchtige Sitzmöbel im Knoll-Stil und eine mit Flügeltüren verschließbare hochbeinige Fernsehtruhe. Für Gemütlichkeit sollte eine Bildertapete mit Birkenwald-Motiv sorgen. Für das ganze zahlte Brandt an das Landesverwaltungsamt Berlin eine Inklusivmiete von monatlich 751,65 Mark – zuviel, wie er fand.

Was Brandts Wahlhelfer Schütz und Garbe als Folge der neuerlichen Wahlniederlage befürchtet hatten, und was nun auch Wehner in Anspielung auf die Beatles schwante – »Die Pilzköpfe werden überall wieder hochkommen« –, trat jetzt ein, allerdings in anderer Aufmachung. Auf einer Konferenz auf Burg Ockenfels am Rhein kritisierten nicht pilzköpfige SPD-Twens, sondern im Parteidienst ergraute Funktionäre – Landesgeschäftsführer und Bezirkssekretäre – den Anpassungskurs der Parteiführung. In Berlin führte der Linke Harry Ristock eine Fronde gegen die Wahlkampftaktik der Bonner SPD, über die er höhnte, sie sei »kriechend und vor jedem Gespenst der bürgerlichen Ideologie katzbuckelnd«. Ristock verlangte eine »Alternativen aufzeigende Opposition«. Mit Schadenfreude vermerkte er, daß das Traumbild der Großen Koalition »wie eine Seifenblase« zerplatzt sei. Doch es blieb bei Resolutionen ohne große Folgen, da die Parteiführung der Diskussion auswich. Auf einer Funktionärskonferenz in Bad Zwischenahn rief Wehner die Sozialdemokraten auf, »das Schauspiel des Wundenleckens schnell zu beenden«.

Die innerparteilichen Rebellen konzentrierten ihre Kritik auf Wehner. Brandt war nach seinen Opfergängen zu einer unangreifbaren Figur geworden. Selbst Ristock hatte ihn in seinem Thesenpapier von der Kritik ausgenommen und es sogar als »ein Glück« bezeichnet, daß an der Spitze der Partei ein Mann stehe, der die Politik der kleinen Schritte eingeleitet habe. Doch Wehner gelang es in einem taktischen Meisterstück, seine Kritiker auf die Anklagebank zu setzen. Einer seiner wertvollsten Helfershelfer war dabei der CSU-Baron Guttenberg, mit dem ihn seit den ersten Gesprächen über eine Große Koalition eine verborgene Freundschaft verband. Guttenberg hatte erfahren, daß in der Chefredaktion der Illustrierten »Quick« ein Anti-Wehner-Aufsatz lag. Der Bonner Korrespondent des Blattes hatte aus Wirtshausgesprächen mit murrenden Sozialdemokraten diesen Artikel destilliert. Guttenberg verhinderte den Abdruck und warnte seinen Kompagnon Wehner vor diesem angeblich von innerparteilichen Feinden verfaßten Dokument.

Wehner erkannte die Chance zur Vorwärtsverteidigung. Er gab dem Vorgang zunächst einmal einen dramatischen Namen: »Hekkenschützen-Affäre«. Auf seinen Alarmruf hin leitete die Parteiführung eine Untersuchung ein. Untersuchungsführer wurde der Bundestagsabgeordnete und Jurist Gerhard Jahn. Er verhörte in den nächsten Wochen siebenundzwanzig Angehörige der SPD-Zentrale und der »Vorwärts«-Redaktion. Obgleich es keinen nach dem Parteistatut vorgeschriebenen förmlichen Eröffnungsbeschluß gab, unterwarfen sich fast alle den peinlichen Einvernahmen.

Erst während die Inquisition anlief, wurde tatsächlich ein Anti-Wehner-Memorandum fabriziert. Noch angeheitert vom rheinischen Karneval, tippte der »Vorwärts«-Redakteur Carl Guggomos ein Pamphlet, das die »Zeit« ohne Nennung des Verfassers veröffentlichte. Die Hauptvorwürfe: Wehner habe die SPD »nach dem Schema einer bolschewistischen Partei gegliedert«, sich selbst »zum heimlichen Generalsekretär« gemacht und die Partei mit Methoden regiert, »die er als kommunistischer Kaderchef gelernt hatte.« Resümee der Schrift: »Die einst lebendige Diskussionspartei SPD ist heute weithin ein Leichnam. Das Grab schaufelte ihr Herbert Wehner.«

Wehner erzwang die Solidarisierung der Spitzengenossen. Der SPD-Vorstand gab eine Vertrauenserklärung ab. Brandt versprach, die Autoren der Denkschrift zur Rechenschaft zu ziehen. Doch die Untersuchung zog sich hin und schlief schließlich ein. Brandt meinte abwiegelnd: »Dieses Machwerk rechtfertigt keine politischen Auseinandersetzungen.« Diesen mangelnden Einsatzeifer trug ihm Wehner noch jahrelang nach.

Wehners taktisches Kalkül aber ging voll auf. Als sich die SPD zu ihrem ersten Parteitag nach der verlorenen Wahl Anfang Juni 1966 in der Dortmunder Westfalenhalle versammelte, gab es keinen grundsätzlichen Widerstand gegen den Anpassungskurs. Selbst die Kritik an den Notstandsgesetzen, die die neue Regierung Erhard wieder im Parlament eingebracht hatte und an denen die SPD-Fraktion unter Erlers Führung beratend mitarbeitete, geriet der Parteiführung nicht außer Kontrolle. Ihr kam dabei zugute, daß die Gewerkschaften von ihrem absoluten »Nein« abzurücken begannen. Auch der bevorstehende Termin für die Landtagswahlen in Nordrhein-Westfalen, wo die SPD gute Chancen hatte, endlich wieder an die Regierung zu kommen, trug zur Zähmung bei. Das neue Einvernehmen mit der Parteiführung besiegelten die Delegierten in Dortmund bei den Vorstandswahlen. Brandt erhielt mit 324 von 326 Stimmen einen überwältigenden Vertrauensbeweis. Erler bekam 293, Wehner 285 Ja-Stimmen.

Fünf Wochen später ging die SPD mit 49,5 Prozent als überragender Sieger bei den Wahlen in Nordrhein-Westfalen durchs Ziel. Zwar konnten die beiden Wahlverlierer CDU und FDP noch einmal mit einem hauchdünnen Vorsprung von zwei Stimmen in Düsseldorf weiterregieren, doch diese Landtagswahl stellte die entscheidende Wendemarke dar. Die Regierung Erhard taumelte ihrem Ende entgegen, die Sozialdemokraten hielten sich als unverbrauchte Kraft fürs Regierungsgeschäft bereit.

Schon kurz nach der Bundestagswahl hatte der Prestigeverfall Erhards begonnen und sich dann in einer in der Bundesrepublik bis dahin nicht gekannten Weise beschleunigt. Erhard scheiterte ausgerechnet auf dem Gebiet, für das sein Name bislang als Gütezeichen gestanden hatte. Eine allgemeine, teilweise irrationale Krisenstimmung erfaßte das Land. An der Ruhr drohten mit dem Vormarsch des Erdöls Zechenstillegungen, Kohlehalden und Kurzarbeit. Die Lebenshaltungskosten kletterten um 4,5 Prozent. Allerdings nahmen gleichzeitig die Löhne um acht Prozent zu. Durch eine Politik des knappen Geldes bremste die Bundesbank die überschäumende Konjunktur zu stark ab, eine leichte Rezession rief Ängste wach: Die Zahl von siebenhunderttausend Arbeitslosen galt plötzlich als alarmierend, ungeachtet der sechshunderttausend offenen Stellen und der 1,4 Millionen Gastarbeiter. Weil Erhard sich zu keinen Gegenmaßnahmen entschloß, galt er bald als handlungsunfähig. Sein Ansehen sank weiter, als er aufgebrachte Demonstranten an der Ruhr als »Uhus« und »Gesindel« beschimpfte.

Hinzu kam seine Unfähigkeit, den in der eigenen Partei geführten Richtungsstreit zwischen »Atlantikern« und »Gaullisten« unter Kontrolle zu bekommen. Mit dem von de Gaulle in Absprache mit Adenauer geforderten Zweierbund Bonn-Paris mochte er sich nicht anfreunden; statt dessen suchte er die Rückorientierung auf die USA. Den amtierenden Präsidenten Johnson hielt er für seinen »Freund« – »Herr Johnson liebt mich, und ich liebe ihn«.

Die SPD dagegen wurde nach dem Wahlerfolg in Nordrhein-Westfalen von einer Woge des Wohlwollens getragen. Sie galt der Öffentlichkeit als der zeitgemäße Ersatz für eine verbrauchte CDU.

In Bonn besaß sie außerdem zwei wichtige Fürsprecher. Bundespräsident Lübke und Altbundeskanzler Adenauer ließen kaum eine Gelegenheit aus, die Regierung Erhard zu kritisieren und sich offen für eine Große Koalition auszusprechen.

Als Opposition verfolgten die Sozialdemokraten eine Doppelstrategie. Einerseits setzten sie Erhard wegen der Ruhrkrise unter Druck. Andererseits bemühten sie sich um den Nachweis von Staatstreue und Regierungsfähigkeit. So arbeiteten sie an der Formulierung einer »Friedensnote« mit, in der die Bundesregierung ihre Bereitschaft bekundete, mit den osteuropäischen Ländern Gewaltverzichtserklärungen auszutauschen. Mit dieser Initiative wollte die Regierung Erhard Anschluß finden an die Entspannungspolitik der Großmächte. Die Note wurde an alle Staaten überreicht, mit denen Bonn diplomatische Beziehungen hatte – dies waren aber, mit Ausnahme der Sowjetunion, nicht die osteuropäischen Staaten, die eigentlich angesprochen werden sollten. Außerdem war die DDR von dem Angebot des Gewaltverzichts ausgeschlossen, die Nichtanerkennung Ost-Berlins wurde vielmehr noch einmal betont. Die bestehenden Grenzen – insbesondere ging es um die Westgrenze Polens – wurden nicht anerkannt. Diese offenkundigen Unzulänglichkeiten hatte die SPD durch ihre Mitarbeit mitzuverantworten. CDU-Senior Heinrich Krone würdigte ihren Opfermut: »Auch die Opposition unterstützt die Regierung, wenn es um Deutschland geht.«

Um keinen Schatten auf diese staatstragende Haltung fallen zu lassen, suchte die sozialdemokratische Führung auch für das Projekt eines Redneraustausches zwischen SPD und SED Rückendeckung bei der CDU/CSU. Auf eine Initiative Ulbrichts hin war für Juli 1966 ein Auftritt von Brandt, Wehner und Erler in Karl-Marx-Stadt (Chemnitz) vorgesehen. Umgekehrt wollten SED-Funktionäre in Hannover auftreten. Gemeinsam mit den Christdemokraten verabredeten die Sozialdemokraten ein gesetzlich festgelegtes freies Geleit für die Kommunisten – was die SED, die sich dadurch kriminalisiert sah, als »Handschellengesetz« attackierte. Als die SPD-Führung den angebotenen Dialog auch noch als »Schlagabtausch« interpretierte, kündigte die SED das Unternehmen auf.

Bei seiner Anbiederungspolitik gegenüber der CDU schreckte Wehner auch nicht vor Verdächtigungen Brandts zurück. Während

284

der sich als Regierender Bürgermeister um eine Weiterführung der Passierscheinregelung bemühte und dabei auch eine Lockerung der strikten Nichtanerkennungspolitik in Erwägung zog, sagte Wehner beim gemeinsamen Morgenschwimmen zum Christdemokraten Krone, Brandt betreibe in Berlin »eine Politik hin zu Moskau, die schlechthin gefährlich ist«.

Im Herbst 1966 verschärfte sich die Krise der Regierung Erhard, als der Entwurf für den Haushalt 1967 eine Deckungslücke von vier Milliarden Mark aufwies. Dieses Defizit war zur Hälfte bedingt durch die Zahlung von Stationierungskosten an die USA, die wegen ihres Vietnam-Einsatzes in Geldnot gerieten. Vergeblich reiste Erhard nach Washington und bat seinen »Freund« Johnson um Stundung. Der ließ ihn kalt abfahren. An der Frage, ob das Finanzloch durch Steuererhöhungen, wie es die CDU favorisierte, oder durch die von der FDP verlangten Einsparungen gestopft würde, zerbrach schließlich die Koalition. Am 27. Oktober traten die FDP-Minister zurück.

Brandt erlebte den Niedergang der Regierung Erhard weitgehend in der Rolle des distanzierten Bonn-Beobachters. Er hatte sich in seinem Berliner Amt eingerichtet und verspürte keine persönlichen Ambitionen mehr auf eine Bonner Karriere. Seine neue Nachdenklichkeit wurde durch das Schicksal Fritz Erlers gefördert. Gerade als Erler sich anschickte, der neue Kanzlerkandidat der SPD zu werden, erfuhr er nach einer Routine-Untersuchung, daß er an Leukämie erkrankt war. Die Krankheit schritt rasch fort. Erler kam ins Universitätskrankenhaus Freiburg. Jetzt fanden Brandt und Erler zu ihrer alten Freundschaft zurück. Der Parteivorsitzende legte wieder Wert darauf, Erler über alle wichtigen Vorgänge zu informieren und seinen Rat einzuholen. »Was im Großen los ist, ist ein Trauerspiel, wir müssen weiter Gewehr bei Fuß stehen«, schrieb Brandt am 5. Oktober 1966 an Erler.

Doch gerade in dem Augenblick, als in Bonn Achtsamkeit erste Parteienpflicht war, fiel nun auch Brandt aus. Am 23. Oktober, einem Sonntag, bekam er einen Hustenanfall, erlitt Atembeschwerden – »Ich hatte das Gefühl, als müßte ich ersticken«. Ehefrau Rut und die Kinder waren nicht zu Hause. Die Haushälterin fand ihn blau angelaufen und bewußtlos. Im Notarztwagen brachte man ihn mit Verdacht auf Herzinfarkt in die Klinik. Die Ärzte aber fanden kein organisches Leiden. Sie diagnostizierten das Rhömheldsche Syndrom, ein anfallsweise auftretendes Herzjagen, das durch Gasbildungen in Magen und Darm verursacht wird. Brandt wurde rasch entlassen, doch im Stile eines Hypochonders lebte er die Attacke voll aus: »Ich habe seitdem mehr als einmal gesagt, daß ich nun zu wissen glaube, wie Sterben sein muß und was die Worte ›zwischen Leben und Tod‹ wohl bedeuten.«

In Bonn war derweil der Poker um die Macht voll im Gange – mit Verhandlungen, Scheinverhandlungen, Geheimabsprachen, Personalbesetzungsplänen. Wer seine Karten zu früh aufdeckte, dem drohte das Aus der Opposition. Einer durfte an dem Spiel nicht teilnehmen: Ludwig Erhard. Seine Parteifreunde hatten ihm als einzige Funktion zugewiesen, solange als Platzhalter im Kanzleramt auszuharren, bis der neue Regierungschef gefunden war.

Die besten Karten hatte die SPD in der Hand. Herbert Wehner meinte vor der Fraktion: »In der Dreieck-Situation ist die SPD der interessanteste Punkt.« Die Sozialdemokraten machten den ersten Stich. Sie gewannen die FDP dafür, am 8. November einen Antrag der SPD im Bundestag zu unterstützen, Erhard solle die Vertrauensfrage stellen. Dieses indirekte Mißtrauensvotum wurde mit 255 gegen 246 Stimmen angenommen. Damit war Erhards letzte Hoffnung zerplatzt, er könnte die FDP noch einmal zurückgewinnen. Doch welche Konsequenzen aus diesem Votum gezogen werden sollten, darüber waren sich SPD und FDP nicht einig. Die Sozialdemokraten waren auf Neuwahlen aus, die FDP scheute sie, weil sie fürchtete, die Wähler würden ihr das schmähliche Ende Erhards anlasten.

Brandt, wieder genesen, favorisierte ein Bündnis mit der FDP ohne Neuwahlen. Rein rechnerisch hätte eine solche Koalition eine Kanzlermehrheit von zwei Stimmen gehabt. Brandt verwies auf das Beispiel Düsseldorf, wo die CDU gleichfalls abgewirtschaftet hatte und die Sozial- und Freidemokraten sich anschickten, unter dem SPD-Mann Heinz Kühn eine neue Landesregierung zu bilden. Zudem hatte Brandt nach dem unerfreulichen Ende der Großen Koalition in Berlin das Bündnis mit den Liberalen schätzen gelernt.

Doch in der SPD führte nicht Brandt, sondern Wehner die Regie. Und der wollte eine Große Koalition. Er nannte ein Bündnis mit der FDP abfällig »diese Kleinstkoalition« und den seine Locken mit Brillantine im Zaum haltenden FDP-Vorsitzenden Erich Mende eine

»männliche Puffmutter«. Er versüßte Brandt den Verzicht auf die Koalition mit der FDP durch den Hinweis, die Freidemokraten hätten in Vorgesprächen gefordert, die SPD solle nicht Brandt, sondern den Hessen Zinn als Kanzler nominieren. Und auch Helmut Schmidt, nach vier Jahren als Hamburger Innensenator seit 1965 zurück in Bonn, ging gegen die wankelmütige FDP an: »Mein Gott, auf so etwas sollen wir uns verlassen.«

Wehner hatte das Bündnis mit den Christdemokraten langfristig vorbereitet. 1965 war er sogar zu dem CSU-nahen Verleger und Brandt-Gegner Kapfinger nach Passau gefahren und hatte erreicht, daß dessen »Passauer Neue Presse« schrieb: »Es kommen schwere Dinge auf uns zu, die es notwendig machen, daß die beiden Großparteien eine Zeitlang miteinander regieren . . .«

Die Suche nach einem Erhard-Nachfolger in der CDU zeigte rasch, daß es nur für den Befürworter einer Großen Koalition eine Mehrheit gab. Vier Kandidaten stellten sich den internen Abstimmungen: Der CDU/CSU-Fraktionsvorsitzende Rainer Barzel blieb bei nur 26 von 244 Stimmen hängen; der für eine Koalition mit der FDP werbende Außenminister Gerhard Schröder kam auf achtzig Parteigänger; Bundestagspräsident Eugen Gerstenmaier verzichtete freiwillig, als er sah, daß der mächtige Stimmenblock der CSU sich für den vierten Mann entschied, den baden-württembergischen Ministerpräsidenten Kurt-Georg Kiesinger.

Die Unterstützung der CSU für Kiesinger bedeutete auch, daß der von Bonn vertriebene CSU-Chef Strauß dem neuen Kabinett wieder angehören mußte. Die FDP war nicht bereit, dies zu akzeptieren. Für den machthungrigen Wehner war es kein Problem. Er hatte den affärenbehafteten Strauß schon frühzeitig wieder einen »beachtlichen politischen Gegner« genannt.

Kiesinger und Wehner waren alte politische Weggefährten. Im ersten Bundestag hatte der junge Abgeordnete Kiesinger schon 1949 Wehner den Vorsitz im Gesamtdeutschen Ausschuß gesichert, als die CDU wegen dessen KP-Vergangenheit Vorbehalte anmeldete. Als sich Kiesinger 1958 nach Stuttgart zurückzog, telegrafierte ihm Wehner: »Bonn wird ärmer. Wehner.«

Am 24. November 1966 erzielten die beiden, begleitet von ihren Unterhändlern, ein grundsätzliches Einverständnis. Brandt konnte nicht mehr eingreifen. Wegen Nebels war er nicht in der Lage, von

Berlin nach Bonn zu fliegen. Er mußte das Auto nehmen. Als er in der Bundeshauptstadt eintraf, hatte er sich dem Gebot seines Partei-vizes zu beugen: »Das Brot ist in der Röhre und wird gebacken.«

»Der hat vielleicht Umgangsformen.«

GROSSE KOALITION

An Wehners Seite war Helmut Schmidt, der anstelle des kranken Er-ler die Geschäfte des Fraktionsführers übernommen hatte, der ent-schiedenste Befürworter der Großen Koalition. »Die Große Koali-tion haben Wehner und Schmidt zusammen gemacht«, so erinnert sich Schmidt. »Die hat Brandt eigentlich nicht gewollt. Der saß in Berlin und betrachtete mit Skepsis und Distanz, was wir in Bonn machten.«

Am 25. November 1966 akzeptierte Brandt auf einer gemeinsa-men Sitzung des Partei- und Fraktionsvorstands die Entscheidung für die Große Koalition. Gemeinsam versuchte anschließend das Trio Wehner–Schmidt–Brandt, diese Entscheidung in der Fraktion durchzusetzen. Es wurde die längste Nacht der SPD. Am 26. No-vember um 18.00 Uhr begann die Debatte. Die Mehrheit der Frak-tion war gegen das Bündnis. Sie fühlte sich bestätigt durch das ab-lehnende Votum einer Konferenz der Bezirkssekretäre und Abtei-lungsleiter der SPD vom selben Tag.

Brandt arbeitete mit einer Vielzahl von Argumenten gegen diese Stimmung an. Eine »Kleinstkoalition« sei in Anbetracht der »unsi-cheren Kantonisten« im liberalen Lager ein zu großes Wagnis für die SPD – auch wenn er persönlich »durchaus das Risiko einer Kanzler-wahl« eingehen würde. Eine schwache Regierung bereite nur den Boden für »Radikalisierungstendenzen« – tatsächlich löste, wie sich binnen zwei Jahren zeigte, gerade die Große Koalition die schärfste innenpolitische Radikalisierung seit 1949 aus. Die Union würde bei einer SPD/FDP-Koalition versuchen, wieder einen Keil zwischen Sozialdemokraten und Katholiken zu treiben – wo die SPD »so er-freuliche, aber auch so mühsam errungene Erfolge« erzielt habe. In die Große Koalition gehe die SPD nicht als »Junior«, sondern als »gewichtiger Partner«. Brandt: »Außerdem sind wir im Unterschied zur zerstrittenen Union einig und geschlossen. Auch dies macht unsere Stärke aus.« Notwendige »Großreformen« auf den Gebieten der Finanzen, der Verteidigung und der Konjunktursteuerung erforderten »stabile Mehrheitsverhältnisse«.

Helmut Schmidt entwarf ein Krisen-Szenario: Für das Ausland sei eine schwache Koalition kein verläßlicher Partner, eine »Kleinstkoalition« würde zu akuten Konflikten mit den Gewerkschaften führen, nur an der Seite der Union sei es möglich, Rezession und Arbeitslosigkeit aufzufangen. »Wir sollten uns darüber im klaren sein, daß die FDP gar keine Reformen will, sondern nur an der Regierung bleiben möchte.« Bei der Union dagegen gebe es zumindest »das Bewußtsein, daß ein Wandel eintreten muß«. Wenn die SPD nicht mitregiere, riskiere man eine Staatskrise durch Massenarbeitslosigkeit. Karl Schiller sekundierte: »Was unsere wirtschaftlichen Vorstellungen betrifft, konnten wir mit der Union eine klare Übereinstimmung erzielen. ... Aber bei der FDP hat es immer wieder Zauderer gegeben.«

Mit einem Auftritt in der »Tagesschau« versuchte Brandt, die Entscheidung der Fraktion für die Große Koalition vorwegzunehmen. Doch erst nach Mitternacht kippte allmählich die Stimmung um. Einer der Widersacher, der Abgeordnete Erwin Schoettle, erkannte resignierend: »Wir sind zu weit festgelegt worden, wir sind gar nicht mehr frei.« Den letzten Ausschlag gab ein Brief Erlers, den Alex Möller von dem Kranken erbeten hatte und den Brandt nun verlas: »Unsere Partei steht nicht vor der Frage, ob sie mit der FDP oder mit der CDU/CSU koalieren, sondern ob sie überhaupt Regierungsverantwortung übernehmen will. Ein Ausschlagen der jetzigen Chance der Regierungsbeteiligung würde die Wiederherstellung der alten Koalition CDU/CSU und FDP bedeuten. Das wäre schlecht für Volk und Staat.«

Nach insgesamt zehn Stunden Debatte, um vier Uhr früh am 27. November, wurde abgestimmt. Knapp zwei Drittel der Fraktionsmitglieder stimmten jetzt der Großen Koalition zu. Brandt fuhr am Morgen zum Godesberger Privathaus von FDP-Chef Mende, »um ihn mit aller Aufrichtigkeit ins Bild zu setzen«. Die FDP ging in die Opposition.

Am 29. November begannen die Verhandlungen über die Zusammensetzung des Kabinetts und über das Regierungsprogramm. Sie konzentrierten sich rasch auf die Frage, ob Brandt der Regierung beitreten und welches Amt er übernehmen solle. Noch immer in einer Phase allgemeiner Ermattung, wollte Brandt zunächst überhaupt keinen Ministerposten, sondern sich auf den Parteivorsitz konzentrieren. Wehner und Schmidt verpflichteten ihn darauf, ins Kabinett einzutreten. Klar war, daß er den eher repräsentativen Posten des Vizekanzlers erhalten würde. Doch welches Fachressort sollte er übernehmen? Brandt dachte an die kleinen Ministerien Forschung oder Gesundheit. Sie boten vielerlei Vorteile: Mit diesen Themen hatte er seine Wahlkämpfe bestritten; hier drohte wenig Verwaltungsarbeit; und er hätte Zeit genug für das Parteiamt.

In Vorgesprächen mit dem CDU-Kanzlerkandidaten brachten Wehner und Brandt dieses Modell zunächst zur Sprache. Dabei gewann Kiesinger den Eindruck, als wehre sich Wehner gegen den Gedanken, Brandt das Auswärtige Amt zu übertragen. Der CDU-Mann glaubte sich daher in der Lage, Eugen Gerstenmaier, dem er für den Verzicht auf eine Gegenkandidatur in der Fraktion noch Dank schuldete, einen alten Traum zu erfüllen und ihm das AA zu übertragen. Doch dann besannen sich Wehner und Schmidt eines anderen und redeten auf Brandt ein, er müsse Außenminister werden. Den packte neuer Ehrgeiz. Schmidt: »Ich war ganz überrascht. Brandt ging schließlich mit großer Entschiedenheit auf das Außenministerium los.« In einem Vier-Augen-Gespräch mit Kiesinger setzte Brandt seinen Anspruch durch.

Am 1. Dezember war es soweit. Erhards Rücktritt wurde bekanntgegeben, Kiesinger und seine Regierung wurden vereidigt. Es war ein Kabinett der nationalen Versöhnung. Neben dem einstigen NSDAP-Mitglied Kiesinger saß der Emigrant Brandt, neben dem Deutschnationalen von Hassel (Vertriebene) der Ex-Kommunist Wehner (Gesamtdeutsches Ministerium), neben dem »Spiegel«-Verfolger Strauß (Finanzen) kam als stellvertretender Regierungssprecher das »Spiegel«-Opfer Ahlers. Ein »Überkabinett, das an Farbigkeit und Talenten kaum zu übertreffen war«, nennt der Historiker Klaus Hildebrand die Kiesinger-Regierung, der insgesamt neun Minister der SPD und zehn der CDU/CSU angehörten.

Schmidt, der gerne Verteidigungsminister geworden wäre, dem

aber nur das Verkehrsministerium angeboten wurde, blieb geschäftsführender Fraktionsvorsitzender. Nach Erlers Tod am 22. Februar 1967 übernahm er auch formal das Amt. Sein Gegenpart bei der CDU/CSU war Rainer Barzel.

Die Bundesdeutschen, für die Parteienstreit immer etwas Anrüchiges war, sahen in der Großen Koalition ihr Harmoniebedürfnis und ihre Sehnsucht nach einer starken Führung befriedigt. Die neue Regierung verhieß Aufbruch und Entscheidungskraft. Endlich waren die Zeiten quälender Untätigkeit der Regierung Erhard vorbei, die mit ihrem überkommenen Führungspersonal im Grunde nichts anderes als eine Verlängerung der abgewirtschafteten Regierung Adenauer ohne den »Alten« gewesen war. Nur wenige nahmen Anstoß daran, daß dem Elefantenbündnis von 468 SPD/CDU/CSU-Abgeordneten eine Mini-Opposition von nur fünfzig Liberalen gegenüberstand, die weder eine Verfassungsänderung verhindern noch zur Kontrolle der Regierenden Untersuchungsausschüsse einsetzen konnte.

Um den Ausnahmecharakter der dem parlamentarischen System widersprechenden Mammutkoalition zu betonen, kündigte der Kanzler schon in der Regierungserklärung den Willen von SPD und CDU/CSU an, ein »mehrheitsbildendes Wahlrecht« bis spätestens 1973, zur übernächsten Wahl, in Kraft zu setzen. Gewünschter Nebeneffekt: die als Mehrheitsbeschaffer bisher unentbehrliche FDP (Schmidt: »Dieses Grundübel der politischen Struktur der Bundesrepublik«) auszuschalten.

In beiden Regierungsparteien gab es ein latentes Unbehagen über die langfristigen Auswirkungen des Experiments. Franz Josef Strauß: »Erst gibt es ein schwarz-rotes Bündnis, dann gibt es ein rotschwarzes Bündnis, und zuletzt regieren die Roten allein.« In der SPD sahen grundsatztreue Genossen einen Verrat an den politischen Prinzipien der Partei und forderten – angeführt vom SPD-Linken Jochen Steffen aus Schleswig-Holstein – einen Sonderparteitag. Es fehlte nur ein einziger weiterer SPD-Bezirk zur Unterstützung dieses Antrags, und die Parteiführung wäre von der Basis desavouiert worden.

Wider alles Erwarten der Skeptiker fanden die beiden rivalisierenden Parteien jedoch rasch zu einer konstruktiven Zusammenarbeit. Kiesinger erwies sich gerade wegen seiner Schwächen als der ideale

Kanzler. Reisen, Reden, Repräsentieren, diese drei »R« galten als seine Lieblingsbeschäftigungen. Mit starker Hand à la Adenauer hätte er die Koalition ohnehin nicht regieren können. Brandt machte ihm frühzeitig klar: »Wir müssen uns daran gewöhnen, daß wir nicht nur als Kanzler und Außenminister, sondern auch als Vorsitzende zweier gleichstarker Parteien zusammenarbeiten müssen.«

An die Stelle der Richtlinienkompetenz trat die Fähigkeit zum Ausgleich. Kiesinger wurde zum »wandelnden Vermittlungsausschuß« – so Conrad Ahlers durchaus wohlwollend. Im Kabinett gefiel sich der Kanzler im Dialog mit Carlo Schmid als Staatsphilosoph. Die ungeduldigen Minister tauften ihn »König Silberzunge«. Ein kleiner Kreis von Regierungs- und Parteigrößen traf sich zu regelmäßigen Maklergesprächen als »Kreßbronner Kreis«, genannt nach dem ersten Zusammentreffen des Gremiums an Kiesingers Urlaubsort am Bodensee.

Die eigentlichen Geschäftsführer der neuen Bundesregierung waren Kiesinger und Wehner. Für den Ex-Kommunisten Wehner war die Aufnahme in die Regierung auch eine persönliche Rehabilitierung. Nachdem er zum Minister vereidigt worden war, hatte er in der Wandelhalle des Bundestags seine Frau Lotte umarmt und geschluchzt: »Lotte, Lotte . . .« Nächtelang hockte er mit Kiesinger fortan bei Rotspon über Personal- und Sachproblemen. Brandt mokierte sich über seinen Verhandlungsstil: »Der hat vielleicht Umgangsformen. Immer wenn der mit Kiesinger zusammensitzt, erklärt er erst mal alle anderen Sozialdemokraten zu Arschlöchern.« Die Christdemokraten sahen im SPD-Vize den entscheidenden Mann seiner Partei. Am 13. Januar 1967 schrieb Heinrich Krone in sein Tagebuch: »Der stärkste Mann im Kabinett ist Wehner.« Auch Altbundeskanzler Adenauer teilte dieses Urteil. Zu Ahlers meinte er: »Hoffentlich wird uns der Wehner nicht krank.« Und Kiesinger zeichnete den wichtigen SPD-Mann dadurch aus, daß er ihn am Kabinettstisch zu seiner Linken placierte, rechts saß Brandt.

Als das effizienteste Gespann im Kabinett erwiesen sich rasch Wirtschaftsminister Karl Schiller und Finanzminister Franz Josef Strauß. Gemeinsam sanierten sie den Haushalt, kurbelten mit einem neuen Instrumentarium planerischer und steuernder Wirtschaftspolitik die Konjunktur an, meisterten die Strukturkrise an Rhein und Ruhr und schraubten die Arbeitslosenzahl binnen eines Jahres von siebenhundert- auf zweihunderttausend zurück. Wegen ihrer unerwarteten Kooperationsfähigkeit erwarben sich die beiden begabten Selbstdarsteller die Beinamen »Plisch und Plum«.

Im Sinne einer »sozialen Symmetrie« (Schiller) wurden nach der Ankurbelung der Wirtschaft und der Steigerung der Unternehmergewinne eine Reihe sozialpolitischer Vorhaben verwirklicht. Zu den wichtigsten gehörte die Gleichstellung von Arbeitern und Angestellten bei der Lohnfortzahlung und im Krankheitsfall. Hier profilierten sich besonders Helmut Schmidt und Rainer Barzel, denen die Aufgabe zufiel, in den Fraktionen einvernehmlich durchzusetzen, was die Regierung beschlossen hatte. Die Zusammenarbeit zwischen den beiden lief so reibungslos, daß Schmidt über die langatmigen Beratungen an Kiesingers Kabinettstisch witzelte: »Wozu die mehrere Tage brauchen, das erledige ich mit Barzel in zweieinhalb Stunden.«

Zur Erfolgsbilanz der Großen Koalition gehörte auch die Reform des Strafrechts. Unter Leitung von Justizminister Gustav Heinemann und seines Staatssekretärs Horst Ehmke wurden die aus den Zeiten des Kalten Krieges stammenden Staatsschutzbestimmungen abgemildert – es war die innenpolitische Einstimmung auf die spätere Ostpolitik. Brandt: »Da wurde ein Fenster aufgemacht.«

Die Große Koalition stellt sich in der Rückschau als eine der erfolgreichsten Nachkriegsregierungen der Bundesrepublik dar, jedenfalls auf dem Gebiet der Innenpolitik. Die Bewertung ihrer Erfolge war zunächst jedoch belastet durch ihr unrühmliches Ende und die hochfliegenden Erwartungen in die Regierung Brandt/Scheel nach 1969.

»Realitäten, die man sehen muß.«

AUSSENMINISTER

Für Willy Brandt begann mit der Amtszeit als Außenminister ein neuer Lebensabschnitt. Der Abschied aus Berlin, wo er fast zwanzig Jahre seines Lebens zugebracht hatte, war nicht ohne Sentimentalität. »Ich bin und bleibe Berliner«, mit diesen Worten verabschiedete er sich im Schöneberger Rathaus. Doch die neue Aufgabe nahm ihn bald gefangen: »Es ist ein unheimlich interessantes Leben«.

Die Ausstattung für das Auswärtige Amt hatte Brandt sich in den Jahren des Exils und als Berliner Bürgermeister erworben: Vielsprachigkeit, schnelle Auffassungsgabe, Länderkenntnis, persönliche Bekanntschaften mit vielen Politikern, gewandtes Auftreten, die Fähigkeit, sich auf Gesprächspartner einzustellen, und ein professioneller Umgang mit Journalisten. Und was ihm von vielen Deutschen negativ angerechnet wurde, sein antifaschistischer Kampf von draußen, das wurde für den Außenminister Brandt zum wichtigen Vertrauenskapital bei ausländischen Regierungen. Brandt wußte darum: »Es ist nicht die schlechteste Visitenkarte, die ich abzugeben habe.«

Bei der Amtsübergabe belehrte ihn der scheidende Minister Schröder: »Man muß eine Akte nicht von vorn bis hinten durchlesen. Wenn eine Sache stinkt, dann merkt man das auch so.« Ein Tip, an den sich Brandt nicht hielt. Bislang eher schreibtischfaul, entwickelte er sich nun zum fleißigen Aktenleser. Pünktlich um neun Uhr erschien Morgenmuffel Brandt fortan in der Diplomatenzentrale, in der linken Hand ein schwarzes Aktenköfferchen mit dem Namensschild »Minister Brandt«, in der rechten einen Zigarillo Marke »Attaché« – nach dem Atemanfall in Berlin war er vorläufig von den Zigaretten abgekommen. Schon sein gemächliches Schreiten verlieh ihm staatsmännische Würde. Im Amtszimmer hatte er die unpersönliche Einrichtung seines Vorgängers übernommen. Ein Aschenbecher aus Schwedenglas und ein silbernes Feuerzeug waren die einzigen Utensilien auf dem Schreibtisch. Keine Familienfotos. Aber fünf Telefone: zwei schwarze mit Direktleitungen zum Kanzler und zu den Ministerkollegen, eines mit »Zerhacker« für Geheimgespräche, einen Normalanschluß, der über sein Vorzimmer lief, und schließlich einen Apparat mit Verbindungen zu den wichtigsten Mitarbeitern im Amt, den er nie benutzte. Ein einziges Möbelstück hatte Brandt selber beigesteuert: einen schwarzen, ausziehbaren Ledersessel, auf dem er nach dem Mittagessen, das aus der Kantine geliefert wurde, eine Viertelstunde vor sich hin dämmerte.

Durch seinen Arbeitseifer und seine behutsame Personalpolitik gewann Brandt das konservative Amt. Er verzichtete darauf, nur Parteifreunde in führende Stellen zu berufen. Als Staatssekretär übernahm er Rolf Lahr, einen Mann des Apparates, und setzte neben ihm Klaus Schütz ein. Als Schütz nach zehn Monaten Amtszeit als Bürgermeister nach Berlin wechselte, reaktivierte Brandt für den zweiten Staatssekretärsposten den vorzeitig pensionierten Karriere-Diplomaten Georg Ferdinand Duckwitz. Er kannte den Namen dieses Mannes aus seinen skandinavischen Exiljahren. Duckwitz, damals an der Botschaft in Dänemark tätig, hatte eine Rettungsaktion für dänische Juden organisiert. Brandt schätzte an ihm besonders die Sachkunde, die er sich als früherer Leiter der Ostabteilung erworben hatte. Zu den wenigen Außenseitern, die Brandt ins Amt brachte, gehörte sein Berater Bahr, dem er außerhalb der Hierarchie die Leitung der Planungsabteilung übertrug. Zum parlamentarischen Staatssekretär – eine Neuerung der Großen Koalition – ernannte er den Bundestagsabgeordneten Gerhard Jahn.

Auf einer Belegschaftsversammlung zu seinem Amtsantritt gab sich Brandt verbindlich. Er akzeptierte den Korpsgeist der Diplomaten. Den in der CDU-Tradition großgewordenen Diplomaten gab er als Maxime eine Erkenntnis mit auf den Weg, die auch die SPD lange Zeit nicht verinnerlichen mochte: Man könne sich nicht mit Hilfe juristischer Formeln an den Folgen des verlorenen Krieges vorbeimogeln. Wichtige Verhandlungsrichtlinien schrieb er mit seiner unterdimensionierten Handschrift nieder, die Entwürfe der Beamten verwandte er nur als Material. Einzelne Mitarbeiter, deren Gedanken er übernahm, hob er lobend im größeren Kreis hervor und gewann so die Achtung der konservativen Belegschaft.

Gegen zwanzig Uhr verließ Brandt das Amt, in seinem Köfferchen Akten zur Hausarbeit. Als Dienstvilla übernahm er von seinem Vorgänger jenes Haus auf dem Bonner Venusberg, in dem Schumacher in seinen letzten Lebensjahren gewohnt hatte – eine Villa im

Stil der zwanziger Jahre, mit elf Zimmern und einem beheizten offenen Schwimmbad. Zwei Dienstmädchen und ein Hausmeister mit Butler-Befähigung wurden vom Bund bezahlt. In seinem privaten Arbeitszimmer stellte sich Brandt eine Kennedy-Büste neben den Schreibtisch. Hier stand auch sein Bett. Er arbeitete oft bis spät in die Nacht. Morgens frühstückte er alleine, seine Frau stand später auf. Die Vorliebe für harte Schnäpse hatte er aufgegeben. Seit er nach Bonn umgezogen war, trank er Rotwein. Nie mehr erlebte ihn jemand betrunken, wie es in Berlin gelegentlich der Fall gewesen war.

Ein typischer Vier-Wochen-Terminplan des Außenministers Brandt wies aus: 20 Stunden im Flugzeug, 15 Stunden im Auto; 42 Stunden im Amt, davon 14 Stunden für reine Schreibtischarbeit; 53 Stunden für Gespräche im Ausland oder außerhalb Bonns; 24 Stunden für Repräsentationspflichten und wichtige Termine wie Kabinettssitzungen; 80 Stunden für Parteiarbeit; 20 Stunden im Bundestag; 11 Stunden für Pressegespräche. Der total verplante Brandt hatte zwei Terminkalender: einen täglichen, den ihm sein Büro abends für den nächsten Tag mitgab, und einen »Vorwegplan« für die nächsten zwei Monate, von dem Frau Rut einen Durchschlag erhielt. Das Familienleben richtete sich nach diesen Fahrplänen. Lediglich an sechs Tagen im Monat hatte Brandt einen freien Abend. Seine Fernsehgewohnheiten behielt er bei: »Ich schalte den Kulenkampff ein. Das ist ganz das, was ich brauche, wenn ich müde und abgespannt bin.«

Die erste Aufgabe des Außenministers Brandt war es, das Verhältnis Bonns zu seinen westlichen Partnern zu ordnen. Die bizarre Fehde zwischen Atlantikern und Gaullisten in der CDU/CSU, die innenpolitisch zur Profilierung der Kanzlerbewerber gedient hatte, konnte Brandt durch geschicktes Auftreten in Paris und Washington auffangen. Er stellte klar, daß die Amerikaner als Garanten der Sicherheit Europas unentbehrlich seien und »daß wir uns das sich organisierende Europa nicht mit dem Rücken zu Amerika vorstellen«. Mit den durch den Vietnamkrieg zunehmend geschwächten USA vereinbarte er Stützungsaktionen der Bundesregierung für den Dollar. Amerikanischen Wünschen nach einem direkten deutschen Engagement entzog er sich durch die Bereitstellung des Hospitalschiffs »Helgoland«.

Das Frankreich de Gaulles, das sich gerade aus der militärischen

Integration der NATO zurückgezogen hatte, wurde von Brandt und Kiesinger durch Freundschaftskundgebungen beschwichtigt. Brandt makelte geschickt, wenn auch ohne konkreten Fortschritt, zwischen dem kleineuropäisch orientierten Frankreich und den auf einen Ausbau der EWG und insbesondere auf den Beitritt Großbritanniens drängenden anderen Staaten der Gemeinschaft. Vom CDU/CSU-Fraktionsvorsitzenden Barzel bekam er das Lob: »Das war ein ganzes Stück sehr gekonnter Balance-Politik.«

Das eigentliche Feld, auf dem sich Brandt als Außenminister profilieren wollte, war die Ostpolitik. Aus Berlin brachte er zwei Erfahrungen mit: Das gerade gescheiterte Bemühen um eine Verlängerung der Passierscheinregelung zeigte, daß ohne irgendeine Form der Einbeziehung der DDR keine Verbesserung der innerdeutschen Kontakte zu erreichen war. Und die auf Koexistenzkurs liegenden Amerikaner verlangten eigene deutsche Beiträge zur Entspannungspolitik.

Noch frei von wahltaktischen Rücksichten, hatte die SPD auf ihrem Dortmunder Parteitag im Juni 1966 versucht, im Bereich der Deutschland- und Ostpolitik neue Akzente zu setzen und damit Anschluß zu finden an die Diskussion in breiten Teilen der Öffentlichkeit. Die Evangelische Kirche Deutschlands hatte in einer Denkschrift über die Lage der Vertriebenen das bis dahin von allen hochgehaltene »Heimatrecht« in Frage gestellt und die Anerkennung der Oder-Neiße-Grenze angeraten, um das Verhältnis zu den östlichen Nachbarn zu verbessern. Liberale Publizisten wie Rüdiger Altmann (ein früherer Ratgeber Erhards), Rudolf Augstein im »Spiegel« und Theo Sommer in der »Zeit«, der Philosoph Karl Jaspers, der Historiker Golo Mann und der Politologe Theodor Eschenburg hatten einen vorläufigen Verzicht auf Wiedervereinigung und den Ausbau der Kontakte zur DDR und zu den Ostblockstaaten gefordert. Als Kundschafter der SPD waren vor dem Dortmunder Parteitag Helmut Schmidt nach Prag, Warschau und Moskau und der junge Abgeordnete Hans-Jürgen Wischnewski nach Prag, Warschau und Budapest gereist. Sie waren als Privatleute gefahren, mit vierzehn Tagen Abstand und im eigenen Wagen. Anschließend hatten sie Brandt in Berlin ausführlich Bericht erstattet.

Insbesondere Schmidt war in jener Zeit ein Wegbereiter der Entspannungspolitik. Er gehörte einer Arbeitsgruppe des Forschungsinstituts der Deutschen Gesellschaft für auswärtige Politik an, die zu dem Schluß kam, daß die Vorteile einer Anerkennung der DDR die Nachteile überwögen. Diese Experten schlugen vor, die Anerkennung nicht in einem Zug, sondern durch eine Reihe von Teilschritten zu vollziehen und der DDR damit Gelegenheit zu geben, sie sich durch Wohlverhalten zu verdienen – ein Verfahren, wie es nach 1969 von der Regierung Brandt tatsächlich praktiziert wurde. Schmidts Rolle jedoch geriet zunehmend in Vergessenheit, als Brandts Stern als Entspannungspolitiker zu strahlen begann.

In Dortmund prägte Brandt die Formel, daß »qualifiziertes, geregeltes und zeitlich begrenztes Nebeneinander der beiden Gebiete« angestrebt werden sollte. Zur Bezeichnung DDR konnte er sich noch nicht durchringen, dazu brauchte es noch drei weitere Jahre. Er sprach vom »anderen Teil Deutschlands« – was eine Standardformel der Großen Koalition wurde. Aber er verwendete mit Vorliebe seine Friedensverbalistik – »dem Willen zur Erhaltung des Friedens werden andere Interessen untergeordnet«.

Bestätigt sah sich Brandt in seinem Suchen nach einer neuen Deutschlandpolitik durch einen Vortrag, den AA-Staatssekretär Karl Carstens in den letzten Tagen der Regierung Erhard vor dem Kabinett gehalten hatte. Es war eine Bankrotterklärung: die Zeit der aktiven Wiedervereinigungspolitik sei vorbei; der Alleinvertretungsanspruch Bonns mache die Bundesrepublik in der dritten Welt erpreßbar; ihr drohe eine Isolierung vom Westen. Da die bisherige Deutschlandpolitik auf eine Veränderung der bestehenden Verhältnisse in Europa ausgerichtet sei, führe sie zu dauernden Spannungen mit der Sowjetunion und stelle ein Sicherheitsrisiko für die Bundesrepublik dar. Von diesem Vortrag erfuhr Brandt zunächst durch eine Veröffentlichung im »Spiegel«. Bei der Übernahme des Auswärtigen Amtes gab ihm Carstens, der mit Schröder ins Verteidigungsministerium wechselte, eine Kopie seiner Analyse. Später gehörte Carstens als Fraktionsführer der CDU/CSU an der Seite von Strauß zu den erbittertsten Gegnern der Deutschlandpolitik, die Brandt im Einklang mit diesem Lagebefund entwickelte.

Brandt und Wehner gelang es, Kanzler Kiesinger eine entscheidende Akzentverschiebung in die erste Regierungserklärung zu schreiben. Zum erstenmal wurde nicht mehr die Wiedervereinigung, sondern das Bemühen um Entspannung als höchstes Ziel der westdeutschen Außenpolitik herausgestellt. An die Adresse der Tschechoslowakei gewandt, erklärte Kiesinger das Münchener Abkommen über die Abtretung des Sudetenlandes an Hitler-Deutschland für ungültig. Den Polen versicherte er Verständnis für ihren Wunsch, endlich in anerkannten und gesicherten Grenzen zu leben. Schließlich bekundete er die Bereitschaft der Bundesregierung zu Kontakten mit den Behörden »im anderen Teil Deutschlands«.

In den ersten Monaten seiner Außenministerzeit schien Brandt tatsächlich eine neue Ostpolitik zu gelingen. Er entsandte einen Botschafter nach Rumänien, nahm die diplomatischen Beziehungen zu Jugoslawien wieder auf, die Bonn 1957 wegen der Anerkennung der DDR durch Belgrad abgebrochen hatte, und tauschte mit Prag Handelsvertretungen aus. Die Hallstein-Doktrin wurde gegenüber Osteuropa modifiziert, allerdings nicht aufgegeben. Außenamtsstaatssekretär Klaus Schütz übergab Sowjetbotschafter Semjon Zarapkin den Entwurf einer Gewaltverzichtserklärung und leitete damit den Dialog mit Moskau ein. Kanzler Kiesinger ließ zur selben Zeit erstmals Emissäre der DDR nicht an der Pforte des Bundeskanzleramtes abweisen, sondern nahm einen Brief des DDR-Ministerpräsidenten Willi Stoph in Empfang, in dem dieser ein Treffen beider Regierungschefs vorschlug. Es war der Beginn eines Briefwechsels, der sich bis zum Herbst 1967 hinzog.

Der rasche Anlauf Brandts in der Ostpolitik aber brachte nur Scheinerfolge. Die neuen Beziehungen zu Rumänien waren schon vom Amtsvorgänger Schröder ausgehandelt worden. Brandt heimste lediglich die Publicity ein. Zudem verursachte gerade dieser vermeintliche Durchbruch eine massive Gegenreaktion des Ostblocks. Auf einer Konferenz der kommunistischen und Arbeiterparteien Europas im Frühjahr 1967 in Karlsbad forderte Walter Ulbricht größere Solidarität mit seinem Staat. Diplomatische Beziehungen zwischen Bonn und weiteren Ostblockländern dürfe es erst nach einer Anerkennung der DDR geben. Die Konferenz beschloß einen Katalog von Forderungen, mit denen ein langsames Aufweichen des Ostblocks durch Bonn verhindert werden sollte. Neben der neuen Ulbricht-Doktrin zählten dazu: Anerkennung der Oder-Neiße-Grenze, Erklärung der Ungültigkeit des Münchener Abkommens von Anfang an (um so die Vertreibung und Enteignung der Sudetendeutschen 1945 als »Staatsfeinde« zu rechtfertigen), Verzicht der

Bundesrepublik auf Zugang zu Kernwaffen, Anerkennung West-
Berlins als selbständige politische Einheit und Abschluß eines Ver-
trages über gesamteuropäische Zusammenarbeit und Sicherheit.
Gefordert wurde schließlich noch die Aufhebung des seit 1956 gel-
tenden KPD-Verbots in der Bundesrepublik. Heute sind – bis auf
Berlin – alle Karlsbader Beschlüsse verwirklicht.

Diese Barrikaden schienen das frühe Ende der gerade begonnenen »neuen Ostpolitik« zu bedeuten. Wenige Wochen später sprach
Kiesinger bereits von der Möglichkeit eines Scheiterns. Auch sein
Briefwechsel mit Stoph führte zu keinem Ergebnis. Brandt aber war
nicht bereit aufzugeben. Seine Parole hieß jetzt »Entspannungspolitik mit langem Atem« – und mit der Bereitschaft, auf Teile der Karlsbader Beschlüsse einzugehen. Im Auswärtigen Amt sichtete Pla-
nungschef Bahr auf der Suche nach Denkmodellen die Akten-
schränke. Bahr: »Ich hatte gedacht, das Auswärtige Amt hat volle
Schubladen. Es hatte aber leere Schubladen. Wir haben dann angefangen, neu nachzudenken.«

Als persönlicher Beauftragter von Parteichef Brandt reiste Bahr
mehrfach nach Ost-Berlin. In Gesprächen mit SED-Funktionären
suchte er zu erkunden, wo es Ansatzpunkte für eine Verständigung
gebe. Diese sorgsam geheimgehaltenen Kontakte hatten für sich
schon eine Qualität. Über zwanzig Jahre hatte es solche Gespräche
zwischen führenden Sozialdemokraten und SED-Funktionären
nicht gegeben. Ergebnisse indes blieben aus. Die SED sah zu der
Zeit in der SPD einen besonders gefährlichen Erfüllungsgehilfen
der »Regierung Kiesinger/Strauß«.

Wesentlich positiver wurden die Entspannungsbemühungen der
SPD von einer kommunistischen Bruderpartei im Westen gesehen.
Die KP Italiens bot Mittlerdienste an. Kontaktmann war der außenpolitische Redakteur des Parteiblatts »Unità«, Alberto Jacoviello, ge-
legentlicher Gast in Höfers Fernseh-Frühschoppen. Sein Ansprech-
partner in der SPD war der Ex-Kommunist Leo Bauer, damals
Journalist beim »Stern«, ab 1968 Chefredakteur des SPD-Theorieor-
gans »Die Neue Gesellschaft« und Berater Brandts. Seine Kontakte
mit der KPI, die sich ihre Gespräche von der SED legitimieren ließ,
brachten tatsächlich Ansatzpunkte für eine Überwindung der seit
Karlsbad erstarrten Positionen. Die SPD betrieb die Wiederzulas-
sung der Kommunisten unter der neuen Bezeichnung DKP und

sorgte mit der Lockerung des politischen Strafrechts für eine Klimaverbesserung. Von der »anderen Seite« wurde signalisiert, daß die Anerkennung der DDR und der Oder-Neiße-Grenze als Grundlage für eine Wiederaufnahme der Entspannungspolitik ausreiche. Von einer »selbständigen politischen Einheit West-Berlin« war keine Rede mehr. Brandt nahm das auf. Er sprach im Frühjahr 1968 öffentlich von der Bereitschaft der SPD zur »Anerkennung beziehungsweise Respektierung der Oder-Neiße-Linie bis zu einer friedensvertraglichen Regelung«.

In seiner Entspannungspolitik sah sich Brandt durch die internationale Entwicklung bestätigt. Amerikaner, Engländer und Russen vereinbarten in einem »Atomwaffensperrvertrag« die Nichtweitergabe nuklearer Systeme und empfahlen den Nicht-Atommächten, durch Vertragsbeitritt auf den Besitz dieser Waffen zu verzichten. Die NATO-Außenminister verständigten sich auf ihrer Frühjahrstagung im Juni 1968 in Reykjavik darauf, das Verteidigungsbündnis auch als Entspannungsinstrument einzusetzen. Den Staaten des Warschauer Paktes wurden Verhandlungen über einen gegenseitigen ausgewogenen Truppenabbau in Europa vorgeschlagen. Dieses »Signal von Reykjavik« ging als wesentliche Wegmarke zur europäischen Entspannungspolitik in die Geschichtsbücher ein.

Seine fortschrittliche Außenpolitik sicherte Brandt ab, indem er sich auf bürgerliche deutsche Außenpolitiker berief, ihre an den Realitäten und nicht an Dogmen orientierte Politik herausstellte und sich so in eine unumstrittene Tradition einzureihen suchte. In einer Gedenkrede zum hundertsten Geburtstag des 1922 ermordeten Außenministers Walther Rathenau baute er innenpolitischem Widerstand vor: »Eine ›ideale‹ Außenpolitik ohne parlamentarische Mehrheit und im Gegensatz zum Bewußtsein der Bevölkerung mag leicht auszudenken sein, aber sie ist nichts wert, denn sie ist nicht zu verwirklichen. Es gibt eben sehr viele Realitäten, die man sehen muß und die man ändern wollen muß . . .« Von Bismarck sagte er: »Seiner Politik war das Wort ›Dogma‹ fremd.« Und er zitierte den Reichsgründer: »Man muß . . . mit den Verhältnissen rechnen, seinem Vaterland nach den Umständen dienen, nicht nach seinen Meinungen, die oft Vorurteile sind.« Und mit Gustav Stresemann empfahl er der Bundesrepublik eine »zweiseitige, aber nicht zweideutige Außenpolitik«, wie sie die geografische Lage Deutschlands nun einmal erfordere.

»Zwei Männer, eine Aufgabe.«

RIVALITÄT MIT KANZLER KIESINGER

Zur selben Zeit, zu der Brandt in der Außenpolitik nach neuen Wegen suchte, lag er in der Innenpolitik voll auf dem reformistischen Anpassungskurs der SPD. Er machte sich zum Anwalt der von der Großen Koalition vorbereiteten Notstandsgesetze, obwohl kein zwingender Handlungsbedarf erkennbar war. Brandt: »Wenn die Materie entscheidungsreif ist, dann muß auch entschieden werden.« Dafür nahm er heftige Konflikte mit der Jugend und mit den Gewerkschaften in Kauf. Insbesondere die IG Metall, die sich als Hüterin der Demokratie sah, machte mit Kundgebungen, Flugblättern und Broschüren Front gegen die Bonner Gesetzgebung.

Der Parteitag im März 1968 in Nürnberg gehört zu den turbulentesten Veranstaltungen in der SPD-Geschichte. Selten zuvor war die Parteiführung so unter den Druck der Basis geraten. Von den Gewerkschaften herangekarrte Demonstranten (Tagesspesen: 7,50 Mark) belagerten die Meistersingerhalle und rempelten die SPD-Prominenz an. Brandt erhielt einen Hieb mit einem Regenschirm, nahm's aber gelassen: Der Mann habe nicht ihn persönlich attakkiert – »der hat mehr aus Prinzip geschlagen«. Herbert Wehner dagegen genoß das Verfolgtsein. Durch einen Nebeneingang war er schon unbehelligt in die Parteitagshalle gekommen, da entschloß er sich zum Einmarsch durchs Hauptportal. Er ging noch einmal zurück – »Ich will hocherhobenen Hauptes den Parteitag betreten« – und wurde sogleich eingekesselt. Regungslos wartete er auf Hiebe. Drinnen im Saal rief Carlo Schmid: »Laßt mich raus zu den Aufständischen, ich muß Herbert helfen.«

In seiner Parteitagsrede rechnete Brandt mit den Gewerkschaftsdemonstranten ab: »Pöbel bleibt Pöbel, auch wenn junge Gesichter darunter sind. Intoleranz und Terror, ob sie von links kommen oder von rechts, dürfen die Freiheit nicht benutzen, um sie zu zerstören. . . . Ich frage, ob alle Gewerkschaftler wissen, was sie tun, wozu sie aufrufen und wofür sie Geld ausgeben lassen.«

In Nürnberg wollte sich die Parteiführung mit fünfzehnmonatiger Verspätung den Abschluß der Großen Koalition billigen lassen.

Doch ihre Hoffnung, daß die bis dahin erreichten Regierungserfolge die Delegierten überzeugen würden, erfüllte sich nur bedingt. Erst durch eine Manipulation der Abstimmung fand die vom Parteivorstand beantragte Zustimmung zum Eintritt in die Große Koalition eine Mehrheit. Annemarie Renger: »Ich war damals Parteitagspräsidentin und mußte zweimal zählen lassen, damit es stimmte.«

In der Frage der Wahlrechtsänderung aber setzten sich die Nürnberger Delegierten gegen die Parteioberen durch. Monatelang hatten im Parteiorgan »Vorwärts« prominente Sozialdemokraten Stimmung für das Mehrheitswahlrecht gemacht. Der SPD-Sozialforscher Klaus Liepelt aber hatte errechnet, daß die Partei bei einem solchen Wahlrecht nur im protestantischen Norden und in Großstädten die Chance hätte, Mandate zu erobern. Die CDU/CSU wäre die Partei des Südens und des Landes geworden und hätte auf Jahrzehnte die Mehrheit errungen. Wehner hatte die Veröffentlichung dieser Forschungsergebnisse im »Vorwärts« verhindert. Liepelt hatte sie daraufhin in einer ARD-Fernsehsendung verbreitet und damit die Basis gegen den Parteivorstand aufgebracht. In Nürnberg wurde eine Vertagung beschlossen. Vor einer endgültigen Entscheidung im Bundestag sollte noch einmal ein Sonderparteitag das Wahlrecht diskutieren. CDU-Innenminister Paul Lücke, für den das Mehrheitswahlrecht unabdingbar war, sah in dem Nürnberger Beschluß »eine Beerdigung zweiter Klasse« und trat zurück.

Bei Landtagswahlen in Baden-Württemberg fünf Wochen nach Nürnberg verlor die SPD über zweihunderttausend Stimmen, das waren zwanzig Prozent ihrer Wähler von der Wahl zuvor. Die Partei rutschte wieder unter die magische Dreißig-Prozent-Grenze. Gleichzeitig zog die rechtsradikale NPD mit fast zehn Prozent der Stimmen in den Landtag ein. Die Verluste der CDU hielten sich mit zwei Prozent in Grenzen. Für die Bonner Sozialdemokraten war das ein unerwarteter Rückschlag. Die Mitarbeit in der Großen Koalition hatte sich beim Wahlvolk nicht ausgezahlt, nur die Christdemokraten profitierten von dem Mammutbündnis. Umfragen bestätigten überdies, daß das Ergebnis von Baden-Württemberg den allgemeinen Trend signalisierte: Die SPD hatte ihr Profil verloren.

Auf einer Krisensitzung des Parteivorstands attackierte Fraktionschef Helmut Schmidt den Parteivorsitzenden. Brandt treffe die Hauptschuld am Stimmenrückgang. Er habe es nicht verstanden, die

Außenpolitik der Großen Koalition als Werk der Sozialdemokraten zu verkaufen. Brandt irritiert: »Das bedarf der Beweise.« Doch er nahm sich die Kritik zu Herzen.

Als Preis für den Regierungseintritt hatten sich – wie Nürnberg zeigte – Parteiführung und Basis auseinandergelebt. Nichts sprach dafür, daß die SPD das eigentliche Ziel ihres Bündnisses mit den Konservativen, einen Sieg bei der nächsten Bundestagswahl im September 1969, erreichen könnte. Brandt wollte deshalb aus der Regierung ausscheiden und sich ganz der Partei widmen. Schmidt und Wehner brachten ihn von dem Vorhaben ab. Ein Rücktritt bringe nur heillose Verwirrung. Schmidt erkannte aber die Chance, dem in seinen Augen abgewirtschafteten Brandt einen eleganteren Ausstieg zu vermitteln und selber an dessen Stelle zu rücken. Er riet ihm an, im nächsten Jahr als Bundespräsident zu kandidieren. Wehner: »Das war die schwerste Krise der Partei.«

Von dem jungen, tatendurstigen Freiburger SPD-Abgeordneten Horst Ehmke, Staatssekretär im Bundesjustizministerium, kam dann die rettende Formel, wie sich die Partei bis zur Wahl 1969 neu darstellen könnte: Dazu bedürfe es einer Strategie des »begrenzten Konflikts«. Ehmkes Motto: Soviel Große Koalition wie nötig, soviel eigenes Profil wie möglich.

Diese Taktik verfolgte jetzt auch Kurt-Georg Kiesinger. Seine Partei hatte das Tief von 1966 überwunden und war – Umfragen belegten das – wieder im Aufwind. Kiesinger, der Anfang der fünfziger Jahre außenpolitischer Sprecher der CDU/CSU-Bundestagsfraktion gewesen war und danach strebte, endlich einmal selber Außenpolitik gestalten zu können, pfuschte Brandt fortan immer wieder ins Handwerk. Er stoppte Noten des Auswärtigen Amtes, so zum Thema Gewaltverzicht an die Adresse Moskaus, und ließ sie im Kanzleramt umformulieren. Über seinen Außenminister spottete er: »Ich habe Herrn Brandt auf dem Pfade der Tugend gehalten. Ich habe praktisch jede Note des AA an die Sowjetunion entweder gestrichen oder korrigiert. Das waren die Richtlinien der Außenpolitik.«

Im Kanzleramt hatte Kiesinger ein Gegengewicht zum Auswärtigen Amt geschaffen. Neben dem Chef der außenpolitischen Abteilung, Horst Osterheld, war CSU-Baron Guttenberg als parlamentarischer Staatssekretär ein leidenschaftlicher Außenpolitiker. 1968 wechselte außerdem der frühere AA-Staatssekretär Karl Carstens vom Verteidigungsministerium ins Kanzleramt, um die Kontrolle über Brandt zu verstärken und die Außenpolitik wieder unter christdemokratische Regie zu bringen. Kiesinger durchkreuzte auch Brandts Absicht, noch vor der Bundestagswahl den Atomwaffensperrvertrag zu unterzeichnen, und meinte, sein Außenminister sei »auch hier viel zu früh bereit gewesen zu kapitulieren«. Brandts Mitdenker Bahr erinnert sich: »Das Kanzleramt zensierte Noten bis auf Buchstaben und Komma. Es war entwürdigend.«

Die mißtrauischen Christdemokraten gingen noch weiter. Sie setzten den Bundesnachrichtendienst (BND) auf Brandt und Bahr wegen verdächtiger Ostkontakte an. So kundschafteten die Gehlen-Agenten Bahrs Reisen nach Ost-Berlin und die Gespräche zwischen SPD und KPI aus. Ihre Informationen landeten beim CSU-Organ »Bayernkurier«, das Bahr prompt als Sicherheitsrisiko bezeichnete.

Als im August 1968 die Rote Armee gemeinsam mit anderen Truppen der Warschauer-Pakt-Staaten, darunter die Volksarmee der DDR, in die Tschechoslowakei einmarschierte, um den außer Kontrolle geratenen Liberalisierungsprozeß des »Prager Frühlings« zu stoppen, sah Kiesinger das Ende der neuen Ostpolitik gekommen und rückte von den gemeinsam mit den Sozialdemokraten erarbeiteten Positionen wieder ab. Die DDR, mit deren Regierungschef er korrespondiert hatte, geriet ihm jetzt zum »Gebilde« oder »Phänomen«. Auch die schon totgesagte Hallstein-Doktrin wollte er nun wiederbeleben. Als das fernöstliche Kambodscha Botschafter mit der DDR austauschte, wollte er sofort die diplomatischen Beziehungen abbrechen. Auf Brandts Intervention blieb es dann dabei, die Beziehungen »einzufrieren« und den gerade verwaisten Stuhl des Missionschefs nicht neu zu besetzen.

Brandt kam nun aus der Reserve. Gemäß Ehmkes Konfliktrezept griff er eine Zeitungsmeldung auf, wonach Kiesinger von einer »Anerkennungspartei« in der Bundesrepublik gesprochen hatte, und begehrte zu wissen: »Wen meinen Sie damit eigentlich, Herr Bundeskanzler?« Kiesinger redete sich auf eine »publizistische Opposition« heraus. Brandt nannte ihn daraufhin vor Journalisten verärgert einen »Quatschkopf von ungeheurem Ausmaß«. Ein Jahr zuvor noch hatten die beiden Rivalen unter dem Motto »Zwei Männer, eine Aufgabe – die Richtung stimmt« ein gemeinsames Arbeitsfoto als Werbeprospekt bundesweit verteilen lassen. Jetzt dachten sie weniger an Zusammenarbeit als vielmehr daran, wie sie eine eigene Kanzlermehrheit gewinnen könnten. Kiesinger verkündete vor Parteifreunden, die CDU/CSU werde nach der Bundestagswahl 1969 die Koalition mit einem Partner anstreben, der die Führungsrolle der Union anerkenne.

Auch Brandt suchte jetzt eine andere Mehrheit. Nach der Wahlniederlage in Baden-Württemberg hatte ihm Entwicklungshilfeminister Hans-Jürgen Wischnewski ein mehrseitiges Papier zugesandt, in dem er empfahl, die Parteiarbeit durch die Berufung eines Bundesgeschäftsführers zu verbessern. Brandt trug ihm den Posten gleich selber an – »dann mach mal die Sache auch«. Ende Mai 1968 bestätigte der Parteivorstand Wischnewski auf dem neuen Posten. Seine erste Amtshandlung war eine Konferenz mit den Bezirksgeschäftsführern der SPD in Karlsruhe. Er erklärte den Funktionären, daß die SPD nun endgültig das bisher nur aufgeschobene Projekt der Wahlrechtsänderung aufgebe. Kaum hörte Wehner davon, beschwerte er sich bei Brandt. Der stellte seinen neuen Geschäftsführer wegen dessen Alleingang zur Rede. Wischnewski: »Ach, du willst gar nicht Kanzler werden? Wir können doch wohl kaum mit der FDP regieren, aber vorher ein Gesetz machen, daß wir sie abschaffen.« Brandt: »Ach, so siehst du das.«

Fortan war auch für Brandt das Thema erledigt. Als Wehner merkte, daß die Würfel gefallen waren, stellte er sich wie beim Godesberger Reformprogramm auf die Seite der stärkeren Bataillone. Und als im April 1969 der angekündigte Sonderparteitag zusammenkam, übernahm wieder er es, den neuen Parteikurs zu verkünden und das Mehrheitswahlrecht endgültig zu beerdigen. Das entscheidende Hindernis für eine Koalition mit der FDP war damit aus der Welt. Ein Bündnis mit den Liberalen war die einzige Chance für die SPD, den Kanzler zu stellen. Die Demoskopen bestätigten der CDU/CSU nach wie vor ihre Führungsrolle. Eine absolute Mehrheit für die Sozialdemokraten lag außerhalb jeder Möglichkeit – um so mehr, als sich am linken Rand des politischen Spektrums eine der SPD kritisch gegenüberstehende Protestbewegung formiert hatte, die Außerparlamentarische Opposition (APO).

»Da muß ein Vater auch mal ein Machtwort sprechen.«

AUSSERPARLAMENTARISCHE OPPOSITION

In der zweiten Hälfte der sechziger Jahre war es an den Universitäten zunehmend zu Protestveranstaltungen gekommen. Themen waren Bildungskrise, Atomtod, Notstandsgesetze und der Vietnamkrieg. Der amerikanische Dschungelkrieg im Fernen Osten hatte zuerst an den amerikanischen Universitäten zu heftigen Protesten geführt. Neue, fernsehgerechte Protestformen wurden erprobt: Verbrennung von Soldbüchern und Fahnen, Sit-ins, Go-ins, Love-ins. Nach gemeinschaftlichen Demonstrationen und organisierter Regelverletzung wurde zur Gitarre gesungen und Hasch geraucht. Lange Haare, abgewetzte Kleidung und Rockmusik sollten eine gezielte Provokation sein und die Distanz zur bürgerlichen Welt betonen.

Mit dem Vietnam-Thema schwappten auch die neuen Protestformen von den USA nach Westeuropa herüber. Die Aufnahmebereitschaft war in der Bundesrepublik besonders groß, wo der Konformismus der Großen Koalition und die selbstgefällige Mentalität der Wirtschaftswunder-Deutschen – »Wir sind wieder wer« – das politische Leben lähmten. In Berlin kam als zusätzliches Reizmittel die Verlogenheit der offiziellen Deutschlandpolitik hinzu, die mit Kerzen im Fenster der »Brüder und Schwestern in der Zone« gedachte und gleichzeitig mit Polizei die Mauer vor Demonstranten schützen ließ.

Die bundesdeutschen Studenten entdeckten neue Leitbilder: die Freiheitshelden der dritten Welt wie den vietnamesischen KP-Vorsitzenden Ho Chi-minh und den südamerikanischen Revolutionär Che Guevara, den Erneuerer Chinas Mao Tse-tung und die sozialistischen Urväter Marx, Engels und Lenin sowie die Revolutionsmärtyrer Karl Liebknecht und Rosa Luxemburg.

Der Staatsbesuch des persischen Diktators Mohammed Resa und der Kaiserin Farah Diba Anfang Juni 1967 provozierte heftige Demonstrationen der Studenten, vor allem in Berlin. Die Bundesregierung und der Berliner Senat schickten vom persischen Geheimdienst handverlesene Jubelperser zum Empfang ans Schöneberger

307

Rathaus, die nach den Hochrufen mit Dachlatten auf die gewaltlo-sen Protestierer einschlugen, ohne daß die Polizei einschritt. Am Abend des 2. Juni kam es vor der Berliner Oper zu einer großen Pro-testdemonstration. Die Staatsgäste saßen bereits in ihrer Loge, als die Polizei mit Knüppeln das Gelände räumen wollte. Der Polizeibe-amte Karl-Heinz Kurras verlor die Nerven und erschoß von hinten den 26jährigen Studenten Benno Ohnesorg, der auf der Flucht war und keinen Widerstand geleistet hatte. Polizei und Senat versuch-ten, die Umstände des Todes zu vertuschen. Es kam zu einer Eskala-tion der Gewalt und zu einer tiefen Vertrauenskrise der Jugend ge-genüber den staatlichen Institutionen.

Einer der Stars der neuen Studentenbewegung war der Soziolo-giestudent Rudi Dutschke. Als Anhänger des Prinzips der Gewaltlo-sigkeit rief er die Linke zum »Marsch durch die Institutionen« auf. Brandts Sohn Peter interviewte ihn für die Schülerzeitung. Am 11. April 1968 wurde Dutschke auf dem Berliner Kurfürstendamm von einem rechtsradikalen Attentäter mit drei Revolverschüssen lebens-gefährlich verletzt. Eine neue Steigerung in den Auseinandersetz-zungen zwischen Studenten und Staat folgte. Zielscheibe der De-monstranten wurde nun auch der Axel Springer Verlag, dessen Zeitungen Dutschke und die APO insgesamt scharf angegriffen hat-ten. Während der Ostertage 1968 kam es zu pausenlosen Protest-kundgebungen und dem Versuch, die Auslieferung der im Springer Verlag erscheinenden »Bild«-Zeitung zu verhindern.

Schrittmacher der Protestbewegung an den Universitäten war der Sozialistische Deutsche Studentenbund (SDS), von dem sich die SPD acht Jahre zuvor wegen seiner marxistischen Ausrichtung ge-trennt hatte. Der inzwischen kaltgestellte Werbemanager Garbe ver-suchte vergeblich, die SPD-Führung für eine Untersuchung zu ge-winnen, wie das neue linke Protestpotential in die Partei zurückge-führt werden könnte. Zwar wurde 1969 ein Jugendkongreß einberu-fen, von dem aber selbst Parteiführer Brandt anschließend meinte: »Die Veranstaltung litt an innerer Konfusion.«

Einen guten Teil zur Entfremdung von der SPD trug Brandt selber bei. Unter seinem Vorsitz verurteilte das Parteipräsidium zwar das Attentat auf Dutschke, verknüpfte diese Erklärung aber mit einer Mahnung zu »law and order«: »Wir rufen nachdrücklich ins Be-wußtsein, daß jeder, der sich zu Gewalttaten der Verwüstung, der

308

gemeinschaftlichen Sachbeschädigung, der Brandstiftung und zum Landfriedensbruch hinreißen läßt, nicht nur die Rechtsordnung verletzt, sondern auch der Sache der Demokratie großen Schaden zufügt, der er angeblich nutzen will.« Und in Ansprachen mokierte sich Brandt auch noch nach dem Attentat auf Dutschke über »Träumer und Radikale, die glauben, mit dem Idol eines nationalen kommunistischen Staatschefs in Südostasien werben oder den Parolen eines südamerikanischen Ultrarevolutionärs folgen zu sollen«. Kein Scherz war ihm zu billig: »Manchmal denke ich, die Außerparlamentarische Opposition müßte sich OPA statt APO nennen.«

Als Parteiführer duldete es Brandt, daß gegen Genossen wie den Berliner Stadtrat Harry Ristock Parteiausschlußverfahren angestrengt wurden, weil sie sich ein Plakat »Ich bin ein Mitglied der SPD« umgehängt und an einer Vietnam-Demonstration beteiligt hatten. Trotzdem folgten die »Neuen Linken« dem Dutschke-Aufruf zum Marsch durch die Institutionen und traten in Massen der SPD bei. Gezielt schufen sie neue Mehrheiten in den Ortsvereinen und drängten die alten Genossen, die Facharbeiter und Angestellten, an die Seite. Sie waren redegewandter und von ihren Studentenversammlungen her erfahren in der Handhabung der Geschäftsordnung; und sie brachten – im Gegensatz zu den Werktätigen, die früh aufstehen mußten – viel Zeit mit. So gelang es ihnen, Ausgangspositionen für späteren Einfluß auf die Partei zu gewinnen – von denen aus dann oft angepaßte Karrieren gestartet wurden. Helmut Schmidt regte an, die Partei solle sich dieser Unterwanderung durch eine Neuformulierung des Organisationsstatuts erwehren: Beschlüsse, die nach 22 Uhr gefaßt würden, sollten keine Gültigkeit mehr haben.

In der Rückschau, ein Jahrzehnt später, färbte Brandt das damalige Verhalten der SPD-Führung um. Auf dem Hamburger Parteitag im November 1977 stellte er die rhetorische Frage, wo »unsere Gesellschaft, unser Staat« wohl stünden, wenn die SPD seinerzeit »nicht mutig genug gewesen wäre, die Generation der Unrast von 1968 in ihre Reihen, in ihre Debatte aufzunehmen«. Tatsächlich wurde er nach 1968 allmählich zum Hoffnungsträger der APO-Generation. Dabei kam ihm zugute, den Standortwechsel von Berlin nach Bonn so rechtzeitig vollzogen zu haben, daß die Flügelkämpfe in der Berliner SPD, die Sterilität des offiziellen politischen Lebens der Teilstadt und die Selbstversorgung der Genossen im öffentlichen Dienst ihm ebensowenig angelastet wurden wie die politische Unfähigkeit des Senats, der nur mit brutalem Polizeieinsatz auf die Studentendemonstrationen zu antworten wußte. Sein unbeholfen taktierender Nachfolger als Regierender Bürgermeister, Heinrich Albertz, tat ihm den Gefallen, im Frühjahr 1967 nach gewonnener Neuwahl selbstherrlich zu verkünden: »Die Ära Brandt ist zu Ende.«

Die unruhige Jugend hielt Brandt zugute, daß er als Außenseiter in der Großen Koalition saß, daß seine Ostpolitik zumindest den Versuch einer Verständigung mit den östlichen Nachbarn unternahm und daß er von den Konservativen deswegen heftig angegriffen wurde. Sie respektierte seine antifaschistische Biographie, die ihn von anderen Bonner Größen unterschied. Er gewann ihr Zutrauen auch durch die Toleranz, die er in seiner Familie vorlebte. Brandt hatte es zugelassen, daß seine Söhne Peter und Lars Rollen in der Verfilmung der Novelle »Katz und Maus« von Günter Grass übernahmen und entsprechend der Drehbuchvorlage das Ritterkreuz, die höchste deutsche Kriegsauszeichnung, die FDP-Vizekanzler Mende auf offiziellen Empfängen noch am Hals getragen hatte, in die offene Badehose baumeln ließen.

Schon dieser Affront hatte den ständig um die Reputation der Partei besorgten führenden Genossen mißfallen. Als sich Sohn Peter auch noch an einer nicht genehmigten Vietnam-Demonstration beteiligte und anschließend zu vierzehn Tagen Jugendarrest verurteilt wurde, wuchs die Sorge der SPD-Führung um die Wahlchancen. Helmut Schmidt zu Brandt: »Da muß ein Vater auch mal ein Machtwort sprechen können.« Die Vorstandsgenossin Lucie Kurlbaum-Beyer riet dem erziehungsberechtigten Parteivorsitzenden gar, Sohn Peter für eine Weile ins Ausland zu schicken und ihn damit aus Fernsehen und Zeitungen zu schaffen. Der stellte sich vor seinen Sohn und verbat sich erbost jede Einmischung in seine Familienangelegenheiten. Brandt im Rückblick: »Für mich war es wichtig, daß ich in der eigenen Familie mit den Gedanken und Emotionen dieser Generation konfrontiert wurde.«

»Ein Stück Machtwechsel.«

SOZIALLIBERALE ANNÄHERUNG

Die größte Signalwirkung auf die revoltierende junge Generation übte die von Brandt betriebene Nominierung Gustav Heinemanns zum Kandidaten der SPD für die Neuwahl des Bundespräsidenten aus. Heinemann hatte sich als moralische Instanz etabliert, als er nach dem Anschlag auf Dutschke und den folgenden Osterunruhen in einer Ansprache über Rundfunk und Fernsehen auch den Etablierten ins Gewissen redete: »Wer mit dem Zeigefinger allgemeiner Vorwürfe auf den oder die vermeintlichen Anstifter oder Drahtzieher zeigt, sollte daran denken, daß in der Hand mit dem ausgestreckten Zeigefinger zugleich drei andere Finger auf ihn selbst zurückweisen.«

Schon im Juni 1967 hatte Brandt in einem Gespräch mit dem »Spiegel« den Anspruch der SPD auf das höchste Staatsamt angemeldet und zwei Monate später in einem Brief an Kiesinger diese Forderung bekräftigt. Kandidat der SPD war zunächst der Gewerkschafter Georg Leber, für die Öffentlichkeit ein gestandener Arbeiterführer. Er war ohne jede Ausstrahlung auf die Jugend, aber in der Großen Koalition, der er als Verkehrsminister angehörte, auch von der CDU/CSU wegen seiner Geradlinigkeit und seines katholischen Bekennertums geachtet. Als die Unionsparteien dann aber mit Gerhard Schröder einen eigenen Kandidaten präsentierten, war der SPD-Führung klar, daß ein sozialdemokratischer Präsident nur mit den Stimmen der FDP zu erreichen war. Es mußte also ein Kandidat gefunden werden, der für die Liberalen wählbar war.

Heinemann hatte als Justizminister im Sinne der FDP das politische Strafrecht liberalisiert und war wegen »vorbildlich demokratischen Verhaltens« von den Freidemokraten mit dem Theodor-Heuss-Preis ausgezeichnet worden. Mitte August 1968 erkundete SPD-Finanzexperte Alex Möller in einem Gespräch mit dem parlamentarischen Geschäftsführer der FDP-Bundestagsfraktion, Hans-Dietrich Genscher, die Chancen Heinemanns. Er erfuhr, dieser Kandidat sei »eine gute Lösung«. Zugleich war Heinemann ein Garant für die Abgrenzung zur CDU. Dort gab es noch unversöhnliche Erinnerungen an seinen Rücktritt als CDU-Minister aus Protest gegen Adenauers Aufrüstungspolitik im Jahre 1950, an seinen Parteiaustritt 1952 und an die Bundestagsdebatte vom Januar 1958, in der Heinemann schonungslos mit der verfehlten Wiedervereinigungspolitik Adenauers abgerechnet hatte.

Am 28. Oktober 1968 wurde Heinemann offiziell von der SPD zum Präsidentschaftskandidaten gekürt. Am 5. März 1969 wählte ihn die Bundesversammlung in Berlin zum neuen Staatsoberhaupt. Erst im dritten Wahlgang erreichte er die Mehrheit. Doch die FDP hatte mit ihren Stimmen für den SPD-Kandidaten in den Augen der Öffentlichkeit ein Zeichen für eine sozialliberale Koalition nach der bevorstehenden Bundestagswahl gesetzt. Auch Heinemann sprach in einem Interview von »einem Stück Machtwechsel«.

Das eilte allerdings der Entwicklung weit voraus. Für die FDP, die sich erst im Umbruch zu einer liberalen Reformpartei befand, war die Wahl Heinemanns laut ihrem Vorsitzenden Walter Scheel ein »völlig in sich abgeschlossener Akt«. Scheel weiter: »Das hatte nichts zu tun mit der simplen, nachher vermuteten Logik, es sei die Einleitung einer Bewegung ›hin zu einer neuen Mehrheit‹ gewesen. Wir wollten den jungen Menschen durch die Wahl dieses Mannes beweisen, daß die Demokratie nicht verkrustet war. Denn Heinemann war die Inkarnation des Freiheitswillens gegenüber jedermann und der aktiven Toleranz. Schröder war genau das Gegenteil.«

So sahen es auch manche Sozialdemokraten, die eine Weiterführung der Großen Koalition anstrebten. Helmut Schmidt und Herbert Wehner blieben der Siegesfeier auf dem Berliner Messegelände, zu der Brandt auch die Liberalen eingeladen hatte, demonstrativ fern. Brandt umarmte Scheel und scherzte über die »soziale Integration« der Freien Demokraten. Ernster gemeint waren seine Worte, daß das sozialdemokratische Mißtrauen gegen die FDP jetzt vom Tisch sei. Für ihn war ein Bündnis mit den Freien Demokraten die einzige Möglichkeit, die festgefahrene Ostpolitik in eigener Verantwortung wieder flottzubekommen.

Nach dem Mauerbau hatten die Bonner Liberalen im Herbst 1961, beim Abschluß des Koalitionsabkommens mit der CDU/CSU, auf eine neue Deutschlandinitiative bei den vier Mächten gedrängt, wobei auch sie noch den alten Wiedervereinigungsvorstellungen anhingen. Erst der Sekretär ihres außenpolitischen Arbeitskreises,

Wolfgang Schollwer, brachte neue Denkanstöße in die Partei. Im Frühjahr 1962 stellte er in einem Thesenpapier fest, die Wiedervereinigung Deutschlands durch die vier Mächte sei auf überschaubare Zeit nicht zu erwarten, vielmehr gelte es, in einer »Politik der Verklammerung« die Existenz der DDR hinzunehmen, auf den Alleinvertretungsanspruch für Gesamtdeutschland zu verzichten und die Ostgrenze bis zu einem Friedensvertrag anzuerkennen. Schollwer gehörte damit zu den ersten politischen Denkern in Bonn, die eine Neuorientierung der Deutschlandpolitik forderten.

Politische Bedeutung erhielt das Schollwer-Papier erst 1967 durch eine Veröffentlichung im »Stern«. Dessen Chefredakteur Henri Nannen machte sich fortan im Verein mit »Spiegel«-Chef Augstein zum Vorkämpfer dieser Politik. Walter Scheel, der 1968 den gebürtigen Schlesier und eher nationalliberal eingestellten Erich Mende als FDP-Chef ablöste, sah die Chance, daß sich die kleine FDP als Oppositionspartei dort profilieren konnte, wo sich die Große Koalition nicht weitertraute. Im September 1968 weigerte er sich, im Bundestag eine Deutschlandresolution der Regierungskoalition mitzutragen, weil in ihr wieder der Alleinvertretungsanspruch enthalten war. Im Frühjahr 1969 veröffentlichten die Liberalen statt dessen den Entwurf eines Staatsvertrages zwischen beiden deutschen Staaten, der um den Preis einer Anerkennung der DDR menschliche Erleichterungen für deren Bürger und einen freien Zugang nach Berlin erreichen sollte.

Damit gingen die Freien Demokraten weit über die offiziellen Ziele der SPD hinaus. Wehner wollte sich im Bundestag nicht festlegen: »Kommt Zeit, kommt auch Vertrag.« Zwar hatten sich die ostpolitischen Denker von SPD und FDP, Bahr und Schollwer, seit 1966 gelegentlich getroffen, zu einer Zusammenarbeit aber war es nicht gekommen.

Zu Kontakten zwischen den Parteispitzen gar, die eindeutig auf eine Regierungskoalition nach der Bundestagswahl 1969 abzielten, kam es erst im Frühjahr 1969. Alex Möller, der schon Heinemanns Wahl vorbereitet hatte, traf sich am 11. April in seiner Wohnung zu einem Kaviaressen mit Scheel. Beide waren sich rasch einig, das Bündnis zu betreiben. Schon drei Wochen später, am 3. Mai 1969, trafen sich Scheel und Brandt im Düsseldorfer Industrie-Club zu einem gemeinsamen Mittagessen, bei dem sie die Absprache bestätigten. Um sich nicht Angriffen der CDU/CSU auszusetzen, deren Politiker bereits die Anerkennung der Oder-Neiße-Grenze als »Landesverrat« (Strauß) bezeichneten und die Gefahr beschworen, eine neue Deutschlandpolitik »verspiele das Vertrauen der Westmächte« (Kiesinger), verabredeten die beiden Parteichefs Geheimhaltung und den Verzicht auf weitere Zusammenkünfte.

Aber auch aus anderen Gründen blieb die Bündnis-Absprache zwischen Scheel und Brandt vertraulich. In der SPD gab es keine eindeutige Vorstandslinie in der Koalitionsfrage. Insbesondere Wehner und Schmidt favorisierten nach wie vor eine Weiterführung der Großen Koalition. Und Scheel mußte um den Zusammenhalt seiner Partei fürchten, in der starke Kräfte weiterhin eine bürgerliche Regierung bevorzugten. So wagte Brandt noch im September 1969 nur eine verdeckte Koalitionsaussage, die er als persönliche Option einkleidete. In einem »Spiegel«-Interview sagte er: »Ich kann mir keine Koalition denken, bei der für einen Außenminister Brandt Platz ist. Auch eine Große Koalition machte es unwahrscheinlich, daß es einen Außenminister Brandt gibt.« Gleich aber tat er wieder einen Schritt zurück: ». . . es sei denn, er bekommt eine ganz klare Bestätigung, daß er für sein Ressort verantwortlich ist und daß nicht aus der Richtlinienkompetenz eine Bürokratenzuständigkeit des Bundeskanzleramtes für den Außenminister wird.«

Der Wahlkampf 1969 zeigte die Partner der Großen Koalition wie in einer gescheiterten Ehe: Sie kämpften gegeneinander und bedachten sich mit Schuldzuweisungen. Wichtigstes Wahlkampfthema war nicht die Ost-, sondern die Wirtschaftspolitik. Und das sozialdemokratische Zugpferd hieß nicht Willy Brandt, sondern Karl Schiller. Den agilen Professor für Volkswirtschaft, der im Verein mit Strauß die Rezession von 1966 überwunden hatte, hielten bis zum Beginn des Wahljahres viele Deutsche für einen CDU-Mann. Mit griffigen Formulierungen wie »Talsohle überwinden«, »Konzertierte Aktion«, »Aufschwung nach Maß«, »soziale Symmetrie« und »Globalsteuerung« hatte er sein Fachgebiet popularisiert.

Als 1968 die starke D-Mark ausländisches Inflationsgeld anlockte und die westlichen Industrienationen USA, Frankreich und Großbritannien eine Aufwertung der deutschen Währung forderten, hatten Schiller und Strauß diese Vorstöße noch gemeinsam abgewehrt, da sie um die Exportfähigkeit der deutschen Wirtschaft fürchteten. Als aber im Frühjahr 1969 die Diskussion erneut ausbrach, war es Schiller, der nun aus Stabilitätserwägungen eine Aufwertung befürwortete. Die dadurch verbilligten Importe würden im Inland den Preisauftrieb bremsen, argumentierte er. Von Strauß und der Exportindustrie gedrängt, legte Kiesinger das Kabinett am 9. Mai 1969 jedoch auf die Nichtaufwertung fest.

Schiller hatte sein Wahlkampfthema. Anders als Brandt, der Kiesingers Bevormundung lange wehleidig hingenommen hatte, nutzte er öffentliche Auftritte, um nach einer Aufwertung der Mark zu rufen und sich als brillanten Wirtschaftspolitiker der SPD darzustellen. Seine Methode hatte Wirkung. Immer häufiger beklagte sich Strauß über unzureichende Beachtung: »Ich bin nicht der wirtschaftliche Halbtrottel, der sich neben dem Genie Schiller wie ein kleiner Bub ausnimmt, der mit der Blechtrommel neben der Militärkapelle herläuft.«

SPD-Wahlkampfmanager Wischnewski erkannte, daß er in Schiller einen begnadeten und medienwirksamen Einzelkämpfer hatte. Für ihn war es wie ein Geschenk des Himmels. Denn in der öffentlichen Meinung hatte Brandt jegliche Zugkraft verloren. Bei Umfragen im Sommer 1969 sprachen sich nur neunzehn Prozent der Wähler für ihn als Regierungschef aus. Dem CDU-Wahlkampfslogan »Auf den Kanzler kommt es an« stellte die SPD deshalb von Brandt unabhängige Parolen wie »Wir schaffen das moderne Deutschland« und »Wir haben die richtigen Männer« entgegen. In einer Wahlkampfillustrierten, die mit fünf Millionen Auflage an allen Urlaubsorten der Deutschen im In- und Ausland verteilt wurde, trat Brandt nur zusammen mit Schiller auf. Die mittlere Doppelseite war sogar für Schiller alleine reserviert.

Tatsächlich gelang es durch den Schiller-Einsatz, den Abstand der CDU/CSU, der bei der vorigen Wahl acht Prozent betragen hatte, zu halbieren. Am Wahlsonntag, dem 28. September 1969, kletterten die Sozialdemokraten erstmals über die Vierzig-Prozent-Marke. Die CDU/CSU fiel leicht zurück, die Freien Demokraten retteten sich knapp über die Fünf-Prozent-Hürde. Es war das schlechteste Ergebnis in der Geschichte der FDP. Es wurde dennoch zum Ausgangspunkt für den Neubeginn in Bonn und für einen späten, aber steilen Aufstieg Willy Brandts.

Der Friedenskanzler
(1969 bis 1972)

»Was heißt hier klein?«

DIE ENTSCHEIDUNG

Zwanzig Jahre lang war Willy Brandt ein typischer Sozialdemokrat gewesen. Einer, der in entscheidenden Situationen dazu neigte, zu zögern und zu zagen. In der Nacht des 28. September 1969 aber legte er alles Zaudernde und Grüblerische ab. Die Deutschen, die politischen Gegner in der CDU/CSU und erst recht die eigenen Genossen erlebten einen neuen Brandt. Einen, der zupackte, Wagemut zeigte, Macht beanspruchte, Konflikten nicht auswich – und gewann. Er bewies fortan einen Führungswillen von suggestiver Kraft. Drei Jahre lang. Sie reichten aus, ihn zu einem Mann zu machen, dessen Politik seit Konrad Adenauer am nachhaltigsten eine Ära geprägt hat.

Selten lagen Sieg und Niederlage, Hochgefühl und Katzenjammer, Arroganz und Absturz so dicht beieinander wie in dieser Nacht vom 28. auf den 29. September. Kurz vor 18.00 Uhr hatte die Leiterin des Instituts für Demoskopie in Allensbach, Elisabeth Noelle-Neumann, einen Wahlsieg der SPD prophezeit. Fünfundvierzig Minuten nach Schließung der Wahllokale veröffentlichte die ARD eine erste Hochrechnung von Infas: Jetzt lag die CDU/CSU mit 47,6 Prozent der Stimmen klar vor der SPD mit 41,1 Prozent und der FDP, die mit 5,2 Prozent dicht an der Sperrklausel entlangschrammte. Gegen 21.00 Uhr bestätigte der Computer den Unionsparteien die absolute Mehrheit der Mandate.

Im Bungalow des Palais Schaumburg, Kiesingers Dienstwohnung, knallten die ersten Sektpfropfen. Freiherr von und zu Guttenberg notierte: »Die Zuversicht unter uns wächst von Meldung zu Meldung.« Aus Washington rief US-Präsident Richard Nixon an, um als erster Kurt-Georg Kiesinger zu seinem Triumph zu gratulieren. Kiesinger meinte zu dieser Stunde: »Ich bin glücklich«, und kostete schon die Niederlage der Abtrünnigen aus dem Bürgerlager aus:»Der Scheel, der wird stürzen.« CDU/CSU-Fraktionschef Rainer Barzel verkündete im Fernsehen:»Es ist klar, daß der Führungsanspruch bei der CDU/CSU liegt.« im Park des Kanzleramts marschierte die Junge Union zum Fackelzug auf und stimmte nach der Melodie des Deutschlandliedes den Wahlslogan an:»Sicher in die siebziger Jahre.«

Im FDP-Hauptquartier im Bonner Talweg herrschte Untergangsstimmung. Die Parteigrößen hatten das Haus verlassen und sich in ihre Büros oder Privatwohnungan abgesetzt. Walter Scheel hatte zwei Tage vor der Wahl das drohende Unheil von der zur Reformpartei umgemodelten FDP durch eine Flucht nach vorn abwenden wollen und sich im Alleingang für eine sozialliberale Koalition ausgesprochen. Am Wahlabend war er als einer der ersten nach Hause gefahren.»Ich bin der Verlierer der Wahl«, gestand er Reportern völlig niedergeschlagen. Doch zugleich signalisierte er auch Gesprächsbereitschaft mit der SPD. In einer Fernsehrunde um 20.55 Uhr sagte er auf die hypothetische Frage, ob er bei der knappen Mehrheit von sechs Stimmen eine Koalition mit den Sozialdemokraten einginge:»Die SPD hat es 1966 nicht getan. Ob sie im Jahre 1969 eine andere Haltung einnimmt, das kann ich nicht entscheiden. Das wird die SPD zu entscheiden haben.«

Gegen 21.30 Uhr änderte sich plötzlich der Trend der Hochrechnungen. Um 22.00 Uhr gab es für SPD und FDP schon eine Mehrheit von vier Sitzen, eine halbe Stunde später waren es bereits sechs, kurz nach 23.00 Uhr acht. Als sich die Mehrheit für eine sozialliberale Koalition abzuzeichnen begann, preschte der Star der Wahl, Karl Schiller, vor:»Willy, jetzt müssen wir nicht mehr sagen als nur ›Wir sind nach allen Seiten offen.‹« Und unbekümmert um die Beratungen seiner Parteioberen sagte er übers Fernsehen:»Ich persönlich neige zu einer Koalition mit der FDP. Doch die SPD ist selbstverständlich nicht festgelegt.«

Im Sitzungszimmer des Präsidiums in der »Baracke« hatte sich die Führungscrew der Partei um einen Konferenztisch versammelt. Zwei halbkugelförmige Lampen tauchten nur den Tisch in helles Licht, die Gesichter der Runde blieben im Halbdunkel – Carlo Schmid, Helmut Schmidt, Herbert Wehner, Hans-Jürgen Wischnewski, Alfred Nau, Alex Möller, Heinz Kühn und Willy Brandt. Gespannt verfolgten sie vor zwei Fernsehgeräten die Auszählung.

320

Zunächst war die Stimmung gedrückt. Möller meinte, daß die SPD einen hohen, vielleicht zu hohen Preis für die Große Koalition bezahlt habe. Doch allmählich wich der besorgte Ernst aus den Mienen.

Vom Flur her drang Stimmengewirr in den Raum. Die Angestellten des Vorstandes, Wahlhelfer und Jungsozialisten brachten sich mit Trendmeldungen und »Kölsch«-Bier in Stimmung. Um 22.30 Uhr entschloß sich Brandt zum Anruf bei Scheel. Er müsse bald, so redete er auf den bedrückt wirkenden FDP-Vorsitzenden ein, vor die Kameras. Er habe die Absicht, öffentlich zu erklären, daß er gemeinsam mit den Freien Demokraten die nächste Regierung bilden wolle. Ob Scheel dies unterstütze. Der FDP-Vorsitzende, der noch unter dem Schock der Stimmenverluste stand, wurde sich seiner Schlüsselrolle bewußt. Mit wiedergewonnener Fassung gab er Brandt zu verstehen, daß er dessen Absicht bejahe, obgleich die Freidemokraten eine schreckliche Niederlage hätten hinnehmen müssen. Für die Durchsetzung dieser Absprache würde er, Scheel, in seiner Partei hart zu kämpfen haben. Dann noch einmal: »Ich bejahe Ihre Absicht.« Es blieb der einzige Kontakt zwischen den beiden in dieser Nacht.

Zurück im Sitzungszimmer, machte sich Brandt an den Entwurf seiner TV-Erklärung. Er hatte zwei wichtige Verbündete am Tisch: den nordrhein-westfälischen Ministerpräsidenten Heinz Kühn und den Wegbereiter der Heinemann-Wahl, Alex Möller. Beide setzten jetzt ihre Verbindungen zu den Liberalen ein, um für das neue Bündnis zu werben. Durch einen Nebenausgang verließen sie die »Baracke« und gingen zu Möllers Wohnung im Bundeshaus-Viertel. Von dort telefonierte Kühn mit seinem Koalitionspartner, dem Düsseldorfer FDP-Chef Willi Weyer, der sofort seine Unterstützung zusagte. Möller lud die Bonner FDP-Politiker Werner Mertes und Hans Wolfgang Rubin sowie den in Berlin zusammen mit der SPD regierenden FDP-Senator und stellvertretenden Landesvorsitzenden Hans-Günter Hoppe in seine Wohnung ein.

Hans-Jürgen Wischnewski versuchte derweil vergeblich, den FDP-Fraktionsvorsitzenden Mischnick, mit dem er sich gut stand, am Telefon zu erreichen. Dann machte er sich auf die Suche. Über die leeren Flure des Bundeshauses eilte er zu Mischnicks Parlamentsbüro. Er fand ihn dort »völlig am Boden zerstört«. Der SPD-

Mann suchte mit forschen Worten, den Liberalen wieder aufzurichten: »So viel Zeit zum Regenerieren kann ich dir jetzt nicht geben,
wir müssen regieren.« Dann nahm er ihn mit zu Möllers Wohnung.

Ohne die Parteivorsitzenden Brandt und Scheel beriet die dort
versammelte sozialliberale Politikerrunde, zu der noch Genscher
stieß, die Konsequenzen aus dem Wahlergebnis. Die Zahlen sprä-
chen gegen eine Große Koalition. Sie sei zudem staatspolitisch be-
denklich. Die Versammelten wurden sich einig, das linksliberale
Bündnis anzustreben und in den eigenen Reihen durchzusetzen. Telefonisch informierten sie ihre Parteivorsitzenden über das Ge-
sprächsergebnis. Die FDP-Politiker fuhren anschließend zu Scheels
Privathaus, einige hundert Meter von Brandts Dienstvilla entfernt
auf dem Bonner Venusberg. Dort teilten sie sich die Arbeit auf, die
Landesverbände für den linksliberalen Kurs zu gewinnen.

Um 23.45 Uhr trat Brandt vor die Kameras. Ein junger Mann
sprang auf einen Tisch und rief: »Hier kommt der nächste Bundeskanzler.« Die inzwischen ausgelassen fröhliche Menge feierte den
Wahlsieger: »Willy, Willy, Willy.« Mit rauher Stimme sprach
Brandt dann die Sätze in die Fernseh- und Rundfunkmikrofone, die
eine dreizehnjährige sozialliberale Ära einleiten sollten: »Als Vorsitzender meiner Partei möchte ich sagen, dies ist das beste Ergebnis, das wir gehabt haben. Die SPD ist die größte Partei, sie hat über
eine Million Stimmen dazugewonnen. Die SPD ist die stärkste Partei, die CDU die zweitstärkste. . . . Ja, das ist das Ergebnis. Und nun
Folgerungen: Eine Koalition der Verlierer – ich wiederhole – eine
Koalition der Verlierer wäre keine angemessene Forderung aus dem
Ergebnis. Denn die FDP hat stark verloren. Die CDU hat schwach
verloren. . . . Außerdem ist das so: Diejenigen FDP-Anhänger, die
mit Scheel was anderes wollten, die haben Scheel gewählt. Das
heißt, man hat also doch vorher gesagt, wer die FDP wählt, wählt
SPD und FDP . . . Und jetzt noch, was die unmittelbar anstehenden
Schritte angeht: Die SPD tritt in die notwendigen Verhandlungen –
Verhandlungen sind notwendig – nicht mit dem Gefühl des zweiten
Siegers, sondern als die einzige Partei, deren Wahlergebnis einen
Zuwachs an Vertrauen ausdrückt. Ich habe die FDP wissen lassen,
daß wir zu Gesprächen mit ihr bereit sind. Dies ist der jetzt fällige
Schritt von unserer Seite. Über alles andere wird morgen zu reden
sein.«

322

Weil sich mit dieser Eindeutigkeit kein FDP-Politiker öffentlich festlegen wollte, übernahm in der Wahlnacht der forsche Sozialdemokrat Horst Ehmke die Sprecherrolle der Liberalen. Im Fernsehen erklärte er: »Ich würde jetzt wirklich für die FDP sagen: Sie hat ihre ›rechten‹ Wähler verloren. Wenn sie Selbstmord begehen will, muß sie sich jetzt der CDU an den Hals werfen, denn die Leute, die sie noch gewählt haben, die haben sie gewählt wegen der SPD-Koalition.«

Die Dissidenten von SPD und FDP fanden in dieser Nacht kaum Gehör. Herbert Wehner erschien der Husarenritt Brandts bei einer so knappen Mehrheit zu gewagt. Er fürchtete, daß Brandt bei der Kanzlerwahl unterliegen könnte und damit das mühevoll in langen Jahren erworbene Vertrauenskapital der SPD verspielen würde. Er wollte die Große Koalition fortsetzen. Mit harschen Worten suchte er denn auch noch in der Wahlnacht, die Freidemokraten zu verprellen. Zur selben Zeit, als Brandt seine TV-Erklärung niederschrieb, putzte Wehner die FDP vor den Fernsehkameras herunter: »Diese alte Pendlerpartei.« Aufgeregt rief ihn daraufhin der Sprecher der Liberalen, Hans-Roderich Schneider, an und warnte: »Noch so einen Tiefschlag, und es ist aus.« Nach Brandts Fernsehauftritt und den sich weiter bessernden Endergebnissen aus den Wahlkreisen erkannte Wehner, daß er Gefahr lief, in eine Abseitsposition zu geraten. Von zu Hause aus rief er nach Mitternacht Brandt an und sagte ihm seine Unterstützung zu.

Der andere sozialdemokratische Anhänger einer Großen Koalition, Helmut Schmidt, hatte zu dieser Zeit durch eigenes Fehlverhalten die Möglichkeit verspielt, gegen Brandt wirksam aufzutreten. Bei einer international besetzten Konferenz über Mitbestimmung auf dem dänischen Schloß »Marielyst« hatte er losgepoltert: »Dieser Scheißdemokrat Brandt, der immer erst andere fragen muß, bevor er sich entscheidet« – und war dafür vom Tagungsleiter, dem Industriellen Otto Wolff von Amerongen, zur Ordnung gerufen worden. In der Wahlnacht hielt sich Schmidt mit öffentlichen Erklärungen zurück; später sagte er: »Ich war immer für diese Koalition.«

Bei den Freidemokraten meldete sich gegen Mitternacht der im Vorjahr gestürzte Parteivorsitzende Erich Mende, Anhänger einer bürgerlichen Koalition, zu Wort. Er rief ZDF-Chefredakteur Rudolf Woller an und kritisierte die Berichterstattung, die den Eindruck erwecke, die sozialliberale Koalition sei bereits perfekt. In einer Erklärung ließ er verbreiten, die satzungsgemäßen Organe der FDP müßten erst einen Beschluß fassen, mindestens zehn FDP-Abgeordnete seien gegen eine Koalition mit der SPD. Mende sah in einem sozialliberalen Bündnis gegen die CDU/CSU, die die stärkste Fraktion stellte, einen »parlamentarischen Staatsstreich«.

Als kurz nach Mitternacht die endgültigen Ergebnisse feststanden, hatten SPD und FDP eine rechnerische Mehrheit von zwölf Mandaten. Die SPD war um 3,4 Prozent auf 42,7 Prozent der Stimmen gestiegen und hatte als einzige Partei dazugewonnen. CDU und CSU zusammen blieben stärkste Fraktion mit 46,1 Prozent, der geringe Stimmenverlust von 1,5 Prozent sicherte ihnen noch immer das drittbeste Nachkriegsergebnis. Die FDP hatte ihre Wählerschaft nahezu halbiert: Sie bekam nur 5,8 Prozent gegenüer 9,5 Prozent vier Jahre zuvor.

Brandt behielt das Gesetz des Handelns – in der eigenen Partei wie auch gegenüber dem amtierenden Kanzler Kiesinger. Am Montag morgen um 9.20 Uhr rief er Bundespräsident Heinemann an und unterrichtete ihn von seinem Entschluß, sich um eine Koalition mit der FDP zu bemühen. Heinemann, gerade in der morgendlichen Besprechung mit seinen engsten Mitarbeitern, sagte ins Telefon: »Willy, ran, mach's!« Sie verabredeten ein persönliches Treffen für den späten Montag. Zweiter beim Bundespräsidenten war Grundstücksnachbar Kiesinger. Erst am Montag abend begab er sich in die Villa Hammerschmidt. Auch er meldete seine Absicht, sich um eine Regierungsbildung mit der FDP zu bemühen. Als er von dem vorangegangenen Telefonkontakt Heinemann/Brandt erfuhr, sagte er zu Parteifreunden: »Wir müssen Heinemann sehr gut beobachten. Der sieht sein Amt noch zu sehr durch seine Parteibrille.«

Das Geschehen der Wahlnacht hatte Kiesinger bis dahin in seiner ganzen Dimension noch nicht begriffen. Schuld daran trug zu einem guten Teil der junge rheinland-pfälzische Ministerpräsident Helmut Kohl. Er war von Kiesinger kurz nach den ersten Hochrechnungen als Emissär zu Genscher geschickt worden, den er vom ZDF-Fernsehrat her gut kannte. Kohl war ein unbedingter Gegner einer Großen Koalition und plädierte dafür, auch bei einer absoluten Mehrheit der eigenen Partei die FDP in die Regierung mit aufzunehmen. So hatte er es auch in Rheinland-Pfalz gehalten.

Der vorsichtige Sachse Genscher, der sich mit Scheel abgespro-
chen und intern die Koalition mit der SPD befürwortet hatte, weckte
bei dem Bonn-unerfahrenen Kohl die Vorstellung, daß auch er die
Koalition mit den Unionsparteien wolle. Zurück im Kanzleramt,
meldete Kohl, er sei »sicher, daß mindestens zehn Abgeordnete der
FDP nicht für Brandt stimmen werden«. Für Kiesinger schien daraufhin kein Zwang zu raschem Handeln zu bestehen. Im Fernsehen
erklärte er spät in der Wahlnacht selbstherrlich: »Es ist gar kein
Zweifel, daß die Freien Demokraten lernen müssen, daß der Kurs,
den sie eingeschlagen haben, jedenfalls für ihre Partei sich nicht
ausgezahlt hat.« Sein Verlust an Wirklichkeitssinn offenbarte sich
am Montag, als er begann, schon Kabinettsposten zu verteilen, und
Barzel das Auswärtige Amt antrug. Darauf der mit den Bonner Realitäten vertraute Barzel: »Aber wir werden die Regierung verlieren,
Herr Bundeskanzler.«

Am Montag vormittag kam das geschäftsführende Kabinett der
Großen Koalition noch einmal zusammen. Baron Guttenberg hat in
seinen Tagebuchaufzeichnungen festgehalten: »Ein Freund aus der
SPD kommt auf mich zu und zeigt mir die dpa-Meldung über
Brandts Entschluß, sich um eine Mehrheit bemühen zu wollen.
Mein SPD-Freund verbirgt mir nicht, daß er von dieser Nachricht
überrascht und wenig erfreut ist.« Der Freund aus der SPD war Herbert Wehner. Brandt nahm an dieser Sitzung nicht mehr teil. Er
schrieb kurz darauf einen Brief an Kiesinger und bat um Beurlau-
bung. Die eigentliche Politik wurde ohnehin nicht mehr im Kabinett, sondern in den Führungsgremien von FDP und SPD gemacht.
Das Präsidium und der gemeinsam tagende Partei- und Fraktions-
vorstand der SPD billigten einstimmig Brandts Marschroute.

Schwieriger wurde es bei den Freidemokraten. Im Düsseldorfer
Künstlerlokal »Malkasten« kam gleichfalls am Montag der Landesvorstand der nordrhein-westfälischen FDP zusammen. Die Befürworter der sozialliberalen Koalition – Scheel, Weyer, Genscher – trafen auf die entschiedenen Parteigänger einer Bürgerkoalition, an
ihrer Spitze Erich Mende sowie die Bundestagsabgeordneten Siegfried Zoglmann und Ernst Achenbach. Vergeblich versuchte von
Bonn her CDU-Bundesgeschäftsführer Bruno Heck, den vermeintlichen Sympathisanten Genscher ans Telefon zu bekommen.

Weyer, der als Innenminister in Düsseldorf eng mit SPD-Ministerpräsident Heinz Kühn zusammenarbeitete, gelang es, eine Mehrheit dafür zu gewinnen, zuerst mit der SPD zu verhandeln. Mende versammelte darauf noch am selben Abend sechs »gleichgesinnte Kollegen« zu einem Imbiß in seinem Büro in Bad Godesberg. Am lautstärksten schimpfte der Bayer Josef Ertl gegen den neuen Trend: »Ein Lump müßt ich sein, wenn ich den Brandt wählen tät.« Auch der niedersächsische Abgeordnete Carlo Graaf, Inhaber einer wirtschaftlich angeschlagenen Waggonfabrik, verurteilte die frühe Festlegung auf die SPD. Kurz nach Mitternacht läutete es an der Haustür. Bruno Heck und Helmut Kohl begehrten Einlaß. Von Mende und Zoglmann erfuhren sie, daß noch keineswegs eine Koalition aus SPD und FDP gesichert sei. Es war eine Fehlinformation. Denn die Landesvorstände der Liberalen hatten am Montag getagt und mehrheitlich für Scheel votiert.

Brandt und Scheel hatten sich am Montag nachmittag im Haus der Landesvertretung von Berlin in der Bonner Joachimstraße getroffen. Brandt hatte den Berliner Liberalen Hoppe um die Vermittlung dieser Zusammenkunft gebeten. Die beiden Parteichefs verständigten sich über die Grundzüge einer Zusammenarbeit und das Arbeitsprogramm der nächsten Tage. Auch die Kabinettsliste kam zur Sprache. Brandt riet Scheel, den Widersacher Ertl durch das Angebot des Landwirtschaftsministeriums einzufangen. Diesen Tip verdankte er dem Journalisten und früheren FDP-Bundesgeschäftsführer Karl Hermann Flach.

Am nächsten Tag, Dienstag, den 30. September gegen zwölf Uhr mittags, trafen der Kanzler und der Vizekanzler, die jetzt Rivalen geworden waren, zum erstenmal nach der Wahlnacht persönlich zusammen. Kiesinger hatte zu diesem Gespräch eingeladen. Brandt folgte der Einladung »allein der guten Form wegen«. Kiesinger begann das Gespräch und bemühte sich um Fassung: »Herr Brandt, Sie haben sich ums Kanzleramt beworben. Ich auch.« Brandt blieb kühl: »Ja, so ist es. Meine Parteigremien haben es bereits gebilligt.« Das Treffen blieb das einzige Gespräch zwischen SPD- und Unionsvertretern während der Regierungsbildung 1969. Es dauerte knapp eine Stunde. In einem Kommuniqué hieß es anschließend: »Eine Fortsetzung der Großen Koalition wurde nicht erörtert.«

Schon am Abend dieses Dienstags begannen die offiziellen Koalitionsverhandlungen zwischen Sozial- und Freidemokraten. Die Un-

terhändler von SPD und FDP trafen sich in Brandts Villa. Zur Lockerung nach all dem Streß der letzten Tage spielten sie – es war spät-
sommerlich warm – zunächst eine Runde Fußball. Die Atmosphäre
blieb locker. Mal tagten die Koalitionäre auf dem Rasen hinter der
Brandt-Villa – der Hausmeister hatte Sessel und Beistelltische her-
ausgeschleppt –, mal in der Landesvertretung Nordrhein- Westfa-
lens. Bereits nach zwei Verhandlungstagen, am Mittwoch abend,
beschied Scheel die wartenden Journalisten: »Die Sache ist schon
gelaufen.«

Das erkannte jetzt auch die CDU/CSU. Zum erstenmal nach einer
Bundestagswahl hatte ihr Spitzenkandidat nicht mehr die Fäden in
der Hand. Zunehmend vermittelte Kiesinger den Eindruck von Konfusion statt Konzeption. In der Wahlnacht waren im Kanzlerbungalow noch Überlegungen laut geworden, die Große Koalition fortzusetzen und die FDP nun endgültig durch ein neues Wahlrecht zu
liquidieren. Zur Wochenmitte schlug Kiesinger den Freidemokraten
– aus Zeitnot per Pressekonferenz und erst danach in einem An-
schreiben – ein »umfassendes Programm der Zusammenarbeit in
Bund und Ländern für die siebziger Jahre« vor. Sein Lockangebot
mit Dauerbündnissen unabhängig von Wahlergebnissen, das wenig
mit einer auf dem Wählerwillen gegründeten parlamentarischen
Demokratie zu tun hatte, enthielt als Krönung sechs Ministerposten
für die Liberalen, die im Bundestag über nur noch einunddreißig
Abgeordnete verfügten.

Als auch das nicht zog – FDP-Sprecher Schneider nannte die Offerte »unseriös« und erinnerte daran, daß die CDU/CSU eben noch
die Liberalen per Wahlrecht »töten« wollte –, verlegte sich Kiesinger
auf eine Doppelstrategie. Einerseits drohte er, die CDU/CSU werde
die FDP »aus den Landtagen hinauskatapultieren«. Andererseits
sollte die Mehrheit für einen Kanzler Brandt durch Abgeordnetenkauf dezimiert werden. Kiesinger selbst, so berichtete die »Zeit«,
habe sich beim Bundesbahnpräsidenten nach der wirtschaftlichen
Lage der Waggonfabrik des FDP-Abweichlers Carlo Graaf erkun-
digt. Eine Abwerberunde der CDU/CSU, zu der auch Helmut Kohl
und Adenauers ehemaliger Staatssekretär Hans Globke gehörten,
stellte eine Liste von zwölf FDP-Abgeordneten zusammen, die als
ansprechbar galten. Hinter jedem Namen notierten sie persönliche
Bekannte und Geschäftsbeziehungen, über die Kontakte laufen

könnten. Beraterverträge, Spenden des BDI, Botschafter- und Staatssekretärsposten gehörten zum Angebot.

Die SPD/FDP-Koalition hatte zusammen 254 Mandate. Um die Kanzlerwahl Brandts zu torpedieren – in den ersten beiden Wahlgängen ist eine absolute Mehrheit von 249 Stimmen erforderlich –, brauchte die CDU/CSU nur sechs Freidemokraten abzuwerben. Walter Scheel, vornehm in der Diktion, sprach von »Annäherungsversuchen außerhalb des Politischen«. Andere nannten es schlicht Bestechung. Wie auch immer, das Vorgehen der Christdemokraten war – jedenfalls diesmal – kontraproduktiv. Die FDP-Fraktion erkannte darin eine Fortsetzung von Adenauers Politik, kleinere Koalitionspartner auszusaugen und dann zu vernichten. Der FDP-Bundestagsabgeordnete Hansheinrich Schmidt aus Kempten: »Wenn ich vorgestern noch für eine Koalition mit der CDU gewesen wäre, wäre ich jetzt dagegen, nach diesen Angeboten.«

Dieser Solidarisierungseffekt sicherte Scheel die Billigung seiner Verhandlungsergebnisse durch Fraktion und Bundesvorstand. Es gab nur drei Gegenstimmen. Brandt hatte die erste Runde im Poker um die Macht gewonnen. Mit Walter Scheel stellte er sich zum Siegerfoto. Beim Handschlag kam der Zuruf aus der Menge: »Ist damit die kleine Koalition besiegelt?« Brandt: »Was heißt hier klein?«

Es war Freitag, der 3. Oktober 1969.

»Jetzt hat Hitler endgültig den Krieg verloren.«

BUNDESKANZLER

Die Grundsatzentscheidung war gefallen. Jetzt mußten die Details ausgearbeitet werden: Verteilung der Ministerposten, Abgrenzung der Ressortkompetenzen, Reform des Regierungsapparates, Besetzung der wichtigsten Beamtenposten und insbesondere die Umarbeitung des hastig hingeworfenen Koalitionspapiers über die künftige Regierungspolitik in eine Regierungserklärung. Brandt wollte sie als »zeitloses Dokument« gestalten. Um Ruhe vor dem umtriebigen Bonn zu haben, suchte er die Abgeschiedenheit des Eifelkuror-

tes Bad Münstereifel. Dort wohnte er, umgeben von herbstlich ge-
färbtem Wald, in dem palaisartigen, auf dem 420 Meter hohen
Giersberg gelegenen Landsitz der Industriellenfamilie von Schnitzler, deren bekanntester Abkömmling das »schwarze Schaf« der Familie, der DDR-Fernsehkommentator Karl-Eduard von Schnitzler
ist.

Der Rückzug hatte etwas von Selbstfindung. Der kurz vor seinem
56. Geburtstag stehende Brandt schlief lange und unternahm in
Cordhose und Windjoppe ausgedehnte Wanderungen. Abends, bei
Cognac, Zigarillo und prasselndem Kaminfeuer, sortierte er Zettel
mit Notizen der Personen, ihren fachlichen Kenntnissen und ihrer
politischen Verwendbarkeit. Er hatte diese selbstgeschriebenen Unterlagen seit Jahren gesammelt und in einer alten Seemannskom-
mode aufbewahrt.

Brandt hatte sich die Kabinettsbildung selber erschwert, weil er
mit Scheel eine Reduzierung der neunzehn Ressorts vereinbart
hatte. Das Vertriebenenministerium sollte als politisches Signal abgeschafft werden, desgleichen das Bundesschatz- und Bundesrats-
ministerium, weil man sie für überflüssig hielt. Familien- und Ge-
sundheitsministerium sollten zusammengelegt, das Postministe-
rium sollte fortan in Personalunion vom Verkehrsminister geführt
werden. Und noch ein politisches Zeichen wurde gesetzt: Das Gesamtdeutsche Ministerium erhielt neue Aufgaben – die Propagan-
daarbeit wurde ausgegliedert, die Pflege der Beziehungen zur DDR
rückte in den Vordergrund – und einen neuen Namen: Innerdeutsches Ministerium.

Die schließlich fertige Kabinettsliste umfaßte neben Kanzler
Brandt fünfzehn Minister, darunter drei der FDP. Scheel wurde Au-
ßenminister und Vizekanzler, Hans-Dietrich Genscher erhielt das
Innen-, Josef Ertl das Landwirtschaftsressort. Die SPD-Minister wa-
ren: Karl Schiller (Wirtschaft), Helmut Schmidt (Verteidigung), Alex
Möller (Finanzen), Georg Leber (Verkehr), Erhard Eppler (Entwick-
lungshilfe), Käte Strobel (Jugend, Familie und Gesundheit), Lauritz
Lauritzen (Wohnungsbau), Walter Arendt (Arbeit und Soziales),
Egon Franke (Innerdeutsches), Gerhard Jahn (Justiz) und Horst
Ehmke (Kanzleramtschef im Ministerrang). Für das Ministerium für
Bildung und Wissenschaft gewann Brandt den Vorsitzenden des
Wissenschaftsrates und parteilosen Außenseiter Hans Leussink.

Insgesamt war die Kabinettsliste enttäuschend. Verdiente, aber farblose sozialdemokratische Minister aus der Großen Koalition wurden weiterbeschäftigt, nur wenige brillante Novizen verhießen
einen wirklichen Neuanfang gemäß der SPD-Wahlparole: »Wir
schaffen das moderne Deutschland.«

Helmut Schmidt zögerte zwei Wochen, ehe er zusagte, das Verteidigungsministerium zu übernehmen. Er scheute sich vor diesem für
einen Sozialdemokraten problematischen Posten, der überdies wenig Chancen für eine spätere Kanzlerkarriere bot. Erst auf Drängen
seiner Frau – »Du warst jetzt so viele Jahre lang der Verteidigungs-
experte der Partei, du kannst dich jetzt nicht drücken« – sagte er zu,
stellte aber die Bedingung, daß Wehner die Fraktionsführung übernehmen müsse, um ihn vor Attacken aus den eigenen Reihen abzu-
schirmen. Darauf schlug bei Wehner, der stolz war, Bundesminister
zu sein, der Pflichtmensch durch: »Also gut, dann gebe ich mein Mi-
nisteramt auf und übernehme die Fraktion.« Er machte es sich zur
Aufgabe, die schmale Mehrheit so gut wie möglich zu sichern, und
knüpfte zielstrebig enge Freundschaft zu seinem neuen Partner,
dem FDP-Fraktionsvorsitzenden und Dresdner Landsmann Wolfgang Mischnick. Kurz vorher hatte er Mischnick noch einen »Ein-
fallspinsel« geschimpft, jetzt bewirtete er ihn mit sächsischer Leber-
wurst, die er eigens bei einem aus Mitteldeutschland stammenden
Metzger erwarb. Am fünfzigsten Geburtstag Mischnicks erschien
Wehner schon am Vorabend »privat« mit einer Vase aus Meißner
Porzellan und fachsimpelte über die verschiedenen Meißner Muster. Zu Weihnachten tauschten die beiden Fraktionschefs Rezepte
für Dresdner Christstollen aus. Der Freidemokrat dankte es mit be-
dingungsloser Loyalität und mit Freundschaft über das Ende der politischen Zusammenarbeit hinaus.

In Münstereifel machte sich ein Autorenkollektiv ehemaliger
Journalisten daran, die Regierungserklärung zu entwerfen. Unter
dem Vorsitz Brandts (»Berliner Stadtblatt«) formulierten und redi-
gierten Herbert Wehner (»Hamburger Echo«), Egon Bahr (»RIAS
Berlin«), Leo Bauer (»Stern«) und Conrad Ahlers (»Der Spiegel«) drei
Tage und vier Nächte lang. Bestseller-Autor Günter Grass schickte
aus Jugoslawien Formulierungshilfen wie den gegen Kiesingers
Amtsführung gerichteten Satz: »Wir haben so wenig Bedarf an blin-
der Zustimmung wie unser Volk Bedarf hat an gespreizter Würde

und hoheitsvoller Distanz.« Vertreter der Industrie, der Gewerkschaften und Verbände fuhren in dem Eifelstädtchen vor, um ihre Interessen anzumelden. Da die Regierungserklärung das eigentliche Arbeitspapier der Koalition sein sollte – das ursprüngliche Koalitionspapier geriet rasch in Vergessenheit und wurde nie wieder erwähnt –, sandte Brandt das fertige Produkt seinem designierten Vizekanzler Scheel zum Korrekturlesen zu.

Für den Vormittag des 21. Oktober – es war ein milder Herbsttag – war die Wahl des Bundeskanzlers anberaumt. Der Kandidat war sich seiner Sache sicher. In der Stunde vor der Wahl signierte er Postkarten des Palais Schaumburg mit seinem Porträt und dem Aufdruck »Bundeskanzler Willy Brandt«. Parlamentspräsident Kai-Uwe von Hassel verlas um zehn Uhr den Wahlvorschlag des Bundespräsidenten: »Gemäß Artikel 63 Absatz 1 des Grundgesetzes schlage ich dem Deutschen Bundestag vor, Herrn Willy Brandt zum Bundeskanzler zu wählen.« Dem Vorschlag folgten nur 251 Abgeordnete, zwei Stimmen über der benötigten absoluten Mehrheit. 235 Abgeordnete stimmten mit Nein, fünf enthielten sich der Stimme, vier Stimmkarten waren ungültig. Auf ihnen standen »Armes Deutschland«, »Danke nein«, »Frahm nein« und »Amos 5,20«. Das war eine Anspielung auf den alttestamentarischen judäischen Untergangspropheten, und der Vers hieß: »Ja, des HERRN Tag wird finster und nicht licht sein, dunkel und nicht hell.«

Einerseits: Die für Brandt abgegebenen Stimmen lagen um drei unter der Gesamtstimmenzahl der Koalitionsparteien. Erich Mende berichtete später, vier Liberale hätten Brandt nicht gewählt – Zoglmann, Starke, Kühlmann-Stumm und er selbst. Andererseits: Die CDU/CSU verfügte über insgesamt 242 Mandate, ein CDU-Abgeordneter, Paul Lücke, fehlte entschuldigt. Bei fünf Enthaltungen, vier ungültigen Stimmen und vier liberalen Nein-Stimmen mußte ein Christdemokrat Brandt gewählt haben. Spekulationen stand ein weites Feld offen. Eines aber war sicher: Für die Regierung Brandt/Scheel war es ein frühes Warnsignal, für Herbert Wehner eine Bestätigung seiner Vorbehalte.

»Ja, Herr Präsident, ich nehme die Wahl an«, antwortete Brandt dem Ritual entsprechend. Er tat es mit fester Stimme. »Dies alles darf auf keinen Fall rührselig werden«, hatte er sich vorgenommen.

Beifall kam auf, schwoll langsam an. Brandt hatte sich wieder auf seinen Abgeordnetenstuhl in der ersten Reihe gesetzt. Rainer Barzel zupfte Kiesinger am Ärmel, der Amtsvorgänger solle seinem Nachfolger als erster gratulieren. Kiesinger zögerte ein wenig zu lange, Barzel und sein CSU-Kollege Stücklen gingen voran. Helmut Schmidt, Brandts Sitznachbar zur Linken und als amtierender Fraktionsvorsitzender rangmäßig herausgehoben, kam ihnen zuvor und drückte Brandt als erster die Hand. Beide standen jetzt. Die FDP-Spitzenleute Scheel, Genscher, Mischnick und Werner Mertes waren nach dem Unionstrio dran. Dann erst kam Wehner. Seine Gratulation wurde zur Umarmung. Franz Josef Strauß drehte sich weg und gratulierte demonstrativ nicht.

Danach fuhr Brandt zum Bundespräsidenten, um seine Ernennungsurkunde in Empfang zu nehmen. Unerwartete Schwierigkeiten taten sich auf. Das Dokument war nicht zu finden. Gemeinsam durchstöberten Kanzler und Präsident das Säulenzimmer der Villa Hammerschmidt. Schließlich fanden sie das Bestallungspapier, in blaues Kunstleder gebunden, in einer Kommodenschublade. Der Präsident bei der Übergabe, jetzt wieder würdevoll: »Das ist eine Zäsur in der Geschichte Deutschlands.«

Am Nachmittag dann die Vereidigung vor dem Bundestag. Brandt sprach den Amtseid, so wie er ihn als Kanzlerkandidat neun Jahre zuvor geprobt hatte, mit der religiösen Beteuerungsformel »So wahr mir Gott helfe«. Von Hassel: »Herr Bundeskanzler, die guten Wünsche des ganzen Hauses begleiten Sie in Ihr schweres Amt.« Es folgte die Vereidigung des Kabinetts, anschließend gab Bundespräsident Heinemann auf dem Rasen vor dem Bundeshaus einen Sektempfang. Zum letztenmal standen Sieger und Besiegte gelöst beisammen. Für die einen begann der Kampf ums Überleben, für die anderen der um die Rückkehr an die Macht. Nach neununddreißig Jahren – nach dem Ende von Weimar, zwölf Jahren Nazi-Diktatur, vier Jahren Besatzungsherrschaft und zwanzig Jahren CDU-Kanzlern – stand erstmals wieder ein Sozialdemokrat an der Spitze der Regierung. Doch Brandt wollte die geschichtliche Kontinuität nicht bei dem glücklosen und für die Weimarer Republik verhängnisvollen letzten SPD-Kanzler Hermann Müller angeknüpft wissen, sondern bei einem populären, ja legendären Parteiführer früherer Jahre, der aber nie ein Regierungsamt innehatte: »Mein Anknüpfungspunkt ist eher bei Bebel.« Und: »Ich sehe jetzt die Chance, die es in der Weimarer Republik leider nicht gegeben hat, den großen Ausgleich zu schaffen, von dem Bebel schon gesprochen hat: Es gelte, das Vaterland der Liebe und Gerechtigkeit zu gestalten – soweit man dies auf Erden zustande bringen kann.« Der Antifaschist und einstige Emigrant Brandt überhöhte die Bedeutung seiner Wahl zu einem epochalen Ereignis: »Jetzt hat Hitler endgültig den Krieg verloren.« Und er kündigte ein selbstbewußteres Auftreten der Bundesrepublik an: »Ich verstehe mich als Kanzler nicht eines besiegten, sondern eines befreiten Deutschland.« Der Politologe Wilhelm Hennis erkannte den »Mythos der zweiten Stunde Null«.

»Das kommt davon, wenn man solche Sachen sagt.«

REGIERUNGSERKLÄRUNG

Wie der Neubeginn aussehen sollte, darüber erwartete die Öffentlichkeit Auskunft in der mit Spannung erwarteten Regierungserklärung Brandts. Am 28. Oktober trug er sie vor. Ungewohnte Töne wirkten wie Fanfarenstöße einer neuen Ära: »Wir wollen mehr Demokratie wagen«; »Wir wollen eine Gesellschaft, die mehr Freiheit bietet und mehr Mitverantwortung fordert«; »Das Ziel ist die Erziehung eines kritischen, urteilsfähigen Bürgers«; »Wir sind keine Erwählten, wir sind Gewählte«; »Wir stehen nicht am Ende unserer Demokratie, wir fangen erst richtig an«. Und später in der Debatte verabschiedete Brandt noch die Ära der CDU/CSU, die unter dem Motto gestanden habe: »Keine Experimente«. Der neue Kanzler: »Keine Angst vor Experimenten, das ist der Leitsatz unserer Politik.« Soweit das Visionäre. Einige dieser Sentenzen wurden in den folgenden Jahren zu Schlagworten – unterschiedlich gebraucht und betont von Gegnern und Bewunderern Brandts.

»In der Bundesrepublik stehen wir vor der Notwendigkeit umfassender Reformen« – mit diesem Satz leitete Brandt die Ankündigung eines ganzen Katalogs von Regierungsmaßnahmen ein. Da wurde die Herabsetzung des Wahlalters auf achtzehn Jahre ebenso versprochen wie ein neues Bodenrecht gegen Spekulanten oder ein neues Eherecht, das Scheidungen nach dem Zerrüttungsprinzip ermöglichen sollte. Sparer-Schutz stand neben Tier-Schutz, ein »Schnellverkehrssystem mit einer Reisegeschwindigkeit von über 200 km in der Stunde« neben der Ankündigung, die Friedensforschung zu intensivieren. Das Angebot reichte von einer Rationalisierung und Beschleunigung des Hochschulbaus und der »Überwindung überalterter hierarchischer Formen« an den Universitäten bis zur Reform des Betriebsverfassungsgesetzes, von der Förderung der Gleichberechtigung der Frau bis zum Ausbau der Vermögensbildung und zur Verbesserung des Wohngeldgesetzes. In dieser enzyklopädisch geratenen Übersicht mit insgesamt 423 Versprechen, Ankündigungen und Anregungen war eine durchgehende Konzeption, waren klare Prioritäten nicht erkennbar. Brandt selber spürte das wohl auch und entschuldigte die Mängel seines »zeitlosen Dokuments« damit, daß »wir im Laufe der wenigen Wochen zwischen Wahl und Regierungserklärung unser Programm aufschreiben« mußten. Er kündigte Nachbesserungen an: Im kommenden Jahr – »dem ersten des neuen Jahrzehnts« – werde die Bundesregierung »in Ergänzung dieser Erklärung ihre Pläne und Vorhaben auf dem Gebiet der inneren Reform unseres Landes dem Parlament und der Öffentlichkeit in Einzelberichten unterbreiten«.

Eines war ausgeklammert: die paritätische Mitbestimmung, für die sich die Sozialdemokraten stark machten. Hier zeigte sich der sonst fortschrittliche Scheel als der kompromißlose Vertreter der Wirtschaftspartei FDP – auch wenn es ihm der BDI zunächst einmal nicht lohnte und der Partei sämtliche Wahlspenden strich, so daß sie nach der Wahl auf einem riesigen Defizit sitzenblieb und die Sozialdemokraten um die Vermittlung eines Sechsmillionenkredits bitten mußte, der über die Internationale Genossenschaftsbank AG in Basel abgewickelt wurde.

Als »Kanzler der inneren Reformen« wollte Brandt gesehen werden. Doch tatsächlich wurde er der Kanzler der neuen Ostpolitik, wenngleich er die Außenpolitik erst gegen Schluß seiner Regierungserklärung behandelte und sich auf dem Umweg über Friedensforschung, Entwicklungshilfe, NATO, Bindungen zu den USA und Erweiterung der Europäischen Gemeinschaft dem eigentlichen Thema näherte, dem Ausgleich mit den Ländern des Warschauer

Pakts. Er bekundete die Bereitschaft zum Abschluß konkreter Gewaltverzichtsabkommen, die die territoriale Integrität des jeweiligen Partners berücksichtigten, und nannte an herausgehobener Stelle die Sowjetunion, als zweites Polen. Diese Absicht seiner Regierung, die er unzutreffend als »Fortsetzung der Politik ihrer Vorgängerin« umschrieb, ging über den Austausch entsprechender Erklärungen ohne Grenzanerkennung hinaus, wie er zu Kiesingers Zeiten angeboten worden war.

Die Ausführungen Brandts über die DDR waren im innenpolitischen Teil der Regierungserklärung eingefügt, zwischen dem Aufruf zum »solidarischen Dienst am Nächsten« und der Wirtschaftspolitik. Die früheren, CDU-geführten Regierungen bis hin zum Kabinett der Großen Koalition hatten der DDR die Qualifikation als Staat vorenthalten und ihr staatliches Kürzel bestenfalls mit Anführungszeichen verwendet. Damit war jetzt Schluß. Brandt benutzte jetzt eine Kunstform, die einerseits die staatsrechtliche Anerkennung der DDR enthielt, andererseits die völkerrechtliche Anerkennung durch Bonn, aber nicht durch dritte Staaten ausschloß. Die entscheidenden Sätze lauteten: »Eine völkerrechtliche Anerkennung der DDR durch die Bundesregierung kann nicht in Betracht kommen. Auch wenn zwei Staaten in Deutschland existieren, sind sie doch füreinander nicht Ausland; ihre Beziehungen zueinander können nur von besonderer Art sein.«

Auch diese Passage begann Brandt unzutreffend mit den Worten: »Die Bundesregierung setzt die im Dezember 1966 eingeleitete Politik fort.« Doch in Wirklichkeit war die DDR-Formel, die Brandt persönlich ausgedacht und zu Papier gebracht hatte, die entscheidende Neuerung. In einer Dreierrunde – Brandt, Scheel, Bahr – war die Strategie für das weitere Vorgehen in der Entspannungspolitik abgeklärt worden. Allen dreien war klar, daß die Bezeichnung der DDR als Staat – zum erstenmal in einer Erklärung der Bundesregierung – eine qualitative Vorleistung war. Bahr erinnert sich: »Ich war dagegen, weil ich gesagt habe, das ist das Ergebnis, damit fangen wir nicht an. Brandt war der Auffassung, wir müssen ein Zeichen setzen, daß es uns ernst ist, und Scheel hat ihn unterstützt. Beide hatten recht, ich hatte nicht recht. Weil ich später gesehen habe, daß exakt die Bezeichnung als Staat in Moskau auch als Zeichen genommen worden ist: ›Die Jungs meinen es ernst!‹« Das Wort Wiedervereinigung benutzte Brandt nicht mehr. Die deutsche Einheit tauchte bei ihm nur indirekt auf – durch den Hinweis auf das Selbstbestimmungsrecht des deutschen Volkes und das Fernziel einer europäischen Friedensordnung.

Die CDU/CSU erkannte sofort die Tragweite der Brandtschen DDR-Formel. Fraktionsführer Barzel fragte entrüstet: »Wie wollen Sie Ihre Erklärung von den ›zwei Staaten in Deutschland‹ in Einklang bringen mit der Präambel des Grundgesetzes? Wie mit Ihrer Forderung nach Selbstbestimmung aller Deutschen?« Auch Herbert Wehner, der stark auf die deutsche Einheit fixiert war, paßte Brandts Zwei-Staaten-Aussage nicht. »Das kommt davon, wenn man solche Sachen sagt«, schimpfte er angesichts der CDU/CSU-Attacken zu dem hinter ihm sitzenden Dohnanyi gewandt.

Brandts knappe Antwort an Barzel: »Eine realistische Politik muß von den Realitäten ausgehen.« Eine Erkenntnis, zu der die SPD zwanzig Jahre gebraucht hatte.

»Right or wrong – my Scheel.«

PARTNERSCHAFT

Als ob verlorene Zeit aufgeholt werden müßte, machten sich die neuen Herren im Kanzleramt und in den Ministerien an die Arbeit. Schon am zweiten Tag nach ihrer Vereidigung werteten sie die Mark um 8,5 Prozent auf und beendeten damit den Streit, der ihnen maßgeblich zum Wahlsieg verholfen hatte. Im November dann überstürzten sich die Aktionen: Der Bonner Botschafter in Moskau, Helmut Allardt, überbrachte in einer Verbalnote das Angebot zu Gewaltverzichtsverhandlungen. An Warschau ging eine Note gleichen Inhalts. Noch vor Ablauf des Monats unterzeichnete die Bundesregierung den Atomsperrvertrag – ungeachtet der Warnungen von Strauß, der in dem Verzicht auf Kernwaffen ein »Versailles von kosmischem Ausmaß« erkannte. Der neue Außenminister kündigte die Hallstein-Doktrin offiziell auf und ersetzte sie durch die Scheel-Doktrin: Die deutschen Botschaften wurden vertraulich angewiesen, die ausländischen Regierungen um einen Zeitaufschub bei der Anerkennung der DDR zu ersuchen; Bonn strebe ein vertraglich gesichertes Verhältnis mit der DDR an und habe die Absicht, mit der DDR gemeinsam Vollmitglied der UNO zu werden; danach seien die ausländischen Regierungen frei, ihr Verhältnis zur DDR so zu gestalten, wie sie es für richtig hielten.

Dank Helmut Schmidt fanden die neuen Herren auch schnell den richtigen Ton. Der neue Oberbefehlshaber der Bundeswehr schlug die künftige Grußordnung vor: Im Kabinett sollten die Minister nicht das Genossen-Du pflegen, sondern sich siezen, wenn auch ohne Titel. Schmidt zu Brandt: »Sie sind aber für uns ›Herr Bundeskanzler‹.«

Freidemokraten und Sozialdemokraten fanden rasch zu einem nahezu freundschaftlichen Umgang. Jeweils montags wurde im Palais Schaumburg gemeinsam zu Mittag gegessen. Mittafeln durften Heinemanns Staatssekretär Spangenberg, die Vorsitzenden der beiden Koalitionsfraktionen, die Geschäftsführer beider Parteien, ihre Parteisprecher sowie Regierungssprecher Conrad Ahlers. Eigentlich sollte das Essen, das Brandt nach dem Vorbild des schwedischen Kabinetts ansetzte, im Kanzlerbungalow serviert werden. Weil dort aber vorerst noch Altkanzler Kiesinger wohnte, wurde im Kabinettssaal aufgetragen.

Besonders forsch ging Kanzleramtsminister Ehmke ans Werk. Noch vor Brandts Wahl zum Bundeskanzler hatte Ehmke Kiesingers Staatssekretär Karl Carstens eine Schwarze Liste mit den Namen der Beamten übergeben, die er eine Woche später nicht mehr im Amt sehen wollte. Weil Carstens auf diese ungewöhnliche Forderung nicht eingegangen war – es auch gar nicht konnte –, meinte Ehmke zu Brandt: »Willy, du mußt erst einmal ein Dutzend Leute feuern. Auch Sekretärinnen müssen dran glauben, die sind alle CDU-geschwängert.« Brandt aber wollte damit nichts zu tun haben, und so übernahm Ehmke das mißliche Geschäft. Conrad Ahlers: »Der Horst geht einmal mit der MP durchs Palais Schaumburg, und ra-ta-ta-ta-ta – schon stimmt die Chose.« Die Kündigungsbriefe diktierte Ehmke noch als Justizminister, aber bereits mit dem Briefkopf »Der Chef des Bundeskanzleramts«.

Insgesamt zwanzig Personen, darunter alle Abteilungsleiter, verließen binnen weniger Wochen ihre Posten. Ehmke wollte das Kanzleramt, das bislang ein im Hintergrund arbeitendes Führungsinstrument des Regierungschefs gewesen war, zu einem Überministerium ausbauen. Per elektronischer Datenverarbeitung wollte er die Planung aller Regierungsvorhaben erfassen, beeinflussen und gewichten. Dazu wurde eine Erfolgskontrolle eingeführt. Zunächst aber schnellte die Zahl der Bediensteten von zweihundertfünfzig auf fast vierhundert hoch.

Ehmkes Ehrgeiz war es, das Arbeitsprogramm der Bundesregierung, deren Reformen oft Länderkompetenzen berührten, auch mit den Planungen der Landeshauptstädte zu koordinieren und eine »Gesamtproblemanalyse der öffentlichen Aufgaben« bis ins Jahr 1985 hinein zu erstellen. Um die qualifiziertesten Mitarbeiter der Ministerien fürs Kanzleramt zu gewinnen, erfand er ein »Personalkreislaufsystem«, das einen Austausch von Beamten zwischen Kanzleramt und den Ressorts vorsah. Brandt, der bei der Übernahme des Außenministeriums bewußt alles beim alten gelassen hatte, duldete jetzt ein völliges Umkrempeln des Apparates. Sein einziger Ratschlag an Ehmke: »Reißen wir die Fenster auf, um frische Luft hereinzulassen – aber die Fensterscheiben können heil bleiben.«

Brandt brachte fast seinen gesamten Beraterstab, über ein halbes Dutzend Spitzenbeamter, aus dem Auswärtigen Amt mit ins Kanzleramt. Sie übernahmen dort die Leitung der wichtigsten Abteilungen oder besetzten als persönliche Referenten besondere Vertrauenspositionen. Hinzu kam, daß der Kanzler zu dem reaktivierten AA-Staatssekretär Duckwitz ein enges Verhältnis behielt und ihn zu der morgendlichen Lageberatung im Kanzleramt hinzuzog. Da Duckwitz direkt neben Brandt auf dem Venusberg wohnte, gab es auch hier viele Gespräche von Nachbar zu Nachbar. Und nicht zuletzt: Auch der neue Bundeskanzler kam aus dem Auswärtigen Amt und hatte seit SAP-Zeiten außenpolitische Ambitionen. Sein wichtigster Mitarbeiter Egon Bahr, bisher Sonderbotschafter im AA, wurde Staatssekretär im Kanzleramt und Berlinbeauftragter.

Dennoch kam es zu keiner Rivalität zwischen Kanzler und Außenminister. Brandt und Scheel hatten rasch nicht nur sachliche Gemeinsamkeiten, sondern auch ein Verhältnis zueinander gefunden, das von menschlicher Sympathie getragen war. Scheel: »Wir paßten zusammen und konnten gut miteinander.« Zwanglos einigten sich die beiden, die auf dem Bonner Venusberg im Abstand von wenigen Fußgängerminuten lebten, über ihre künftigen Dienstwohnungen. Brandt, dem der Kanzlerbungalow als private Unterkunft zustand, der aber noch in der Dienstvilla des Außenministers wohnte, meinte eines Tages zu Scheel: »Ich werde nun bald meine Wohnung räumen. Schauen Sie sich das doch mal an.« Scheel, der sein Privathaus gerade hatte renovieren lassen, antwortete: »Ich will nicht schon wieder umziehen. Kann ich denn nicht in meinem Haus wohnen bleiben?« Nach Rücksprache mit Ehefrau Rut meldete sich Brandt wieder bei Scheel: »Die Rut ist ganz begeistert. Sie möchte gern hier oben bleiben. Die will nicht in den Kasten da unten rein.« Er schlug seinem Außenminister vor, den Kanzlerbungalow künftig gemeinsam als Gästehaus zu nutzen.

Ein Vorteil dieses Arrangements: Beide Politiker hielten auch außerhalb der Dienstzeit engen Kontakt. Sonntag vormittags ging Scheel häufig zu Brandt, um bei einem Glas Wein Regierungsgeschäfte und Koalitionsprobleme zu klären. Der Rheinländer Scheel hatte eine positive Wirkung auf den Norddeutschen Brandt: »Ich habe ihn, wenn er düsterer Stimmung war, immer schnell in eine bessere Stimmung versetzt.« Scheel sprach bald sogar von einer »recht subtilen Freundschaft unter Männern«, ergänzte aber: »Wir sagen nie, daß wir miteinander befreundet sind. Wir duzen uns auch nicht.« Noch im Rückblick von fast zwanzig Jahren hebt er hervor: »Ich mag Brandts Fairneß. Ich mag Menschen, die, wenn sie etwas verantworten müssen, dies tun und nie dazu neigen, die Dinge auf andere zu schieben.«

Brandt seinerseits pflegte das Verhältnis zu Scheel von Anfang an mit viel Behutsamkeit. Wissend um dessen Schwierigkeiten mit dem nationalliberalen Flügel seiner Partei und die Sorgen um die Nagelprobe in den kommenden Landtagswahlen schrieb er Scheel zum Jahreswechsel 1970: »Die Durststrecke, die Sie auf sich genommen haben, hat eine Perspektive und wird ihre Rechtfertigung finden. Jedenfalls brauchen Ihre Freunde nicht daran zu zweifeln, daß sie es mit einem Partner zu tun haben, der um Fairneß und Loyalität bemüht ist.«

Gleich zu Beginn der gemeinsamen Regierungsarbeit mußte Brandt in Fragestunden des Parlaments zum Thema Atomsperrvertrag seinen unzureichend vorbereiteten Außenminister herauspauken. Mit Toleranz ertrug er, daß Scheel bei seinem Start große Schwächen zeigte und damit die ganze Regierung belastete: Er las keine Akten, hatte das Auswärtige Amt nicht im Griff, wußte nur oberflächlich über die ostpolitischen Verhandlungsmaterien Bescheid, verzichtete auf die systematische Zusammenarbeit mit einem persönlichen Stab und bevorzugte statt dessen politische Plaudereien. Brandt zu alldem: »Right or wrong – my Scheel.«

Nur ein einziges Mal gab es einen tiefgehenden Konflikt zwischen Kanzler und Außenminister. Brandt hatte seinem alten Vertrauten, AA-Staatssekretär Duckwitz, einen persönlichen Brief an den polnischen Parteichef Wladislaw Gomulka mitgegeben. Scheel war davon nicht informiert. Auch wenn es sich um ein Schreiben von Parteivorsitzendem zu Parteivorsitzendem handelte, mußte der Außenminister zu diesem Zeitpunkt, als die Gewaltverzichtsverhandlungen mit Warschau anliefen, in Brandts Brief eine ungehörige Bevormundung erblicken. Auf seine harsche Beschwerde hin sah Brandt sofort seinen Fehler ein, entschuldigte sich dafür und akzeptierte institutionelle Abgrenzungsmaßnahmen zwischen Auswärtigem Amt und Kanzleramt. Duckwitz blieb zwar weiterhin Leiter der Verhandlungskommission für Polen, wurde aber als Staatssekretär in den Ruhestand geschickt und durch den sachkundigen und auf Eigendarstellung des Auswärtigen Amtes bedachten Paul Frank ersetzt. Der nahm fortan auch nicht mehr an den täglichen Lagebesprechungen im Kanzleramt teil, sondern erschien nur einmal die Woche zur »Großen Lage« mit BND-Chef Wessel und einem Staatssekretär des Verteidigungsministeriums.

Brandt, der sich selbst einmal als »Vortragender Legationsrat« des Kanzlers Kiesinger empfunden hatte, akzeptierte diese Abgrenzung vorbehaltlos. In einem handgeschriebenen Brief bestärkte er im Sommer 1970 Scheel, der inzwischen von den eigenen Parteifreunden zu größerer Profilierung aufgefordert wurde: »Es tut mir leid, daß ich einige Schwächen der Zusammenarbeit in Regierung und Koalition nicht frühzeitig genug erkannt habe. Sie kennen mich inzwischen gut genug, um zu wissen, daß ich zu jeder Überprüfung und möglichen Verbesserung bereit bin.«

Die prinzipielle Übereinstimmung zwischen Brandt und Scheel aber stellte sicher, daß die Entscheidung darüber, wer die anstehenden Verhandlungen mit Moskau führen sollte, nicht zu einer Prestigefrage wurde. In einem Vier-Augen-Gespräch vereinbarten Kanzler und Außenminister gegen Jahresende 1969, dem ostpolitischen Vordenker Egon Bahr die Verhandlungsführung zu übertragen. Der deutsche Botschafter in Moskau, Helmut Allardt, hatte bereits in drei Unterredungen mit dem sowjetischen Außenminister Andrej Gromyko das Terrain erkundet und darüber nach Bonn berichtet. Doch diese Gespräche, so Brandt, »ließen nicht erkennen, wie man vorankommen könnte«.

Die Fortsetzung der Sondierungen durch den Außenseiter Bahr bot in Scheels Augen mehrere Vorteile: Bahr war mit der Materie vertraut wie kein anderer, er konnte elastischer als ein Karrierediplomat auftreten, der bei jeder Detailfrage erst neue Instruktionen hätte einholen müssen, und vor allem: Ein Scheitern wäre nicht zu Lasten des Auswärtigen Amtes gegangen. Mit Kanzleramtsminister Ehmke sprach Scheel ein Vorgehen ab, das die Kompetenzen seines Amtes wahren sollte: Der Außenminister würde den Bundeskanzler formell um Freistellung Bahrs für die Gespräche mit Moskau bitten, ihn dann mit der Gesprächsführung beauftragen und dies dem Kabinett mitteilen. Auf der entscheidenden Kabinettssitzung allerdings fehlte Scheel, und Bahr wurde in seiner Abwesenheit von der Ministerrunde beauftragt. Der beabsichtigte Effekt wurde verfehlt. Die FDP-Bundestagsfraktion erfuhr aus den Zeitungen von Bahrs Auftrag und war verärgert, daß die Verhandlungsführung vom Auswärtigen Amt auf das Kanzleramt übergegangen war.

Scheel blieb gelassen. Er wußte seine Rolle gesichert. Die Instruktionen an Bahr gingen über das Auswärtige Amt, umgekehrt lieferte Bahr seine Berichte ebenfalls über das Auswärtige Amt an die Regierung. Scheel hatte ferner mit Brandt vereinbart, daß er nach Bahrs Vorbereitungen die eigentlichen Verhandlungen mit Gromyko zu Ende bringen sollte.

»Der Kreml ist kein Amtsgericht.«

VERHANDLUNGEN MIT MOSKAU

Am 30. Januar 1970 flog Egon Bahr, die Persianerpelzkappe im Gepäck, nach Moskau. Botschafter Allardt fühlte sich zur Seite gedrängt und ließ es den neuen Verhandlungsführer spüren, indem er ihm nicht die deutsche Residenz als Quartier anbot. Die Ehefrau des Botschafters, die jüngste Tochter des letzten zaristischen Großadmirals, war demonstrativ in Urlaub gereist. Bahr revanchierte sich, indem er Allardt nicht in seine aus Bonn mitgebrachten Instruktionen einweihte. Auf der Kante seines Hotelbettes studierte er abends in Langenscheidts Wörterbuch russische Ausdrücke, um deren Auslegung er mit Gromyko gestritten hatte. Die wichtigsten Gesprächsphasen – von Dolmetschern übersetzt – stenografierte er bei seinen Verhandlungen mit. Über jede Sitzung wurde zudem von den Dolmetschern ein Ergebnisprotokoll verfaßt.

Mit den Gesprächen Bahr–Gromyko begann die politische Frontbegradigung im Osten, an der sich die Bundesrepublik zwanzig Jahre lang vorbeigedrückt hatte. Frontbegradigung hieß, Ansprüche aufzugeben, die über den Bestand der Bundesrepublik und die Sicherung West-Berlins hinausgingen. Dazu zählten der Anspruch auf Alleinvertretung Gesamtdeutschlands, das Beharren auf den Grenzen von 1937 sowie Wiedervereinigungsmodelle, die einem Anschluß der DDR gleichkamen. Als theoretische Möglichkeit sollte das Ziel der deutschen Einheit allerdings offengehalten werden – verdünnt in der Formel einer »deutschen Option«. Zu den Einsichten aus früheren ostpolitischen Gehversuchen christdemokratischer Regierungen gehörte, daß man die Entspannungsabsprachen mit der Moskauer Hegemonialmacht suchte und nicht die Sowjetunion, die osteuropäischen Staaten und die DDR gegeneinander ausspielen wollte.

Der angestrebte Gewaltverzicht mit der Sowjetunion war nur ein Arbeitstitel. Tatsächlich wurde auf ein Abkommen hingearbeitet, dessen Schwerpunkte auf anderen Gebieten lagen und Elemente eines nicht erreichbaren Friedensvertrages mit Gesamtdeutschland enthielten. Dazu gehörte in erster Linie die Anerkennung der maßgeblich von der Sowjetunion geschaffenen Nachkriegsgrenzen einschließlich der Grenze zwischen beiden deutschen Staaten. Diese Grenzanerkennung sollte nicht Selbstzweck sein, sondern die Voraussetzung schaffen für weitere Abkommen über Zusammenarbeit. Moskau und Bonn strebten eine wirtschaftliche Kooperation und einen Ausbau der kulturellen und wissenschaftlichen Kontakte an. Bahr und Gromyko legten außerdem das Modell für die Abkommen fest, die Bonn mit den anderen osteuropäischen Staaten einschließlich der DDR abzuschließen gedachte. Der gesamte Vertragskomplex wurde als »einheitliches Ganzes« gesehen.

Der Ausgleich mit der Sowjetunion war in Brandts Konzept Grundstein für eine umfassende Entspannungspolitik in Europa. Nach den bilateralen Verträgen Bonns mit Moskau, Warschau, Ost-Berlin und Prag sollte eine multilaterale Etappe beginnen: Vereinbarungen über Truppenabbau und eine Konferenz über Sicherheit und Zusammenarbeit in Europa. Mit einer geistigen Anleihe bei de Gaulle wies Brandt die Marschrichtung: vom Gegeneinander über das Nebeneinander zum Miteinander. Seine Vision – Anklänge an seine ersten außenpolitischen Konzepte ein Vierteljahrhundert zuvor im Stockholmer Exil sind deutlich – sah als Krönung eine europäische Friedensordnung vor, in der NATO und Warschauer Pakt ihre Bedeutung verlieren, vielleicht sogar aufgelöst werden. Menschenrechte, Selbstbestimmung, das Recht auf Reise- und Informationsfreiheit sollten in ganz Europa gewährleistet werden. Erst diese Perspektive rechtfertigte in Brandts Augen die Verzichtspolitik der angestrebten Verträge von Moskau und Warschau.

Seine Ostpolitik verstand Brandt nicht als deutschen Sonderweg, sondern als Beitrag zur Entspannungspolitik des Westens. Schon um das Wiederaufleben von Rapallo-Ängsten auszuschließen und gar nicht erst den Anschein zu erwecken, die Bundesrepublik strebe ähnlich wie die Weimarer Republik eine Verständigung mit Moskau hinter dem Rücken des Westens an, sicherte er sein Vorgehen bei den Verbündeten ab. Brandt: »Wir wissen, daß unsere Politik gegenüber der Sowjetunion nur erfolgreich sein kann, wenn wir unsere Verankerung im Westen, zu dem wir auf Grund unserer Interessen und unserer Überzeugung gehören, nicht lockern.« Er holte sich vorab im NATO-Rat und in der »Bonner Vierer-Gruppe«, einer deutsch-alliierten Diplomatenrunde, das Placet für seine Ostaktivitäten ein. Auch verkündeten die Sozialdemokraten als deutliches Signal ihrer Bündnistreue Jahr für Jahr stolz die überproportionale Steigerung des Verteidigungsetats – mit dem langfristigen Ziel einer Abrüstung in Europa aber war das nur schwer vereinbar.

Trotz des offiziellen Einverständnisses gab es in den westlichen Hauptstädten erhebliche Vorbehalte. Sie wurden jedoch nie gegenüber deutschen Regierungsvertretern, sondern immer nur inoffiziell geäußert. Engländer und Franzosen sahen sich um ihre Sonderrolle als Sprecher Westeuropas gebracht. Dazu kam die Besorgnis, die Politik von Brandt und Bahr könne gesamtdeutsche Tendenzen fördern und damit das bestehende Gleichgewicht in Europa aus dem Lot bringen.

In den USA war es vor allem Henry Kissinger, der Sicherheitsberater von US-Präsident Nixon, der kaum einen Hehl aus seiner Skepsis machte. Der Sohn jüdischer Eltern, die von den Nazis aus Deutschland vertrieben worden waren, zweifelte an der politischen Reife der Deutschen und insbesondere der Sozialdemokraten. Er hielt Brandt für einen »politischen Romantiker« und Wehner für einen »undurchsichtigen und unzuverlässigen Nationalisten«. Er wollte insbesondere die Führungsrolle der USA nicht durch ein deutsches Vorpreschen beeinträchtigt sehen. Nach Kissingers Ansicht hatten die gerade begonnenen Verhandlungen zwischen den USA und der Sowjetunion über eine Begrenzung der strategischen Rüstung (SALT) Vorrang vor einer rein europäischen Entspannungspolitik. Dennoch empfahl er seinem Präsidenten, Brandts Politik zuzustimmen: »Wir hätten uns heftigen Vorwürfen ausgesetzt, wenn wir die Hoffnungen auf eine Milderung der unangenehmen Folgen der Teilung zerstört hätten.« Die Großmacht-Rolle seines Landes sah er aber nicht recht gewürdigt: »Brandt selbst hielt uns ständig auf dem laufenden und zerstreute damit die schlimmsten Befürchtungen. Allerdings unterrichtete uns die neue deutsche Regierung eher, als daß sie uns konsultierte.«

Um Befürchtungen zu zerstreuen, die Bundesrepublik wolle sich zugunsten ihrer Ostpolitik von dem westeuropäischen Einigungswerk abwenden, profilierte sich Brandt unmittelbar nach Regierungsantritt als Europa-Politiker. Auf einem EG-Gipfeltreffen Anfang Dezember 1969 in Den Haag gelang es ihm, dem seit einem Jahr amtierenden französischen Präsidenten Georges Pompidou das

Einverständnis abzuringen, Beitrittsverhandlungen mit Großbritannien aufzunehmen. Auf seinen Vorschlag beschlossen die Regierungschefs auch, den ersten Schritt von einem Wirtschaftsbündnis hin zu einer politischen Gemeinschaft zu tun. Fortan sollten die EG-Staaten ihre Außenpolitik im Ministerrat abstimmen.

Die Regierung Brandt/Scheel hatte sich selbst unter Erfolgsdruck gesetzt und einen Abschluß der Verhandlungen mit Moskau bis spätestens zum Sommer 1970 vorgesehen. Sie brauchte dringend positive Ergebnisse, um die schwache Mehrheit im Parlament zusammenzuhalten und die Landtagswahlen im Saarland, in Nordrhein-Westfalen und Niedersachsen im Juni sowie in Hessen und Bayern im November 1970 bestehen zu können. In einem Zeitungsinterview machte Brandt schon am 27. Dezember 1969 klar, daß der Dialog mit den Sowjets nicht zu einem Dauerpalaver ähnlich den amerikanisch-nordkoreanischen Waffenstillstandsverhandlungen am 38. Breitengrad werden dürfe: »Ich denke, daß die erste Hälfte des Jahres 1970 zeigen kann, wie weit man in diesen deutsch-sowjetischen Verhandlungen kommen wird. Wir sind daran interessiert, daß daraus kein Panmunjon wird.« Regierungssprecher Ahlers verdeutlichte: »Wenn wir bis zum Sommer nicht unterzeichnen, ist die Aktion gescheitert.«

Im Frühjahr 1970 schien es, als könne der Zeitplan eingehalten werden. Nach drei Verhandlungsrunden mit Gromyko und insgesamt fünfzig Gesprächsstunden kam Unterhändler Bahr am 22. Mai aus Moskau zurück. Seine Gesprächsergebnisse behandelten Brandt und Scheel als top secret, selbst das Kabinett wurde zunächst nur über vier der zehn Punkte des zwischen Bahr und Gromyko vereinbarten Protokolls unterrichtet. Denn Bahr hatte nicht nur Notizen über Sondierungsgespräche mitgebracht, wie es die Regierung gegenüber der Öffentlichkeit darstellte, sondern den Rohbau eines umfassenden Vertragswerkes.

Schon am 10. Juni wollte Scheel nach Moskau fliegen. Gromyko hatte drei Verhandlungstage reserviert. Doch Parteifreund Genscher, der als Innenminister eine genaue verfassungsrechtliche Prüfung verlangte und die FDP-Bundestagsfraktion behutsam auf die Verzichtsinhalte des Vertrages vorbereiten wollte, stoppte Scheels Tatendrang. Er befürchtete ein Auseinanderbrechen der FDP-Fraktion. Zudem wollte er den Außenminister nicht als reinen Erfüllungsgehilfen des Kanzleramts erscheinen lassen, der nur zur Unterzeichnung der von Bahr ausgehandelten Formulierungen nach Moskau reise. Unter Genschers Druck mußte Scheel den Moskauer Termin wieder absagen.

Vollends außer Tritt geriet das Brandt-Kabinett, als am 12. Juni 1970, zwei Tage vor den kritischen Landtagswahlen, die »Bild«-Zeitung den Text der ersten vier Punkte des Bahr-Papiers veröffentlichte und sie bereits als Vertragsartikel bezeichnete. Die Formulierungen entsprachen zwar nicht dem Originaltext, aber seinem Inhalt. Sofort leitete die Regierung umfangreiche Ermittlungen ein, um die undichte Stelle zu finden. Aus dem Kabinett konnte die Indiskretion nicht kommen, denn die Minister hatten numerierte Exemplare erhalten, die nach Schluß der Beratung wieder eingesammelt wurden. Die Untersuchungen konzentrierten sich auf das Auswärtige Amt. Dessen neuer Staatssekretär Paul Frank schrieb einen Artikel für die »FAZ«, in dem er feststellte, daß das Ethos eines Beamten die Weitergabe vertraulicher Informationen, nur weil er politisch anderer Meinung sei, verbiete. Tatsächlich stammte die Information von Kissinger. Er lancierte sie über den Bundesnachrichtendienst, die CSU und das Aspen-Institut an den Springer Verlag und andere konservative Verlage. Sein Motiv: Er wollte die Entspannungseuphorie zurückschrauben und den Deutschen zeigen, wie mager die von der Regierung Brandt/Scheel ausgehandelten Ergebnisse seien.

Die Veröffentlichung des Bahr-Papiers, das keinerlei Hinweise auf eine mögliche Wiedervereinigung, auf einen Friedensvertragsvorbehalt und auf die Sicherung West-Berlins enthielt, bewirkte eine Polarisierung zwischen Befürwortern und Gegnern der Regierungspolitik, wie es sie seit den fünfziger Jahren nicht mehr gegeben hatte. Die Frontlinie verlief nicht zwischen Regierung und Opposition. Ebenso, wie es in der CDU/CSU einige Befürworter der Absichten von Brandt und Scheel gab, regte sich bei einigen Abgeordneten der Regierungsparteien Widerstand. Schon am 17. Juni, wenige Tage nach den Landtagswahlen, bei denen die FDP eine schwere Niederlage erlitt und in Niedersachsen und dem Saarland an der Fünf-Prozent-Hürde scheiterte, gründeten die FDP-Abgeordneten Mende und Siegfried Zoglman die »Nationalliberale Aktion« als Sammelbecken der Scheel-Gegner. Die ersten Gerüchte, daß Koalitionsabgeordnete zur CDU/CSU überlaufen würden, machten jetzt in Bonn die Runde. Sie wurden zum Alptraum der Regierung Brandt.

In der CDU/CSU profilierte sich Strauß als entschiedenster Gegner der Außenpolitik Brandts. Aufgeschlossene Christdemokraten wie Fraktionsführer Barzel und die außen- und deutschlandpolitischen Experten Ernst Majonica und Richard von Weizsäcker billigten im Prinzip die neue Ostpolitik. Strauß aber belegte Brandt mit dem Etikett »Kanzler des Ausverkaufs«. Seine Gefolgschaft behauptete, die neue Ostpolitik führe zur »Finnlandisierung«, worunter sie eine Neutralität von Moskaus Gnaden verstand. »Sie, Herr Bundeskanzler, sind dabei, das Deutschlandkonzept des Westens aufzugeben und in jenes der Sowjetunion einzutreten«, polemisierte am 27. Mai 1970 im Bundestag der CSU-Abgeordnete von Guttenberg.

Das Bekanntwerden des Bahr-Papiers hatte aber auch außenpolitische Folgen. Die Polen, mit denen seit dem 5. Februar 1970 Staatssekretär Duckwitz verhandelte und über Grenzformeln rang, waren gekränkt, daß die Bundesregierung über ihre Köpfe hinweg schon mit der sowjetischen Vormacht Regelungen über die polnische Westgrenze getroffen hatte. Sie sahen darin eine Mißachtung der eigenen Souveränität und ein sichtbares Zeichen für die Zweitrangigkeit Polens im ostpolitischen Konzept Brandts. Der hatte zwar Verständnis für die Sonderrolle Warschaus, die sich nicht zuletzt aus den deutschen Verbrechen während des Zweiten Weltkrieges ergab, doch er war Realpolitiker genug, um den Ablauf der Verhandlungen entsprechend den »Gegebenheiten des Warschauer Pakts« zu gestalten.

Die Sowjetunion war nach Bekanntwerden der Gesprächsergebnisse von Bahr und Gromyko nicht mehr bereit, in den Verhandlungen mit Außenminister Scheel, die nun endgültig am 27. Juli begannen, essentielle Konzessionen zu machen. Denn ein Textvergleich hätte dann vor aller Öffentlichkeit ein Nachgeben Moskaus dokumentiert. Gleich in der ersten Verhandlungsrunde mit Scheel protestierte Gromyko gegen die Bonner Indiskretionen. Sie engten den Verhandlungsspielraum außerordentlich ein. Sein früherer Gesprächspartner Bahr, der Scheel begleitete, zeigte Verständnis: »Jetzt wurde die Sowjetunion plötzlich mit ihrem Prestige gebunden.«

Dennoch gelangen Scheel während seines zweiwöchigen Aufenthaltes in Moskau einige allerdings mehr kosmetische Ergänzungen der deutsch-sowjetischen Absprache. Der Vertrag erhielt eine Präambel, in der die Anerkennung der Grenzen dem Gewaltverzicht untergeordnet und damit dem Abkommen etwas von der Endgültigkeit eines Friedensvertrages genommen wurde. Das Ziel der deutschen Einheit – wichtig für den Bonner Hausgebrauch – wurde doppelt angesprochen. Zum einen erwähnte die Präambel die 1955 ausgehandelten Abmachungen über die Aufnahme diplomatischer Beziehungen, in denen doppeldeutig von der »Wiederherstellung der Einheit eines deutschen demokratischen Staates« die Rede war. Zum anderen wollte die Bundesregierung in einem Brief einseitig erklären, daß der Vertrag nicht in Widerspruch zu dem Ziel stehe, »auf einen Zustand des Friedens in Europa hinzuwirken, in dem das deutsche Volk in freier Selbstbestimmung seine Einheit wiedererlangt«. Der Brief sollte bei einem Sekretär des sowjetischen Außenministers abgegeben und damit Bestandteil des Vertrages werden.

Eine der Zielsetzungen der Brandtschen Ostpolitik, die Sicherung West-Berlins, ließ sich nur indirekt in die deutsch-sowjetischen Vertragsgespräche einbringen. In Berlin gab es nach wie vor die besonderen Rechte der vier Siegermächte, auch wenn die gemeinsame Verwaltung der Stadt seit 1948 nicht mehr bestand. Schon im Juli 1969 hatte Gromyko die Bereitschaft der Sowjetunion erklärt, durch Verhandlungen mit den drei Westmächten »Komplikationen um West-Berlin« abzubauen. In konzertierter Aktion mit dem Anlaufen der Bonner Ostverhandlungen begannen am 26. März 1970 die Botschafter der drei Westmächte in Bonn und der sowjetische Botschafter in Ost-Berlin im ehemaligen Kontrollratsgebäude ihre Verhandlungen über ein Berlin-Abkommen. Angestrebt wurde die Sicherung des Transitverkehrs sowie die Bestätigung der Bindungen der Teilstadt an die Bundesrepublik und ihrer Vertretung im Ausland durch Bonn. Über Bahr hatte Brandt die Sowjets wissen lassen, daß er »die Gewaltverzichtsabkommen und eine befriedigende Regelung der Situation in und um Berlin als eine Einheit betrachte«. Brandt wollte diesen Zusammenhang unbedingt gewahrt wissen, scheute sich jedoch, daraus ein Junktim zu machen: Er wolle beide Komplexe »nicht in eine Zwangsjacke stecken«.

Außenminister Scheel aber stand unter dem Druck seiner Partei. Er wollte seine Eigenständigkeit demonstrieren und zugleich zeigen, daß der Moskauer Vertrag nicht nur Regelungen zugunsten der Sowjetunion enthielt, sondern auch den Deutschen Vorteile brachte. Am 8. Juli sprach er sich in einem Fernsehinterview demonstrativ für ein förmliches Junktim zwischen Berlinregelung und Gewaltverzichtsvertrag aus. Brandt und Wehner reagierten verärgert. Ihnen ging es vorrangig darum, ein »Entspannungsmilieu« zu schaffen, das dann die Regelung offener Fragen erleichtere. Juristische Federfuchserei war ihnen zuwider. Brandt: »Der Kreml ist kein Amtsgericht.«

Doch der Bundeskanzler gab letztlich nach. Das Kabinett faßte den Beschluß, daß der Gewaltverzichtsvertrag erst dann dem Parlament zur Ratifizierung zugeleitet würde, wenn eine Einigung über Berlin vorliege. Einen entsprechenden Text überreichte Scheel in Moskau Außenminister Gromyko, der nach einigem Zögern die deutsche Position akzeptierte, zugleich aber ein Gegenjunktim aufmachte: Die vorgesehene Berlinregelung werde erst in Kraft treten, wenn vorher der Moskauer Vertrag ratifiziert sei.

Am 7. August 1970 setzte Scheel seine Paraphe unter den Moskauer Vertrag. Welche Bedeutung die Sowjets diesem Abkommen zumaßen, das eine Generalbereinigung des bislang gestörten Verhältnisses zur Bundesrepublik bringen und zugleich die Initialzündung für eine europäische Entspannungspolitik sein sollte, zeigte sich in einer Geste der protokollbewußten Russen. Gromyko übermittelte seinem deutschen Kollegen eine Einladung des sowjetischen Regierungschefs Alexej Kossygin an Bundeskanzler Brandt, zur Unterzeichnung des Vertrages nach Moskau zu kommen. Als Datum wurde der 12. August vorgeschlagen. Von Scheel telefonisch unterrichtet, unterbrach Brandt den Urlaub in seinem bäuerlichen norwegischen Ferienhaus in Hamar nahe Oslo. Schon am 8. August unterrichtete Scheel das Kabinett über sein Verhandlungsergebnis. Er wurde mit beifälligem Tischklopfen empfangen. Am 11. August wollte die Ministerrunde die Unterzeichnung des Vertragstextes absegnen, doch schon zwei Tage vorher gab Brandt offiziell bekannt, daß er Kossygins Einladung annehme.

»Wir haben den Mut, ein neues Blatt in der Geschichte aufzuschlagen.«

OSTVERTRÄGE

12. August 1970: Die langgestreckte Tafel ist mit Tüchern aus schwerem weißen Damast gedeckt. Kristallene Obstschalen mit Birnen, Äpfeln und Trauben, Silberplatten mit Lachs und Stör, kaltem Braten, Hackklößchen und gebackenem Geflügel sind aufgetragen. Den Kaviar gibt es in weißen Prozellanschalen, daneben fein gehackte Zwiebeln. Batterien von Flaschen stehen auf dem Tisch. Selterswasser, Obstsäfte, Krim-Wein und Wodka. Das Arrangement der goldgeränderten Porzellanteller, silbernen Bestecke und verschieden großen Kristallgläser – drei für jeden – verspricht ein mehrstündiges Gelage. Doch die Tageszeit verwirrt. Es ist später Vormittag, »brunchtime«, nur paßt der Ausdruck nicht nach hier, nach Moskau. Willy Brandt sitzt an der Querseite der Tafel, um sich versammelt die Runde seiner politischen Jünger, die ihn zur Unterzeichnung des Moskauer Vertrages begleitet haben. Zur Rechten Vertragsarchitekt Egon Bahr, zur Linken dessen Sekretärin Elisabeth Kirsch.

Die Sowjets haben die Deutschen im Gästehaus auf den Leninhügeln einquartiert, einem klassizistischen Bau mit Marmorfassade. Die äußere Pracht setzt sich in den Räumen nur gedämpft fort. Brandt hat im ersten Stock ein karg eingerichtetes Zimmer. An der Seitenwand ein Schrank aus hochglanzpoliertem Nußbaumfurnier mit abgerundeten Kanten, ein Produkt der dreißiger Jahre. Das Doppelbett, eine dazu passende Fertigung, ist mit einer genoppten Tagesdecke überzogen. Ein Strauß Gladiolen unterstreicht den Versandhaus-Charakter. Brandt, der sein Leben lang ein politischer Reisender war, hat sich auf Zeit eingerichtet. Seinen Reisekoffer hat er auf den Schrank gelegt, seine ledernen Hausschuhe vors Bett gestellt. Möblierter Herr in Moskau. »Es ist alles sehr schlicht hier«, sagt er und lächelt. Er hat schlecht geschlafen in der Nacht vor der Vertragsunterzeichnung. In dem Zimmer, verhängt mit schweren roten Gardinen, ist es stickig. Trotz hochsommerlicher Temperaturen von dreißig Grad laufen im Badezimmer die Heizungen und las-

sen sich nicht abdrehen. Sie haben das ganze Haus in eine Trocken-
sauna verwandelt. Brandt: »Ich wußte gar nicht, daß es in Moskau
so heiß ist.«

Es war eine Anreise mit Hindernissen gewesen. Wegen einer
Bombendrohung hatte die Bundeswehrmaschine tags zuvor auf
dem Flughafen Wahn bei Bonn eine Stunde durchsucht werden
müssen, ehe sie Starterlaubnis erhielt. »Wir kommen zu spät, aber
wir kommen«, scherzte Brandt. Nach einem Dreistundenflug landete die Maschine schon in der Dämmerung auf dem Prominenten-
flughafen Wnukowo. Der Vorsitzende des Ministerrates der
UdSSR, Alexej Kossygin, begrüßte den Kanzler mit den Worten:
»Dies hier können geschichtliche Tage werden.« Gemeinsam schritten sie die Front der Rotarmisten ab. »Eher fröhlich« wirkte die
Marschmusik auf den Gast.

In einer Prunklimousine vom Typ SIL 114, gefolgt von dreißig
schwarzen Tschaikas für die deutsche Delegation, fuhren die beiden
Regierungschefs sodann die rund dreißig Kilometer nach Moskau.
Kein Passant schenkte der Wagenkolonne, die auf der Sonderspur
für Funktionäre freie Fahrt hatte, Beachtung. »Wie steht die Ernte,
Herr Bundeskanzler?« wollte Kossygin, ein Wirtschaftsbürokrat mit
geschultem Hirn für Produktionsstatistiken, von Brandt wissen. »Im
Westen wäre das kaum das erste Gesprächsthema gewesen«, wun-
derte sich Brandt. »Hätte ich es nicht gewußt, wäre mir in dieser ersten halben Stunde klar geworden, daß man im Vorsitzenden des
Ministerrats der UdSSR zugleich dem Chef des größten Wirt-
schaftsunternehmens der Welt begegnet.« Nahe einer Sprung-
schanze oberhalb des Moskwaufers ließ Kossygin die Wagenkolonne halten. Der Russe führte den Deutschen ins Grüne, wo sie ein
Liebespaar aufstöberten. Dann unterwies der sowjetische Ministerpräsident seinen Gast: »Das ist die Stelle, von der aus Napoleon das
brennende Moskau beobachtete.«

Am Abend hatte Brandt noch an einer Fernsehansprache gefeilt,
die er von Moskau aus an die Deutschen halten wollte. Der 12. August war ein heikles Datum, einen Tag darauf jährte sich der Mauerbau zum neunten Mal. Brandt fügte seiner Rede noch einen Satz
hinzu: »Wir haben den Mut, ein neues Blatt in der Geschichte auf-
zuschlagen.«

Die innere Anspannung der letzten Stunde vor der Vertragsunterzeichnung überbrückt Brandt mit Witze-Erzählen. Für das feierliche Zeremoniell ist er schon eingekleidet, ein dunkelblauer Anzug, weißes gestärktes Hemd mit breiten Klappmanschetten, dazu eine Krawatte mit dezentem Rautenmuster. Seine Begleiter sind in Erfolgsstimmung. Sie lachen gern auch über altbekannte Kalauer. Manchmal hält Brandt inne. Dann sucht sein Blick durch die geöffneten Verandatüren die im Sonnenglast liegende Stadt und das wehrhafte Geviert der Paläste und Kirchen des Kreml. Ein Häufchen zerkleinerter Streichhölzer neben seinem Teller verrät die innere Unruhe.

Brandt hebt das Glas, um auf das Gelingen der nächsten Stunden anzustoßen. Ein letzter Witz, eine Anspielung auf die Furcht der Sowjets vor der erwachenden Weltmacht China: Das Politbüro tagt unter Breschnews Vorsitz. Kossygin steht auf, geht ans Fenster, bleibt nachdenklich stehen. Was er habe, will Breschnew wissen. Auf dem Roten Platz seien ein Dutzend Leute, die zu Mittag äßen. Breschnew: »Laß sie doch.« Kossygin kehrt an den Tisch zurück. Nach einer Viertelstunde steht er wieder auf. »Jetzt sind es schon hundert, die da unten essen«, meldet er seinem Generalsekretär. Breschnew wieder: »Nun laß sie doch.« Das Politbüro setzt seine Beratungen fort. Nach einer halben Stunde hält es Kossygin nicht mehr auf seinem Platz. Erneut läuft er zum Fenster, schiebt die Vorhänge beiseite und dann mit einer raschen Bewegung wieder zusammen. Warum er denn schon wieder die Arbeit des Politbüros störe, will Breschnew, jetzt leicht gereizt, wissen. »Genosse Generalsekretär, da unten ist der ganze Rote Platz voll mit Menschen, die essen«, meldet Kossygin. Breschnew: »Na und?« Kossygin: »Aber sie essen mit Stäbchen.«

Am lautesten lacht Willy Brandt. Sein Lachen schlägt in einen kehligen Raucherhusten über. Als er sich gefangen hat, zündet er sich ein Zigarillo an. Die Wagenkolonne ist schon vorgefahren.

Zwei Stunden später, um 14.30 Uhr, treffen Brandt und seine Begleitung im Kreml ein. Sie steigen die breite Marmortreppe im großen Kreml-Palast hinauf, gehen vorbei an einem wandgroßen, in leuchtenden Farben gehaltenen Gemälde des mit Arbeitern diskutierenden Lenin, durchqueren mehrere Säle mit funkelnden Spiegeln. Schließlich erreichen sie den Katharinensaal, die traditionelle Stätte der Sowjetregierung für feierliche diplomatische Akte. Die Symbiose kommunistischer Macht- und Prachtentfaltung mit zaristischer Tradition erreicht hier ihren Höhepunkt. Korinthische Säulen aus grünlich schimmerndem Malachit fassen den Saal ein, dazwischen Flachreliefs mit allegorischen Darstellungen von Gesetzgebung, Rechtsprechung, Liebe und Bildung als den Prinzipien, denen ein aufgeklärter Mensch huldigen sollte. Die Ornamente der Wände und Decken sind mit Blattgold belegt, die Logen und Nischen mit rotem Damast tapeziert.

Die Delegationen marschieren in synchronisiertem Auftritt in den Saal, die Deutschen von links, die Russen von rechts. Brandt führt die deutsche, der überraschend vom Krim-Urlaub zurückgekehrte Generalsekretär der KPdSU, Leonid Breschnew, die sowjetische Marschsäule an. Sie treffen sich im Zentrum des Saales, begrüßen sich mit Handschlag. Die beiden Delegationschefs Brandt und Kossygin und die Außenminister Scheel und Gromyko begeben sich gemessenen Schrittes zu dem Tisch, der für die Vertragsunterzeichnung vorgesehen ist, und nehmen Platz. Vor jedem Delegationschef steht ein Füllhalter-Ständer mit Wiegelöscher. Hinter den Vertragschließenden nehmen die Delegationen Aufstellung. Breschnew postiert sich hinter Brandt und Kossygin in den Mittelpunkt des Geschehens. Die Hände vorn ineinandergelegt, den Kopf mit den buschigen Augenbrauen leicht geneigt, verfolgt er aufmerksam, wie sein Ministerpräsident mit der Unterschriftsleistung beginnt.

Zum drittenmal hat Alexej Kossygin seinen Namenszug geschrieben. Zweimal unter den russischen, einmal unter den deutschen Text. Eine Unterschrift fehlt noch. Da beugt er sich zu Gromyko und meldet stolz: »Jetzt habe ich schon fünfundsiebzig Prozent meines Solls erfüllt.« Die Russen lachen. Die Deutschen, von nun an Vertragspartner, nehmen das Lachen auf. Die Schwere weicht von dem historischen Augenblick des Neubeginns, fast genau einunddreißig Jahre nach dem Hitler-Stalin-Pakt.

Die Bilder des Jahres 1939 zeigen hinter den beiden Außenministern – Ribbentrop und Molotow – ebenfalls einen wachsam blickenden Notar, Josef Wissarionowitsch Stalin. Damals war das Deutsche Reich auf dem Höhepunkt seiner Macht, der Pakt mit Stalin war für Hitler der letzte Schritt auf dem Weg zur Entfesselung des Zweiten Weltkriegs. Die Folgen dieses Krieges für Deutschland, Gebietsabtretungen und Teilung, wurden jetzt von der Bundesregierung gegengezeichnet. Die Zukunftsperspektive hieß Überwindung der Konfrontation und letztlich des Status quo durch friedliche Zusammenarbeit und europäische Entspannung. Breschnew nach dem Austausch der Urkunden zu Brandt: »Ich glaube, Sie haben eben einen Vertrag von großer Bedeutung unterschrieben.« Noch am selben Tag sagte der Kanzler in einer Fernsehansprache an die »lieben Mitbürgerinnen und Mitbürger«: »Mit diesem Vertrag geht nichts verloren, was nicht längst verspielt worden war.«

Unmittelbar nach den Toasts auf den Vertrag zog Breschnew Brandt am Arm aus dem Katharinensaal. Über eine Hintertreppe brachte er ihn zu seiner wartenden Limousine und ließ sich mit dem Deutschen zu seinen Amtsräumen fahren. Die beiden führten ein intensives politisches Gespräch ohne Berater und Delegationen. »Der Generalsekretär fand, wir sollten nicht diplomatisch vorgehen, sondern offen miteinander sprechen«, berichtete Brandt über den Auftakt dieser Unterredung. Er saß dem wichtigsten Mann der Sowjetunion zum erstenmal gegenüber. Erstaunt stellte er fest, daß Breschnew »trotz der Massigkeit des Körpers fast zierlich« wirkte – »lebhaft in den Bewegungen und im Mienenspiel, vital, fast südländisch ausholend in den Gesten«. Breschnew seinerseits empfand Brandt als »ernsthaften, verständnisvollen Mann, der mit beiden Beinen auf der Erde steht« und mit dem man »konstruktiv verhandeln« könne.

Brandt hatte zu der Begegnung ein Geschenk mitgebracht, eine Postkarte Lenins an einen deutschen Sozialdemokraten in Breslau. Die Sowjetunion feierte gerade den hundertsten Geburtstag ihres Begründers, und Breschnew bedankte sich überschwenglich: Dieses »Dokument« habe für ihn, die Partei und das Land großen Wert.

Inhalt der vierstündigen Unterredung war eine Bilanz der Vergangenheit – mit Tränen in den Augen berichtete Breschnew über seine Kriegserlebnisse –, eine Bestandsaufnahme der Bonner Vertragspolitik gegenüber dem Ostblock und ein Ausblick auf die Perspektiven der Zusammenarbeit, die das Moskauer Abkommen eröffnete. Breschnew wollte das Vertragswerk aus dem Bonner Junktim-Denken lösen: »Ich glaube, wir sollten den Vertrag so schnell wie möglich ratifizieren.« Mit dieser Begegnung wurde der Grundstein eines besonderen Vertrauensverhältnisses zwischen Brandt und Breschnew gelegt. In der Folgezeit sollten die beiden Staatsmänner durch direkten Kontakt – in Briefen und persönlichen Begegnungen –

die europäische Entspannungsdiplomatie voranbringen. Dabei sollten auch Themen angesprochen werden, die jenseits der unmittelbaren deutsch-sowjetischen Zuständigkeit lagen: Berlin-Regelung, Wiedervereinigung, Aufnahme der DDR in die UNO und später auch die Nachrüstungspolitik. Vom 16. bis 18. September 1971 besuchte Brandt den sowjetischen Generalsekretär in dessen Urlaubsort Oreanda auf der Krim. Beide gingen zusammen schwimmen. Als der deutsche Kanzler auf die besorgte Frage Breschnews nach den Neonazis antwortete, die seien keine wirkliche Gefahr, zeigte sich der Kremlchef beruhigt: »Wenn Sie das sagen, dann glaube ich das.«

Am Tag nach der Vertragsunterzeichnung säumten plötzlich schwarz-rot-goldene und rote Fahnen den Lenin-Prospekt, die Zufahrt des Bundeskanzlers von der Gästevilla zur Innenstadt. Bis vor kurzem noch war die Bundesrepublik in der sowjetischen Propaganda als Hort des Militarismus und Revanchismus dargestellt worden – jetzt wurde nicht nur die Flagge dieses Staates aufgezogen, sondern ab Herbst 1970 auch neues Schulungsmaterial in der sowjetischen Armee verwendet, in dem jede Verteufelung der Bundesrepublik fehlte. Brandt: »Das war keine Kleinigkeit.«

Trotz aller Widrigkeiten hatte Brandt innerhalb der selbstgesetzten Zeitspanne das erste konkrete Ergebnis seiner Ostpolitik vorweisen können. Die Reise ins ferne Moskau, in die für die Deutschen noch immer geheimnisumwitterte, Furcht und Faszination weckende Metropole der Sowjetmacht, war ein spektakuläres Unternehmen gewesen, das nicht zuletzt versprach, die Regierungskoalition zu stabilisieren. Noch im Herbst 1970, so meinte Brandt euphorisch, werde auch der Vertrag mit Warschau unter Dach und Fach sein. Danach gehe es an die Regelung des Verhältnisses zu Prag und Ost-Berlin.

Brandts Warschau-Besuch im Dezember 1970 geriet zum einprägsamsten Sinnbild des Versuchs, die Vergangenheit zu überwinden. Vor der Unterzeichnung des »Vertrages zwischen der Bundesrepublik Deutschland und der Volksrepublik Polen über die Grundlagen der Normalisierung ihrer gegenseitigen Beziehungen« im Namiestnikowski-Palais stand eine Kranzniederlegung am Denkmal für die von den Deutschen ermordeten Juden im Warschauer Ghetto auf Brandts Programm. Stein deckt die Erde, auf der sich unsägliches Grauen und Leid zugetragen hat. Hier wurden die Leichen Verhungerter auf Handkarren eingesammelt, hier fanden Razzien statt, bei denen Wehrmachtssoldaten mit dem Gewehr im Anschlag Kinder zum Abtransport in das Vernichtungslager Treblinka aussonderten, hier räucherten SS-Leute bei der Erstürmung des Ghettos 1943 mit Flammenwerfern die Wohnhäuser aus. Vierhunderttausend Menschen waren hier von den Nazis zusammengepfercht und wie Ungeziefer ausgerottet worden.

Am Morgen des 7. Dezember, als Brandt zum Ghetto-Denkmal fuhr, wußte er, daß es diesmal »nicht so einfach geht wie bei anderen Kranzniederlegungen, nur so den Kopf neigen. Dies ist doch eine andere Qualität.« Als der Kranz von Trägern niedergelegt war, hielt er sich zunächst an das protokollarische Ritual. Er ordnete die Kranzschleife, verneigte sich und trat einen Schritt zurück. Plötzlich, die Hände vor dem zugeknöpften Mantel verschränkt, fiel er auf die Knie. Über dreißig Sekunden verharrte er in dieser fast religiösen Demutshaltung. Ruckartig stand er dann auf und wandte sich ab – das Gesicht noch immer wie zur Maske erstarrt.

Es gibt Symbolfotos des ersten Kanzlers der Bundesrepublik, der die Versöhnung mit dem Westen bewerkstelligte: Konrad Adenauer 1953 barhäuptig bei der Kranzniederlegung auf dem Heldenfriedhof in Arlington bei Washington, als zum erstenmal wieder amerikanische Soldaten die deutsche Flagge grüßten und das Deutschlandlied spielten; Konrad Adenauer 1962 beim gemeinsamen Hochamt mit de Gaulle in der Kathedrale von Reims. Diese Bilder zeigen Adenauer, wie er sich als gleichrangiger Staatsmann bei den neugewonnenen Verbündeten darstellte. Es waren Inszenierungen der Gastgeber zur Aufwertung des Gastes.

Der Brandt auf regennassem Granit – weltweit zeigten Fernsehen und Pressefotos die Szene – stellte den anderen Deutschen dar, der den mühseligen Weg der Aussöhnung mit den östlichen Nachbarn suchte: »Ich habe im Namen unseres Volkes Abbitte leisten wollen für ein millionenfaches Verbrechen, das im mißbrauchten deutschen Namen verübt wurde.« Die Polen äußerten sich den ganzen Tag nicht zu der Geste. Erst am nächsten Morgen zog Ministerpräsident Cyrankiewicz Brandt beiseite und erzählte ihm, seine Frau habe mit einer Wiener Freundin darüber am Telefon gesprochen, und beide hätten bitterlich geweint.

Der Kniefall von Warschau war zugleich eine Herausforderung an die eigenen Landsleute. Viele von ihnen waren, anders als Brandt, nicht nur mitverantwortlich für die Vergangenheit, sondern hatten auch Schuld auf sich geladen. »Es gibt kein Ausweichen vor der Geschichte«, das war Brandts Botschaft an sie alle. Den in der Bundesrepublik lebenden Vertriebenen, einer wichtigen Veto-Gruppe gegen die Ostpolitik, führte er vor Augen, daß das ihnen nach 1945 zugefügte Unrecht nicht zu verstehen sei ohne die Verbrechen der Deutschen vor 1945. »Ein klares Geschichtsbewußtsein duldet keine unerfüllbaren Ansprüche. Wir müssen unseren Blick in die Zukunft richten und die Moral als politische Kraft erkennen. Wir müssen die Kette des Unrechts durchbrechen. Indem wir dies tun, betreiben wir keine Politik des Verzichts, sondern eine Politik der Vernunft« – mit diesen Worten richtete sich Brandt am Abend des 7. Dezember aus Warschau über das Fernsehen an die Bundesdeutschen.

Ein Teil von ihnen wollte seine Botschaft nicht hören. Die Morddrohungen gegen Brandt schnellten hoch. In einer Blitzumfrage ermittelte der »Spiegel«, daß nur 41 Prozent der Befragten Brandts Verhalten am Ghetto-Ehrenmal für angemessen hielten; 48 Prozent bezeichneten es als übertrieben. Unter den 30- bis 60jährigen lehnten sogar 54 Prozent Brandts Geste ab. Zu ihnen gesellte sich auch der Bonner Politikwissenschaftler Hans-Peter Schwarz. In einer Würdigung Adenauers schrieb er: »Auf dramatisch inszenierte Kniefälle, für die es an Gelegenheiten nicht gefehlt hätte, hat Adenauer zwar verzichtet, aber er wußte den Nachbarn Deutschlands durch praktische Politik die Gewißheit zu vermitteln, daß die Deutschen aus den Erfahrungen der jüngsten Vergangenheit gelernt hatten und entschlossen waren, vieles gutzumachen.«

Seit Herbst 1956, als nach Unruhen in Posen der Nationalkommunist Gomulka an die Macht gekommen war, galt Polen liberalen Publizisten und Politikern in der Bundesrepublik als ein Ostblockstaat, der sich von stalinistischen Praktiken abgewendet hatte und einen Reformkurs steuerte. Diese zaghafte Öffnung des Landes und ein Schuldgefühl gegenüber dem polnischen Volk führten 1958 im Bundestag zu einer Resolution von SPD und FDP, diplomatische Beziehungen mit Polen aufzunehmen. Vertriebenenpolitiker unter Anführung des SPD-Abgeordneten Wenzel Jaksch, einem Sudetendeutschen, einigten sich 1961 auf einen von allen Parteien gebilligten Bericht, in dem der Bundesregierung die Normalisierung der Beziehungen zu den osteuropäischen Staaten empfohlen wurde, allerdings unter dem Vorbehalt, deutsche Rechtspositionen in der Grenzfrage zu wahren. Zu der Zeit hatten Frankreichs Präsident de Gaulle öffentlich und die Anglo-Amerikaner auf diplomatischem Wege bereits die Anerkennung der Oder-Neiße-Linie als polnische Westgrenze gefordert. 1963 unternahm CDU-Außenminister Gerhard Schröder eine vorsichtige Anbahnung von Beziehungen, indem er den Austausch von Handelsmissionen vereinbarte. Die Evangelische Kirche in Deutschland forderte 1965 Verständigung mit Polen und Hinnahme der Grenze. Drei Jahre später schloß sich der »Bensberger Kreis«, eine Vereinigung linker katholischer Laien, dem an. Im selben Jahr 1968 fand Brandt die Formel von der »Anerkennung beziehungsweise Respektierung der Oder-Neiße-Linie bis zu einer friedensvertraglichen Regelung«. Die Verhandlungen der Regierung Brandt mit Polen, die im Februar 1970 von Staatssekretär Duckwitz eingeleitet worden waren, hatte Außenminister Scheel vom 3. bis 13. November zu Ende geführt.

Anders als das Moskauer Abkommen war der Warschauer Vertrag in erster Linie ein Grenzvertrag. Artikel I stellte fest, daß »die bestehende Grenzlinie (die Oder-Neiße-Linie) die westliche Staatsgrenze der Volksrepublik Polen bildet«. Der Gewaltverzicht war der Grenzanerkennung nachgeordnet und – im Unterschied zum Moskauer Vertrag – nicht mit ihr verknüpft. Mit ihrer Unterschrift widerrief die Bundesregierung auch den von allen Bundestagsparteien mit Ausnahme der Kommunisten getragenen Protest gegen das Görlitzer Abkommen, in dem die DDR bereits 1950 die Oder-Neiße-Grenze anerkannt hatte.

Wie kühl das Verhandlungsklima in Warschau war, zeigte sich darin, daß nicht einmal die Aufnahme diplomatischer Beziehungen vereinbart wurde. Die angestrebte Normalisierung sollte erst nach der Ratifizierung des Vertrages erfolgen. Auch einen Schutz der vorwiegend in Schlesien lebenden deutschen Minderheit und deren Recht auf Übersiedlung in die Bundesrepublik hatten die deutschen Unterhändler nicht erreichen können. Lediglich in einer einseitigen »Information« teilte die polnische Regierung mit, daß Personen mit unbestreitbar deutscher Volkszugehörigkeit die Ausreise gestattet werde. Die Polen sprachen von »einigen zehntausend Personen«, dem Deutschen Roten Kreuz aber lagen rund dreihunderttausend Ausreiseanträge vor. Die schleppende Ausreisepraxis wurde zu einem dauernden Streitthema zwischen Bonn und Warschau. Erst mit einem Milliardenkredit und Bonner Zahlungen an die polnische Rentenversicherung konnte Bundeskanzler Helmut Schmidt 1975 die Ausreiseregelung nachbessern.

»Vielleicht sei eine Denkpause gut.«

DEUTSCH-DEUTSCHE GIPFELTREFFEN

Die Neuordnung der Beziehungen zur DDR, das hatten schon die ersten Monate der neuen Vertragspolitik gezeigt, war deren schwierigstes Kapitel. Der Berlinkomplex lag wie ein Sperrklotz zwischen Bonn und Ost-Berlin. Für die DDR war die Anerkennung der wichtigste Punkt; für die Bundesrepublik sollte sie so lange wie möglich Verhandlungsunterpfand für eine Vielzahl weiterer Regelungen bleiben, etwa über Reiseverkehr, Verwandtenbesuche, Kulturaustausch und den angestrebten Grundlagenvertrag, mit dem auf der Basis der Teilung ein geregeltes Auskommen beider deutscher Staaten gefunden werden sollte.

Nach Brandts Regierungserklärung mit dem Signal, auf der Basis der bestehenden Grenzen das Verhältnis zu den sozialistischen Staaten zu normalisieren und die DDR als einen von zwei Staaten in Deutschland anzuerkennen, mußte Ost-Berlin befürchten, daß die Solidarität innerhalb des Warschauer Paktes nachlassen würde. Die Gefahr bestand, daß die anderen Ostblockländer das Gespräch mit Bonn aufnehmen würden, ohne – wie in Karlsbad vereinbart – auf einer Vorab-Anerkennung der DDR zu bestehen.

Um diese Entwicklung aufzufangen und um alle – seit Brandts Regierungsantritt aufgelebten – Hoffnungen auf eine Verbesserung der innerdeutschen Beziehungen in der eigenen Bevölkerung unter Kontrolle zu halten, hatte sich die DDR-Führung schon Ende 1969 zu einer eigenen Initiative entschlossen. Zwei Emissäre, der DDR-

Staatssekretär Michael Kohl und der Leiter der Abteilung West-deutschland im Außenministerium der DDR, Hans Voß, hatten in der Villa Hammerschmidt, dem Amtssitz des Bundespräsidenten, auf goldgerändertem Papier den Entwurf eines Staatsvertrages zwischen Bonn und Ost-Berlin abgeliefert. Das Dokument enthielt in neun Artikeln den Katalog der Maximalforderungen der DDR: Bonn und Ost-Berlin sollten wie zwei ausländische Staaten volle diplomatische Beziehungen aufnehmen; West-Berlin sollte als »selbständige politische Einheit« behandelt werden; Gesetze und Gerichtsentscheidungen, die von der Einheit Deutschlands ausgingen – etwa die westdeutsche Praxis, DDR-Bürgern im Ausland bundesdeutsche Pässe auszustellen –, sollten in beiden Staaten aufgehoben werden.

Die DDR-Führung hatte darauf gesetzt, daß die Bundesrepublik wie in früheren Jahren das Verhandlungsangebot zurückweisen und der DDR damit einen propagandistischen Vorteil verschaffen würde. Statt dessen aber begrüßte Bundespräsident Heinemann in einem Brief an den Staatsratsvorsitzenden der DDR, Walter Ulbricht, die »Bereitschaft zur Aufnahme von Verhandlungen« und leitete das Dokument zuständigkeitshalber an das Kanzleramt weiter. Brandt gab umgehend Order, als Gegenentwurf ein »Programm der Vernunft« auszuarbeiten. Dieses trug er am 14. Januar 1970 in seinem Bericht zur »Lage der Nation« vor dem Bundestag vor. Brandt: »Die Bundesregierung schlägt der Regierung der DDR Verhandlungen auf der Basis der Gleichberechtigung und Nichtdiskriminierung über den Austausch von Gewaltverzichtserklärungen vor. Ein Vertrag kann nicht am Anfang, sondern er muß am Ende von Verhandlungen stehen.« Sein Vorbehalt blieb, daß beide Staaten »füreinander nicht Ausland« seien. Sie hätten vielmehr eine Verpflichtung »zur Wahrung der Einheit der Nation«.

Doch anders als Brandt, dem Verhandlungen nach dem Muster der Sondierungsgespräche Bahrs in Moskau vorschwebten, setzte die DDR-Führung auf Anerkennungssymbolik. Der Vorsitzende des DDR-Ministerrates, Willi Stoph, schlug Brandt ein Gipfeltreffen vor. Es sollte in der DDR-Hauptstadt Berlin stattfinden. Als Brandt darauf bestand, über West-Berlin einzureisen und nicht auf dem Ostberliner Flughafen Schönefeld zu landen, einigten sich die Deutschen aus Ost und West schließlich auf die thüringische Provinzstadt Erfurt. Eilig wurden der Bahnhof renoviert und das staatseigene »Interhotel Erfurter Hof« als Konferenzort hergerichtet. Zur Grundfarbe der Dekoration wählte der Arbeiter- und Bauernstaat Rot: rote hochflauschige Auslegware auf Bahnsteig und Bahnhofstreppen, rote Fahnen auf dem Vorplatz, rote Rosen in den Delegationszimmern, rote Frotteemäntel in den Gästebädern.

Erfurt bot als Konferenzort für das erste Treffen der beiden deutschen Regierungschefs taktische Vorteile und ideologische Brisanz. Da es nur vierzig Kilometer hinter der Grenze lag, wurde der Bonner Delegation keine Gelegenheit zu einer Triumphfahrt quer durch die DDR gegeben. 1891 hatte hier die SPD ihr marxistisches Erfurter Programm beschlossen – Anspielungen darauf, welche der beiden Arbeiterparteien SPD und SED der wahre Hüter des gemeinsamen Erbes sei, lagen nahe und waren erwünscht. 1921 war Walter Ulbricht in einer Erfurter Gaststätte als kommunistischer Aufrührer von der Polizei der sozialdemokratischen Landesregierung verhaftet worden. Vor den Toren Erfurts mahnte das KZ Buchenwald, wo der Kommunist Ernst Thälmann und der Sozialdemokrat Rudolf Breitscheid ums Leben kamen, an die Last der deutschen Geschichte.

Als am 19. März 1970 morgens um 9.30 Uhr Brandts Sonderzug in den Erfurter Bahnhof einfuhr, hatten sich auf dem Vorplatz rund zweitausend Menschen versammelt, die gegen die Kette der Volkspolizei andrängten – offenkundig ein Regiefehler der Gastgeber. Diese hatten aus verkehrstechnischen Gründen die nahe gelegene Bahnhofstraße nicht gesperrt und wollten durch ein geringes Polizeiaufgebot Normalität demonstrieren. Als Brandt an der Seite Stophs das Konferenzhotel erreichte, durchbrach die Menge die Vopo-Absperrung und versammelte sich mit »Willy, Willy«-Rufen – dann, um keine Verwechslungen aufkommen zu lassen, mit »Willy Brandt«-Ovationen – vor dem Erfurter Hof. Nach langem Zögern zeigte sich Brandt kurz im Erkerfenster seines Zimmers im zweiten Stock der Menge. Mit einer dämpfenden Handbewegung versuchte er, die Begeisterung abzuwiegeln. »Ich fürchtete, hier könnten Hoffnungen wach werden, die sich nicht würden erfüllen lassen«, sagte er später. Am Nachmittag organisierte der Erste Sekretär der Erfurter SED, der Genosse Alois Bräutigam, eine Gegendemonstration, die Willi Stoph hochleben ließ. Als Brandt, begleitet von DDR-Außenminister Winzer, in Buchenwald einen Kranz niederlegte, intonierte eine Kapelle der Nationalen Volksarmee entgegen der Programmabsprache die Nationalhymnen der DDR und der Bundesrepublik, um die Zweistaatlichkeit zu unterstreichen.

Das offizielle Konferenzgeschehen beschränkte sich weitgehend auf Ansprachen von Stoph und Brandt, die jeweils rund fünfzig Minuten dauerten. Beide Politiker wiederholten ihre bekannten Standpunkte; Stoph jedoch erweiterte seinen Katalog um eine Abrechnung mit dem von Bonn angeblich geführten Wirtschaftskrieg gegen die DDR – gemeint waren die wirtschaftlichen Kosten der Fluchtbewegung. Gestützt auf eine Expertise des Kieler Instituts für Weltwirtschaft, wo der SPD-Bundestagsabgeordnete Fritz Baade fünf Jahre zuvor den Schaden für die DDR-Wirtschaft errechnet hatte, verlangte der DDR-Ministerratsvorsitzende hundert Milliarden Mark an Wiedergutmachung. Brandt blockte für alle Zukunft die Erörterung dieses Themas ab: »Man kann die Folgen des Gesellschaftssystems, das Sie eingeführt haben, nicht auch noch von uns bezahlen lassen.«

»Wenn ich englischer Premierminister wäre, würde ich jetzt den Bundestag auflösen« – im Hochgefühl seines fernsehwirksamen Auftretens hatte Brandt Erfurt verlassen. Er hatte die Herausforderung von Ulbricht und Stoph angenommen und nach Punkten klar gesiegt. In der Sache aber war nichts herausgekommen. Immerhin gab es ein gemeinsames Abschlußkommuniqué. Beim Gegentreffen in Kassel zwei Monate später reichte es nicht einmal mehr dafür.

Von Anbeginn war die Kasseler Konferenz am 21. Mai 1970 überschattet durch Anti-Stoph-Demonstrationen der NPD, der Jungen Union und der Heimatvertriebenen sowie durch Gegendemonstrationen der DKP. Der Herausgeber der rechtsradikalen »National- und Soldatenzeitung«, Gerhard Frey, hatte gegen den »Mauermörder« Stoph Strafanzeige erstattet. Brandt mußte ein fernschriftliches Gutachten seines Justizministers Jahn anfordern, um Stoph davon zu überzeugen, daß die DDR-Delegation in der Bundesrepublik keine Strafverfolgung zu befürchten habe. In dieser gespannten Atmosphäre erreichte die DDR-Unterhändler die Nachricht, daß ihre vor dem Tagungslokal »Schloßhotel« aufgezogene Flagge von einem jungen NPDler, der sich mit gefälschter Presseplakette Zutritt verschafft hatte, vom Mast geholt und zerrissen worden war. Um einen vorzeitigen Abbruch der Begegnung zu vermeiden, versprach

Brandt eine strafrechtliche Verfolgung des Täters. Sein Pressechef Conrad Ahlers, ein ehemaliger Fallschirmspringer, sah die Angelegenheit lockerer: »Der war doch ganz clever, der Junge.« Die Blamage der Gastgeber war komplett, als ein Kranz, den Stoph am Kasseler Mahnmal für die Opfer des Faschismus niedergelegt hatte, seiner Schleife beraubt wurde.

In die Kasseler Konferenz brachte Brandt einen zwanzig Punkte umfassenden Wunschzettel für Detail-Verhandlungen ein. In bunter Folge ging es da um Gewaltverzicht und Familienzusammenführung, um kleinen Grenzverkehr und Abrüstung, um die Entsendung von »Bevollmächtigten im Ministerrang« nach Bonn und Ost-Berlin und um die Erklärung, »daß niemals wieder ein Krieg von deutschem Boden ausgehen darf«. Als Belohnung für erfolgreiche Absprachen stellte Brandt eine UNO-Mitgliedschaft beider deutscher Staaten in Aussicht.

Die DDR-Führung konnte bei gutem Willen den Übergang zur gewünschten Anerkennung herauslesen. Genauso aber ließ sich auch das Gegenteil mutmaßen, die Fortsetzung der Nichtanerkennung und die Absicht, in die DDR hineinzuwirken. Brandt schenkte Stoph in Kassel eine Faksimileausgabe des Hildebrandsliedes, der ältesten schriftlichen Überlieferung in deutscher Sprache – eine feinsinnige Anspielung auf die weiterbestehende Kulturnation. Davon wollte Stoph aber nichts wissen. Er mußte aufkeimenden Wiedervereinigungsillusionen in der eigenen Bevölkerung entgegenwirken und kündigte deshalb die Zugehörigkeit zu einer gemeinsamen Nation auf. Stoph: »Die BRD ist vom Nationalverband abgetrennt worden und hat sich als Separatstaat, als Mitglied der NATO, etabliert. Die DDR ist der sozialistische deutsche Nationalstaat.« Infolgedessen könne es auch keine »innerdeutschen Beziehungen« geben. Vier Jahre später strich die DDR alle Hinweise auf die Einheit der deutschen Nation aus ihrer Verfassung. Auch die eigene Nationalhymne wurde nicht mehr gesungen, sondern nur noch instrumental aufgeführt, weil es im Text heißt: »Deutschland, einig Vaterland.«

Die beiden Gipfeltreffen bescherten weder der DDR den erhofften Propagandaschub für ihre Anerkennungsforderung, noch führten sie zur Aufnahme der von Bonn gewünschten Fach-Verhandlungen. Es gehe um Krieg oder Frieden, so hatte Stoph am 11. Februar die Begegnung beider Regierungschefs eingefordert. Jetzt ging es undramatisch zu Ende. Stoph, so notierte sich Brandt in Kassel, »machte deutlich, daß nicht der Eindruck aufkommen dürfe, Kassel bedeute einen Abbruch unserer Beziehungen bzw. Bemühungen. Vielleicht sei eine Denkpause gut.«

»Die freiheitliche demokratische Grundordnung.«

ABGEORDNETENKAUF UND RADIKALENERLASS

Mit der Anerkennung des Status quo wurde auch die Lebenslüge der Bundesrepublik aufgegeben, daß der Weststaat ein Provisorium, Bonn nur vorübergehend Bundeshauptstadt und Berlin nach wie vor die eigentliche deutsche Hauptstadt sei. Mit seinem Buch »Von Bonn nach Berlin« hatte sich Brandt in den fünfziger Jahren an diesem Illusionskurs beteiligt. Jetzt war sein Kanzleramt vornan, aus der neuen Wirklichkeit Konsequenzen zu ziehen. Kanzleramtsminister Ehmke wollte die Regierungszentrale großräumig zur modernsten Behörde ausbauen und gab einen Hundertmillionenneubau in Auftrag. Es war der Auftakt zum Bau eines neuen Regierungsviertels am Rhein. Der Flachbau des Kanzleramts wurde sechs Jahre später fertiggestellt. Die beabsichtigte Selbstdarstellung ging daneben. Der dreistöckige, in drei Trakte aufgegliederte Bau mutet wie eine »Gesamtschule« (Helmut Schmidt) an und stört die Harmonie der Parklandschaft des alten Palais Schaumburg. Doch für Brandt war die alte Kanzlerresidenz ohnehin nur ein »spärliches Stückchen Tradition«. Ihm war repräsentative Ausstattung gleichgültig bis hin zum Banausentum. »Das ist irgend so ein Tintorello«, stellte er einmal einem prominenten Hamburger Verleger das Tintoretto-Gemälde in seinem alten Dienstzimmer vor.

Auch als Parteichef wurde Brandt jetzt Bauherr. Die SPD, bislang zur Dokumentation ihres Wiedervereinigungswillens in der »Baracke« untergebracht, legte sich ein neues, modernes Hauptquartier zu. Propagandistisch gab es gleichfalls eine Flurbereinigung. Schon 1968, als die Sondierungsgespräche zwischen SPD und KPI Erfolge

zeitigten, hatte das SPD-Präsidium dem Ostbüro der Partei untersagt, weiterhin Propagandamaterial mit Ballons in die DDR zu sen-
den. Zwei Jahre später erfuhr der Ostbüro-Leiter Helmut Bärwald
durch den Anruf eines Mitarbeiters beim Landesamt für Verfassungsschutz in Berlin, daß seine Abteilung in Kürze geschlossen
werde. Dem Verfassungsschutz lagen einschlägige Auszüge der Ge-
sprächsprotokolle von Bahr und Gromyko vor. Die beiden Unterhändler hatten beim Thema Neuordnung der Beziehungen zur DDR
auch Einverständnis darüber erzielt, daß die durch das Ostbüro
gegebene Einmischung in die inneren Angelegenheiten der DDR
nicht mit der Neuregelung zu vereinbaren sei. Tatsächlich wurde
Bärwald drei Tage nach dem Anruf zu SPD-Bundesgeschäftsführer
Wischnewski bestellt, der ihm sagte: »Dein Büro wird aufgelöst.«

Auf den SPD-Parteitagen fehlten fortan auch die Ausstellungen,
die an den »Freiheitskampf der deutschen Sozialdemokratie in Berlin und in der Zone« erinnern sollten. Schumacher-Worte hatten
diesen Dokumentationen ihr besonderes Flair gegeben, sie zum unangreifbaren Teil der Parteigeschichte gemacht. So war noch 1966 in
Dortmund zu lesen gewesen: »Unsere Genossen im Osten haben
sich nicht dumm machen lassen, aber sie sind stumm geworden. Wir
grüßen diese stumme Armee, die Hunderttausende Sozialdemokraten in der Ostzone!« Die neue Sprachregelung kannte keine »Ostzone« mehr, keine »kommunistische Zwangsherrschaft«, kein »Un-
rechtsregime«. Die Kampfbegriffe aus der Zeit des Kalten Krieges
wurden ausgewechselt. Der zweite deutsche Staat hieß jetzt auch in
Bonn so, wie er sich selbst nannte, und das ohne diskriminierende
Anführungsstriche. Im Bundestag entsetzte sich Oppositionsredner
Guttenberg: »Diese neue, diese erschreckende Sprache.«

Auch persönlich trug Brandt der neuen Lage Rechnung. Beim Abschied aus Berlin 1966 hatte er gesagt, er sei und bleibe Berliner.
Nun kündigte er die kleine Wohnung neben der Parteizentrale im
Wedding auf, die er 1966 angemietet hatte. Im Springer Verlag meldete der Vertrieb den Redaktionen, Brandt habe alle Berliner Zeitungen gekündigt.

Je weiter Brandt mit seiner Ostpolitik voranschritt, desto mürber
wurde die innenpolitische Basis. Die Erosion begann in der FDP.
Parteichef Scheel hatte im Herbst 1970 gegen den Abgeordneten
Zoglmann wegen dessen Gründung der spalterischen »Nationalli-

beralen Aktion« ein Ausschlußverfahren in Gang gesetzt. Zoglmann kam dem Rausschmiß zuvor und wanderte am 8. Oktober mit seinem Mandat als Hospitant zur CDU/CSU. Ihm folgten einen Tag später Erich Mende, der in der FDP keine politische Zukunft mehr hatte, und Heinz Starke, der unter Adenauer einmal für kurze Zeit Finanzminister gewesen war. Noch war dieser Schrumpfungsprozeß für Brandt ungefährlich. Die drei hatten ihm ohnehin nicht ihre Stimme gegeben, die Regierungsmehrheit reduzierte sich auf ihre tatsächliche Zahl von 251 Stimmen. Auch als ein Jahr später der SPD-Abgeordnete Klaus-Peter Schulz, ein früherer Freund Brandts und Autor der ersten Brandt-Biographie, zur Union wechselte, änderte sich de facto nichts an den Mehrheitsverhältnissen. Schulz war als Berliner Abgeordneter nicht stimmberechtigt. Das gleiche galt, als ihm am 3. März 1972 der Berliner SPD-Abgeordnete Franz Seume folgte.

Einen empfindlichen Verlust für Brandt aber bedeutete der Entschluß des Vertriebenenpolitikers Herbert Hupka, die Partei zu verlassen. Der in Ceylon geborene Wahl-Schlesier hatte sich zuvor noch mit Bundesgeschäftsführer Wischnewski in dessen Schwarzwald-Urlaubsort Bad Rippoldsau getroffen. Wischnewski wollte ihn bewegen, den Ostverträgen zuzustimmen. Hupka war dazu bereit, unter einer Bedingung: Er wollte noch einmal nach Schlesien fahren. Daraufhin verhandelte Wischnewski mit den Polen, die zwar die Nöte der Regierung Brandt erkannten, es aber kühl ablehnten, Hupka, in ihren Augen ein Revanchist, ein Visum auszustellen. Wischnewski: »Die konnten nicht über ihren Schatten springen.« Am 29. Januar 1972 trat Hupka zur CDU über.

Mit dem Abgang des niedersächsischen FDP-Landwirts Wilhelm Helms und dessen Eintritt in die CDU am 23. April 1972 büßte die Regierung Brandt/Scheel dann ihre Mehrheit ein. Rein rechnerisch stand es jetzt patt. Aber es gab noch weitere unsichere Kantonisten: den bayerischen SPD-Abgeordneten Günther Müller sowie die beiden Freidemokraten Knut Freiherr von Kühlmann-Stumm und Gerhard Kienbaum, ein Unternehmensberater.

Nicht bei allen Abgeordneten war die Ablehnung der Ostverträge ausschlaggebend für den Wechsel. Politische und materielle Motive sowie Karriereaspekte spielten entscheidend mit. Schon Ende 1970 hatte der FDP-Abgeordnete Karl Geldner, Bäckermeister aus Ansbach in Bayern, in Scheinverhandlungen mit der CSU dokumentiert, daß die Oppositionsparteien Überläufer aus den Regierungsfraktionen mit lukrativen finanziellen Angeboten köderten. So erhielt Geldner von einem CSU-nahen Fabrikanten einen Beratervertrag über 400 000 Mark und vom CSU-Landesgruppenchef Richard Stücklen die schriftliche Zusicherung eines Mandats bei der nächsten Bundestagswahl. Auch den Abgeordneten Mende, Zoglmann und Starke, die im Juni 1970 aus allen Führungsgremien der FDP abgewählt worden waren und keine Aussicht auf eine neuerliche Nominierung für den Bundestag hatten, sicherten die Unionsparteien Mandate zu, zum Teil bis 1980.

Aber auch die Sozialliberalen waren, als es ernst wurde, mit Gegenofferten nicht kleinlich. Starke erhielt das Angebot der FDP-Führung, als EG-Kommissar nach Brüssel zu gehen. Nach seinem Nein wurde Mende dieser Posten angetragen. Der FDP-Mann Kienbaum wurde mit Regierungsaufträgen bei der Stange gehalten – er erstellte Gutachten über die Situation der deutschen Werften und über die Kulturabteilung des Auswärtigen Amtes. Den absprungbereiten Günther Müller wollte die SPD durch einen sicheren Wahlkreis in Nürnberg halten. Den Höhepunkt sollte der Abgeordnetenhandel im Frühjahr 1972 erreichen, als es um den Versuch der CDU/CSU ging, Brandt durch ein konstruktives Mißtrauensvotum zu stürzen.

Parallel zum Abgeordnetenschwund mußte sich die Regierung und insbesondere die Kanzler-Partei SPD gegen eine politische Destabilisierungskampagne wehren, die von den Unionsparteien mit dem Vorwurf betrieben wurde, Brandts Ostpolitik laufe auf eine Volksfront – Strauß: »Eine Welt-Volksfront« – hinaus. Brandts Vergangenheit wurde als Beleg ebenso angeführt wie die Hinwendung der Jungsozialisten und des linken SPD-Flügels zu traditionell sozialistischen Zielen – Stichworte: Verstaatlichung, systemüberwindende Reformen. Auch Aktionsgemeinschaften der Jungsozialisten mit kommunistischen Gruppen, etwa bei Demonstrationen, galten als Beweis. Um solchen Verdächtigungen seiner Ostpolitik entgegenzutreten, ließ Brandt vom Präsidium der SPD schon am 14. November 1970 einen Abgrenzungsbeschluß verabschieden, der jede Art der Zusammenarbeit zwischen Sozialdemokraten und Kommunisten als parteischädigend untersagte. Im Schlußsatz dieses Papiers hieß es, die SPD bekenne sich zu der Aufgabe, »die freiheitliche Ordnung der Bundesrepublik kompromißlos gegen alle kommunistischen Irrlehren zu verteidigen«.

Aus demselben Denken und als Versöhnungsangebot an die CDU/CSU, die für die Verabschiedung der Ostverträge gebraucht wurde, unterbreitete Brandt Anfang 1972 den Ministerpräsidenten der Länder eine Verwaltungsrichtlinie für die Abschirmung des öffentlichen Dienstes vor »linksradikalen« Beamten. Vorbild war ein Beschluß des Hamburger SPD/FDP-Senats unter dem sozialdemokratischen Ersten Bürgermeister Peter Schulz vom November 1971. Darin hieß es, »daß die Ernennung zum Beamten auf Lebenszeit bei politischen Aktivitäten des Bewerbers in rechts- oder linksradikalen Gruppen unzulässig ist«. Kanzleramtsminister Ehmke redete Brandt ein, daß es für die innenpolitische Stabilisierung wichtig sei, den Hamburger Beschluß als Bund-Länder-Absprache für die gesamte Republik zu übernehmen. Helmut Schmidt hielt entschieden dagegen: »Der Staat darf nicht mit Kanonen auf Spatzen schießen.« Er setzte sich aber bei Brandt nicht durch. Schmidt: »Damit fiel ein Schatten auf unsere Beziehung.«

Einen Handlungsbedarf gab es nicht. Die bestehenden Beamtengesetze regelten bereits ausdrücklich die Verfassungstreue der Beamten. Weil aber die Unionsparteien forderten, alle DKP-Mitglieder vom öffentlichen Dienst fernzuhalten, notfalls durch ein Sondergesetz, einigte sich Brandt am 28. Januar 1972 mit den Regierungschefs der Länder auf den Beschluß, das bestehende Beamtenrecht gegen angebliche Verfassungsfeinde insbesondere bei Neueinstellungen voll anzuwenden. Schon die Mitgliedschaft in einer verfassungsfeindlichen Organisation wurde als Pflichtverstoß gewertet. Der entscheidende Satz lautete: »Gehört ein Bewerber einer Organisation an, die verfassungsfeindliche Ziele verfolgt, so begründet diese Mitgliedschaft Zweifel daran, ob er jederzeit für die freiheitliche demokratische Grundordnung eintreten wird. Diese Zweifel rechtfertigen in der Regel eine Ablehnung des Einstellungsantrages.«

Seinen taktischen Zweck erfüllte der Beschluß, die CDU/CSU war zunächst zufrieden. In der Verwaltungspraxis jedoch führte die Entscheidung zur sogenannten »Regelanfrage«, das heißt: Die einstellende Behörde fragte in jedem Fall beim Verfassungsschutz an, ob gegen den Bewerber einschlägiges Material vorliege. Für die Verfassungsschützer war dies eine riesige Arbeitsbeschaffungsmaßnahme. Die Agenten weiteten ihren Tätigkeitsbereich auf Schulen und Universitäten aus, um für derartige Anfragen gewappnet zu sein. Das Material wurde in umfangreichen Dateien gesammelt und bald auch elektronisch gespeichert. Der Schnüffelaufwand stand in keinem Verhältnis zum Ertrag. Vom Januar 1973 bis zum 30. Juni 1975 wurden von 454 000 Bewerbern in Bund und Ländern nur 235 abgewiesen. Der – beabsichtigte – Einschüchterungseffekt aber ließ sich in seinen Auswirkungen nicht in Zahlen fassen.

Die Schnüffelpraxis führte zu einer Vergiftung des innenpolitischen Klimas und zu einer Enttäuschung der Jugend, die auf die versprochene liberale Erneuerung gehofft hatte. Der Schriftsteller Walter Jens meinte, der jungen Generation werde die freiheitlich-demokratische Grundordnung nicht als »Hoffnungspartikel« angeboten, sondern als »Panzerfaust des Staates« entgegengehalten. Der Bund-Länder-Beschluß hieß bald »Radikalenerlaß« und wurde mit dem Etikett »Berufsverbot« belegt. Das Ansehen der Bundesrepublik litt insbesondere auch im Ausland, wo Parallelen zur Praxis während des NS-Regimes gezogen wurden. Am Ende seiner politischen Karriere gestand Brandt ein, daß dieser Beschluß sein größter politischer Fehler gewesen sei.

Wie stark die Brandt-Regierung verunsichert war und zu Überreaktionen neigte, zeigte sich in ihrem Verhalten gegenüber kritischen Presseorganen. Als die Veröffentlichung vertraulicher Dokumente, die 1970 mit dem Bahr-Papier begonnen hatte, auch 1971 weiterging, veranlaßte Ehmke nach Rücksprache mit dem urlaubenden Kanzler, immerhin einem ehemaligen Journalisten, eine Justizaktion gegen Bonner Korrespondenten. Die rechtliche Handhabe dazu bot der umstrittene, von den Nazis 1936 eingeführte Paragraph 353c des Strafgesetzbuches, wonach Presseberichte über geheime oder vertrauliche amtliche Schriftstücke strafbar sind.

Nach Protesten des eigenen Pressesprechers Ahlers und seines FDP-Stellvertreters Rüdiger von Wechmar und geharnischten Kommentaren in liberalen Zeitungen zog die Regierung die Ermächtigung an die Staatsanwaltschaft zu Ermittlungen wieder zurück. Als im Zuge einer Steuerfahndung ein Jahr später – im August 1972 – die Redaktion der »Quick« auf Betreiben des Kölner Generalstaatsanwaltes durchsucht wurde, geriet die Regierung Brandt sofort in den Verdacht, eine Ausspähungsaktion gegen ein Blatt in Gang gesetzt zu haben, das wiederholt vertrauliche Papiere veröffentlicht hatte, ohne daß interne Untersuchungen der Bundesregierung zur Entdeckung des Informanten geführt hatten. Einmal mehr stand die Regierung, die mit dem Versprechen angetreten war, mehr Demokratie zu wagen und Politik durchsichtiger zu machen, im Zwielicht. Ihre politischen und publizistischen Gegner sahen sich bestätigt, die Konfrontation wurde schärfer.

»Herr Brandt ist die richtige Wahl.«

FRIEDENSNOBELPREIS

Neben repressiven Maßnahmen gegen linke Beamte und rechte Redakteure setzte die Bundesregierung die Etats des Bundespresseamts und des Ministeriums für innerdeutsche Beziehungen ein, um durch Propagandaaktionen für ihre Ostpolitik zu werben. Broschüren, Zeitungsanzeigen und selbst Faltblätter mit Bahr, Brandt, Breschnew, Scheel und Gromyko als Comicfiguren, die sich in Sprechblasen mit »Nasdrowje« und »Auf gutes Gelingen« zuprosten, sollten in der Bevölkerung die Überzeugung verankern, daß die Ostverträge »den Frieden sicherer« machten und die »Einheit der Nation« förderten. Die Logik der zweiten Aussage entsprach Adenauers These, daß die Westverträge die Wiedervereinigung vorantrieben.

Zum größten Öffentlichkeitsschub verhalf der Brandt-Regierung eine Initiative von außen. Im Oktober 1970 meldete sich im bundesdeutschen Informationsbüro in New York Kurt Grossmann, im Jahre 1935 Brandts Mitstreiter bei der Kampagne für die Verleihung des Friedensnobelpreises an Carl von Ossietzky. Jetzt, so Grossmann, wolle er dasselbe für Willy Brandt organisieren. Er lebte inzwischen als eingebürgerter Amerikaner in New York und hatte in der dortigen deutsch-jüdischen Gemeinschaft großen Einfluß. Zudem hatte er sich mit einer Dokumentation über die Nobelpreiskampagne für Ossietzky und einer Biographie über den von den Nazis zu Tode gebrachten einstigen »Weltbühne«-Chefredakteur einen Namen gemacht.

Schon seit Adenauers Zeiten stand Grossmann in Verbindung zu den Bonner Regierungen und hatte Einfluß auf die Abwicklung der deutschen Wiedergutmachungszahlungen an die Juden genommen. Hinter ihm stand der bedeutsame New World Club, ein Zusammenschluß deutsch-amerikanischer Juden, der unter anderem die deutschsprachige Zeitschrift »Der Aufbau« finanzierte.

Der damalige Chef des Informationsbüros, Julius Hoffmann, leitete den Vorschlag Grossmanns umgehend über seinen Dienstvorgesetzten, den Washingtoner Botschafter Rolf Pauls, an das Auswärtige Amt sowie an die ihm zugeordnete Behörde, das Bundespresseamt. Grossmann wandte sich ebenfalls an das Presseamt, dessen stellvertretenden Leiter, Rüdiger von Wechmar, er aus gemeinsamen Tagen in New York kannte, sowie in einem persönlichen Brief direkt an Brandt. Da die Vorschlagsprozedur beim Osloer Nobelpreiskomitee an Durchsetzungskraft gewann, wenn möglichst viele Prominente aus verschiedenen Ländern mitunterzeichneten, schlug Grossmann vor, die Bundesregierung möge ihm ein Sekretariat einrichten und seine Frau als Sekretärin einsetzen.

Als Pressechef Ahlers von dem Vorgang erfuhr, schrieb er an den Rand einer Aktennotiz: »Nein, so geht es nun wirklich nicht.« Er befürchtete, daß der rührige Grossmann des Guten zuviel tun und nicht die nötige Diskretion wahren würde. Damit aber wäre die Kampagne gefährdet worden. Sein Stellvertreter von Wechmar teilte diese Befürchtung. In einem Brief vom 19. Oktober 1970 an Grossmann – »Lieber Kurt« – wiegelte er ab: »Wir müssen wohl, so fürchte ich, davon ausgehen, daß für andere Kandidaten bereits vorgearbeitet worden ist . . .« Es würde schwierig werden, vor Ablauf der Vorschlagsfrist bis zum 31. Januar 1971 »die von Ihnen erwähnte Bewegung auf die Beine zu stellen«.

Am 23. November 1970 folgte ein zweites Schreiben von Wechmars an Grossmann: »Aus gegebenem Anlaß komme ich noch einmal auf Ihre so freundschaftliche Anregung zurück, geeignete Schritte zu einem Vorschlag einzuleiten, den Bundeskanzler mit dem Friedensnobelpreis auszuzeichnen. Ich habe Ihre Gedanken mit der erforderlichen Behutsamkeit und Diskretion im Palais Schaumburg vorgetragen und den definitiven Eindruck gewonnen, daß Ihrem Freunde Willy Brandt ein solches Vorgehen nicht recht wäre. Sie kennen seine Bescheidenheit und werden ermessen können, weshalb ich Sie wissen lassen soll, diese Anregung – zumindest vorläufig – nicht weiterzuverfolgen. Ich glaube, wir denken beide in dieser Frage gleich, und so nehme ich an, daß Sie für diesen Bescheid Verständnis haben werden.« Das Presseamt hatte den Vorgang inzwischen zur Verschlußsache erklärt.

Diese Absage aber war nur vorgeschoben. Das Kanzleramt hatte an dem Gedanken Gefallen gefunden und wollte jetzt die Angelegenheit aus dem Behördenweg herausnehmen. Zunächst zog Brandts Sonderberater für heikle Missionen, Leo Bauer, den Vorgang an sich. Er reiste noch im Herbst 1970 mehrfach nach New York, traf sich dort mit Grossmann, den er aus den Zeiten des Exils in Prag kannte, und knüpfte Kontakte zur Public-Relations-Agentur »Roy Blumenthal International Associates Inc.«. Für den Einsatz in Manhattan wurde in der Folgezeit der Berliner Senator für Bundesangelegenheiten, Horst Grabert, zuständig. Das Kanzleramt wollte aus Vorsicht die Sache von sich fernhalten. Grabert hatte den Vorteil, in Bonn zu residieren, ein enger Vertrauter Brandts zu sein und den aus Berlin stammenden Blumenthal gut zu kennen. Die Agentur Blumenthal war bereits während der Berlinkrise von 1958 an der damals in den USA anlaufenden PR-Kampagne für Berlin und Willy Brandt beteiligt gewesen. Jetzt sorgte sie dafür, daß Brandt von zahlreichen prominenten Persönlichkeiten in einem ordnungsgemäßen Verfahren für den Friedensnobelpreis empfohlen wurde.

Weitere Förderer hatte Brandt unter seinen skandinavischen Freunden. Die sozialdemokratische Fraktion des dänischen Parlaments, angeführt von dem späteren Ministerpräsidenten Jens Otto Krag, schickte ebenfalls einen Nominierungsvorschlag nach Oslo. Als Einzelkämpferin schlug die FDP-Staatssekretärin im Bildungsministerium, Hildegard Hamm-Brücher, per Einschreiben und Eilboten an das Nobel-Komitee ihren Kanzler für die Auszeichnung vor.

Im Oktober 1971 entschieden sich die fünf Komitee-Mitglieder unter neununddreißig vorgeschlagenen Kandidaten für Willy Brandt. Dessen Ansehen als Entspannungspolitiker war inzwischen weiter gewachsen. Am 3. September 1971 hatten sich die vier

Mächte auf ein Abkommen über West-Berlin geeinigt, in dem die Sowjetunion erstmals die Bindungen zwischen West-Berlin und dem Bund anerkannte und einen reibungslosen Transitverkehr garantierte. Auch die Gespräche zwischen der DDR und der Bundesrepublik über die ergänzenden Verträge zum Viermächte-Abkommen, mit dem erstmals seit 1966 wieder der Besuch Ost-Berlins für Westberliner ermöglicht wurde, näherten sich ihrem Abschluß. Die Sowjetunion hatte im Mai 1971 den Sturz Walter Ulbrichts bewirkt und damit den Hauptopponenten gegen eine Berlin-Regelung ausgeschaltet.

Am 20. Oktober 1971, kurz nach siebzehn Uhr, unterbrach im Bonner Parlament Bundestagspräsident Kai-Uwe von Hassel die Debatte über den Haushalt 1972 und verkündete: »Ich erhalte soeben die Nachricht, daß die Nobelpreiskommission des norwegischen Parlaments heute dem Herrn Bundeskanzler der Bundesrepublik Deutschland den Friedensnobelpreis verliehen hat. Herr Bundeskanzler, diese Auszeichnung ehrt Ihr aufrichtiges Bemühen um den Frieden in der Welt und um die Verständigung zwischen den Völkern. Der ganze Deutsche Bundestag gratuliert ohne Unterschied der politischen Standorte Ihnen zu dieser hohen Ehrung.« Stehend applaudierten die Abgeordneten der Regierungsfraktionen, während unter den etwa sechzig anwesenden CDU/CSU-Vertretern keine einheitliche Reaktion zustande kam. Fraktionschef Barzel gratulierte Brandt spontan. Einige Unionsabgeordnete erhoben sich von ihren Stühlen und klatschten ebenfalls Beifall, andere blieben ostentativ sitzen. Der CSU-Abgeordnete Höcherl, wie Brandt unehelich geboren und vom Großvater aufgezogen, erschien als einziger Oppositionsabgeordneter am Abend zu einer privaten Feier in Brandts Villa.

Das Kanzleramt hatte die Nachricht schon gegen vierzehn Uhr von der Deutschen Botschaft in Oslo erhalten. Brandt saß zu der Zeit in seinem Bundestagsbüro und redigierte ein Vorwort für einen Redenband von Helmut Schmidt. Als ihm sein persönlicher Referent Reinhard Wilke die Auszeichnung mitteilte, war er nicht überrascht. Er sagte nur: »So, so«, und redigierte weiter.

Später im Bundestag ergriff Brandt nach von Hassel das Wort: »Dies ist eine hohe und sehr verpflichtende Auszeichnung. Ich werde alles tun, mich dieser Ehrung in meiner weiteren Arbeit würdig zu erweisen. Ich werde den Friedensnobelpreis am 10. Dezember 1971 in Verbundenheit mit allen annehmen, die sich mit der ihnen gegebenen Kraft bemühen, die Welt von Kriegen zu befreien und ein Europa des Friedens zu organisieren.« Vier Tage später setzte er in einer Ansprache vor dem Gewerkschaftstag der IG Druck und Papier andere Akzente. Selbstbezogener sagte er jetzt: »Wenn ich sonst nichts erreicht hätte, dann wäre ich doch stolz auf das Zwischenergebnis: daß unser ernster Wille, am Abbau der Spannungen mitzuwirken, anerkannt wird; daß nicht Deutschland und Krieg, sondern Deutschland und Frieden das Thema ist, das durch die Weltpresse geht; und daß man uns zutraut, einen konstruktiven Beitrag zur notwendigen europäischen Friedensordnung zu leisten.«

Brandt war der vierte Deutsche, der mit dem Friedensnobelpreis geehrt wurde. Erster deutscher Preisträger war 1926 Außenminister Gustav Stresemann, der mit den im Ersten Weltkrieg siegreichen Westmächten, namentlich mit Frankreich, eine Verständigung suchte. Ihm folgten 1927 der pazifistische Historiker Ludwig Quidde und 1935 Carl von Ossietzky. Die Preisverleihung an Brandt begründete das Nobel-Komitee so: »Bundeskanzler Willy Brandt hat als Chef der westdeutschen Regierung und im Namen des deutschen Volkes die Hand zu einer Versöhnungspolitik zwischen alten Feindländern ausgestreckt. Er hat im Geiste des guten Willens einen hervorragenden Einsatz geleistet, um Voraussetzungen für den Frieden in Europa zu schaffen.«

»Mehr als irgendein anderer Deutscher hat Willy Brandt dafür getan, das Bild eines dem Neonazismus zuneigenden und nach Revanche dürstenden Deutschlands auszulöschen«, schrieb die »New York Times« und wertete den Nobelpreis als »eine eindrucksvolle Anerkennung für diesen Erfolg«. Die Londoner »Times« pflichtete bei: »Herr Brandt ist die richtige Wahl.« Von Staatsmännern – die der DDR ausgenommen – und Privatleuten aus aller Welt trafen Glückwunschtelegramme ein. In einer Allensbach-Umfrage äußerten zwei Drittel der Bundesdeutschen die Ansicht, die Verleihung des Friedensnobelpreises stelle eine »verdiente Ehrung« für Brandt dar. Als Friedenskanzler war er für die CDU/CSU-Opposition in Bonn zu einem schwer angreifbaren Monument geworden.

»Da war ein anderer Wille am Werk.«

MISSTRAUENSVOTUM

Nach der Ehrung für Brandt erkannte Oppositionsführer Rainer Barzel, der im Herbst 1971 Kiesinger vom CDU-Parteivorsitz verdrängt hatte und wenig später auch zum Kanzlerkandidaten der CDU/CSU ernannt worden war, daß an den unterschriebenen Ostverträgen kein Weg vorbeiführte und die totale Opposition der CDU/CSU ohne Perspektive war. Sie drohte die Partei nicht nur in der Bundesrepublik, sondern in der gesamten westlichen Welt zu isolieren. Mit der Formel »So nicht« versuchte Barzel den Widersachern in der eigenen Fraktion entgegenzukommen, zugleich aber die Möglichkeit einer Zustimmung offenzuhalten, wenn das Vertragswerk verbessert würde. Da er inzwischen dank der Überläufer auf eine eigene Mehrheit im Parlament hoffen konnte, wollte er selber die Regierung übernehmen und als Kanzler die Verträge »nachbessern«. Er verpflichtete seine Fraktion entgegen einigen Warnern, zu denen Richard von Weizsäcker gehörte, den Antrag auf ein konstruktives Mißtrauensvotum einzubringen. Der Wortlaut des Antrags lautete: »Der Bundestag spricht Bundeskanzler Willy Brandt das Mißtrauen aus und wählt als seinen Nachfolger den Abgeordneten Dr. Rainer Barzel zum Bundeskanzler der Bundesrepublik Deutschland. Der Bundespräsident wird ersucht, Bundeskanzler Willy Brandt zu entlassen.« Die Abstimmung wurde auf den 27. April 1972 angesetzt.

Am Vortag, einem Mittwoch, kam es in zahlreichen Städten des Bundesgebietes, insbesondere an Rhein und Ruhr, zu spontanen Arbeitsniederlegungen und Protestkundgebungen. In Bonn, Frankfurt und Hamburg formierten sich Demonstrationszüge, wie man sie seit den Protesten gegen die Notstandsgesetze nicht mehr erlebt hatte. Studenten, Arbeiter, Angestellte, Hausfrauen und Kinder stimmten in die Forderung ein, die eine Boulevardzeitung als Extrablatt in sechseinhalb Zentimeter großen Lettern erhoben hatte: »Willy muß Kanzler bleiben!« Hunderte erklärten ihren Eintritt in die SPD.

Die Bevölkerung hatte von Barzels Unternehmen den Eindruck

einer Nacht-und-Nebel-Aktion. In ihren Augen versuchte die CDU/
CSU, Brandt um die Früchte jahrelanger Mühen zu bringen. Barzel,
der gegenüber den Ostverträgen aufgeschlossen war, hatte es versäumt, das Wahlvolk auf diesen in der Bundesrepublik bisher einmaligen Vorgang einzustimmen. »Strauß und Barzel üben fleißig
für ein neues Dreiunddreißig«, skandierten Sprechchöre vor der
Berliner Gedächtniskirche und drückten damit das allgemeine Gefühl aus, daß in Bonn ein Staatsstreich bevorstehe.

Brandt dämpfte die erregte Öffentlichkeit. In einer Fernsehansprache sagte er: »Die Opposition hat von einem verfassungsmäßi-
gen Recht Gebrauch gemacht.« Zu dieser Einsicht war er erst durch
seinen Kanzleramtsminister, Rechtsprofessor Ehmke gebracht worden. Der hatte ihm ausgeredet, dem angekündigten Mißtrauensvotum der Opposition durch eine überraschend gestellte Vertrauensfrage im Parlament zuvorzukommen. Die hätte Brandt bei negati-
vem Ausgang die Möglichkeit gegeben, die Auflösung des Parlaments zu beantragen.

Im Kanzleramt begannen Bedienstete damit, brisante Unterlagen
durch den Reißwolf zu schicken. In den Sekretariaten stapelten sich
Akten, die bei einem Kanzlersturz ins SPD-Hauptquartier gebracht
werden sollten. Regierungsparteien und Opposition setzten jetzt
alle Mittel ein, um schwankende Abgeordnete auf ihre Seite zu ziehen. Brandt nahm in seine Haushaltsrede, die er am Tag vor dem
Mißtrauensvotum hielt, eigens eine Passage über Etateinsparungen
auf, die der potentielle FDP-Dissident Kienbaum verlangt hatte. Danach setzte er sich mit dem Abweichler Kühlmann-Stumm zusammen, um ihm seine Bedenken gegen die Ostverträge auszureden.
Und in einer Kabinettssitzung während der Parlamentspause legte
er demonstrativ die Termine der nächsten Zusammenkünfte der Ministerrunde bis Ende Mai fest.

Am Abend des 26. April lud Alex Möller politische Weggefährten aus SPD und FDP in die Godesberger Politikerklause »Mater-
nus«. Eine Einladung erhielt auch Überläufer Erich Mende. Doch
zum Feiern war keinem zumute. Außenminister Scheel saß trübsin-
nig an einem der Tische. Um die Stimmung aufzulockern, prophe-
zeite Möller, Barzel würden an der absoluten Mehrheit zwei Stimmen fehlen. »Begründen konnte ich diese Mutmaßung nicht«, sagte
er später.

Brandt saß derweil im Palais Schaumburg. In Jeans gewandete Delegationen von Jungsozialisten, Falken und Jungdemokraten wurden ins Kanzlerzimmer vorgelassen und trugen Solidaritätsadressen vor. Kurz vor Mitternacht kam die Nachricht über den Ticker, ein weiteres Abkommen mit der DDR sei unterschriftsreif. Es handelte sich um den Verkehrsvertrag, der Fahrten in die DDR außerhalb des Berlin-Transits regelt.

Rainer Barzel bereitete sich auf den großen Tag mit der Aufstellung seiner Kabinettsmannschaft vor und ließ eine »schwarze Liste« der Ministerialbeamten zusammenstellen, die sofort entlassen werden müßten. Er veranlaßte Bundestagspräsident von Hassel, das Präsidialamt zu ersuchen, die Ernennungsurkunde des Kanzlers Barzel schon vorab drucken zu lassen, »damit es schneller geht«. Denn er hatte sich einen knappen Zeitplan zurechtgelegt: 14 Uhr Bekanntgabe des Wahlergebnisses, 15 Uhr Ernennung, 16 Uhr Vereidigung im Parlament und schon um 17 Uhr Einzug ins Palais Schaumburg.

Am 27. April 1972 trat der Bundestag um zehn Uhr zu einer Sitzung zusammen. Auch jetzt noch liefen die Bemühungen von Regierungsparteien und Opposition weiter, die Gefolgschaft zu sichern. Brandt sprach mit dem schwankenden bayerischen Genossen Müller und versuchte, Kienbaum und Kühlmann-Stumm zurückzugewinnen, die trotz aller seiner Bemühungen vom Vortag jetzt ankündigten, sie würden Barzel wählen. Der Hamburger SPD-Abgeordnete Victor Kirst verfolgte den abtrünnigen FDP-Mann Helms bis auf die Toilette. Der neue SPD-Bundesgeschäftsführer Holger Börner schickte vorsorglich einen Lieferwagen für den Aktenabtransport zum Kanzleramt. Börner: »Das ging dann ja doch um Minuten.«

Altkanzler Kiesinger begründete das Mißtrauensvotum. Mehrere Tage war in der CDU/CSU diskutiert worden, mit welchen Argumenten man die Parlamentsdebatte bestreiten sollte. Zunächst sollte Europapolitiker Hallstein die Vernachlässigung der Westpolitik anprangern. Weil dies die CDU/CSU-Fraktion selber als nicht überzeugend empfand, war die Wahl dann auf den Brandt-Vorgänger gefallen, der eine Generalabrechnung vorbereitete. Unter anderem beschuldigte er seinen Nachfolger, das »große Anliegen der Wiederherstellung der Einheit des deutschen Volkes« zu gefährden.

Als erster aus der Regierungsspitze wehrte Außenminister Scheel die Unionsattacke ab. Scheel hatte zwei Redeentwürfe in der Tasche, eine optimistische Variante für den Fall, daß Kienbaum und Kühlmann-Stumm hätten zurückgewonnen werden können, und einen kämpferischen letzten Appell. Den trug er nun vor. Er legte seine frohsinnige Verbindlichkeit ab und griff zu einer ungewohnt harten Sprache. Er rechnete mit den Überläufern ab: »Die Sicherung der persönlichen politischen Zukunft ist keine Gewissensfrage.« Und zu Barzel gewandt: »Sie wollen an die Regierung, ohne eine Bundestagswahl gewonnen zu haben. . . . Sie hoffen auf Mitglieder dieses Hauses, deren Nervenkraft und Charakterstärke nicht ausreichen, in einer schweren Stunde zu ihrer Partei zu stehen oder ihr Mandat zurückzugeben. . . . Was hier gespielt werden soll, ist ein schäbiges Spiel. . . . Eine Regierung gegen Treu und Glauben hat unser Volk nicht verdient.«

Auch Brandt, der als letzter das Wort ergriff, bestritt die Legitimität eines Kanzlerwechsels durch anonyme Überläufer: »Warum bekennen sie sich nicht vor dem deutschen Volk? Was haben sie denn zu befürchten? Was fürchten sie denn?« Vehement verteidigte er seine Ostpolitik. Stolz erwähnte er als jüngsten Erfolg den Verkehrsvertrag: »Ich habe meine Pflicht getan und manchmal etwas mehr. Und, Herr Kollege Kiesinger, ich habe die Interessen unseres Volkes und unseres Staates besser vertreten, als wenn ich den allzuoft konfusen Ratschlägen der Opposition gefolgt wäre.« Voll kämpferischem Elan rief er aus: »Ich bin davon überzeugt, wir werden nach der heutigen Abstimmung weiterregieren.«

Kurz vor zwölf Uhr wurde die Debatte geschlossen, die Abstimmung begann. SPD-Fraktionsführer Wehner hatte, um die Abstimmung besser zu kontrollieren, den sozialdemokratischen Abgeordneten »empfohlen«, sich an der Stimmabgabe nicht zu beteiligen. Nur wenige Parlamentarier, darunter Günther Müller, folgten dieser Empfehlung nicht. Von der FDP-Fraktion gingen nur einige »sichere« Abgeordnete zur Urne, um CDU/CSU-Dissidenten zu tarnen. Die Unionsabgeordneten beteiligten sich vollzählig an der Abstimmung. Guttenberg, jetzt schon todkrank, ließ sich im Rollstuhl zur Stimmabgabe schieben. Insgesamt 260 Abgeordnete stimmten ab.

Während der Stimmenauszählung mischte sich Brandt unter die erregt palavernden Genossen in der Wandelhalle des Parlaments. Er forderte Schatzmeister Nau auf, wegen der zahlreichen Parteibeitritte der letzten Tage eine Runde auszugeben. Börner schmiedete schon die Dolchstoßlegende gegen Barzel: »Brandt und Scheel können immer sagen: im Felde unbesiegt.« Karl Schiller berichtete seinem Hamburger Kollegen Hans Apel, stellvertretender Vorsitzender der Bundestagsfraktion: »Ich habe mein Haus bestellt, noch eine letzte Beförderung gemacht.« Apels Replik verblüffte ihn: »Ihr bleibt im Amt, es passiert euch nichts.« Scheel trank derweil im Bundestagsrestaurant mit Ehefrau Mildred und Rut Brandt eine Tasse Kaffee. In einem Nebenraum des Parlaments nahm Barzel schon die Glückwünsche des NRW-Liberalen Willi Weyer entgegen.

Als gegen Ende der Stimmenauszählung die Abgeordneten in den Plenarsaal zurückkehrten, entstand plötzlich unterhalb des Präsidentensessels, wo Brandt stand, ein Auflauf. Einer der Schriftführer hatte das Siegeszeichen gegeben, noch bevor der Präsident das Ergebnis verkünden konnte. Es gab erste Glückwünsche und Schulterklopfen für Willy Brandt, und unter den SPD-Abgeordneten machte sich euphorische Begeisterung breit.

Von Hassel teilte das Ergebnis mit, es war 13 Uhr 22: »Von den stimmberechtigten Abgeordneten wurden abgegeben 260 Stimmen, von den Berliner Abgeordneten elf Stimmen. Von den 260 stimmberechtigten Abgeordneten haben für den Antrag – mit Ja – gestimmt 247, mit Nein zehn Abgeordnete; drei Stimmen sind Enthaltungen. Von den Berliner Abgeordneten haben zehn Abgeordnete mit Ja und ein Abgeordneter mit Nein gestimmt; keine Enthaltung. Nach Art. 67 Abs. 1 des Grundgesetzes ist als Nachfolger des Bundeskanzlers gewählt, wer die Stimmen der Mehrheit der Mitglieder des Bundestages auf sich vereinigt. Die absolute Mehrheit der stimmberechtigten Abgeordneten beträgt, wie Sie wissen, 249 Stimmen. Ich stelle fest, daß der von der Fraktion der CDU/CSU vorgeschlagene Abgeordnete Dr. Barzel die Stimmen der Mehrheit der Mitglieder des Deutschen Bundestages nicht erreicht hat. Der Antrag der CDU/CSU-Fraktion ist damit abgelehnt.« Das Bundestagsprotokoll verzeichnet an dieser Stelle: »Stürmischer Beifall bei den Regierungsparteien. – Die Abgeordneten der SPD und zahlreiche Abgeordnete der FDP erheben sich. – Abg. Dr. Barzel beglückwünscht Willy Brandt und Walter Scheel.«

Barzels erste Reaktion jedoch war eine Geste des Nichtverstehens. Mit beiden Händen faßte er sich an den Kopf. Wehner höhnte in Anspielung auf das geflügelte Wort, mit dem Barzel den Sturz Ludwig Erhards eingeleitet hatte: »Herr Barzel ist und bleibt Kandidat.« Erbittert schrieb Barzel später: »Drei Stimmen aus dem eigenen Lager fehlten. Dabei hatten sich alle vorher unmißverständlich erklärt! Da war nichts Flüchtiges zufällig oder unbedacht geschehen. Von keiner Seite. Da war ein anderer Wille am Werk.« Kühlmann-Stumm, Kienbaum und Helms erklärten, für Barzel gestimmt zu haben. Über den »anderen Willen« wurde fortan in Bonn gerätselt. Zwei Stimmkarten waren mit Bleistift besonders gekennzeichnet – warum?

Der amerikanische Journalist David Binder hat geschrieben, Karl Wienand, als parlamentarischer Geschäftsführer der SPD-Fraktion zu jener Zeit Wehners rechte Hand, habe ihm vorgerechnet, wie das Ergebnis zustande kam: Barzel habe mit 251 Abgeordneten gerechnet, tatsächlich aber sogar 252 auf seiner Seite gehabt. Er habe fünf Abgeordnete der Regierungsparteien abgeworben. Ihm, Wienand, sei es gelungen, einen dieser Abtrünnigen wieder umzudrehen. Danach müßten vier Unionsabgeordnete Barzel die Gefolgschaft versagt haben.

Zahlreiche Unionsabgeordnete, die entweder die Ostpolitik Brandts für richtig hielten – zum Beispiel Ernst Majonica (CDU) und Ingeborg Geisendörfer (CSU) – oder die Barzels Methode mißbilligten – wie Hermann Höcherl (CSU) oder Richard von Weizsäcker (CDU) – oder die Barzel aus persönlichen Gründen ablehnten – wie Ludwig Erhard (CDU) oder Franz Josef Strauß (CSU) –, wurden als potentielle Dissidenten gehandelt. Barzel verzichtete auf fraktionsinterne Nachforschungen, um keine Atmosphäre des Mißtrauens zu fördern. Ende Mai 1973 bezichtigte sich der CDU-Hinterbänkler Julius Steiner selbst, nicht für Barzel gestimmt zu haben und dafür von Wienand mit 50000 Mark honoriert worden zu sein. Der schwäbische SPD-Abgeordnete Hans-Joachim Baeuchle stützte Steiners Darstellung und rühmte sich, den Kontakt zwischen Steiner und Wienand hergestellt zu haben. Die Kennzeichnung einer der Stimmkarten stamme von Steiner. Wienand stritt dies ab. Ein Untersuchungsausschuß des Bundestages tagte einundfünfzigmal – ohne eindeutiges Ergebnis. Wienand hütet sein Geheimnis bis heute. Er sagt nur: »Ich kenne die vier Abgeordneten der CDU/CSU, die Barzel nicht gewählt haben.« Und er fügt hinzu: »In dieser Zeit wußten die Abgeordneten, was sie wert waren.«

Jahre später interviewte ein NDR-Journalist Herbert Wehner zu den damaligen Vorgängen. Auf die Frage, ob beim Mißtrauensvotum gegen Brandt vieles nicht mit rechten Dingen zugegangen sei, antwortete Wehner mit Gegenfragen, die die Praktiken des Abgeordnetenkaufes indirekt bestätigten: »Was sind rechte Dinge? Daß man Leute bezahlt, nicht? Wie das gemacht worden ist? Es gibt doch heute Leute, ich könnte sie aufzählen. Ich denke nicht daran, weil dann die besondere Seite unserer Demokratie zum Vorschein kommt; dann werde ich fortgesetzt vor Gericht geschleppt. Ich kann ja nicht mal das verwenden, was ich damals von Anverwandten solcher Leute bekommen habe. Einen ganzen Stapel von Sachen. Nein, nein, dies war schmutzig, und das mußte man wissen.«

Dann stellte Wehner seine entscheidende Rolle zur Rettung Brandts heraus. Er stilisierte sich – was er besonders liebte – zum aufopferungsbereiten Deklassierten, der für die Glorie des Friedenskanzlers die Drecksarbeit geleistet habe, und ließ zugleich seine Überlegenheit über Brandt erkennen: »Ein Fraktionsvorsitzender muß wissen, was geschieht und was versucht wird, um einer Regierung den Boden unter den Füßen zu entziehen. Die Regierung selber muß das alles gar nicht wissen. Ich habe immer gewußt: Das wird schwer. Und einer muß der Dumme sein, und das war immer ich.« Dann fügte er hinzu: »Ich kenne zwei Leute, die das wirklich bewerkstelligt haben. Der eine bin ich, der andere ist nicht mehr im Parlament.«

Mit dem »anderen« konnte nur Wienand gemeint sein. Er hatte 1974 sein Mandat niedergelegt. Die Steiner-Affäre drohte sich zu einer Affäre Wehner auszuwachsen. Wienands unsaubere Praktiken, auch im privaten Bereich, belasteten die Partei. Nach der mißglückten Notlandung eines falsch gewarteten Ferienjets, die zweiundzwanzig Tote forderte, war bekannt geworden, daß Wienand einen hochdotierten Beratervertrag mit der Betreiberfirma Paninternational hatte. Diese Gelder hatte er nicht versteuert; er wurde in ein Strafverfahren verwickelt.

Nach dem verlorenen Mißtrauensvotum führte Barzel gleich die zweite Attacke. Um die eigene Schlappe zu überdecken und die schwindende Autorität in den eigenen Reihen zurückzugewinnen, wollte er demonstrieren, daß auch Brandt keine Mehrheit hatte. Schon am 28. April, einen Tag nach Barzels Niederlage, wurde der Etat des Bundeskanzleramtes mit Stimmengleichheit – 247 zu 247 bei einer Enthaltung – abgelehnt.

Brandts primäres Ziel war es, die Ostverträge noch im Frühjahr 1972 vom Parlament ratifizieren zu lassen und damit in Kraft zu setzen. Bereits am Abend des 28. April lud er eine gemeinsame Runde von Koalitions- und Oppositionspolitikern – darunter seinen unerbittlichen Widersacher Strauß – zu sich in den Kanzlerbungalow. Insbesondere Barzel stellte sich fortan an die Spitze einer »Aktion Gemeinsamkeit«. Er wollte sich – schon im Blick auf den nächsten Wahlkampf – das Profil eines Staatsmannes erwerben, der die unzureichend ausgehandelten Ostverträge durch eine nachbessernde gemeinsame Erklärung aller Bundestagsparteien für eine breite Mehrheit annehmbar machte. Die Regierung hatte bereits einen Entwurf in der Schublade, mit dem sie – erfolglos – Kühlmann-Stumm bei der Stange hatte halten wollen. Jetzt mußten nur die CDU-Wünsche hineingearbeitet werden. In der Redaktionskommission aus SPD, FDP, CDU/CSU und Vertragsexperten des Auswärtigen Amtes saß zeitweise auch der sowjetische Botschafter Valentin Falin, dem die Resolution offiziell zugeleitet werden sollte. Brandt: »Eine groteske Begleiterscheinung.«

Die schließlich ausgehandelte Resolution stellte eine Vertragsinterpretation dar, die den ostpolitischen Aufbruch zu begrenzen suchte. Die Gewaltverzichtsverträge, so hieß es da, dienten der Herstellung eines Modus vivendi in Europa; sie nähmen eine friedensvertragliche Regelung für Deutschland nicht vorweg und schafften keine Rechtsgrundlage für die bestehenden Grenzen; das unveräußerliche Recht auf Selbstbestimmung werde nicht berührt, und die Lösung der deutschen Frage werde nicht präjudiziert. Knapp zehn Jahre zuvor hatte der Bundestag durch eine Präambel im Ratifizierungsgesetz den von Adenauer und de Gaulle vereinbarten deutsch-französischen Freundschaftsvertrag relativiert und in den Augen de Gaulles entwertet. Jetzt mußte Brandt eine ähnliche Entwicklung für seine Ostverträge befürchten. Brandt: »Die Formulierungen lagen hart an der Grenze dessen, was ich in der Abwehr von Illusionen verantworten konnte.«

Am 17. Mai 1972 standen die Resolution und die Verabschiedung der Verträge von Moskau und Warschau auf der Tagesordnung des Bundestags. Für den Moskauer Vertrag stimmten von 496 Abgeordneten 248 mit Ja, 238 enthielten sich der Stimme, zehn stimmten mit Nein. Beim Warschauer Vertrag waren es wieder 248 Ja-Stimmen, diesmal aber 17 Nein-Stimmen und 231 Enthaltungen. Zwei Tage später ließ der Bundesrat – bei Enthaltung der CDU-regierten Länder – die Verträge passieren. Brandt war verärgert. Nun habe er keine Stimme der Opposition für die Verträge bekommen, »aber diese Entschließung am Hals«.

Dennoch: Drei Wochen später war Brandt am ersten großen Etappenziel. Am 3. Juni wurden in Bonn die Urkunden über die Ratifizierung des Moskauer und des Warschauer Vertrages ausgetauscht. Die Verträge traten damit in Kraft. Am selben Tag unterzeichneten im ehemaligen Kontrollratsgebäude in Berlin die vier Mächte das Schlußprotokoll zum Berlin Abkommen. Gleichzeitig traten die deutsch-deutschen Zusatzvereinbarungen über den Transitverkehr in Kraft.

Konrad Adenauer hatte die Bundesrepublik in den Westen integriert. Dafür hatte er bewußt die Vertiefung der Spaltung Deutschlands und die Verschlechterung der Beziehungen zur Sowjetunion und zu den anderen sozialistischen Staaten in Kauf genommen. Damit hatte er auch die problematische Insellage Berlins verstärkt. Willy Brandt hatte nun die negativen Folgen der Adenauer-Politik abgemildert. Mit den Ostverträgen, denen am 21. Dezember 1972 noch der Grundlagenvertrag mit der DDR hinzugefügt wurde, hatte er die Voraussetzungen für eine gesamteuropäische Entspannungspolitik geschaffen. Schon ein Jahr später begannen Verhandlungen über eine Truppenreduzierung (MBFR) und wurde die Konferenz über Sicherheit und Zusammenarbeit in Europa (KSZE) eröffnet, auf der im gesamteuropäischen Rahmen über die Komplexe wirtschaftliche Zusammenarbeit, freier Reiseverkehr, Informationsfreiheit und Menschenrechte verhandelt werden sollte. Im Ergebnis dieses Entspannungsprozesses sollten, so Brandts Hoffnung, Schritte zu einer europäischen Friedensordnung möglich werden.

So wie Adenauers Westkurs sich in die amerikanische Eindämmungspolitik gegenüber der Sowjetunion eingefügt hatte, so paßte Brandts Vertragspolitik zum neuen amerikanischen Kurs der Verständigung mit den Sowjets. Am 26. Mai 1972 unterzeichneten die

USA und die Sowjetunion ihr erstes Rüstungskontrollabkommen, SALT I. Es setzte für die Aufrüstung beider Länder mit strategischen Waffen Höchstgrenzen, die allerdings weit über dem damals erreichten Rüstungsstand lagen.

Beim Kampf für die Verträge hatte die Regierung Brandt/Scheel ihre innenpolitische Handlungsfähigkeit eingebüßt. Die Spitzen von CDU/CSU und SPD stimmten darin überein, daß nur vorgezogene Neuwahlen aus der Krise führten. Die FDP hatte zunächst gebremst. Sie war finanziell und organisatorisch erschöpft. Ihre Führung fürchtete, daß sich das neue Parteiprofil in der Wählerschaft noch nicht durchgesetzt habe. Im April 1972 faßte die Partei jedoch bei Landtagswahlen in Baden-Württemberg wieder Tritt und erreichte 8,9 Prozent. Einen Tag nach der Verabschiedung der Ostverträge im Bundestag schlug dann auch Scheel eine Vereinbarung der Parteien über Neuwahlen im Herbst vor.

Nach der Verfassung gibt es zwei Wege, um zu Neuwahlen zu kommen: den Rücktritt des Kanzlers oder eine gescheiterte Abstimmung über die Vertrauensfrage. »Ein Bundeskanzler, der über keine Mehrheit verfügt, sollte zurücktreten«, verlangte Barzel. Er versprach sich für den Wahlkampf größere Chancen, wenn Brandt mit seiner Demission den Offenbarungseid geleistet hätte. Aus demselben Grund war Brandt für die andere Lösung. Er wollte mit dem Amtsbonus des Kanzlers und dem Propaganda-Etat des Bundespresseamtes in die Wahlschlacht ziehen. Am 24. Juni 1972 verständigte er sich mit seinem Vizekanzler Scheel darauf, nach der Sommerpause über eine manipulierte Vertrauensabstimmung die Auflösung des Bundestages und Neuwahlen noch im Herbst zu erreichen. Beide setzten darauf, daß die Union unterliegen würde.

Das Einsammeln der Überläufer hatte das CDU/CSU-Image beschädigt und sich parlamentarisch nicht ausgezahlt, da die Enthaltung der Opposition bei der Abstimmung über die Ostverträge der Regierung schließlich doch die Mehrheit gesichert hatte. Seither waren die Christdemokraten unter sich zerstritten. In der Öffentlichkeit wurde Barzels staatstragende Taktik nicht honoriert. Die Regierung hingegen konnte sich im Glanz ihrer Ostpolitik sonnen und darauf hoffen, daß die innenpolitischen Probleme – ungelöste innere Reformen, Geldwertverfall, Ministerrücktritte, Linksruck in der SPD und Anwachsen des Terrorismus – von diesem Glanz überstrahlt würden.

»Der, der uns so viele Schwierigkeiten macht.«

SUPERMINISTER UND KANZLERSCHWÄCHE

Mit den Verheißungen der inneren Reformen hatte Brandt nicht nur positive Erwartungen geweckt, sondern bei einem Großteil der Bevölkerung auch die Furcht vor einem gesellschaftlichen Umsturz. CDU/CSU-Opposition und Unternehmer schürten diese Ängste. Unter dem Motto »Wir können nicht länger schweigen« bezichtigten die Industriellen Brandt, durch unsolide Politik den Wohlstand zu gefährden und die soziale Marktwirtschaft zu demontieren. Diese Argumente fanden um so mehr Widerhall, als gleich nach dem Antritt der Regierung Brandt die Jungsozialisten sich als Vorkämpfer einer sozialistischen Re-Ideologisierung der SPD aufspielten. Ihre Stichworte waren Vergesellschaftung der Produktionsmittel und Banken, Investitionskontrolle sowie paritätische Mitbestimmung »zur Erringung von mehr Macht für Arbeitnehmer, um die Voraussetzungen für den Übergang zum Sozialismus zu schaffen«.

Auch in der SPD nahm niemand solche Sprüche gelassen als Profilierungsversuche junger, einflußloser Leute hin. Vielmehr wurde als Alarmzeichen gewertet, daß ältere, im Grunde aber einzelgängerische Genossen wie der Kieler Oppositionsführer Jochen Steffen und der Leiter der Steuerreform-Kommission der Partei, Erhard Eppler, sich an die Seite der vermeintlichen Neo-Marxisten stellten und auf dem Steuerparteitag der SPD 1971 in Bonn den Spitzensatz der Einkommen- und Körperschaftssteuer erhöhen wollten. Auch das Steuergeheimnis sollte abgeschafft werden. Steffen: »Wenn wir strukturverändernde Politik machen wollen, dann müssen wir auch allen Mut haben, die Grenzen der Belastbarkeit zu erproben.« Die Antwort Karl Schillers – »Genossen, laßt die Tassen im Schrank« – und sein Ausruf »Was die wollen, ist 'ne ganz andere Republik!« verstärkten nur die Resonanz der linken Schreckensparolen.

Wie eine Bestätigung der These des Bürgerlagers, Sozialisten könnten nicht mit Geld umgehen, wirkte das Ausgabengebaren der neuen Regierung. Die großen Ressorts Verteidigung, Soziales und Verkehr verlangten im Vertrauen auf die seit 1969 wieder wachsenden Steuereinnahmen zusätzliche Milliardenbeträge; Arbeitsminister Arendt beispielsweise, ein Gewerkschafter, wollte allen Rentnern zu Weihnachten Geld schenken. Wirtschaftsminister Schiller über die Mentalität seiner Kabinettskollegen: »Diese neue Regierung erinnert mich an eine Kompanie, die die Kriegskasse erobert hat und sie verteilt.«

So richtig los ging es bei der Aufstellung des Bundeshaushalts 1972. Anfang März 1971 hatte Brandt in einem Rundschreiben seine Minister aufgefordert, endlich Vernunft anzunehmen und übertriebene Ausgabenforderungen zurückzustellen. Die Mahnung verhallte ungehört, und Brandt, ohnehin nur mäßig an Wirtschafts- und Finanzpolitik interessiert, beließ es dabei. Am unerbittlichsten wehrte Verteidigungsminister Schmidt alle Sparappelle ab: »Keinen Pfennig«. Erst recht war er nicht bereit, zur Finanzierung innerer Reformen Etatkürzungen hinzunehmen. Er drohte mit Divisionsauflösungen, die zu einem Zusammenbruch der westlichen Unterstützung für die Ostpolitik führen würden, und lancierte das Wort »Rücktritt« in die Presse.

Zu dem Zeitpunkt überstiegen die Ausgabenwünsche der Ressorts den Vorjahresetat bereits um zwanzig Milliarden Mark. Die im Rahmen der mittelfristigen Finanzplanung für die nächsten vier Jahre angemeldeten Forderungen lagen sogar um dreiundsechzig Milliarden Mark über der Summe, die Finanzminister Möller meinte verantworten zu können. Hinzu kam, daß die Inflation in der Bundesrepublik auf über sechs Prozent kletterte. Zwar war die Geldentwertung im wesentlichen durch riesige, in Europa vagabundierende Dollarbeträge verursacht, eine Folge der amerikanischen Notenbankpolitik zur Finanzierung des Vietnamkrieges, doch hätte ein aufgeblähter Bundeshaushalt einen zusätzlichen Inflationsschub bedeutet.

Der alleingelassene Möller, ohne große Autorität gegenüber seinen Ministerkollegen, versuchte dreimal, Brandt mit Rücktrittsdrohungen auf seine Seite zu ziehen und für einen harten Kurs zu gewinnen. Doch der Kanzler hielt ihn hin. Am 12. Mai 1971 glaubte Möller wieder einmal, nur mit einem Drohbrief die Forderungen der Ressorts zurückdrängen zu können. Er diktierte ein mehrseitiges Schreiben an Brandt, in dem er katastrophale Haushaltsentwicklungen voraussagte, unter anderem, weil die Bundesbahn zwei Milliarden Mark mehr aus dem Etat haben wollte. »Es war alles ein ziemlicher Kokolores«, so ein Experte des Bundeskanzleramtes. Wichtig aber: In dem Brief stand das Wort Rücktritt nicht ausdrücklich drin. Möller hatte nur die dunkle Andeutung gemacht, er werde »notfalls Konsequenzen ziehen«.

Brandt, dem der Brief in eine Sitzung des Parteipräsidiums gereicht wurde, war in gereizter Stimmung und den Streit seiner Minister leid. »Den nächsten Rücktritt nehme ich an«, hatte er intern schon angekündigt. Als er jetzt Möllers Brief bekam, schlug er zum Erschrecken der anderen SPD-Präsidialen voller Zorn mit der Faust auf den Tisch. Zwei Stunden später hatte Möller einen Brief auf dem Tisch, in dem sich Brandt mit dem Rücktritt seines Finanzministers einverstanden erklärte.

Für den 13. Mai, elf Uhr, war eine Kabinettssitzung anberaumt, Möllers letzte. Brandt würdigte in einer kurzen Ansprache dessen Verdienste um das Zustandekommen der Koalition. Besonders wisse er das Angebot Möllers zu schätzen, ihm auch künftig »mit seinem Rat zur Seite zu stehen«. Die Augen hinter einer dunklen Brille verdeckt, hielt dann Möller seine Abschiedsrede – »Ich sehe keine Chance für eine Einigung mit den Ressorts und einen soliden Haushalt 1972«. Den Tränen nahe, drückte er reihum den Kollegen die Hand. Anschließend holte er sich bei Bundespräsident Heinemann die Entlassungsurkunde.

Der Rücktritt Möllers war ein Triumph Karl Schillers. In der Sache waren beide Minister nicht weit auseinander gewesen. In ihrer Selbstdarstellung aber hatten sie sich zu Konkurrenten entwickelt. In dem Gefühl, die Wahlen von 1969 gewonnen zu haben, führte sich Schiller im Kabinett »wie eine Primadonna« auf, berichteten Sitzungsteilnehmer. Als seien die Ministerkollegen studierende Seminaristen, belehrte und zensierte er sie in der arroganten Attitüde des allwissenden ordentlichen Professors. Aber auch Möller, der es als Sohn eines Eisenbahners bis zum Generaldirektor gebracht hatte, neigte zu Zurechtweisungen und apodiktischen Feststellungen. Widerspruch mochte er nicht gelten lassen.

Brandt hätte sich ohnehin um des Kabinettsfriedens willen bald zwischen Möller und Schiller entscheiden müssen. Möller hatte dabei von vornherein die schlechteren Karten. Brandt schätzte Schiller seit der Zusammenarbeit in Berlin und sah in dem genialen Wirtschaftsexperten, den die Öffentlichkeit längst als Nachfolger Erhards akzeptiert hatte, eine unentbehrliche Stütze seiner Politik und künftiger Wahlerfolge. So fragte er Schiller um Rat, wen er als Nachfolger Möllers ernennen sollte. Beide waren sich einig, daß in der SPD-Bundestagsfraktion kein geeigneter Kandidat saß. In Frage kam ihrer Meinung nach einzig der nordrhein-westfälische Finanzminister Hans Wertz. Doch Ministerpräsident Kühn lehnte es auf eine Anfrage Brandts hin ab, Wertz freizugeben. Brandt verabredete sich daraufhin mit Schiller und Wehner zu einem gemeinsamen Gespräch. In dieser Runde machte er aus der Not eine Tugend und erhob den populären Schiller zum Superminister für Wirtschaft und Finanzen. In der Pose Napoleons setzte der sich für Pressefotografen besitzergreifend auf Möllers Schreibtisch.

Schiller stieg die Erhöhung zu Kopf, oder – in den Worten eines damaligen Kanzler-Mitarbeiters – »er schnappte völlig über«. Bei den Beratungen des Etats, die er von Möller übernommen hatte, setzte er in der Sache dessen Sparkurs fort. Die Minister mußten im Kabinett ihre Haushaltsanforderungen im einzelnen rechtfertigen. Schiller ließ keine Gelegenheit aus, unzureichend vorbereitete Kollegen vor versammelter Mannschaft lächerlich zu machen. Über Entwicklungshilfeminister Eppler veranstaltete er, so ein Teilnehmer, geradezu »ein Tribunal«. Sein nächstes Opfer war Bildungsminister Leussink. Der parteilose Technik-Professor, nicht firm in Haushaltsfragen, mußte immer bei seinem Staatssekretär Klaus von Dohnanyi nachfragen und wurde von Schiller abgekanzelt.

Brandt tat nichts, um seine Minister vor Schiller in Schutz zu nehmen. Der selbstbewußte Leussink aber ließ sich diese Behandlung nicht gefallen. Besonders verärgert war er, daß ihm Schiller eine Planungsreserve von siebeneinhalb Milliarden Mark für den Bildungsbereich gestrichen hatte. Kurz vor Weihnachten 1971 schrieb er an Brandt einen Brief, in dem er seinen Rücktritt für den 15. März 1972 erklärte. Anschließend reiste der archäologisch interessierte Minister nach Südamerika, um an Ausgrabungen teilzunehmen. Dem Kanzleramt gelang es nicht, seinen Aufenthaltsort ausfindig zu machen, um Rückfragen zu stellen.

In der Folgezeit, ab Herbst 1971, kam es im Kabinett zunehmend zu einer Konfrontation zwischen Schiller und Helmut Schmidt. Schmidt war zu jener Zeit durch eine Überfunktion der Schilddrüse oft hochgradig gereizt. Im Amt des Verteidigungsministers fühlte er sich vorzeitig auf einen Karriere-Sackbahnhof abgedrängt. »Mein Sinnen ist nicht mehr auf Avancement gerichtet«, vertraute er resignierend dem stellvertretenden Chefredakteur der »Zeit«, Theo Sommer, an, der vorübergehend im Planungsstab des Verteidigungsministeriums arbeitete. Schmidts psychischer und physischer Zustand wurde durch seinen Lebenswandel noch verschlechtert. Er ernährte sich von Coca-Cola, Eiscreme und achtzig Menthol-Zigaretten pro Tag.

Die Auseinandersetzungen der beiden gingen wieder einmal ums Geld. Statt die von Schiller angeratenen Kürzungen zu akzeptieren, verlangte Schmidt Steuererhöhungen zur Finanzierung seines Verteidigungshaushaltes: »Mehr Steuern: Dann schaffen wir's!« Er wollte 2,4 Milliarden Mark mehr haben, eine Zunahme um satte elf Prozent. Schiller widersetzte sich.

Die beiden Kontrahenten kannten sich lange. Beim Wirtschaftsprofessor Schiller hatte Schmidt in Hamburg Volkswirtschaftslehre studiert. Als Schiller Wirtschaftssenator der Hansestadt wurde, holte er sich seinen begabten Schüler als Referenten für Verkehrspolitik. Später in Bonn teilten sie sich im Abgeordnetenhaus ein Büro. Als die Große Koalition gebildet wurde, beklagte sich Schmidt bei Schiller, daß für ihn im Kabinett außer dem ihm unangemessen dünkenden Posten des Verkehrsministers kein Platz sei. Schiller schlug ihm 1969 vor: »Willst du nicht Wirtschaftsminister werden?« Schmidt: »Ach, Karl, du bist doch der größte Propagandist für Wirtschaftspolitik der SPD. Das mußt du machen.«

Von dieser Harmonie war nun nichts mehr übriggeblieben. Im Kabinett belegten sich die beiden – so ein Ohrenzeuge – »gegenseitig mit Verbalinjurien«. Brandt zeigte Führungsschwäche. Statt die beiden Streithähne zur Ordnung zu rufen, stand er auf und verließ den Kabinettssaal. Der verdutzte Scheel mußte die Sitzung so lange leiten, bis Brandt nach einer halbstündigen Abkühlungspause zurückkam. Pressechef Ahlers schrieb später, Brandt habe sogar an Rücktritt gedacht.

Brandt hatte von Anfang an das Kabinett an der langen Leine geführt. Wie schon im Berliner Senat suchte er den Konsens durch Diskussionen herzustellen: »Zu meinem Stil gehört, daß dort, wo ich den Vorsitz habe, selten abgestimmt wird.« Schiller, der Brandts Berliner Führungsstil kannte, empfand das Auftreten des Bundeskanzlers im Bonner Kabinett als »sehr ruhig, gelassen und nicht schlecht«. Zudem waren die SPD-Minister nicht verwöhnt, unter Kiesinger hatten sie dessen endlose philosophische Palaver mitanhören müssen.

Brandt war kein Adenauer. Der hatte die Macht, auch über seine Minister, wie eine Droge genossen. Er war ein Menschenverächter gewesen. Brandt hingegen war Optimist und setzte auf die Kooperation des Kabinetts. Seine Stärke lag darin, Situationen zu analysieren, Entwicklungen, insbesondere in der Außenpolitik, zu erahnen und zukunftsweisende Konzepte zu erarbeiten, um sich damit eigenen Handlungsspielraum zu verschaffen. Sein präzises Denken und seine Diskussionsstärke beeindruckten seine Gesprächspartner. Er verstand es aber auch, zuzuhören. Was ihn von anderen Sozialdemokraten wie Schmidt und Wehner unterschied, waren politische Phantasie und die Fähigkeit, »über den Tag hinaus« (so ein Buchtitel Brandts) zu denken. Er wirkte damit in seinem engsten Kreis motivierend, und er eroberte sich Loyalität. Verabredete Termine hielt er präzise ein. Er war exakt vorbereitet. Seine Akten hatte er gelesen, auch wenn er sie öfter zu Hause oder im Auto liegenließ und Horst Ehmke sie einsammeln mußte. Mitarbeiter der Bundesregierung, die eine Weisung von ihm erwarteten, wurden stets mit präzisen Handlungsvorgaben versorgt.

Ein wenig Boheme früherer Jahre war es, wenn Brandt nachts um drei Uhr einen Staatssekretär anklingelte und ihn zu sich bat, um mit ihm ein Problem zu erörtern. Arglos fragte er dann: »Hast du etwa schon geschlafen?« Nur selten beendete er eine Unterhaltung ohne die Frage: »Kennen Sie nicht noch einen Witz?« Auch in internationalen Verhandlungen flocht er auflockernde Aphorismen ein, so etwa in einer Begegnung mit Breschnew, dem er den Unterschied zwischen Kapitalismus und Sozialismus erklärte: »Im Kapitalismus wird der Mensch durch den Menschen ausgebeutet. Im Sozialismus ist es umgekehrt.«

Die kumpelhafte Atmosphäre, die Brandt zu erzeugen wußte, täuschte eine Vertraulichkeit vor, die es in Wirklichkeit nicht gab. Brandt hatte unter den Bonner Politikern keine persönlichen Freunde. Dies lag zum Teil daran, daß sich eine gewisse Kontaktscheu, jedenfalls Männern gegenüber, mit dem Älterwerden verstärkte, zum Teil aber auch daran, daß er vorwiegend in Institutionen dachte und ihn an Mitmenschen in erster Linie deren Funktion interessierte. Wie Adenauer konnte er dann im Gespräch großen Charme entwickeln. Auch das »Du« bot er gezielt nach Funktionen an. Solange Wolfgang Clement im Ollenhauer-Haus nur Pressechef war, blieb es beim »Sie«. Als er zum stellvertretenden Bundesgeschäftsführer avancierte, sagte ihm Brandt: »Jetzt ist das klar, jetzt möchte ich dich bitten, daß wir uns duzen.« Als Clement seinen Posten quittierte, brach Brandt sofort jeden Kontakt ab. Dem Bevollmächtigten bei der DDR-Regierung, Staatssekretär Günter Gaus, der ihn lange auch persönlich beriet, bot er das »Du« erst nach seinem Kanzlerrücktritt an, als es keinen Hierarchiebedarf mehr gab. Seinen Gesprächspartnern mochte er nicht in die Augen sehen, was ihm als mangelndes Interesse ausgelegt wurde. Er hatte von früh an ein ausgeprägtes Selbstbewußtsein und wähnte sich anderen überlegen. Nach Empfang des Friedensnobelpreises kehrte er das auch nach außen. Er forderte Respekt ein, auch im Familienkreis.

Menschen, die ihm geholfen hatten, konnte er schnell wieder vergessen, wenn er sie nicht mehr brauchte. Bis zu seinem Lebensende wartete der Travemünder Fischer Stooß vergeblich darauf, daß sich Kanzler Brandt bei ihm für die Fluchthilfe von 1933 persönlich bedankte. Bei der zweiten Frau des Großvaters, die ihn aufgezogen hatte, ließ er sich nie wieder sehen. Als er 1961 in Lübeck auf dem Marktplatz eine Kundgebung abhielt, stand sie unbeachtet in der Zuschauermenge. Ihr Stolz auf den Jungen, den sie aufgezogen hatte, mischte sich mit Eifersucht auf die leibliche Mutter, die sich kaum um ihn gekümmert hatte, jetzt aber einen Ehrenplatz vor dem Rednerpult einnahm. Die Frau erlitt Weinkrämpfe, ihre Nichte mußte sie vom Platz führen. Zwei Jahre später lag sie mit einem Schlaganfall im Krankenhaus. Sie bekam nur 210 Mark Rente und lebte von der Sozialhilfe. Als im Herbst 1972 Brandts enger Berater Leo Bauer im Sterben lag, wartete er vergeblich auf einen Besuch des Kanzlers: »Warum kommt Willy nicht?«

Selbstkritisch merkte Brandt später in seinen Erinnerungen an: »Ich bin sicher, daß ich mich von Versäumnissen nicht freisprechen kann. Oft mag die erwartete Aufmerksamkeit an meiner Abneigung gescheitert sein, vor allem aus der persönlichen Vergangenheit zu leben. Außerdem: Wenn man halbwegs bekannt geworden ist, kennt man bei weitem nicht alle Menschen, die einen zu kennen glauben. Dennoch hätte ich Anlaß, darüber nachzudenken, ob Politiker – nicht viel anders als Künstler – von einer besonderen Egomanie heimgesucht werden: Die Aufgabe, die natürlich vom Ausdruck der eigenen Persönlichkeit nicht zu trennen ist, drängt oft die Teilnahme am Geschick von Gefährten und Bekannten beiseite.«

Brandt konnte – Möller hatte es schon, andere sollten es noch erfahren – Mitarbeiter wie eine heiße Kartoffel fallenlassen, wenn er sie nicht mehr brauchte. Er selber war empfindlich und nachtragend. Schmeicheleien konnten nie dick genug aufgetragen werden. Klaus Schütz wußte das und lobte stets aufs neue überschwenglich seine Reden. Wenn jemand wie zum Beispiel der eloquente Karl Garbe, sein einstiger Werbechef, auf einer gemeinsamen Veranstaltung mehr Beifall als er selber bekam, war Brandt eingeschnappt: »Wenn der sich auf meine Kosten profilieren will, das läuft nicht.« Er sagte es zu Schütz, nicht zu Garbe direkt. Denn im Grunde seines Wesens war er konfliktscheu. Nur wenn er aufs äußerste gereizt war, kam der Lübecker Vorstadtjunge wieder zum Vorschein. Dann konnte er – wie im Falle der alliierten Stadtkommandanten am 13. August 1961 – seine Gesprächspartner anpöbeln oder – wie im Wahlkampf 1972 in Baden-Württemberg, als angesichts seiner schwindenden Mehrheit die Ratifizierung der Ostverträge gefährdet schien und das Stichwort Neuwahlen fiel – kämpferisch ankündigen: »Wenn es so kommen muß, kann ich nicht mehr helfen. Ich hab's nicht gewollt. Dann wird geholzt bis zur letzten Konsequenz. Dann mobilisieren wir alle Betriebe. Dies sind andere Sozialdemokraten. Dies ist nicht Weimar.« Helmut Schmidt urteilt über diese Qualität Brandts: »Wenn er mit dem Rücken an der Wand steht, kann er kämpfen. Das ist nicht einer, der mit der Hand hinter dem Rücken nach einer Tapetentür sucht, durch die er verschwinden kann. Aber wenn's zu vermeiden war, vermied er den Kampf.«

Gewöhnlich waren Brandts Reden eher unbestimmt, sie wirkten nur durch den persönlichen Vortrag. Auch in der Sprache war er ein Mann des Indirekten. Er drückte nicht positiv aus, was er wollte, sondern kreiste Absichten und Urteile durch negative Aussagen ein: »Das Bemühen um Entspannung in Europa darf Deutschland nicht ausklammern.« – »Es ist nicht unerheblich, was wir geleistet haben.« – »Die SPD ist kein Obdachlosenasyl für Gegner und falsche Freunde des demokratischen Sozialismus.« Manchmal mißriet dies bis ins Absurde: »Die Geschichte darf nicht zu einem Mühlstein werden, der uns niemals aus der Vergangenheit entläßt.« Auch über Personen sprach Brandt nicht direkt, nannte Namen nur verhüllt. »Der, der uns so viele Schwierigkeiten macht«, sagte er zu Schiller und meinte Helmut Schmidt.

Die enge Beziehung Brandts zu Schiller hatte zu der Zeit – im Frühjahr 1972 – bereits gelitten. Schiller hatte aus Stabilitätsgründen nachträgliche Einsparungen für den laufenden Etat 1972 gefordert – allein Verteidigungsminister Schmidt sollte achthundert Millionen Mark kürzen. Um diesem Verlangen mehr Gewicht zu verleihen, hatte Schiller eine schriftliche Vorlage seiner Kürzungswünsche in 131 Exemplaren zirkulieren lassen. Er hatte damit praktisch Öffentlichkeit hergestellt und der CDU/CSU für den kommenden Wahlkampf den Beweis in die Hände geliefert, daß die Regierung Brandt eine Inflationspolitik treibe. Schiller-Gegner Schmidt riet Brandt, sich von »diesem politischen Sicherheitsrisiko« zu trennen – und tatsächlich überlegte der Kanzler für kurze Zeit, Schiller zu entlassen. Dann aber befand er, daß Schmidt in dem Haushaltsstreit auch nur Partei sei.

Doch Brandt versetzte Schiller einen Dämpfer. Er fragte ihn in einem Brief, wie er sich eine Aufteilung seines Superministeriums vorstelle. Schiller aber hatte das Doppelamt nicht in der Erwartung übernommen, daß es schon bald wieder einen Finanzminister neben ihm geben würde. »Das war nicht unsere Geschäftsgrundlage.« Er wußte den Warnschuß jedoch richtig zu deuten und verlangte von Brandt eine Garantie für die Rückkehr ins Kabinett nach den Neuwahlen. Brandt lehnte ab.

Die nächste Gelegenheit, Schiller bloßzustellen, sah Schmidt zwei Monate später. Wieder einmal zogen die starke Mark und die hohen Zinsen, mit denen die Bundesbank die überschäumende Konjunktur dämpfen wollte, hohe Dollarbeträge an. Bundesbankpräsident Karl Klasen war zum Kabinettsvortrag eingeladen und hatte die Absicht, die Kapitalimporte durch Anwendung des Außenwirtschaftsgesetzes einzuschränken. Das widersprach den Vorstellungen Schillers, der ein strikter Gegner dirigistischer Maßnahmen war und eine Freigabe der Kurse befürwortete. Kurz vor der Kabinettssitzung trafen sich Klasen und Schmidt. Die beiden Hamburger waren miteinander befreundet. Sie waren sich einig, daß die Absichten Schillers, die auf eine neue Aufwertung der Mark hinausliefen, der Hamburger Werftindustrie schaden würden.

Im Kabinett trug Klasen seinen Kontrollplan vor und versprach – für einen Ökonomen leichtsinnig –, daß die Regierung dann »vier Monate Ruhe an der Währungsfront« habe, also sich ungestört auf den Wahlkampf konzentrieren könne. Schiller, von Klasen bewußt nicht vorab informiert, war zu keinem Nachgeben bereit. Klasen seinerseits drohte mit Demission, falls das Kabinett ihm nicht folge. Es sollte abgestimmt werden. Die SPD-Kabinettsmitglieder sahen die Gelegenheit gekommen, den verhaßten Schiller zu demütigen. Doch die Freidemokraten, die entgegen ihrer marktwirtschaftlichen Überzeugung Klasens Plänen folgen wollten, suchten eine Konfrontation zu vermeiden. Vizekanzler Scheel bat um Verschiebung der Abstimmung. Er ersuchte Brandt, auf Schiller, »dieses Gütezeichen der Koalition«, nicht zu verzichten. Die Liberalen befürchteten, ein Rücktritt Schillers würde die Regierungsparteien im Wahlkampf schwächen. Schmidt aber tat kund, ein Abgang des Superministers würde nicht schaden: »Schiller-Wähler, die gibt es gar nicht mehr.« Umfragezahlen hatten in der Tat ausgewiesen, daß Schillers Stern wegen der hohen Inflationsrate am Sinken war.

Die Abstimmung wurde um einen Tag verschoben. In der Zwischenzeit gelang es jedoch nicht, eine Kompromißformel zu finden, die es sowohl Klasen als auch Schiller erlaubt hätte, das Gesicht zu wahren. Brandt unterließ es, die Sache per Richtlinienkompetenz an sich zu ziehen und so den drohenden Showdown im Kabinett zu vermeiden. Sämtliche Minister und der Bundeskanzler stimmten schließlich Klasens Vorschlag zu und desavouierten damit Schiller. Es war ein einmaliger Vorgang in der Kabinettsgeschichte, daß die Minister geschlossen gegen das Votum des zuständigen Fachministers stimmten.

Schiller weigerte sich, die im Kabinett beschlossene Verordnung zu unterschreiben, packte seine Sachen und fuhr nach Hause. Drei Tage später schickte er mit Kurier dem Kanzler einen fünfseitigen Rücktrittsbrief: »Es gibt auch Grenzen der Belastbarkeit für einen Finanzminister.« Einen Tag darauf jedoch ließ er ein zweites Schreiben folgen. Darin bot er seine Dienste als Wirtschaftsminister für ein neues Kabinett Brandt nach der Wahl an und erbat

erneut eine Zusicherung des Kanzlers für einen Ministersessel sowie ein sicheres Bundestagsmandat.

Horst Ehmke stachelte seinen Kanzler an: »So billig werden wir
den Karl nie mehr los.« Und er fügte hinzu, wenn Brandt jetzt noch
Schiller halte und sich von ihm erpressen lasse, »dann brauchst du
gar keinen Wahlkampf mehr zu führen«. Brandt folgte dem Rat und
nahm den Rücktritt an. Einen sicheren Listenplatz in Nordrhein-
Westfalen für die Rückkehr in den Bundestag stellte er Schiller in
Aussicht, einen Kabinettssitz hingegen mochte er nicht zusagen –
»aus koalitionspolitischen Gründen«. Nachdem er in den hektischen
Tagen wenig Führungsgeschick gezeigt hatte, meinte er nach voll-
brachter Tat elegisch: »Das Ganze ist wirklich nicht so schön. Aber
man kann es sich im Leben nicht immer aussuchen.«

Mit Kanzleramtsminister Ehmke beriet Brandt die Nachfolge für
Schiller. Einen neuen Mann wollte er nicht ins Kabinett holen, da
dann der Bundestag für die Vereidigung aus den Ferien hätte gerufen werden müssen. Ehmke schlug Schmidt vor. Brandt zweifelte,
ob der gesundheitlich angeschlagene Verteidigungsminister, der
gerade den NATO-Partner Türkei besuchte, sich diese Belastung
aufbürden würde. Ehmke: »Barfuß wird der kommen.« Und in der
Tat. Als sich Brandt am Telefon meldete und verschlüsselt sagte:
»Du, Helmut, kannst du nicht früher zurückkommen, im ökonomischen Bereich ist etwas los«, strich Schmidt sofort einen Bildungs-
flug mit Ehefrau Loki nach Ephesus und kehrte nach Bonn zurück.
Dort wurde er zum neuen Superminister ernannt. Den Freidemokraten, die wirtschaftspolitischen Einfluß wünschten, sagte Brandt zu,
nach den Wahlen das Doppelministerium aufzulösen und der FDP
das Wirtschaftsressort zu überlassen.

Als 1971 zum erstenmal das Superministerium besetzt werden
mußte und die Entscheidung statt auf Schmidt auf Schiller fiel, hatte
Franz Josef Strauß gesagt: »Mit einem Superminister Schmidt hätte
der Bundeskanzler sich seinen eigenen Nachfolger ins Haus gesetzt.« Jetzt war Schmidt Superminister und blieb auch nach den
Wahlen der starke Mann im Kabinett. Bis zum Kanzlerwechsel
sollte es noch eineinhalb Jahre dauern.

Kaum im neuen Amt, machte sich Schmidt daran, Schillers Programm zu verwirklichen. Der Verteidigungsetat wurde gekürzt, die
Freigabe der Wechselkurse folgte im März 1973. Schiller: »Ich war

erschüttert.« Als eigenen Profilierungsbeitrag prägte Superminister Schmidt den Satz: »Fünf Prozent Preissteigerungen sind besser als fünf Prozent Arbeitslosigkeit.« Mit dieser falschen Alternative suchte er für die kommende Wahl die Arbeitnehmer zu gewinnen.

»This is the greatest man.«

»WILLY-WAHL« 1972

Am 20. September 1972 – nach einem langen Urlaub in Norwegen – stellte Brandt absprachegemäß im Bundestag die manipulierte Vertrauensfrage, die zur Auflösung des Parlaments und zu Neuwahlen führen sollte. Bei der Abstimmung zwei Tage später gab die Koalition ihre Stimmen ohne die Minister ab, so blieb sie wie gewünscht mit 233 Stimmen in der Minderheit – gegen Brandt stimmten 248 Abgeordnete, einer enthielt sich.

Der folgende Wahlkampf ähnelte in der Entscheidungssituation des Wählers den Wahlkämpfen Adenauers in den Jahren 1953 und 1957. Wie damals ging es auch jetzt um den Kanzler und eine eng mit ihm verbundene außenpolitische Grundsatzentscheidung. Bis in den frühen Herbst hinein waren die Gewinnaussichten der Koalition durchaus nicht eindeutig. In zwei Jahren hatte sie es auf drei Finanzminister gebracht – nicht eben ein Zeichen vertrauenerweckender Haushaltspolitik. Die Hoffnung der Regierung, sich bei den »heiteren« Olympischen Spielen in München in Szene zu setzen, zerstob, als ein palästinensisches Kommando elf israelische Sportler als Geiseln nahm und der Versuch der bayerischen Polizei, die Geiseln zu befreien, in einem Blutbad endete.

Erst mit ihrem Wahlparteitag am 12. und 13. Oktober 1972 in Dortmund kam die SPD in Fahrt. Das Wahlprogramm bestand aus einer einzigen kurzen Aussage: »Willy Brandt muß Kanzler bleiben.« Das stand für eine erfolgreiche Ostpolitik, die auch ein Großteil der CDU/CSU-Wähler fortgesetzt sehen wollte, aber auch für die Person Brandts, den viele Wähler unfair durch die Opposition attackiert sahen und dem seit dem Parteitag eine geradezu magnetische Kraft zuwuchs. In seiner Dortmunder Rede hatte er Wendungen gefunden, die Wähler auch außerhalb der traditionellen SPD-Klientel ansprachen – Intellektuelle, junge Leute sowie Mittelständler, die als progressiv gelten wollten. Die Sympathiewerte für ihn lagen weit vor denen der SPD.

Es waren neue, anspruchsvolle Begriffe, mit denen Brandt seine Zuhörer einnahm. Er sprach von »Lebensqualität«, die mehr sei »als höherer Lebensstandard, Lebensqualität setzt Freiheit voraus, auch Freiheit von Angst«; oder von »compassion«, ein Begriff, den ihm sein neuer Fan und späterer Redenschreiber Klaus Harpprecht angedient hatte und der wie in einer Kurzformel die Abkehr vom traditionellen SPD-Denken und die Hinwendung zu einer neuen, das linksbürgerliche Lager einbeziehenden Mehrheit signalisierte. Brandt in Dortmund: »Für John F. Kennedy und seinen Bruder Robert gab es ein Schlüsselwort, in dem sich ihre politische Leidenschaft sammelte, und es wird von ihren Landsleuten, die ihre Trauer um den Tod dieser beiden Männer noch nicht abgeschüttelt haben, wieder und wieder zitiert. Dieses Wort heißt compassion. Die Übersetzung ist nicht einfach Mitleid, sondern die richtige Übersetzung ist die Bereitschaft, mitzuleiden, die Fähigkeit, barmherzig zu sein, ein Herz für den anderen zu haben. Liebe Freunde, ich sage Ihnen und ich sage den Bürgern und Bürgerinnen unseres Volkes: Habt doch den Mut zu dieser Art Mitleid! Habt Mut zur Barmherzigkeit! Habt Mut zum Nächsten! Besinnt euch auf diese so oft verschütteten Werte! Findet zu euch selbst!«

Künstler, Schriftsteller und Journalisten vergaßen auf einmal ihre professionelle Distanz zur Politik und engagierten sich in Wählerinitiativen für Willy Brandt, der ihnen als Symbolfigur des »moralischen Politikers« galt. »Er ist der erste deutsche Kanzler, der aus der Herrenvolktradition herausführt«, schrieb der gerade mit dem Nobelpreis für Literatur ausgezeichnete Heinrich Böll und bekannte sich auf dem Dortmunder Parteitag: »Ich spreche im Namen der Sozialdemokratischen Wählerinitiative, die aus mehreren hundert Gruppen und zigtausend freiwilligen Helfern besteht, die alles tun, um eine zweite Regierung Brandt zu ermöglichen . . .«

Was der SPD früher nie so recht gelungen war, das erreichte Brandt nun mühelos. Eine Welle von Bekennertum außerhalb, aber auch innerhalb der Partei trug ihn nach oben. Die sonst so aufsässigen Jungsozialisten verteilten Flugblätter und veranstalteten Straßendiskussionen. Die Wähler versahen ihre Autos mit Aufklebern, trugen nach amerikanischem Vorbild »Willy«-Buttons am Revers oder riefen in Kleinanzeigen zur Stimmabgabe für Brandt auf. Der »Deutsche Tierschutzbund« bedankte sich beim Kanzler für das neue Tierschutzgesetz und verhieß als Dank die Unterstützung der Tierfreunde – immerhin gab es zwanzig Millionen von Haustierbesitzern in Deutschland. Im Norden der Republik beklebte eine Wählerinitiative einen Autobus mit dem Spruch »Christus würde Willy wählen«.

Tatsächlich berichtete »Spiegel«-Reporter Hermann Schreiber über Brandts Wahlveranstaltungen mit pseudo-religiösem Unterton: »Willy Brandt kann eine Wahlversammlung heute beinah nach Belieben in eine Art Weihestunde verwandeln. Er redet fast immer largo, den Ton ganz zurückgenommen; manchmal hat die Intonation seiner Reden gar etwas von der erhabenen Monotonie der Gregorianik.« Brandt wurde zu einem Medium zwischen Wahlvolk und der Welt des Guten. Der Chefreporter der »Süddeutschen Zeitung«, Hans Ulrich Kempski, beobachtete ältere Frauen, die mit »Tränen in den Augen« den Kanzler zu berühren, »ihm sogar Rosenkränze und Amulette zu geben« versuchten.

Brandts Redestil war gemäß diesen Publikumserwartungen auf »sanfte Seelenmassage« (Kempski) angelegt. Die Hände nach vorn gestreckt, rang Brandt mit den Worten und bezog damit die Zuhörer in seinen Denkprozeß ein. Als wollte er das, was er sagte, möglichst noch genauer fassen, zögerte er beim Sprechen immer wieder und konzentrierte sich mit halb geschlossenen Augen. Bei manchen Zuhörern kam das allerdings anders an. Sein politischer Freund Klaus Schütz fragte nach solch einer Rede einen Versammlungsleiter: »War doch ganz gut?« Dessen Antwort: »Natürlich war der gut, aber herrlich besoffen.«

Bundesgeschäftsführer Holger Börner stellte auch die Plakatwerbung ganz auf Brandt ab. Unter mehreren Fotos suchte er ein Dia aus, das der Chef der SPD-Werbeagentur ARE, Harry Walder, vom urlaubenden Kanzler zufällig geschossen hatte. Es zeigte einen gebräunten, ausgeruhten und optimistisch lächelnden Willy Brandt. Börner ließ dann die Sekretärinnen der »Baracke« unter den Fotos wählen. Einmütig entschieden sie sich für Walders Schnappschuß.

Nur einem gefiel die Auswahl nicht: Eifersüchtig meinte der nicht mitplakatierte Wehner zu Börner: »Du und Stalin, ihr habt mich zur Unperson gemacht.« Darauf Börner schlagfertig: »Das ist aber eine große historische Ehre.« Unter das Brandt-Foto setzte die SPD den Slogan »Deutsche, wir können stolz sein auf unser Land«. Sie suggerierte damit, daß die sozialliberale Koalition mit ihrer Ostpolitik die Bundesrepublik international aufgewertet habe. Es war zugleich eine Versöhnung der Sozialdemokratie – aber auch des »anderen Deutschen« Willy Brandt – mit den konservativen Werten Nation, Heimat, Vaterland.

In den zentralen Werbeparolen war der Wahlkampf eine Umkehrung von 1969. Damals hatte die CDU/CSU – wie jetzt die SPD – nur den Regierungschef herausgestellt: »Auf den Kanzler kommt es an«. Jetzt nahm die Union, deren Spitzenkandidat bei weitem nicht so populär war wie Brandt, zu dem Kunstgriff der SPD von 1969 Zuflucht, die Mannschaft in den Vordergrund zu rücken. Sie klebte Barzel im Verein mit Strauß, Schröder und dem ehemaligen Arbeitsminister Hans Katzer. Auch versuchte sie, mit dem Slogan »Wir bauen den Fortschritt auf Stabilität« die Preissteigerungen zum Wahlkampfthema zu machen. Sie glaubte dafür besonders gut gerüstet zu sein, weil der einstige SPD-Wirtschaftsstar Schiller inzwischen in ihr Lager gewechselt war. Nach seinem Rücktritt hatte ihn Ludwig Erhard angerufen und ihm zu seinem marktwirtschaftlichen Verhalten im Kabinett gratuliert. Daraus war ein engerer Kontakt entstanden, der schließlich zu dem Entschluß führte, gemeinsam in der vom Axel Springer Verlag gesponserten »Initiative mündiger Bürger« ein Plädoyer für die Marktwirtschaft zu halten. Eine konkrete Wahlempfehlung aber wurde nicht gegeben.

Brandt hatte in Dortmund mit einer knappen Bemerkung Schillers Frontwechsel abgetan: »Solidarität ist das einzige Fremdwort, das Schiller nicht versteht.« Die Wähler fanden ebenfalls an dem Wechsel keinen Gefallen. Ihnen war noch im Ohr, daß Schiller ein knappes halbes Jahr zuvor im Bundestag den Volksfront-Vorwurf von Strauß in einer harschen Gegenattacke damit gekontert hatte, daß er die Unionsparteien und ihre Helfershelfer in die Nähe der »Harzburger Front« rückte, dem Bündnis der Deutschnationalen mit Hitler. Jetzt sahen sich die Wähler in ihrem Urteil bestätigt, daß der Union nahezu jedes Mittel für den Machtwechsel recht war.

Zu dieser Meinung trug auch die massive Wahleinmischung der Industrie zugunsten der CDU/CSU bei. Brandt hatte mehrfach versucht, die Vorbehalte der Wirtschaft gegen die SPD/FDP-Regierung abzubauen. Er empfing den Präsidenten des Bundesverbandes der deutschen Industrie (BDI), Fritz Berg, und dessen Nachfolger, Hans-Günther Sohl. Beide beklagten sich über die schlechte Lage der Unternehmen, beide mußten auf Befragen des Kanzlers einräumen, daß es ihren Betrieben hervorragend gehe. Brandt sagte anschließend seinen Mitarbeitern, er verachte diese Leute. Selbst in seinen Erinnerungen schrieb er später: »Ihr Niveau unterschied sich nicht wesentlich von jenem aufgeregter Kleinbürger.« Dennoch warb er im Wahljahr 1972 mit einer Rede vor der Mitgliederversammlung des BDI um einen »möglichst fruchtbaren Dialog«.

Dazu kam es nicht. Die Unternehmer setzten weiter auf die Unionsparteien. Sie bezichtigten Brandt, die Marktwirtschaft aufzugeben und eine sozialistische Republik errichten zu wollen. Unter Deckadressen veröffentlichte, von der Industrie mitfinanzierte Anti-Brandt-Anzeigen zielten tiefer. »Willy Brandt beweist uns seit Jahren, daß er keine starke Führerpersönlichkeit, sondern nur ein marxistischer Papiertiger ist! Wir lieben den Frieden, und darum wünschen wir die Aussöhnung mit dem Osten. Wir müssen aber verhindern, daß wir eines Tages ein Satellit von Moskau werden«, hieß es in einem Inserat der »Vereinigung zur Förderung der politischen Willensbildung e.V.« aus Neustadt/Saale.

Diese Kampagnen verpufften auch deshalb, weil Brandt kurz vor dem Wahltag neue ostpolitische Erfolge vorweisen konnte. Außenminister Scheel vereinbarte am 11. Oktober in China die Aufnahme diplomatischer Beziehungen. Am 8. November wurde der Grundlagenvertrag mit der DDR paraphiert. Die CDU/CSU, die zunächst gefordert hatte, das Ergebnis der geheimen Verhandlungen offenzulegen, sah sich jetzt außerstande, zu dem veröffentlichten Vertragstext Stellung zu beziehen. Außerdem ließen die Sowjets kurz vor der Wahl dreitausend Deutschstämmige ausreisen – Brandt geriet fast in dieselbe Rolle des Befreiers deutscher Landsleute wie Adenauer 1955, als er in Verhandlungen mit Chruschtschow die Freilassung Tausender deutscher Kriegsgefangener erreichte.

Wahltag war der 19. November 1972. Die Wahlbeteiligung betrug 91,1 Prozent. Das war ein Rekord in der Geschichte der Bundesrepublik. Die Wahl glich einem Volksentscheid für die Ostpolitik und war ein Plebiszit für Willy Brandt. Mit 45,8 Prozent erzielte die SPD ihr bisher bestes Ergebnis und Brandt seinen einzigen von ihm selbst errungenen Sieg. Der SPD war es gelungen, in die katholische Arbeiterschaft einzudringen, in ländlichen Gebieten Fuß zu fassen und in der Unions-Domäne der älteren Frauen Gewinne zu verbuchen. Insbesondere die Herabsetzung des Wahlalters auf achtzehn Jahre erwies sich von den inneren Reformen als eine der preiswertesten und erfolgreichsten. Sechzig Prozent der Jungwähler votierten für die SPD und sicherten ihr damit den Wahlsieg. Ohne die Wahlberechtigung dieser Altersgruppe wäre die Union stärkste Fraktion geblieben. So brachte sie es nur auf 44,9 Prozent.

Die FDP wuchs von 5,8 auf 8,4 Prozent an. Einen Teil dieses Zuwachses verdankte sie sogenannten »Leihstimmen«. Viele SPD-Wähler hatten ihre Erststimme ihrem Direktkandidaten, die Zweitstimme den Liberalen gegeben, um ihnen über die Fünf-Prozent-Hürde zu helfen. Viele FDP-Wähler hatten umgekehrt mit ihrer Erststimme Sozialdemokraten gewählt. Die SPD gewann sechs Mandate hinzu, die FDP elf; die CDU/CSU verlor siebzehn Mandate. 271 Abgeordnete der Koalition standen nun 225 Oppositionsabgeordneten gegenüber.

Brandt hatte die ersten Hochrechnungen vor dem Fernseher in seiner Villa auf dem Venusberg verfolgt. Bei ihm waren Ehefrau Rut, sein Pressereferent Horst-Jürgen Winkel und sein neuer persönlicher Referent Günter Guillaume. In der letzten halben Stunde hatte Brandt vier Zigarillostumpen auf dem Zinnteller vor sich ausgedrückt. Er begoß die neue Mehrheit mit einem Glas Rotwein und ließ sich dann, nach einer kurzen Stippvisite in der »Baracke«, ins Kanzleramt fahren. Im Bungalow erwartete ihn Walter Scheel. Gemeinsam genossen sie nun die Fernsehübertragung. Die »Baracke« überließ Brandt für den Rest des Abends Wehner und Schmidt.

Vor dem Palais Schaumburg zogen Jungsozialisten mit Fackeln auf, angeführt von Wolfgang Roth, dem späteren wirtschaftspolitischen Sprecher seiner Partei. Mit einem Handmikrophon dankte Brandt ihnen für die Wahlunterstützung und lenkte dann die Aufmerksamkeit auf seinen Vize. Ost- und Friedenspolitik, so erklärte er, gingen »auf das Konto von Walter Scheel«. In Fernsehansprachen bekräftigten beide ihren Willen, die Koalition fortzusetzen. Brandt:

»Wir fühlen uns durch diesen Sieg unserer Sache in die Pflicht genommen.« Scheel: »Der Bürger hat unsere Frage, die Zusammenarbeit der beiden Koalitionsparteien fortzusetzen, eindeutig bejaht.«

Ehrengäste im Bungalow waren Ted Kennedy, der jüngste und einzige Überlebende der Politiker-Brüder, und seine Ehefrau Joan. Der Amerikaner stellte seiner Frau den Kanzler mit den Worten vor: »This is the greatest man.«

Ein Denkmal stürzt ein
(1972 bis 1974)

»Der Wehner wollte mich weghaben.«

REGIERUNGSBILDUNG

Vatermord und Verrat gehören zur Politik. Auch zu einer Partei, die sich das Wort »Brüderlichkeit« in die Fahne gestickt hat.

Helmut Schmidt war nur fünf Jahre jünger als Willy Brandt; doch zwischen ihnen lag eine Generation. Brandt ist der Linke der Weimarer Zeit und der engagierte Antifaschist der Emigration. Schmidts Prägungen fallen in die Nazi-Zeit; sein Schüler-Ruderverein wurde in die Hitlerjugend eingegliedert, er selbst wurde »Kameradschaftsführer«. Kurz nach dem Abitur, als 19jähriger, wurde er zur Flak-Artillerie der Luftwaffe eingezogen. Er machte den Ostfeldzug mit, wurde zum Oberleutnant befördert, kam als Referent für Ausbildung an leichten Flugabwehrwaffen ins Oberkommando der Luftwaffe nach Berlin. Als »Beobachter des Reichsluftfahrtministeriums« nahm er an einem Verhandlungstag im Prozeß gegen die Verschwörer des 20. Juli teil. Er bat seinen Vorgesetzten, nicht ein weiteres Mal dort hinzumüssen. Das Ende des Krieges erlebte Schmidt an der Westfront, dekoriert mit dem Eisernen Kreuz 2. Klasse und dem »Gefrierfleischorden«, den alle Rußland-Kämpfer bekamen. In britischer Gefangenschaft erkannte er: »Der Maxime der Kameradschaft liegt die gleiche sittliche Grundhaltung im Verhältnis zu anderen zugrunde wie dem Solidaritätsprinzip der Sozialisten.« Nach der Entlassung im Herbst 1945 trat er in die Hamburger SPD ein.

Als Schmidt noch in Hamburg studierte, hatte Brandt schon fünfzehn Jahre politischer Erfahrung hinter sich und war gerade Verbindungsmann des Parteivorstandes in Berlin geworden. Auf späteren Bewährungsstationen Schmidts in Bonn und Hamburg zeigte sich der Unterschied der beiden. Schmidt war der »Macher«. In dieser Rolle brillierte er bei der Sturmflut 1962, als er als Hamburger Innensenator die Kommandogewalt über die gesamte Verwaltung der

Stadt sowie über die eingesetzten Verbände des Grenzschutzes und der Bundeswehr übernahm. Wagen statt Wägen – das unterschied ihn von Brandt. Der Altersunterschied von nur fünf Jahren ließ ihm keine Chance, auf eine natürliche Erbfolge im Kanzleramt zu hoffen. Daß er sie gerne sähe, daraus machte er nie einen Hehl. Er halte sich »nicht für ungeeignet« als Kanzler, bekannte er 1971 dem »Spiegel«. Seine einzige Chance war ein vorzeitiger Abgang Brandts.

Lange Jahre hatten Schmidt und Brandt gemeinsam gegen die alte Garde um Ollenhauer gearbeitet. Schmidt bewunderte den weltgewandten Berliner Bürgermeister und bemühte sich um dessen Freundschaft. »Lange Jahre wäre ich für ihn durchs Feuer gegangen«, bekennt er noch heute. Einen ersten Knacks bekam die Beziehung, als der neue Parteivorsitzende Brandt 1964 entgegen einer Absprache nicht Schmidt fürs SPD-Präsidium vorschlug, sondern Egon Franke, den Führer der »Kanalarbeiter«, einer rechtsgerichteten Gruppe von Abgeordneten in der Bundestagsfraktion. Franke, ein trinkfester Niedersachse, war Schmidt intellektuell weit unterlegen. Der gelernte Tischler verkörperte den Typ des sozialdemokratischen Funktionärs der ersten Stunde; in Hannover hatte er eng mit Kurt Schumacher zusammengearbeitet. Die Berufung Frankes rechtfertigte Brandt damit, daß er an einer »so wichtigen Minderheit« wie der der Kanalarbeiter nicht vorbeigehen könne. Deren Einbindung gelang ihm dennoch nicht. Als 1965 alle Stimmen der SPD-Abgeordneten für die Entscheidung im Bundestag gegen die Notstandsverfassung gebraucht wurden, fuhr Franke mit seinen Kanalarbeitern ungerührt zum traditionellen Spargelessen.

Seither zweifelte Schmidt an Brandts Führungsqualität. Er fühlte sich ihm überlegen. Für ihn bestand Führung nicht in Nachgiebigkeit, sondern in autoritärer Bestimmtheit. Auch später im Kabinett wußte er nichts mit Brandts Art anzufangen, Sitzungen der Minister zu moderieren und Diskussionen durch vorsichtige Fragen – »Könnte man nicht überlegen, ob man die Sache so lösen kann?« – voranzubringen. Dennoch blieb er von Brandt beeindruckt, vor allem wegen dessen Ausstrahlung auf andere Menschen. SPD-Fraktionsgeschäftsführer Karl Wienand sagte einmal zu Schmidt: »Du kommst mir vor wie ein Pennäler, der sich in seine Studienrätin verknallt hat, ihr aber ständig beweisen will, daß er ihr geistig überlegen ist.« Schmidt brauste auf, räumte dann aber ein: »Da ist was dran.«

Die Frustrationen seiner nicht vollendeten Karriere, sein Temperament und seine Schilddrüsenerkrankung, die seine Unduldsamkeit steigerte, brachten Schmidt immer aufs neue dazu, die Grenzen der Belastbarkeit Brandts zu testen. Erst durch seine Streitereien mit Schiller, dann als Superminister durch langatmige belehrende Monologe hielt er die Kabinettssitzungen auf und höhnte anschließend über Brandts Unfähigkeit, straff zu führen. Horst Ehmke riet dem Kanzler: »Du mußt dem mal ordentlich in den Arsch treten, der braucht das.« Brandt: »Wieso denn? Ihr seid doch alle pervers.«

In seiner Kritik an Brandt war sich Schmidt mit dem neuen Fraktionsvorsitzenden Wehner einig. Dies war die Grundlage eines späteren Bündnisses. Das Verhältnis der beiden war jedoch nicht immer ungetrübt gewesen. Bei der »Heckenschützen-Affäre« im März 1966 hatte Schmidt spitz angemerkt, die Partei solle nicht nur nach den Verfassern des Anti-Wehner-Pamphlets fahnden, sondern sich auch mit der Substanz der Vorwürfe befassen. Wehner revanchierte sich im Mai desselben Jahres, indem er Schmidts Kandidatur für das Amt des Landesvorsitzenden der Hamburger SPD durch eine Anspielung auf dessen Privatleben torpedierte: »Ich glaube nicht, daß Schmidt es sich bei seiner Vitalität zutrauen sollte, auch noch in Hamburg Politik zu machen.« Noch 1970 biederte sich Wehner bei den Jusos auf ihrem Bremer Kongreß auf Kosten Schmidts an: »Ich gebe zu, reden mit Helmut Schmidt ist sehr schwer.« Doch die Abneigung milderte sich in dem Maße, in dem sich Wehners Verhältnis zu Brandt verschlechterte. Zuletzt, als Brandt und Wehner überhaupt nicht mehr miteinander sprachen, schickten sich Schmidt und Wehner gegenseitig in Cellophanfolie verpackte Blumensträuße. Ein Mitarbeiter Schmidts aus jener Zeit: »Das war ja schon peinlich.«

Mit Beginn der sozialliberalen Koalition verschwand Wehner zunehmend aus dem Zentrum der Macht. An der Formulierung der Regierungserklärung war er nicht beteiligt. Auch optisch rückte er ins zweite Glied. Beim allwöchentlichen Koalitionsessen hatte er zunächst neben Brandt seinen Stuhl gehabt. Eines Tages saß dort Walter Scheel, und ihm wurde ein Platz dem Kanzler gegenüber zugewiesen – Wehner machte daraus »an der Ecke des Tisches«. Verbiestert sagte er: »Mich kränken die doch nicht.«

Entgegen seinem polternden Auftreten war Wehner ein empfindsamer, leicht verletzbarer Mensch. »Spiegel«-Herausgeber Rudolf Augstein nannte ihn einmal »einen Siegfried, dem keine Körperstelle ohne Lindenblatt blieb«. Brandts amouröse Abenteuer und seine Vorliebe für zweideutige Witze waren Wehner zuwider. Im Vertrauen hatte er Brandt einmal erzählt, daß seine erste Ehefrau mit dem späteren DDR-Staatssekretär und Passierschein-Unterhändler Erich Wendt verheiratet gewesen sei. Später lastete er ihm an, diese private Geschichte weitererzählt zu haben: »Kurz danach hörte ich das auf allen Latrinen.«

Brandt versuchte erst gar nicht, Verständnis für den komplizierten und zuletzt auch tief religiösen Wehner zu entwickeln. Dessen Besorgnis um sterbende Genossen, die er besuchte, selbst wenn sie wie Erler fünfhundert Kilometer von Bonn entfernt im Krankenhaus lagen, war ihm unbegreiflich. Brandt sagt von sich, er habe nie Probleme mit dem Jenseitigen gehabt; auch sei er der Meinung, daß jeder für sich allein stirbt. Das Verhalten Wehners empfand er als morbid und makaber und bedachte es mit bissigen Kommentaren: »Wie ein Pfaffe sitzt er da an den Betten rum.« Oder: »Der Wehner, der ist doch so eine Mischung zwischen Pfaffen und Begräbnisunternehmer.« Dabei war einberechnet, daß solche Äußerungen den Verhöhnten erreichten. Horst Ehmke, der als Kanzleramtsminister das Verhältnis zu Wehner pflegte und häufig zum Frühstück in Wehners Siedlungsbungalow auf dem Bonner Heiderhof fuhr, versuchte vergeblich, Brandt zu bremsen: »Ich habe nie mit Willy öfter ein Thema kontrovers behandelt.«

Wieweit sich Wehner schon damals, in den Anfängen der sozialliberalen Koalition, von Brandt entfernt hatte, wurde in einem Interview deutlich, das er 1986 dem Journalisten Knut Terjung gab. Auf die Frage »Hat es eigentlich irgendwann mal Ansätze gegeben, von der einen Seite oder von Ihnen aus, die schwierige Beziehung Herbert Wehner/Willy Brandt in Ordnung zu bringen?« antwortete Wehner: »Wir haben keine. Das gibt's nicht. Ich kann nicht. Das geht nicht. Ich kenne Brandt. Ich kenne seine Art und Weise, wie er andere Leute behandelt hat, und so habe ich mich davon ferngehalten und habe weder mit ihm etwas gemacht, sondern ich habe ihn das machen lassen. Da ist überhaupt keine Fähigkeit bei mir, zu sagen, also, laß' uns jetzt Brüder werden. Das gibt's nicht.«

Wehner hielt Brandt seit je für ein politisches Leichtgewicht. Jetzt, nach dem Wahlsieg vom 19. November 1972 sah er akute Gefahren: »1973 war ein Jahr, da spielte auch eine Rolle . . ., daß man meinte, nun haben wir es ja nicht mehr so schwer und müssen nicht genau auch jede Stelle hinter dem Komma noch berechnen.« Er befürchtete, daß Brandt, vom Erfolg berauscht, seine Neigung zum politischen Höhenflug voll ausleben würde, daß die tägliche Regierungsarbeit vernachlässigt würde und daß die Linken in der Partei für ihren Wahleinsatz und ihr Wohlverhalten nun honoriert werden wollten. Schon in der Wahlnacht schmiedete er mit Helmut Schmidt Pläne, Brandt einzurahmen. Beide waren sich darin einig, daß Ehmke und Ahlers, in ihren Augen »Hofschranzen«, aus der Umgebung des Kanzlers entfernt werden müßten.

Auch der aufwendige Planungsstab im Kanzleramt – Schmidt: »Ehmkes Kinderdampfmaschine« – müsse aufgelöst werden. Schmidt mißfiel insbesondere, daß Ehmke sich gerne als Kanzler-Stellvertreter aufführte. Tatsächlich hatte Brandt seinem Kanzleramtschef das Recht eingeräumt, sich auch ohne Rücksprache auf den Kanzler zu berufen. So mahnte Ehmke den Superminister nach einem Sparsamkeitsappell Schmidts in der saarländischen Provinz: »Helmut, der Kanzler läßt dir sagen, solche Reden möchtest du bitte in Zukunft unterlassen. Das schadet der Stimmung im Lande.« Schmidt: »Ich habe nie recht gewußt, spricht hier Ehmke oder der große Manitu, der den Boten schickt.« Und: »Ich akzeptiere keine Weisungsbefugnis der Domestiken des Kanzleramtes. Das Amt soll eine Kanzlei sein, mehr nicht.«

In einem siebzehnseitigen Brief diktierte Schmidt noch in der Wahlnacht eine Reihe politischer Vorbedingungen als »Voraussetzung für meinen Eintritt ins Kabinett«. Sie betrafen Steuern, Konjunktur und Haushalt. Da er wußte, daß gemäß der Absprache mit der FDP sein Superministerium aufgelöst werden sollte, beanspruchte er nun die Erweiterung des Finanzministeriums zu einem Schatzamt, das auf die Wirtschaftssteuerung Einfluß haben sollte.

Einen halben Tag lang mochte sich Brandt am Montag nach der Wahl noch als Herr des Geschehens fühlen. »Personalentscheidungen treffe ich«, erklärte er vor dem Parteivorstand und gab als Marschroute der kommenden Koalitionsverhandlungen an, daß zuerst über Sachfragen, dann über die Regierungsstruktur und erst zum Schluß über Personalien entschieden werden sollte. Die drängelnden Genossen, die nach dem Wahlsieg mit Regierungspfründen belohnt sein wollten, suchte er auf Distanz zu halten: »Ich kann nicht alle berücksichtigen, sonst könnte ich vier Kabinette bilden. Oder wir müßten es wie in einem Ostblockstaat machen, wo jeder Minister vier Stellvertreter hat.«

Um sich Luft zu verschaffen, bot er Wehner das ehrenvolle Amt des Bundestagspräsidenten an, auf das die SPD jetzt als stärkste Fraktion Anspruch hatte. Dann wäre es möglich gewesen, den drängenden Schmidt auf den Posten des Fraktionschefs zu versetzen. Doch Wehner durchschaute Brandts Absichten, brach in Lachen aus und tat so, als sei das Angebot ein Scherz gewesen. Er schlug vor, eine Frau auf den Präsidentensessel zu setzen – es wurde dann auch Annemarie Renger. Brandt versuchte nun, Schmidt dadurch zu beschwichtigen, daß er ihn zum »ersten Minister der SPD im Kabinett« hochlobte und dies auch in einer offiziellen Parteiverlautbarung verbreiten ließ. Doch damit allein war Schmidt nicht abzuspeisen. Brandt mußte ihm auch noch seine beiden engen Mitarbeiter Ahlers und Ehmke opfern. Für Ahlers war das weiter kein Problem, er hatte sich rechtzeitig ein Bundestagsmandat verschafft. Ehmke aber erfuhr seine bevorstehende Entfernung aus dem Kanzleramt nicht von Brandt, der sich scheute, diesen Treuebruch einzugestehen, sondern von seinem Widersacher Schmidt selbst. Als er Brandt daraufhin zur Rede stellte, wich der konfliktscheue Kanzler aus: Es sei alles noch nicht entschieden.

Doch aus dem weiteren Entscheidungsablauf wurde Brandt jetzt ausgeschaltet. Schon während des Wahlkampfes hatte ihm eine Entzündung der Stimmbänder schwer zu schaffen gemacht. Jetzt bestand sein Arzt, der Bonner Universitätsprofessor Walter Becker, auf stationärer Behandlung. Sonst drohe eine bösartige Geschwulst. Daraufhin teilte Brandt der ersten Koalitionsrunde zur Regierungsbildung am Donnerstag nach der Wahl – es war der 23. November – mit, er werde in den nächsten Wochen nur bedingt zur Verfügung stehen. Im Krankenhaus erlegte ihm Professor Becker striktes Redeverbot auf – höchstens zehn Minuten am Tag dürfe er sprechen. Außerdem verbot er ihm das Rauchen. Der Nikotinentzug verstärkte Brandts depressive Stimmung und schmälerte seine Leistungsfähigkeit.

Zu einem dramatischen Zwischenfall kam es während der Operation, mit der die Stimmbänder abgeschabt werden sollten. Trotz Narkose hörte Brandt plötzlich die Ärzte über sich reden: Wegen einer Atemlähmung befand er sich in akuter Erstickungsgefahr. Er rang um Luft. Die Ärzte retteten ihn. Am nächsten Tag erblickte er beim Aufwachen in seinem Krankenzimmer das für den Notfall bereitstehende Beatmungsgerät. Gerade in der entscheidenden Phase der Koalitionsverhandlungen mußte er sich auf einen längeren Krankenhausaufenthalt einstellen.

Die offizielle Verhandlungsrunde von SPD und FDP umfaßte siebzehn Personen und war damit für ein zügiges und vertrauliches Verhandeln zu groß. Die Koalitionspartner verständigten sich auf ein kleineres Gremium. Für die FDP kamen Scheel, Genscher und Mischnick, für die SPD Wehner und Schmidt, die beiden Konspirateure der Wahlnacht. Den für ihn vorgesehenen dritten Platz wollte Brandt mit Ehmke besetzen. Er bat ihn, an den Koalitionsverhandlungen teilzunehmen. Wissend, daß Wehner und Schmidt seine Ausbootung betrieben, lehnte Ehmke ab.

Brandt versuchte nun mit schriftlichen Anweisungen vom Krankenhaus aus, die Verhandlungen zu lenken. Über Ehmke ließ er Wehner seine Direktiven zukommen, samt Kopie für Helmut Schmidt. Er erbat Vorschläge für eine Reform des Kabinetts. Das zukunftsträchtige Thema Umwelt, bisher in Genschers Innenministerium angesiedelt, sollte dem SPD-geführten Wohnungsbauministerium zugeschlagen werden. Die Gewichtung der Ministerien sollte so ausgewogen sein, daß sich die Primadonnen-Auftritte der letzten Jahre nicht wiederholten. Die Liberalen, die bereits ein viertes Ministerium für sich verlangt hatten, sollten kein weiteres klassisches Ressort erhalten. Ferner bat Brandt um Bausteine für die Regierungserklärung. Insbesondere verlangte er, daß ohne ihn keine endgültigen Absprachen getroffen würden.

Vom Krankenlager aus mußte Brandt mit steigendem Zorn beobachten, daß sein Verhandlungskonzept nicht verwirklicht wurde. Ohne von ihm autorisiert zu sein, trafen Schmidt und Wehner endgültige Absprachen. Sie gestanden der FDP als viertes Ministerium das Wirtschaftsressort zu, also ein klassisches Amt. Schmidt sicherte sich jedoch für sein Finanzministerium die Abteilung Geld, Kredit- und Währungswesen, die bisher zum Wirtschaftsministerium gehörte. Als Ausgleich für den zusätzlichen FDP-Ministerposten wurde für den aus dem Kanzleramt verdrängten Ehmke aus einer Abteilung des Bildungsressorts ein neues Technologieministerium geschaffen, dem auch die Post zugeschlagen wurde. Aufgelöst wurde kein Ressort, auch nicht das überflüssige Innerdeutsche Ministerium, das von der DDR boykottiert wurde und dessen politische Aufgaben deshalb vom Kanzleramt wahrgenommen wurden. Statt dessen wurde das Kabinett sogar noch um zwei Sonderminister ohne Portefeuille erweitert – einen für die Liberalen, einen für die Sozialdemokraten.

Erneut schickte Brandt seinen Emissär Ehmke zu Wehner. Zur Rede gestellt, warum er die Gespräche nicht im Sinne des von Brandt verfaßten Verhandlungspapiers geführt habe, heuchelte Wehner Erschrecken: »Ach, du lieber Gott, dieses Papier habe ich ja ganz vergessen.« Dann kramte er aus seiner Aktentasche das für ihn bestimmte Exemplar hervor – und auch den Durchschlag für Schmidt. Doch es war auch ein Versäumnis Brandts und ein Zeichen seines durch die psychische und physische Erschöpfung verstärkten Führungsmangels, daß er während der Verhandlungsphase Wehner und Schmidt nicht ein einziges Mal zu sich bestellte. Schmidt: »Ich habe mich darüber gewundert, er war doch nicht außerhalb Bonns. Jedenfalls habe ich mich nicht veranlaßt gefühlt, da anzurufen und zu fragen, ob ich mal eben für fünf Minuten kommen könnte. Das hätte ich ungehörig gefunden.«

Am 5. Dezember nahm Brandt, noch geschwächt und kaum imstande zu sprechen, wieder an den Koalitionsverhandlungen teil. Bei einem Krankenbesuch hatte ihm Bundespräsident Heinemann einen Rat gegeben, wie er sich durchsetzen könnte: »Da läßt man die Kerle kommen und sagt ihnen: Du wirst das und das, wie das Ressort aussieht, und gibt ihnen vierundzwanzig Stunden Bedenkzeit. Und dann kann kommen, wer seine Urkunde will.« Doch Brandts Versuch, die ohne ihn getroffenen Absprachen aufzuhalten, mißlang. Am 6. Dezember veröffentlichte die Hamburger »Welt« das Verhandlungsergebnis des Hanseaten Schmidt.

Allmählich erkannte Brandt, wie er im Gespräch mit Ehmke offenbarte, daß Schmidt und Wehner mit der Attacke auf den Kanzleramtsminister eigentlich den Kanzler treffen wollten. »Der Wehner wollte mich weghaben, und ich Idiot habe das nicht gemerkt.« In seinem Erinnerungsband »Begegnungen und Einsichten« verbrämte er diese Erkenntnis diplomatisch: »Schon der Beginn meiner zweiten Kanzlerschaft stand unter einem unglücklichen Stern. Ich mußte mich unmittelbar nach dem erschöpfenden Wahlkampf ins Krankenhaus begeben und mir den Kehlkopf kurieren lassen. Meine Abwesenheit wurde da und dort als Schwäche gesehen und genutzt. Es war auch ein Nachteil, daß ich den Kreis meiner engsten Mitarbeiter stärker veränderte, als es geboten gewesen wäre.«

Notgedrungen mußte sich Brandt eine neue Besetzung für das Kanzleramt suchen. Neuer Amtschef wurde sein Berliner Mitstreiter Horst Grabert. Um fortan Reibereien im Kabinett zu vermeiden, wurde der Posten auf den Rang eines Staatssekretärs zurückgestuft. In eine neu eingerichtete »Schreibstube« unter dem Dach des Palais Schaumburg zog als »Reden-Friseur« der Publizist Klaus Harpprecht ein. Er hatte Freude am politisch-philosophischen Sinnieren und wurde damit ein gesuchter Gesprächspartner Brandts. Egon Bahr blieb – jetzt im Rang eines Sonderministers – Unterhändler für die Folgevereinbarungen zum Grundlagenvertrag. Seine Hauptaufgabe aber war erledigt. Als Verbindungsmann zum Parlament wechselte der ehemalige Borgward-Ausbilder Karl Ravens vom Wohnungsbauministerium als Parlamentarischer Staatssekretär ins Bundeskanzleramt. Bald schon zeigte sich, daß Ehmke bei allen Schwächen, die Schmidt ihm zu Recht vorgeworfen hatte, mit seiner zupackenden Art – »Komm, Willy, jetzt muß regiert werden« – die ideale Ergänzung des kontemplativen Kanzlers gewesen war und jetzt keiner diese Rolle auszufüllen vermochte.

Die Liberalen, die während der Koalitionsverhandlungen jede Gelegenheit zu ihrem Vorteil zu nutzen verstanden, handelten Brandt jetzt auch noch das Presseamt ab. Der Kanzler hatte erwogen, dem Chefredakteur des »Spiegel«, Günter Gaus, diesen Posten anzutragen. »Spiegel«-Herausgeber Augstein, jetzt für die FDP als Abgeordneter im Bundestag, hatte Brandt vor Abwerbungsversuchen gewarnt: »Ich gebe ihn für diesen Posten nicht frei.« Weil er nun ohne Kandidat dastand, akzeptierte Brandt den Vorschlag Scheels, den bisherigen zweiten Mann des Presseamtes, Rüdiger von Wechmar, der sich 1971 der FDP angeschlossen hatte, zum Presse-Staatssekretär zu ernennen. Er schätzte von Wechmar, den er aus der Zeit kannte, als dieser das Deutsche Informationszentrum in New York geleitet hatte. Schmidt deckte von Wechmars Berufung gegen die murrenden Genossen: »Der macht nur, was er gesagt bekommt.«

Als Brandt schließlich am 15. Dezember 1972 mit seiner fertigen Mannschaft, die nahezu komplett aus der alten Riege und nur aus wenigen neuen Gesichtern bestand, beim Bundespräsidenten zur Entgegennahme der Ernennungsurkunden vorfuhr, war das einzige wirklich Originelle seine Kleiderordnung. Zur gestreiften Hose mit heller Weste trug er statt des Cutaway einen Frack. Auf den Irrtum hingewiesen, lachte er: »Ich habe den Frackaway erfunden.« Zur Vereidigung im Bundestag wurden dann schnell des Kanzlers alte Kleider geholt – der passende Cutaway.

»Gottvater einmal kräftig auf den Schlips spucken.«

DIE PARTEILINKE BEGEHRT AUF

Mit dem Wort Reform, das hatte Brandt erkannt, war er in seiner ersten Regierungserklärung etwas zu großzügig umgegangen. Seine zweite Rede sollte »kurz und griffig« sein. Über den Jahreswechsel redigierte er mit Scheel beim gemeinsamen Urlaub in einem TUI-Vertragshotel auf Fuerteventura das Manuskript. Der fertige Text konzentrierte sich auf weniger Vorhaben und nahm bereits angekündigte Projekte wieder auf. Insoweit war er tatsächlich realistischer als die erste Regierungserklärung. Doch wieder war er durchsetzt mit Passagen, die eine »Verbesserung der Lebensbedingungen der Menschen«, ein »Wachstum im Dienste des Menschen« und erneut eine »Lebensqualität« verhießen, die von guter Nachbarschaft abhänge und davon, »was die Gemeinschaftseinrichtungen zu leisten vermögen«. Und wieder wurde die sozialliberale Ära zu einer einzigartigen historischen Kraft überhöht: »Niemals lebte ein deutscher Staat in einer vergleichbar guten Übereinstimmung mit dem freien Geist seiner Bürger, mit seinen Nachbarn und den weltpolitischen Partnern.«

Als Kraftquell seiner Regierung machte Brandt die »neue Mitte«

aus, »die soziale und liberale Mitte«. In ihr sammele sich die produktive Unruhe aus den Reihen der Jugend und die Einsicht der Älteren. Der vitale Bürgergeist, der hier zu Hause sei, erkenne die neuen Schnittlinien progressiver und bewahrender Interessen. Ein »neuer Bürgertypus« habe sich herangebildet, weg vom »Bourgeois«, hin zum »Citoyen«. Brandt: »Aus der neuen, demokratischen Identität zwischen Bürger und Staat ergeben sich Forderungen. Der Bürgerstaat ist nicht bequem. Demokratie braucht Leistung. Unsere Aufgaben sind ohne harte Arbeit nicht zu erfüllen. Auch nicht ohne den Mut, unangenehme, manchmal sogar erschreckende Wahrheiten zu akzeptieren. Dieser Mut hat sich in der Deutschlandpolitik bewiesen. Auch in anderen Bereichen unserer Existenz werden wir es lernen müssen, neue Realitäten zur Kenntnis zu nehmen und uns durch sie nicht beugen zu lassen.« Hehre Worte, die bald der Alltag einholte.

Brandts neuer Elan wurde in der eigenen Behörde gebremst. Vornehm umschrieb es der Kanzler selbst: »Dem neuen Team fehlte es nicht an individueller Tüchtigkeit, aber es mangelte am Gefühl der verpflichtenden Zusammenarbeit.« Der unterbeschäftigte Bahr, als Minister ranghöher als der eigentliche Amtschef, Staatssekretär Grabert, aber ohne Weisungsbefugnis, bestand darauf, daß möglichst viele Vorlagen über seinen Schreibtisch liefen. Mit dem Auswärtigen Amt geriet er ins Gehege, als er sich auf der Suche nach neuen Operationsfeldern in die beginnenden MBFR- und KSZE-Verhandlungen einmischen wollte. Karl Ravens mochte sich nicht mit der Kontaktpflege zum Parlament begnügen, sondern sah sich zuständig für die »gesamte Innenpolitik, einschließlich der Gesellschafts- und Sozialpolitik«. Um seine Kompetenzen zu verteidigen, geizte Grabert mit seinem Herrschaftswissen und setzte nicht einmal Pressechef von Wechmar ins Bild. Sein Abschirmungsgehabe ging so weit, daß er bei Beratungen des Kanzlers mit seinem Mitarbeiterkreis Fragen nur flüsternd beantwortete. Als zur Jahresmitte 1973 Günter Gaus mit dem Rang eines Staatssekretärs als designierter Bevollmächtigter der Bundesregierung in Ost-Berlin ins Kanzleramt zog, um sich auf seine Aufgabe vorzubereiten, vergrößerte sich der Wirrwarr noch. Bei Grabert versuchte Gaus, in die Delegation Bahrs aufgenommen zu werden, der mit der DDR die Einzelheiten über die Errichtung der Ständigen Vertretung aushandelte. In einem erregten Gespräch wies Grabert ihn darauf hin, daß es ganz und gar unpassend sei, wenn der erste Leiter der Vertretung in eigener Sache verhandele.

Der Kompetenzwirrwarr und Graberts mangelnde politische Übersicht führten zu immer neuen Pannen. Wichtige Beratungen mußten wieder abgesagt werden, weil keine entscheidungsreifen Ressortvorlagen auf dem Kabinettstisch lagen. Brandt mußte – Folge terminlicher Fehlplanungen – auf einer Pressekonferenz über Fragen der Steuerreform Rede und Antwort stehen, obwohl das Kabinett erst Stunden später seine Beschlüsse faßte. Statt sich zu bemühen, die Abläufe zu verbessern, ging Grabert auf Urlaub, selbst wenn innenpolitisch heikle Themen anstanden, oder unternahm Spritztouren wie die kostenlose Teilnahme an einem einwöchigen Aeroflot-Eröffnungsflug von Frankfurt über Sibirien nach Tokio. Vergeblich suchte Brandt ihn davon abzubringen: »Du, Horst, willst du da wirklich mitfahren?« Grabert: »Ja, sicher, Willy.« Pressechef Wechmar mochte nicht länger erst aus Zeitungen erfahren, was die Regierung plante, und drohte Brandt schon im September 1973 mit seiner Demission.

Bald herrschte unter den Ministern, Schmidt ausgenommen, die Überzeugung, daß mit dem Wechsel von Ehmke/Ahlers zu Grabert/Wechmar »die beiden Ursünden der Regierungsbildung im Herbst 1972« begangen worden waren. Brandt sehnte sich nach Ehmkes Zeiten zurück. Er rief den neuen Technologieminister immer häufiger an und beklagte sich über das Chaos im Palais Schaumburg. Ehmkes Antwort: »Willy, du kannst dich nicht bei deinem alten Kanzleramtschef über die neue Mannschaft beschweren.«

Zum Durcheinander in der Regierungszentrale gesellten sich für den Parteiführer Brandt die neu auflebenden Auseinandersetzungen mit der SPD-Linken. Nach dem Wahlsieg sahen sie die Zeit gekommen, sozialistische Politik durchzusetzen. Hatte Brandt nicht mit Sätzen wie »mehr Demokratie wagen« eine Systemveränderung legitimiert? Die Parteiführung hatte die gesellschaftspolitische Diskussion bisher durch die Einsetzung einer Kommission unter Kontrolle gehalten, die ein »Langzeitprogramm« erarbeiten sollte. Den Vorsitz hatte Helmut Schmidt, zu seinen Stellvertretern gehörte der Parteilinke Jochen Steffen. Das ehrgeizige Papier sollte den finanziellen Rahmen einer gemäßigten sozialdemokratischen Reformpo-

416

litik bis 1985 abstecken und damit die allzu schwärmerischen Reformer in den eigenen Reihen auf den Boden der wirtschaftlichen Tatsachen zurückholen. Unfreiwillig hatten die Parteioberen damit die Linke ermuntert, über die Änderung des wirtschaftlichen Systems nachzudenken, um hochgesteckte Reformziele doch noch erreichen zu können.

Die Parteilinken interpretierten die Arbeit in der Kommission bald als Auftrag zu einer neuen Grundsatzdiskussion, die über das Godesberger Programm hinausführen sollte. Um sich größeren Einfluß zu sichern, organisierten sie sich bundesweit im »Frankfurter Kreis«. Parallel dazu entstand als Zusammenschluß linker Bundestagsabgeordneter der »Leverkusener Kreis«. Als Speerspitze der Parteilinken verstanden sich nach wie vor die Jungsozialisten. Sie standen unter dem starken Druck einer radikalen Minderheit, der »Stamokap«-Fraktion. In Übernahme der ursprünglich auf Lenin zurückgehenden Theorie vom staatsmonopolistischen Kapitalismus, die zu Beginn der siebziger Jahre in der DDR wiederbelebt worden war, verfochten sie die These, der Staat sei nur ein Handlanger der Monopole, er habe keine Macht, eine wirkliche, die Gesellschaft verändernde Reformpolitik zu treiben. Monatelang berichteten Presse, Funk und Fernsehen über diese Auseinandersetzungen, die im Grunde nur der Kampf zweier Minderheiten ohne großen Einfluß in der Partei waren. Das Bürgertum, insbesondere die »neue Mitte«, sah sich in alten Sorgen und Ängsten bestätigt. Bald sorgte sich auch die SPD-Führung, zumal eine der Folgen war, daß die Freien Demokraten sich als Systembewahrer profilieren konnten.

Vom Podest des Nobelpreisträgers und Wahlsiegers herab hatte der SPD-Chef monatelang die Richtungskämpfe in der Partei und die verstärkte Gruppenbildung mit der ihm eigenen Passivität verfolgt. Herbert Wehner witterte dagegen schon die Selbstzerstörung der Partei, die sich vom 10. bis 14. April 1973 zu ihrem nächsten Parteitag in Hannover treffen wollte. Aus Enttäuschung über Brandts Untätigkeit kündigte er seinen Rücktritt als Partei-Vize an und schob »persönliche Gründe« vor. Die Folgen dieses Entschlusses wogen schwer. Wehner war nicht länger mehr in die Disziplin der Parteiführung eingebunden und konnte als Fraktionsvorsitzender selbständig handeln. »Ich will mich freier bewegen«, sagte er einem Journalisten. Zum Nachfolger nominierte Brandt den nordrhein-westfälischen Ministerpräsidenten Heinz Kühn, einen Mann, der gerne Dienstreisen nach Madagaskar machte und nach Wehners Einschätzung denkbar ungeeignet für die Aufgabe war, die Partei auf Vordermann zu bringen.

Eine Flut von linken Anträgen brach in den Wochen vor Hannover über den Parteivorstand herein. Die Richtung wies der Antrag Nr. 32 der Jusos des SPD-Bezirks Westliches Westfalen: »Das Ziel der Parteiarbeit der Jungsozialisten ist die Umwandlung der heutigen SPD in eine konsequent sozialistische Partei, die ihre Rolle als Grenzträger kapitalistischer Herrschaft verliert und sich die Bedingung ihres Handelns weder vom Monopolkapital noch von dessen politischer Agentur, der CDU/CSU, diktieren läßt.« Gleichzeitig brachten die Herausforderer von links über ein Drittel der Delegierten für Hannover durch und kündigten den Sturm auf die sechsunddreißig Vorstandssitze an. Jochen Steffen (»Ich bin Marxist!«) rief zur öffentlichen Denkmalsschändung an Willy Brandt auf: »Wir müssen Leute in den Parteivorstand schicken, die den Mut haben, Gottvater auch einmal kräftig auf den Schlips zu spucken!«

Drei Wochen vor dem Parteitag ging Brandt auf Kollisionskurs. Plötzlich drohte er mit dem Rücktritt vom Parteivorsitz, wenn in Hannover Beschlüsse gefaßt würden, die »im Widerspruch stehen zu dem, wofür ich mit anderen die breite Zustimmung der Wähler gefunden habe«. Die Rücktrittsdrohung war die Peitsche. Das Zuckerbrot gab es gleich doppelt. Schmidts Langzeitprogramm, das allzu konformistisch geraten war, wurde einer neuen Kommission überwiesen, die unter anderem die Notwendigkeit von Investitionskontrollen untersuchen und prüfen sollte, »wo . . . eine Überführung der Produktionsmittel in Gemeineigentum zweckmäßig ist«. Außerdem signalisierte die Parteiführung die Bereitschaft, eine Reihe der Vorstandsposten den Linken zu überlassen.

Der Ablauf des Parteitages zeigte dann, wie übertrieben die Aufregung in den Wochen zuvor gewesen war. Mit einer selbstbewußten Rede wies Brandt das Parteivolk in die Schranken. Seine Hauptsorge: Die Koalition mit der FDP dürfe nicht leichtfertig aufs Spiel gesetzt werden. Kämpferisch sagte er: »Was soll das auch für eine revolutionäre Gesinnung sein, die in erloschene Vulkane pustet. Sie wirbelt nur Staub auf.« Er zog seine eigene Biographie heran, um das Elitäre der neuen akademischen Linken bloßzustellen: »Ich könnte – aber das gehört nicht hierher – am persönlichen Schicksal darstellen, was zum Weg des Arbeiterjungen gehört, der hier zu Ihnen spricht und der keinen Nachholbedarf hat, wenn es um einen proletarischen Adelsnachweis geht.«

Seine unangefochtene Position zeigte das Wahlergebnis. Er erhielt 404 von 428 Stimmen – ein einmaliges Resultat. Auch sein Kandidat für die Wehner-Nachfolge, NRW-Ministerpräsident Heinz Kühn, wurde gewählt, wenn auch mit deutlichem Abstand. Vom linken Flügel rückten zehn Kandidaten in den sechsunddreißigköpfigen Vorstand. Sie feierten das Ergebnis als Erfolg, doch zugleich waren sie damit domestiziert. Die aufrührerischen Anträge waren durch eine geschickte Parteitagsregie mit eigenen Entschließungen der Parteiführung überlagert worden oder gingen als Material an die Langzeitkommission. Für Aufsehen sorgte ein einziger Beschluß, der auf einen Antrag des linken Bezirks Hessen-Süd zurückging und die Abschaffung des »Gewerbes zur Vermittlung von Grundstücken und Wohnungen« forderte. Diese Arbeit sollten kommunale Vermittlungsstellen übernehmen, deren Ineffizienz den Älteren aus der Zeit der Wohnungszwangswirtschaft noch bekannt war. Dieser Anti-Makler-Beschluß machte nur als Kuriosum Parteigeschichte. Es folgte nie eine Gesetzesinitiative im Bundestag. In großen Teilen der Öffentlichkeit aber wurde er als Beginn einer sozialistischen Politik gebrandmarkt. Er verprellte die gerade gewonnenen Mittelständler. Überdies sorgten die Jusos weiter für Konfliktstoff und profilierten sich auf Kosten der Gesamtpartei.

Wichtigster Garant für den jahrzehntelangen Dauererfolg von Adenauers CDU war deren heimliche Koalition mit allen großen gesellschaftlichen Verbänden in der Bundesrepublik gewesen. Ob Handwerker oder Mittelstand, Kirchen oder Kapital, Bauern oder Vertriebene – sie alle fühlten sich in der Union geborgen. Der Preis, den die Christdemokraten zahlten, war der Verzicht auf systematische Reformen und auf Grundsatztreue. Unausgesprochenes Ziel des ideologisch verwässerten Godesberger Programms der SPD war es, dieses Erfolgsmodell zu kopieren. Jetzt aber betrieb die Parteiführung unter dem Druck der Linken eine populistische Politik, die zur Abschreckung der neuen Wähler führte. Den Beamten sollten die Ortszuschläge gestrichen werden, in einer Aktion »Gelber Punkt« sollten Einzelhändler als Preistreiber und Inflationsschuldige angeprangert werden. Auf dem folgenden Parteitag in Mannheim brachten die Jungsozialisten die Idee vor, Gehälter über fünftausend Mark abzuschaffen.

Die Parteiführung unter Brandt war nicht in der Lage, die Konfliktstrategie der Linken unter Kontrolle zu bringen. So kam es, daß viele Bevölkerungsgruppen in der SPD wieder etwas unwägbar Bedrohliches sahen. Die alte CDU-Taktik, den »demokratischen Sozialismus« des politischen Gegners in die Nähe östlicher Zwangsregimes zu rücken, fiel erneut auf fruchtbaren Boden. Da half auch nicht, daß die Sozialdemokraten in einer Frage konsequent blieben und ihre klassische Linie durchhielten – bei der Trennung von Kommunisten: Stamokap-Anhänger wurden ausgeschlossen.

Die Kritik der Parteilinken richtete sich gegen die Gesellschafts- und Innenpolitik der Regierung. Die Person des Kanzlers wurde zumeist ausdrücklich ausgenommen, insbesondere deshalb, weil seine Ostpolitik bei den Linken entschiedenen Zuspruch fand.

»Sind Sie denn ein Geheim-Sozialist?«

INNENPOLITIK

Das Jahr 1973 brachte Brandt noch einmal für kurze Zeit den Glanz des erfolgreichen Ostpolitikers. Vom 18. bis 22. Mai stattete Leonid Breschnew der Bundesrepublik seinen Gegenbesuch ab. Damit kam zum erstenmal nach Kriegsende ein sowjetischer Parteichef an den Rhein. Er residierte oberhalb Bonns im alten Hotel Petersberg, das in der Nachkriegszeit Amtssitz der Hohen Kommissare gewesen war. Der Besuch wurde mit großem Zeremoniell gefeiert – »Willy Brandt gönnte sich und der Republik ein historisches Schauspiel«, schrieb der »Spiegel«.

Während Breschnew Politiker und Industrielle für deutsch-sowjetische Großprojekte zu gewinnen suchte, konzentrierte Brandt seine Bemühungen auf die volle Einbeziehung West-Berlins in die Verträge mit der Bundesrepublik. Hier stießen sowjetische und deutsche Interessen aneinander. In der Sicht des Ostens sollte die

420

Halbstadt möglichst wenig mit der Bundesrepublik verknüpft sein, um die Option auf spätere andere Lösungen offenzuhalten. Das Berlin-Abkommen von 1971 war von der Bundesregierung auch deshalb als Erfolg propagiert worden, weil es angeblich die Anbindung West-Berlins an den Bund garantierte. Tatsächlich war diese Anbindung nur durch »Kann«-Bestimmungen geregelt und mußte in jedem Einzelfall neu vereinbart werden. Breschnew fand sich unter der Drohung Brandts, der feierliche Besuch werde ohne Kommuniqué zu Ende gehen, zu der Erklärung bereit, daß »die strikte Einhaltung und volle Anwendung« des Berlin-Abkommens für die Entspannung notwendig sei. Der erhoffte Durchbruch aber, das zeigte sich in den nächsten Jahren, war dies nicht.

Vier Wochen nach Breschnews Bonn-Visite trat der Grundlagenvertrag mit der DDR in Kraft. Der Bundestag hatte schon am 11. Mai dem Abkommen zugestimmt. Brandt erlebte den Triumph, daß das von der Opposition angerufene Bundesverfassungsgericht am 31. Juli 1973 feststellte, der Vertrag sei mit dem Grundgesetz vereinbar. Damit war auch das letzte Hindernis genommen. Die Erleichterung war um so größer, als der Gerichtsentscheid schwer kalkulierbar gewesen war. Horst Ehmke hatte die Anspannung der Koalition erkennen lassen, als er die Einleitung des Verfahrens mit den Worten kommentierte: »Wir lassen uns doch nicht von den acht juristischen Arschlöchern in Karlsruhe unsere Ostpolitik kaputtmachen.«

Verbunden mit dem Grundlagenvertrag war die Absprache über die Aufnahme beider deutscher Staaten in die Vereinten Nationen. An dem Gesetz, mit dem der Bonner Beitritt beschlossen werden sollte, zerbrach die politische Karriere Rainer Barzels. Er war nicht in der Lage, in der CDU/CSU-Fraktion seine Empfehlung durchzusetzen, die Opposition solle dem UNO-Beitritt zustimmen, und trat daraufhin als Fraktions- und wenig später auch als Parteivorsitzender zurück. Im Fraktionsamt folgte ihm Ex-Staatssekretär Karl Carstens, im Parteiamt der Mainzer Ministerpräsident Helmut Kohl. Die Bundesrepublik wurde am 18. September 1973, einen Tag nach der DDR, als 134. Staat in die UNO aufgenommen. Brandt trat schon am 26. September vor dem Plenum in New York auf. In seiner Rede, die mit einer Darstellung seiner Außenpolitik begann, sprach er die Probleme der Dritten Welt und der dort herrschenden strukturellen Gewalt an – sein Leitmotiv der achtziger Jahre: »Not ist

Konflikt. Wo Hunger herrscht, ist auf die Dauer kein Friede. Wo bittere Armut herrscht, ist kein Recht. Es gibt Gewalttätigkeit durch Duldung, Einschüchterung durch Indolenz, Bedrohung durch Passivität, Totschlag durch Bewegungslosigkeit. Das ist eine Grenze, an der wir nicht stehenbleiben dürfen, denn sie kann die Grenze zwischen Überleben und Untergang sein.«

Mit dem UNO-Beitritt waren die nach dem Zweiten Weltkrieg geächteten Deutschen wieder Mitglied der internationalen Staatengemeinschaft geworden. Da nun auch die deutsche Frage kein ungeregeltes Problem mehr war, entfiel die Negativrolle der Bundesrepublik und der DDR als Störenfriede der Ost-West-Politik. Die Nachkriegsgeschichte der Deutschen ging damit zu Ende; zugleich erlosch der Kalte Krieg, dessen Hauptkampfplatz die beiden Teile Deutschlands geworden waren.

Im September 1973 veröffentlichte die »Süddeutsche Zeitung« eine Karikatur zur Bonner Lage. Ein griesgrämiger Brandt besteigt im Diplomatenfrack einen verrotteten Schaufellader mit der Aufschrift »Innenpolitik«, die Schaufel voller Steine. Aus einer blitzsauberen Mercedeslimousine – Aufschrift: »Außenpolitik« – winkt ihm der jetzt allein chauffierende Scheel mit dem Daumen nach oben Glück zu. Brandt hatte sich vorgenommen, nach erfolgreichem Abschluß der ersten Phase seiner Ost- und Deutschlandpolitik mit neuem Elan das Thema Innere Reformen anzupacken. Fraktionschef Wehner forderte diese Verlagerung der Regierungsaktivität immer dringlicher ein. An einen Dialog mit dem Kanzler erinnert er sich so: »Ich habe versucht, in Gesprächen mit ihm herauszufinden, ob er eigentlich ein Sozialist sei. Ich habe ihn gefragt: ›Wir haben jetzt außenpolitisch einiges ins Rollen gebracht, die Innenpolitik aber steht dringend an. Wo ist das Konzept, wie, welche Meinung gibt es über die Krankenkassenreform oder die Vermögensbildung? Sind Sie denn ein Geheim-Sozialist?‹« Das »Sie« stellte die höchstmögliche Form der Distanzierung dar.

Der neue Leiter der Planungsabteilung im Kanzleramt, Albrecht Müller, lieferte auftragsgemäß einen Fahrplan der Reformen, die bis zum Ablauf der Legislaturperiode zu schaffen seien. Er kam auf vierundfünfzig Projekte. Tatsächlich konnte die Regierung Brandt/ Scheel entgegen ihrem Ruf auch auf dem Gebiet der Innenpolitik eine positive Bilanz vorweisen. Ihr Elan war so groß, daß der konservative Politikwissenschaftler Hans-Peter Schwarz sich entsetzte: »Die Sozialdemokraten haben das bürgerliche Deutschland umgekrempelt.« Im Rückblick ist nichts mehr von den aufgeregten Widerständen zu spüren, gegen die viele der Reformen durchgesetzt werden mußten – weil sie heute längst geltendes Recht sind und weil die Befürchtung, die Republik werde in sozialistischem Chaos versinken, nicht eingetroffen ist.

Im Bereich der sozialen Sicherung arbeitete die Regierung am erfolgreichsten. Mit dem Rentenreformgesetz wurde eine Mindestrente garantiert, die Rentenversicherung für Selbständige und Hausfrauen geöffnet und die »flexible Altersgrenze« eingeführt. Die Leistungen der Krankenversicherung wurden angehoben und ausgeweitet. Das Kindergeld wurde erhöht und von der Einkommensbindung befreit. Mit dem neuen Betriebsverfassungsgesetz wurde die Mitbestimmung am Arbeitsplatz ausgebaut. SPD und FDP verständigten sich auf ein neues Mitbestimmungsmodell für Großunternehmen, das allerdings der Arbeitnehmerseite keine völlige Gleichberechtigung im Aufsichtsrat brachte. Durch ein neues Mietrecht wurden der Kündigungsschutz verbessert und der Mietanstieg begrenzt. Das Vermögensbildungsgesetz verdoppelte die »vermögenswirksamen Leistungen«. Das Demonstrationsrecht wurde entschärft und, als bewußter Verzicht des Staates auf Rache gegenüber den Demonstranten von 1968, eine Amnestie für Demonstrationstäter erlassen. Der Landfriedensbruch-Paragraph wurde auf diejenigen beschränkt, die sich nachweislich an Gewalttätigkeiten beteiligten. Auch das Haftrecht wurde entschärft. Die einheitliche Freiheitsstrafe wurde eingeführt, das Zuchthaus wurde abgeschafft.

Das Sexualleben der Bürger wurde erstmals als Privatsache anerkannt. Der Porno-Paragraph wurde gestrichen, der berüchtigte Paragraph 175, der Homosexualität unter Strafe stellte, auf den Schutz von Minderjährigen eingeengt. Durch die Reform des Paragraphen 218 wurde die Abtreibung innerhalb der ersten drei Monate erleichtert. Brandt hielt sich in dieser Frage abseits: »Ich bin gegen eine Auflockerung des Paragraphen 218 – aus sehr persönlichen Gründen.« Das Familienrecht wurde umfassend reformiert. Wichtigster Punkt war das neue Scheidungsrecht, das anstelle des Schuldprinzips das Zerrüttungsprinzip einführte. Mit dem Thema Umwelt schließlich, das Brandt schon Anfang der sechziger Jahre aus den USA importiert hatte, wurde eine Lawine losgetreten, die in der zweiten Hälfte der sozialliberalen Ära dem Brandt-Nachfolger Helmut Schmidt das Regieren schwermachte. Erste Umweltmaßnahmen der Regierung Brandt waren die Gesetze zur Begrenzung des Fluglärms, zur Einschränkung des Bleigehaltes im Benzin, zur verbesserten Reinhaltung der Luft und zur Abfallbeseitigung.

Anfangs schien es, als würden die Grundideen dieser Reformansätze – die Humanisierung der Arbeitswelt, die Verbesserung der Lebensqualität und die Emanzipation des Menschen – zum Kitt der »neuen Mitte«. Eine Koalition von Sozialdemokraten und Liberalen, Hochschulprofessoren und Schriftstellern, Kirchenleuten, Gewerkschaftern und hin und wieder sogar problembewußten Christdemokraten bildete sich heran und wurde so etwas wie eine außerparlamentarische Sympathisantenbewegung. Der gesellschaftliche Erneuerungswille schien von unbändiger Kraft.

Um so größer war die Enttäuschung, als die tatsächlichen Ergebnisse der zahlreichen Reformgesetze eher begrenzt waren. Brandt trug daran Mitschuld. Er hatte durch die Vielzahl seiner Ankündigungen, die oft ins Visionäre gingen, den Erwartungshorizont zu hoch gesetzt.

Manche Reformvorhaben gerieten aber auch durch einen Wertewandel im öffentlichen Bewußtsein zu Negativposten. Das Städtebauförderungsgesetz machte aus einer Altstadtsanierung eine Kahlschlagsanierung. Mit öffentlichen Mitteln gebaute Trabantenstädte wurden nun als Wohnghettos empfunden. Der Bau neuer Autobahnen und Straßen galt bald als Landschaftszerstörung. Das Prunkstück des Energiekonzepts der Regierung Brandt, der Schnelle Brüter von Kalkar am Niederrhein, gilt heute als Symbol einer verfehlten Politik und eines hybriden Fortschrittsglaubens. Der Ausbau der Hochschulen und die Reform der Schulmodelle führten zwar zu mehr Arbeiterkindern an den höheren Schulen und Universitäten, aber auch zu einem akademischen Proletariat ohne Aussicht auf Anstellung im angestrebten Beruf.

Zum Negativurteil über die innenpolitischen Leistungen der Brandt-Ära tragen auch die markanten Reformruinen bei: das Berufsbildungsgesetz, das durch Unternehmerabgaben eine qualifizierte Ausbildung der Lehrlinge sichern sollte; die Vermögensbildung, die Arbeitnehmer am Produktivvermögen der Unternehmer beteiligen sollte; das Bodenrecht, mit dem Spekulationsgewinne vereitelt werden sollten; die Steuerreform, die mehr Steuergerechtigkeit und Überschaubarkeit bringen sollte. Brandt später: »Kein Ruhmesblatt.« Um Fehlurteilen über seine innenpolitische Leistungsbilanz entgegenzuwirken, schrieb er nach seinem Rücktritt als erstes ein Buch über Fragen der Innenpolitik. Titel: »Über den Tag hinaus«.

Die meisten Reformvorhaben sollten durch steigende Steuereinnahmen finanziert werden, die die Regierung von einer unverändert wachsenden Wirtschaft erwartete. Die wirtschaftspolitische Entwicklung des Jahres 1973 aber zerstörte dieses Kalkül. Die Geldentwertung blieb das Sorgenkind auch der zweiten Regierung Brandt. Eine heißlaufende Konjunktur und neue Dollarzuflüsse, die für Investitionen genutzt wurden, trieben die Inflationsrate auf acht Prozent im Mai 1973. Mit zwei Aufwertungen der Mark und einem Stabilitätsprogramm – Abschöpfung höherer Einkommen, Investitionssteuer, eingeschränkte Abschreibungsmöglichkeiten, Einsparungen im Etat – versuchte die Bundesregierung gegenzusteuern. Finanzminister Schmidt meinte, für weitere Reformmaßnahmen werde es keinen Spielraum mehr geben, da die Steigerung des Etats von der Geldentwertung »nahezu aufgefressen werden dürfte«. Eine weitere Verschlechterung der Situation kündigte sich mit der für den Herbst bevorstehenden Tarifrunde an. Schon hatte die IG Metall mit den Stahlproduzenten von Nordrhein-Westfalen wegen der hohen Inflationsrate einen Lohnzuschlag vereinbart. Wilde Streiks überall im Land – wochenlang blieb der Müll auf den Straßen – waren Vorboten eines heißen Herbstes.

Bereits seit Ende Mai 1973 waren die Fluglotsen in einen als »Dienst nach Vorschrift« getarnten Bummelstreik getreten, der bis in den November hinein andauerte. Abertausende von Reisenden blieben insbesondere während der Urlaubsmonate auf ihren Koffern sitzen und beschimpften die Regierung, die nicht in der Lage war, diese Zustände zu beenden. Der im Sommer 1973 eingesetzte Untersuchungsausschuß in der Affäre Wienand/Steiner kratzte weiter am Ansehen der Regierung. Der moralisch unangreifbare Friedenskanzler wurde auf einmal mit dem zum Rücktritt gezwungenen US-Präsidenten Nixon verglichen – »Watergate in Bonn« übertitelte der »Spiegel« die Berichterstattung über den Abgeordnetenkauf durch die SPD.

Die wirtschaftlichen Schwierigkeiten und der rapide Imageverfall der Regierung kennzeichneten auch die nächsten Monate. Nach der Niederlage Ägyptens und Syriens im Jom-Kippur-Krieg gegen Israel im Oktober 1973 entdeckten die arabischen Staaten das Erdöl als Waffe. Sie erhöhten drastisch die Rohölpreise und drosselten die Produktion. Jede Konjunktursteuerung war damit hinfällig. Die Deutschen erlebten einen Kulturschock. Ihr liebstes Spielzeug, das Auto, wurde plötzlich aus dem Verkehr gezogen. An vier Sonntagen im November/Dezember 1973 erließ die Regierung ein Fahrverbot und demonstrierte damit weiter Hilflosigkeit. Die Ölkrise verursachte 1974 Mehrausgaben von siebzehn Milliarden Mark bei einem um sechs Prozent gesunkenen Energieverbrauch. Schon zur Jahreswende 1973/74 zeichnete sich eine Rezession bei steigender Arbeitslosigkeit ab.

»Prost auf deinen großen Chef.«

KANZLER-SCHELTE

Willy Brandt schien die Niederungen der Tagespolitik nicht mehr wahrzunehmen. Er stand entrückt auf dem Denkmalssockel des Friedenskanzlers, seine Parteifreunde nannten ihn bereits »Gottvater« oder »Zeus«. Dazu paßte seine veränderte Physiognomie. Tiefe Kerben hatten sich in sein Gesicht gegraben, die Unbeweglichkeit seiner Züge nahm etwas Maskenhaftes an. Rolf Zundel von der »Zeit« fühlte sich an das Indianergesicht Konrad Adenauers erinnert. Plötzlich konnte Brandt in tiefes Schweigen fallen, sein Blick ging ins Weite. Diejenigen, die ihn nicht so gut kannten, sahen darin die Überhöhung des Politikers zum Stoiker. Dazu paßte die Gelassenheit, mit der er im Juni 1973, während seines Staatsbesuchs in Israel, auf einen für ihn lebensgefährlichen Zwischenfall reagierte. Nach der Landung auf der alten Felsenfestung Masada erfaßte eine Bö seinen Hubschrauber und trieb ihn langsam auf den Abgrund zu.

Seine Begleiter stürzten in panischer Angst ins Freie. Er aber machte keine Anstalten auszusteigen. Kurz vor den Klippen kam der Helikopter zum Stehen.

Brandts engere Mitarbeiter aber merkten zunehmend, daß die Abgehobenheit des Kanzlers zu Lasten der Regierungsarbeit ging. Entscheidungen wurden aufgeschoben, Termine nicht wahrgenommen. Die Konservierung seines Nachruhmes hatte jetzt für Brandt Vorrang vor dem politischen Tagesgeschäft. Bahr und Gaus, zu einem Meinungsaustausch über die drohenden Tarifkonflikte in den Kanzler-Bungalow gebeten, mußten eine Stunde lang warten, weil Brandt im Nebenzimmer verfolgte, wie Klaus Harpprecht mit einem Kreis von Autoren einen Band mit Kanzlerreden in seine Schlußform brachte. Schließlich ging Bahr hinüber und sagte: »Willy, komm jetzt, du wolltest doch mit uns reden.«

Erst recht ein Mann wie Wehner, dem keine persönlichen Sympathien den kritischen Blick trübten, sah die sich häufenden Fehlleistungen Brandts. Dessen Entrücktheit hielt er für Abschlaffen. Er erkannte in der Führungsschwäche des Kanzlers eine vierfache Gefahr: Erstens sei die politische Handlungsfähigkeit der SPD »als der die Koalition führenden Partei ... dabei, gelähmt zu werden«. Linke und rechte Sozialdemokraten würden sich bundesweit wie zwei gegnerische Parteien befehden. Die SPD aber könne man nicht »durch Vorlagen führen«. Wehners Fazit: »Alles verkommt.« Zweitens könne die FDP als Juniorpartner die Malaise der SPD nutzen und sich auf deren Kosten profilieren, wobei sie die Reformprojekte Mitbestimmung, Vermögensbildung und Bodenrecht blockiere. Punkt drei: Der Bestand der sozialliberalen Regierung sei auf Dauer in Frage gestellt. Brandt beschwöre die Gefahr herauf, »daß alles unter ihm wegbricht«. Viertens schließlich, und für Wehner entscheidend: Der Erfolg der Ostpolitik werde durch kleinliches und rechthaberisches Taktieren der Bonner Regierenden gefährdet.

Wehner, dem zunächst Brandts Ost- und Deutschlandpolitik angesichts der schmalen Mehrheit zu riskant erschienen war, hatte sich rasch zu einem kämpferischen Anwalt des Verständigungskurses gemacht und die Ostpolitik durch harten Einsatz, so beim Mißtrauensvotum, gerettet. Nun sah er sie durch Egon Bahr gefährdet. Der hatte in den Verhandlungen über den Grundlagenvertrag die alte, seit 1962 geübte Praxis beenden wollen, politische Häftlinge der DDR freizukaufen; er strebte statt dessen eine Quoten-Regelung an. Für ihn gehörte das zur Normalisierung der Beziehungen. Auch ließ er sich von der DDR-Regierung zusichern, sie werde »im Zuge der Normalisierung der Beziehungen nach Inkrafttreten des Vertrages Schritte zur Lösung von Problemen, die sich aus der Trennung von Familien ergeben, unternehmen«. Als Gesamtdeutscher Minister der Großen Koalition hatte Wehner in dem Häftlingsfreikauf und in der Zusammenführung von Familien seine eigentliche Aufgabe gesehen und sie mit viel Energie und persönlicher Anteilnahme betrieben. Die Kontakte liefen über den Ostberliner Anwalt Wolfgang Vogel, einem engen Vertrauten Honeckers. Jetzt sah der SPD-Fraktionschef durch Bahrs Formel eine bewährte Praxis beendet. Wehner: »Brandt und Bahr wollen die Nation. Aber sie wollen für die Nation nicht damit bezahlen, daß sie Gefangene retten und Familien zusammenführen.«

Tatsächlich stoppte die DDR nach der Unterzeichnung des Grundlagenvertrages die Ausreisegenehmigungen. Wehner bat Anwalt Vogel, ihm ein persönliches Gespräch bei Honecker zu arrangieren. Am 31. Mai 1973 kam die Begegnung in Honeckers Wochenendhaus in der Schorfheide bei Berlin zustande. Wehner reiste, begleitet von Tochter Greta, mit dem eigenen Wagen an. Nach einem mehrstündigen Vier-Augen-Gespräch stieß am Nachmittag auch der FDP-Fraktionsvorsitzende Mischnick dazu. Honecker sagte zu, die alte Regelung werde neben Bahrs neuen Absprachen fortbestehen. Erst eine Stunde vor seiner Abreise hatte Wehner Brandt informiert. Im Parteivorstand gab er anschließend lediglich ein allgemeines Resümee seiner Gespräche. Als ihn mehrere SPD-Vorständler wegen seines Alleingangs rügten, verteidigte Brandt ihn nicht. Später erreichten den Kanzler aus Moskau Nachrichten, daß Wehner öfter mit Honecker zusammengetroffen sei.

Seit Sommer 1973 konzentrierte sich Wehners Unmut auf die Art und Weise, mit der die Regierung und prominente Sozialdemokraten die Belastbarkeit des Berlin-Abkommens testen wollten. Bundestagspräsidentin Renger und Berlins Bürgermeister Schütz verlangten volles Stimmrecht für die Berliner Abgeordneten, eine alte Forderung aus Brandts Berliner Zeit. Dann profilierte sich Genscher sowohl als Umweltpolitiker wie als Berlin-Anhänger, indem er die Einrichtung eines Bundesumweltamtes in Berlin propagierte.

Schließlich versuchte AA-Staatssekretär Frank, in das Abkommen mit der Tschechoslowakei über die Normalisierung der gegenseitigen Beziehungen eine Berlinklausel einzubauen. Der Beamte wollte dem Amateur Bahr beweisen, wie man wasserdichte Verträge aushandelt. Doch Prag war letztlich nicht bereit, die gewünschte Klausel in den Vertragstext aufzunehmen. Wehner machte Brandt für diese Entwicklung verantwortlich: Es genüge nicht, in Moskau und Warschau nur »Autogramme zu sammeln« und den Rest der Ostpolitik dann der Administration des Auswärtigen Amtes zu überlassen. In Interviews warnte er vor einem »Draufsatteln« beim Berlin-Abkommen und vor der »Gefahr eines Ausgelaugtwerdens« der Verträge; und er mokierte sich über die Berlin-Sitzungen der Bundestagsfraktionen im gerade wiederhergestellten Reichstagsgebäude, die für ihn nichts als »öde Demonstrationen« waren.

Als seine Bonner Mahnungen – »Ich will doch keine Haufen legen, ohne noch einen Einfluß zu nehmen, welche Fliegen sich darauf setzen« – ungehört verhallten, entschloß sich Wehner zu einem spektakulären Auftritt. Er nutzte bei der Reise einer Bundestagsdelegation in die Sowjetunion vom 24. September bis 2. Oktober 1973 die Aufmerksamkeit, die er als ehemaliger kommunistischer Moskau-Emigrant bei den Journalisten fand, um von hier aus der Brandt-Regierung die Leviten zu lesen. In der Sache ging seine Kritik auch gegen Scheel. Wehner: »Das Viermächteabkommen ist nun einmal die Rechtsgrundlage. Wenn einige dieses Abkommen zu unterlaufen und zu schädigen suchen, dann mache ich da nicht mit.« Dann nahm er den Kanzler persönlich an: »Der Herr badet gern lau – so in einem Schaumbad.« Die »Nummer eins« sei »entrückt« und »abgeschlafft«. In Bonn fehle ein Kopf, der die Ost- und Deutschlandpolitik koordiniere. In der Berichterstattung des »Spiegel« wurde daraus – und Wehner nahm es gelassen hin –: »Was der Regierung fehlt, ist ein Kopf.«

Wehner betrieb die Kanzler-Schelte systematisch. Zum erstenmal sammelte er die Journalisten in der Residenz des deutschen Botschafters in Moskau um sich. Dann vertiefte er die Kritik auf der nächsten Station in Kiew. Im Speisesaal des Hotels Kiew zieh er die Bundesregierung vor versammelter Journalistenschar des Hochmuts und bescheinigte Brandt generelle Unfähigkeit: »Ich habe diese Regierung nie für eine Regierung gehalten. Auch nicht deren

Vorgängerin.« Diesmal hatte er die beiden Abgeordneten Mischnick (FDP) und von Weizsäcker (CDU) dazugebeten. Weizsäcker entrüstete sich über Wehners Stil: »Das kann man doch nicht machen.«

Die dritte Station der Kanzler-Beschimpfung war die Bar im zehnten Stock des Delegationshotels in Leningrad. Zuerst einmal wurde Mischnicks zweiundfünfzigster Geburtstag gefeiert, ehe Wehner zum Thema kam. Diesmal durften ost- und westdeutsche Touristen mithören. Wehner war schon informiert über den Wirbel, den er im politischen Bonn verursacht hatte, und kommentierte die Reaktion: »Ich hatte erwartet, daß bei Gelegenheit dieser Reise von allen Seiten auf mich eingestochen würde.« Auch den Rückflug nutzte er, um seine Philippika gegen Brandt und seine Regierung fortzusetzen.

Als Wehner seine Angriffe in der Sowjetunion startete, hatte Brandt gerade seinen großen Auftritt in Amerika. In New York hielt er seine Rede vor der UNO, führte ein Gespräch mit UNO-Generalsekretär Kurt Waldheim und empfing eine Auszeichnung durch die »University in Exile« für den ehemaligen Emigranten. Als nächstes hielt er vor dem »Council on Foreign Relations« in Chicago eine Rede über seine Außen- und Friedenspolitik. Von dort ging es weiter nach Colorado Springs, wo er eine Auszeichnung des Aspen-Instituts entgegennehmen wollte. Während des Fluges wurde ihm die erste Meldung von Wehners Angriffen gereicht. Sein Gesicht wurde aschfahl. Nachts im Hotel erreichte ihn ein Anruf von Fraktionsgeschäftsführer Wienand. Der hatte vorab mit Wehner in Moskau telefoniert und sich über den Wahrheitsgehalt der einlaufenden Presseberichte vergewissert. Brandt hörte Wienand schweigend zu. Am nächsten Tag, es war der 29. September, reiste er auf eine telefonische Bitte seines Staatssekretärs Grabert vorzeitig nach Bonn zurück.

In seiner Wohnung auf dem Venusberg hatte Brandt gleich nach der Rückkunft ein Gespräch mit Grabert. Der riet zu harten Gegenmaßnahmen. Er habe schon eine Bundeswehrmaschine bereitstellen lassen, um Wehner sofort aus der Sowjetunion zurückzuholen und zur Rechenschaft zu ziehen; sowie er deutschen Boden erreichen würde, müsse er zurücktreten. Grabert war überzeugt, daß Wehner einer Rückholorder seines Parteivorsitzenden folgen würde: »Wehner wäre, weil er ein disziplinierter Sozialdemokrat war, in diese Maschine eingestiegen und wäre zurückgetreten.« Auch Brandt hatte in der ersten Wut über Wehner gesagt, »der Kerl« müsse weg. Jetzt scheute er vor der offenen Konfrontation zurück und ersann ein anderes Züchtigungsmittel: »Ich werde ihn eisern anschweigen.« Sein Vertrauter Bahr empfahl, nichts gegen Wehner zu unternehmen: »Willy, nimm es nicht so ernst.« Im nachhinein meint Bahr: »Das war ein Fehler von mir.«

Wahrscheinlich war es das nicht. Denn selbst wenn Wehner – was keineswegs sicher war – dem Rückruf gefolgt wäre, hätte Brandt nach Überzeugung des damaligen SPD-Bundesgeschäftsführers Börner in der Fraktion Wehners Rücktritt nicht durchsetzen können. Börner: »Keiner konnte den anderen ausmanövrieren. Das ist eine völlige Verkennung der Gewichte.« Brandt beließ es bei harschen Worten im Kreise von Vertrauten. Wehner sei unzurechnungsfähig, in dem Ex-Kommunisten sei die »Romantik der Jugendzeit« wieder durchgebrochen. Ehefrau Rut fragte verwundert: »Warum hast du deine Amerikareise abgebrochen, wenn du den Kerl dann doch nicht kippen willst?«

Als Wehner nach Ablauf seines Programms aus der Sowjetunion zurückkehrte, bot Ehmke an, den Fraktionschef am Flughafen abzufangen und ihm den Rücktritt nahezulegen. Doch Brandt winkte ab. Später schrieb er die Erkenntnis nieder: »Wer sich in der politischen Führung nicht rechtzeitig zu wehren weiß, kommt unter die Räder.« Statt durch einen Gesandten des Kanzlers wurde der Moskau-Heimkehrer von seinem Vertrauten Karl Wienand und dem SPD-Schatzmeister Alfred Nau in Empfang genommen. In dem Moment wußte er, daß er gewonnenes Spiel hatte. Am Abend rief er Ehmke an und bat ihn auf ein Glas mitgebrachten Wodkas in sein Büro. Als sie die Gläser hoben, meinte er ironisch zu seinem Gast: »Prost auf deinen großen Chef.« Zuvor schon hatte er mit Brandt in dessen Dienstvilla ein Vier-Augen-Gespräch geführt. Wehner: »Es gab kein gutes Wort.« Und: »Ich habe eine Zurechtweisung bekommen.« Anderntags, am 3. Oktober, sah sich Brandt im Bundestag allerdings gezwungen, Wehner gegen Verdächtigungen des CDU/CSU-Fraktionsvorsitzenden Carstens in Schutz zu nehmen: »Ich streite in diesem Augenblick nicht um diese oder jene Formulierung, sondern sage: So können Sie nicht mit einem Mann umgehen, den die Sorge um Deutschland umtreibt, der sich um Berlin und um die Menschen in diesem Deutschland verdient gemacht hat.«

Nun hatte Wehner beides von Brandt bekommen, was er so gern mochte: erst Rügen, dann den Balsam der Solidarität im Bundestag. Die Attacken von Carstens erwiesen sich für ihn parteiintern als nützlich. Jetzt war er unangreifbar, als der Parteivorstand zu einer Beratung über seine Moskauer Reise zusammenkam. Wehner nahm keine seiner Äußerungen zurück. In einer einstimmig angenommenen Erklärung gelang es den Vorständlern, Brandt und Wehner gemeinsam abzufeiern: »Der Parteivorstand stellt fest, daß durch die vielfältigen außenpolitischen Gespräche der letzten Wochen und durch die Bundestagsdebatte die Richtigkeit der Ostpolitik der Bundesregierung erneut eindrucksvoll bestätigt worden ist.«

Kurz darauf revanchierte sich Wehner für Brandts Verteidigung im Bundestag. In einer Etatdebatte am 26. Oktober sagte er über Brandt: »Die geschichtliche Bedeutung und das Vertrauen zu einem solchen Mann, die dürfen nicht beeinträchtigt und dürfen nicht bestritten werden.« Nun, als die Sache halbwegs wieder eingerenkt war, kam es zu einer weiteren Aussprache der beiden. Sie dauerte fast vier Stunden. Wehner: »Beim Gute-Nacht-Sagen habe ich dem Bundeskanzler gesagt, ich bäte ihn, es noch einmal mit mir zu versuchen. Er hat meiner Bitte nicht widersprochen, jedenfalls hat er sie nicht abgelehnt.« Zum sechzigsten Geburtstag Brandts schickte Wehner einen sehr persönlichen Glückwunsch: »Dank Willy Brandt! Und es sei erlaubt, Dank Deiner Mutter!« Es wurde dennoch ein unerfreuliches Geburtstagsfest. Brandt: »Ich spürte, daß die Luft, in der ich zu wirken hatte, dünner geworden war.«

Seit dem Spätsommer war auch Vizekanzler Scheel auf Distanz gegangen. Wohl in der Absicht, die SPD bei sozialistischen Träumereien zu disziplinieren, hatte Scheel im Garten seines Hauses vor einer Journalistenrunde über die Vergänglichkeit von Koalitionen philosophiert. Jedes Bündnis habe nur einen begrenzten Vorrat an Gemeinsamkeiten, und irgendwann würden die Probleme überhand nehmen, die man nicht mehr gemeinsam lösen könne. Scheel: »Nach meinem Verständnis von Demokratie wäre es richtig, wenn die beiden Koalitionspartner dann Arm in Arm vor ein Mikrophon treten würden und sagten: ›Wir haben das Beste getan, wir haben auch Erfolge gehabt, aber jetzt stimmen wir in vielen Dingen nicht mehr überein, wir wollen uns friedlich trennen, und wir begeben uns getrennt voneinander auf die Suche nach einer Mehrheit, die in der Lage ist, die jetzt drängenden Probleme zu lösen.‹« Scheel heute: »Es sollte ein Warnschuß sein.«

Für seine Person war Scheel zum Abschied von Brandt schon vor Aufbrauch der Gemeinsamkeiten entschlossen. Der Streß der ersten Jahre sozialliberaler Koalition hatte bei ihm zu einer ständigen Neubildung von Nierensteinen geführt. Nach der vierten Operation sagte sein Arzt: »Da hilft nur ein Berufswechsel.« Eine gute Chance bot sich im Herbst 1973, als der 74jährige Gustav Heinemann ankündigte, er werde im nächsten Jahr nicht wieder für das Amt des Bundespräsidenten kandidieren. Scheel meldete gegenüber Wehner und Brandt seine Absicht an, die Heinemann-Nachfolge anzustreben. Nur falls Brandt selber kandidiere, würde er verzichten. Tatsächlich spielte Brandt kurze Zeit mit dem Gedanken einer eigenen Kandidatur, dann aber befand er, daß er zu jung sei. Er vergab so die Chance eines ehrenvollen Abgangs – ähnlich wie Kanzler Adenauer 1959. Aus der Spitzengarnitur seiner Partei mochte ihm niemand zuraten, um sich nicht dem Verdacht auszusetzen, Brandt solle aus dem Kanzleramt fortgelobt werden.

Zugleich versäumte Brandt es, seinem Vize klarzumachen, daß die FDP das Auswärtige Amt oder das Innenministerium räumen müsse, wenn sie das Präsidentenamt besetze. Scheel hatte bereits Innenminister Genscher als neuen Außenminister avisiert. Mit seinem Versäumnis büßte Brandt bei der eigenen Partei Punkte ein. Die Aussicht auf einen Außenminister Genscher machte ihn auch persönlich verdrossen. Der FDP-Mann hatte sich in der Vergangenheit als »Bedenkenträger« gegen die Ostpolitik hervorgetan.

Scheels Desertion, Wehners Moskauer Schelte und die unklare Linie der Regierung nach dem Ölpreis-Schock ließen das Ansehen Brandts in der Öffentlichkeit rapide absinken. Fast jede Zeitung gebrauchte in Würdigungsartikeln zu seinem runden Geburtstag im Dezember 1973 das Wort »Führungsschwäche«. Der »Spiegel« veröffentlichte ein Titelblatt, auf dem Brandts Kopf als überdimensioniertes, in die Wolkendecke ragendes Betondenkmal mit zahlreichen Verwitterungsrissen erschien. Dazu die Zeile: »Kanzler in der Krise«. Freund Günter Grass warf in einem Fernseh-Statement, das der SPD-eigene »Vorwärts« nachdruckte, der sozialliberalen Regierung »schlafmützigen Trott« vor. In einem Artikel für den »Stern« schrieb der Schriftsteller, vor Brandt stehe die Aufgabe des Innenpolitikers – »ob er das schafft, weiß ich nicht«. Umfragezahlen wiesen aus, daß die Zufriedenheit mit Brandts Politik von 57 Prozent im Jahr 1972 auf jetzt 38 Prozent abgestürzt war. Über den nur zwei Jahre zuvor hochgeehrten Friedensnobelpreisträger kursierten jetzt hämische Witze: Frage: Wo wohnt Willy Brandt? Antwort: Zwischen Wahn und Pech (Wahn ist der Bonner Regierungsflughafen, Pech ein Politiker-Vorort bei Bonn). Oder: Warum lernt der Kanzler jetzt Griechisch? Weil er mit seinem Latein am Ende ist.

Brandt suchte die Schuld bei anderen. Verärgert nannte er den »Spiegel« ein »Scheißblatt«. Seinen bisherigen Freund Scheel schimpfte er nun eine »miese Koofmich-Seele«. Scheel revanchierte sich in einer Büttenrede bei der Entgegennahme des »Ordens wider den tierischen Ernst«. Er verspottete Brandts Entscheidungsschwäche mit dem Gag: »Man hat Brandt mal vorgeworfen, er täte immer das, was ich will. Das macht nichts. Ich will ja auch immer das, was er tun sollte.«

»Das war der Anfang vom Ende.«

KANZLERDÄMMERUNG

In der für seine Regierung prekären Situation zur Jahreswende 1973/74 wurde Kanzler Brandt von der eigenen Gefolgstruppe, den Gewerkschaften, unter Druck gesetzt. Die anstehende Tarifrunde wurde vom öffentlichen Dienst eingeleitet. Hier galten, anders als im industriellen Bereich, keine marktwirtschaftlichen Kriterien. Die Gewerkschaft Öffentliche Dienste, Transport und Verkehr (ÖTV) verlangte eine Lohnerhöhung von fünfzehn Prozent, eine überzogene Forderung angesichts der laufenden Stabilitätsprogramme und der Situation der öffentlichen Haushalte nach dem Ölschock. Die Forderung war um so folgenschwerer, als der ÖTV in dieser Lohnrunde die Schrittmacherrolle für die anderen Gewerkschaften zugefallen war.

»Wir brauchen die Kraft der Vernunft« – mit diesem Satz appellierte Brandt am 24. Januar 1974 im Bundestag an die Arbeitnehmerorganisationen und verband seine Autorität mit dem Ausgang der Tarifverhandlungen. Zweistellige Tariferhöhungen würden die Geldentwertung beschleunigen; schon eine Absicherung der Realeinkommen auf ihrem bestehenden hohen Niveau wäre jetzt »kein Rückschritt«. Doch der bullige ÖTV-Chef Heinz Kluncker nutzte die Vorzugsstellung seiner Gewerkschaft zur Selbstprofilierung und zum Ausbau der Führungsrolle der ÖTV gegenüber dem Konkurrenzverband Deutsche Angestellten-Gewerkschaft (DAG). Es kam zu Warnstreiks, dann ab Februar 1974 zu bundesweiten Arbeitsniederlegungen. Busse und Bahnen fuhren nicht mehr, Müllkutscher und Postler steckten die Hände in die Taschen, in den Krankenhäusern arbeitete nur noch ein Notdienst. »Bin ich eigentlich der Chef einer pleite gegangenen Firma?« schimpfte Brandt.

Der SPD-Kanzler hatte eine Einheitsfront der öffentlichen Arbeitgeber zusammengeschweißt, die auf keinen Fall zweistellige Lohnerhöhungen zugestehen wollten, zuletzt aber immerhin 9,5 Prozent boten. Die Kommunen waren die ersten, die durch die Streiks weichgeklopft wurden und der ÖTV nachgaben. Schließlich setzte Kluncker auch beim Bund eine Lohnerhöhung von elf, mit Nebenleistungen sogar über dreizehn Prozent durch – Brandt hatte das Duell mit dem ÖTV-Chef verloren.

Im gleichen Maße, in dem Brandts Renommee sank, sah Helmut Schmidt seine Chancen steigen, doch noch Bundeskanzler zu werden. Er ließ in diesen Krisenmonaten keine Gelegenheit aus, Brandt zu beschädigen. Im Tarifkonflikt hatte er als Finanzminister seinen Kanzler auf unbedingte Härte verpflichtet. Im entscheidenden Moment aber war er in Washington. »Ist unser U-Boot wieder aufgetaucht?« fragte der alleingelassene Brandt vor einer Kabinettssitzung Horst Ehmke. Schmidt meldete sich schließlich übers Telefon und beschied den ratsuchenden Brandt, er richte sich nach dem, was der Kanzler entscheiden werde – was immer es auch sei.

Im Kabinett führte Schmidt den Kanzler mehrfach vor. Brandt hatte Mitte November 1973 eine ganztägige Sondersitzung seines Kabinetts einberufen, um über den deutschen Beitrag zum geplanten Regionalfonds der Europäischen Gemeinschaft zu beraten, mit dem strukturschwache Regionen unterstützt werden sollten. Alle Minister beteiligten sich an der Diskussion, nur der eigentlich geforderte Finanzminister schwieg den ganzen Tag und arbeitete Akten auf. Schließlich fragte ihn Brandt direkt: »Helmut, wie hoch stellst du dir denn unseren Beitrag vor?« Schmidt: »Na, also, so für die nächsten drei Jahre je fünfzig Millionen Mark.« Brandt sah diese geringe Summe als bewußte Provokation an, klappte wieder einmal seine Arbeitsunterlagen zu und sagte: »Auf der Basis hat es keinen Zweck, daß wir hier weiterreden.« Später als Kanzler vereinbarte Schmidt in Brüssel eine deutsche Zahlung von 1,5 Milliarden Mark jährlich. Dieselbe Taktik wandte Schmidt an, als das Kabinett einen westdeutschen Großkredit an Polen beriet, der die stockende Ausreise von Deutschstämmigen wieder in Gang bringen sollte. Er sperrte sich. Als Kanzler räumte er im August 1975 seinem neuen Freund, dem polnischen Parteichef Edward Gierek, Zahlungen von 2,3 Milliarden Mark ein.

Vor den Kameras der ARD übte Schmidt dann auch öffentlich Kritik an Brandt. Er verpackte sie in Empfehlungen an den Kanzler. Erst einmal müsse nachgedacht und überlegt werden, wieso die sozialliberale Koalition in einem Formtief sei: »Welches waren die Fehler, die man gemacht hat? Und welche von diesen Fehlern sind vermeidbar für die Zukunft?« Schmidt riet zu einer Regierungsumbildung: »Drei Minister auswechseln, wegen meiner fünf oder wegen meiner sieben oder zwei«; doch er fügte gleich hinzu: »Aber eine Regierungsumbildung allein könnte möglicherweise bloß ein Trick sein. Es muß schon ein bißchen tiefer gehen, als ein paar Personen auszuwechseln.«

Auch dem Parteivorsitzenden Brandt machte er Vorhaltungen. Anlaß bot die Hamburger Bürgerschaftswahl vom 3. März 1974, in der die SPD über zehn Prozent an Stimmen einbüßte. Schmidt rügte, die Partei sei »zu lax« gewesen bei der Aufnahme neuer Mitglieder nach der Studentenrevolte und bei der Duldung von deren »Zurschaustellung«. Er wetterte gegen das »Kauderwelsch der halbfertigen Akademiker« und betonte, »daß die SPD der achtziger Jahre im Kern nicht aus jungen Soziologen und jungen Politologen und jungen Volkswirten besteht, sondern aus Arbeitnehmern, denn sonst würde sie nämlich gar nicht mehr bestehen«. Über Brandts Begriff der »neuen Mitte« mokierte er sich – er habe ihn nicht »vom Stuhl gerissen«. Die Mitte seien die Wechselwähler, die jetzt von der SPD durch ihr äußeres Erscheinungsbild Gruppe für Gruppe vergrault würden. Auch den Wahlsieg von 1972 machte er Brandt madig: Er

436

sei nicht durch »unsere Programmatik«, sondern durch ein »glückliches Zusammentreffen von Dingen« und die »personale Emotionalisierung zugunsten des Bundeskanzlers« errungen worden.

Hilflos und vor allem tatenlos registrierte Brandt die Putschversuche Schmidts. Bei einer von ihm geleiteten Sitzung mit Bundesbankern versank er in tiefes Brüten und sprach stundenlang kein Wort. Ein Teilnehmer registrierte »einen Anfall von Autismus«. Immer öfter sinnierte er über seinen Rücktritt. »Ich muß das ja nicht machen, ich muß ja nicht Kanzler sein«, sagte er Mitte Dezember 1973 resignierend. Acht Wochen später, nach der Niederlage gegen Kluncker, fragte er Vertraute, ob es nicht klüger sei, jetzt zurückzutreten. »Ihr laßt mich doch alle alleine«, beklagte er sich und erlebte dann, daß auch sein Favorit, Bildungsminister Klaus von Dohnanyi, ihm indirekt mangelnde innenpolitische Kompetenz bescheinigte. Dohnanyi forderte die Berufung eines »innenpolitischen Stellvertreters im Kabinett«. In der Presse wurde daraus der Ruf nach einem »Nebenkanzler der inneren Reformen«.

Gegen Schmidt raffte sich Brandt noch einmal zu einer matten Zurechtweisung auf. Er sei erschüttert, so erklärte er in einer Parteivorstandssitzung am 8. März 1974, daß in den eigenen Reihen nach einem starken Regierungschef gerufen werde, man es ihm zugleich aber unmöglich mache, Stärke zu zeigen. So zum Beispiel, indem man die Frage der Kabinettsumbildung an ihm vorbei präjudizieren wolle. Das sei unerträglich. »Vier Jahre hat Willy den Gottvater gemacht, jetzt macht er den Gekreuzigten«, streute anschließend ein Parteigänger Schmidts unter Journalisten aus. Unter dem Vorwand, er wolle »erstaunliche Dinge, die ich angeblich am 8.3.1974 im PV [Parteivorstand] gesagt haben soll«, richtigstellen, ließ Schmidt dann seine massiven Anklagen gegen Brandt in der Bundestagsfraktion verteilen.

Waren Brandts Resignationserscheinungen nur Ausdruck der üblichen, periodisch zur Herbst- und Winterzeit auftretenden Depressionen? Klaus Schütz meinte, man solle das nicht ernst nehmen, er kenne diese Tiefs schon seit über zehn Jahren. Und er schien recht zu behalten. Zum Frühlingsanfang 1974 raffte Brandt sich wieder auf. Im Kanzleramt wollte er Ordnung schaffen und den Versager Grabert durch Egon Bahr ersetzen. Die Parteilinken wies er am 2. April in einer Zehn-Punkte-Erklärung in die Schranken: Die Partei sei »kein Debattierclub«; eine »Doppelstrategie«, die aus der SPD eine andere Partei machen wolle, dürfe es nicht geben. Und: »Sozial-demokratische Entschlossenheit bedeutet, die Mitte zu behaupten.« Der Basis versicherte er in einem Rundschreiben: »Die Partei hat wieder Tritt gefaßt.« Als neues Arbeitsprogramm gab er den Sozial-demokraten vor: »Arbeit in Bund, Ländern, Gemeinden straffen, auch personelle Schwächen erkennen und – ohne Mißachtung menschlicher Rücksichtnahmen – erforderliche Veränderungen treffen.« Mit neuem Elan griff er in den Wahlkampf von Nieder-sachsen ein; der ihn begleitende »Spiegel«-Reporter Hermann Schreiber registrierte: »Die Lage war noch nie so ernst. Und der Kanzler schon lange nicht mehr so lustig.« Mit Wehner verabredete er sich zu zwei weiteren Vier-Augen-Gesprächen. Spötter Ehmke beschrieb die Wirkung dieser Begegnungen auf den Fraktionschef: »Onkel Herbert läuft rum wie eine Jungfrau, die zum erstenmal ge-küßt worden ist.«

Als Verbündeter Schmidts fiel Wehner jedenfalls vorübergehend aus. In mehreren Gesprächen mahnte er gemeinsam mit SPD-Vize Kühn den vorlauten Finanzminister sogar zur Disziplin. Brandt nahm in der Fraktion wieder direkt neben Wehner Platz – seit dessen Moskauer Auftritt hatten sie zwei Stühle Abstand gehalten, um ihre Entfremdung zu demonstrieren. Bundesgeschäftsführer Börner sah das Ziel bereits erreicht: »Wer jetzt meint, noch daneben raustanzen zu können, der hat entsprechende Konsequenzen zu gewärtigen.«

Daß Brandt schon fünf Wochen nach diesem Energieschub am 6. Mai 1974 zurücktrat, hat sicherlich auch damit zu tun, daß sein per-sönlicher Referent als DDR-Spion entlarvt wurde. Aber nicht nur. Horst Grabert datiert den Beginn der Kanzlerdämmerung auf Weh-ners Moskauer Auftritt im September 1973 und Brandts lasche Re-aktion darauf. Grabert: »Das war der Anfang vom Ende.« Für Holger Börner war Brandt seit dem Duell mit Kluncker angezählt. Nach dem zweistelligen Tarifabschluß orakelte er im Telefongespräch mit Brandt: »Das hält deine Regierung nicht durch.« Walter Scheel bringt Brandts Ende mit den permanenten Attacken seiner politi-schen Gegner in Verbindung, die ihn »in einen dauernden Anklage-zustand versetzt« und »seine Moral und seine ethischen Grundla-gen« in Frage gestellt hätten.

Brandt selbst bietet eine Reihe von Erklärungen. Zuerst: Wehner

habe ihn verraten. Weil das aber bedeutet hätte, daß er sein Verblei-
ben im Amt von der Haltung eines Mannes abhängig machte, den er
kurz vorher noch hatte rausschmeißen wollen, ließ er dieser ersten
Version in seinem Buch »Über den Tag hinaus« eine staatsmännische Variante folgen: das Bekenntnis zur umfassenden politischen
Verantwortung. Er veröffentlichte eine Tagebuchnotiz vom 29.
April 1974 nach einem Gespräch mit Ehmke und Grabert: »Mir beginnt klarzuwerden, daß ich weit über das von mir zu Vertretende
hinaus Verantwortung übernehmen muß.« Weitere Jahre später, in
einem »Spiegel«-Gespräch vom 14. Mai 1984, brauchte er – als SPD-
Chef wieder hochgeachtet – diese Verbrämung nicht mehr, sondern
konnte sich nun dazu bekennen, auch psychisch am Ende gewesen
zu sein. Im Zusammenhang mit der Guillaume-Affäre habe er eine
Neuauflage der Kampagnen von 1961 und 1965 über seine Herkunft, seine Emigration, seine politischen Motive und auch sein Privatleben befürchtet. Er wäre gejagt worden, wäre seines Lebens
nicht mehr froh geworden. »War man selbst, um zusätzliche Bela-
stungen durchzustehen, noch gut genug in Form? Das wird von einigen meiner besten Freunde bezweifelt, von mir auch.« Doch ganz
aufs Persönliche mochte er seine Entscheidung dann doch nicht reduziert wissen. Die Depressionen seiner letzten Kanzlertage seien
»in erster Linie« darin begründet gewesen, »daß ich schon 1973 sah,
die Entspannungspolitik werde nicht so laufen, wie sie 1970, '71, '72
angelegt worden war; sondern, daß sie ganz rasch wieder umkippte
durch Entwicklungen in Washington und Moskau«.

In jedem Fall: Willy Brandt ist über Willy Brandt gestürzt. Er
finde den Rücktritt »out of proportions«, hatte ihm sein einstiger
Mitstreiter Karl Schiller spontan nach dem 6. Mai 1974 geschrieben,
und als sich beide wenige Wochen später begegneten, vertraute ihm
Brandt an: »Wenn ich in besserer Verfassung gewesen wäre, hätte
ich das wohl durchgestanden.«

»Ich will nicht so schmählich abtreten.«

GUILLAUME-AFFÄRE

Der letzte Akt der Kanzlerdämmerung begann am 24. April 1974. Brandt, gerade von einer Nahostreise zurückgekehrt, wurde schon auf dem Flughafen von Staatssekretär Grabert informiert, daß Günter Guillaume, Brandts persönlicher Referent, verhaftet worden sei. Er habe bereits gestanden, Agent gewesen zu sein, und sich als »Hauptmann der NVA«, der Nationalen Volksarmee der DDR, zu erkennen gegeben. Er habe gebeten, entsprechend der Haager Landkriegsordnung behandelt zu werden.

Guillaume, geboren am 1. Februar 1927, hatte ein deutsches Schicksal erlebt. Sein Vater, ein SS-Mann, hatte ihn noch 1944 in die NSDAP gebracht. Der Volksschüler verteidigte als Flakhelfer die Heimatfront und schlug sich nach Kriegsende als Fotograf durch. 1949 wurde er von der Ostberliner Politischen Polizei mit dem Druckmittel seiner NSDAP-Mitgliedschaft als Perspektivagent angeworben und bekam eine Anstellung als Redakteur beim Verlag »Volk und Wissen«, der zeitweilig als Tarnorganisation für Agenten diente. Nach sechs Jahren Ausbildung meldete sich Guillaume, ein mittelgroßer Mann von gedrungener Gestalt, 1956 zusammen mit Ehefrau Christel als Flüchtling in West-Berlin. Er wurde sofort nach Frankfurt ausgeflogen. Dort machte er ein Schreibbüro auf, arbeitete als kaufmännischer Angestellter in einer Baufirma, führte einen Einzelhandelsladen seiner Schwiegermutter und versuchte sich als freiberuflicher Werbefotograf und Journalist. 1957 trat er der SPD bei und arbeitete sich in kleinen Schritten nach oben: Geschäftsführer des SPD-Unterbezirks Frankfurt und später der SPD-Fraktion der Main-Metropole; 1968 Mitglied der Frankfurter Stadtverordneten-Versammlung; ein Jahr später von Georg Leber zum Wahlkreisbeauftragten ernannt. Er empfahl sich durch Einsatzeifer und Organisationstalent, aber auch durch seine politische Ausrichtung. Dem von den hessischen SPD-Linken attackierten Leber stand er als Juso-Fresser zur Seite. Ehefrau Christel hatte es mittlerweile zur Sekretärin in der Wiesbadener Staatskanzlei gebracht und stieg später zur Sachbearbeiterin in der hessischen Landesvertretung in Bonn auf.

Nach der Bundestagswahl 1969, als die Regierungspartei SPD größeren Personalbedarf hatte, gelang Guillaume der Sprung nach Bonn. Herbert Ehrenberg, Leiter der wirtschaftspolitischen Abteilung im Kanzleramt und zuvor Gewerkschaftsfunktionär in Frankfurt, machte ihn zum Hilfsreferenten, der die Verbindung zu den Gewerkschaften pflegen sollte. Einen Einwand des Personalrats, daß Guillaume als Nicht-Akademiker unterqualifiziert sei, wischte Kanzleramtschef Ehmke beiseite. Er wollte in das mit konservativen Beamten besetzte Kanzleramt Leute seiner Partei holen und dabei nicht nur Akademikern, sondern auch Außenseitern eine Chance geben.

Bei zwei routinemäßigen Sicherheitsüberprüfungen Guillaumes fanden Hinweise der Geheimdienste auf verdächtige Umstände keine Beachtung. Georg Leber fand allein die Tatsache, daß sein Schützling überprüft wurde, anstößig und versicherte Brandt: »Für den lege ich meine Hand ins Feuer.« Egon Bahr, der aus seiner Berliner Karriere den Spionagehintergrund des Verlages »Volk und Wissen« kannte, schrieb dennoch am 30. Dezember 1969 einen Vermerk an Ehmke: »Selbst wenn Sie einen positiven Eindruck haben, bleibt ein gewisses Sicherheitsrisiko – gerade hier.« Karl-Otto Pöhl, der im Mai 1971 Ehrenbergs Abteilung übernahm, legte sich mit Guillaume an. Anlaß war, daß dieser ständig im Vorzimmer Pöhls herumsaß und mit dessen Sekretärin flirtete. Pöhl wies ihn zurecht: »Herr Guillaume, wenn Sie sich mal mit meiner Sekretärin treffen wollen, dann machen Sie es außerhalb der Dienstzeit.«

Nach der Wahl 1972 wurde Guillaume als persönlicher Referent dem Kanzler zugeteilt. Brandts Urteil über ihn: »In technischer Hinsicht ein guter ›Adjutant‹. Wegen einer von mir oft als peinlich empfundenen Enge seiner geistigen Interessen war er für mich kein politischer Gesprächspartner, aber das war ja auch nicht seine Funktion.« Ende Mai 1973 meinte Brandt zu Grabert: »Weißt du, ich würde doch gerne den Guillaume auswechseln. Der wird lästig. Sieh doch mal zu, daß du ihn irgendwo unterbringst.« Grabert reiste nach diesem Gespräch aus privaten Gründen nach West-Berlin.

Einen Tag nach seiner Abreise, am 29. Mai 1973, informierte Innenminister Genscher den Kanzler von aufsehenerregenden neuen Erkenntnissen über seinen Referenten. Er präsentierte einen Bericht des Verfassungsschutz-Chefs, Günther Nollau, wonach es schwerwiegende Hinweise gab, daß Guillaume ein DDR-Agent sei. Das Beweismaterial sei für eine Überführung vor Gericht aber noch nicht ausreichend. Nollau habe vorgeschlagen, Guillaume an seinem Arbeitsplatz zu belassen und weiter zu observieren. Brandt willigte ein. Er schlug Genscher vor, Guillaume solle ihn auf seinen Sommerurlaub in Norwegen begleiten. Nach Rücksprache mit Nollau – eine Variante, die dieser später bestritt – gab Genscher dazu grünes Licht. Von Genscher um absolute Vertraulichkeit gebeten, informierte Brandt nur seinen Bürochef Wilke und den zurückgekehrten Staatssekretär Grabert, zog aber weder Ehmke noch Bahr ins Vertrauen. Nollau dagegen weitete den Kreis der Mitwisser aus. Er unterrichtete am 4. Juni 1973 Wehner, der gerade vom Besuch bei Honecker zurückgekehrt war.

Die Tatsache, daß sich der Kanzler der Bundesrepublik als Lockvogel einspannen ließ – in Absprache mit dem für Verfassungsschutz zuständigen Innenminister –, erwies sich später als »Kardinalfehler« (Grabert). Zum damaligen Zeitpunkt hielt Brandt im Gespräch mit seinem Amtschef das Risiko allerdings für gering: »Da ist ja sowieso nichts dran.« Auch die Observation des Verfassungsschutzes erbrachte nichts. Immer wieder fragte Grabert nach Kabinettssitzungen den Innenminister: »Was ist nun? Wie lange soll das noch gehen?« Genscher konnte keine Antwort geben.

Vom 2. bis 30. Juli 1973 machte Brandt in seinem Sommerhaus in Hamar bei Oslo Ferien. Mit dabei waren Günter und Christel Guillaume. Außerdem bezog in der Nachbarschaft die »Stern«-Journalistin Wibke Bruhns Quartier, um eine Reportage über den Urlaub des Kanzlers zu schreiben. Sie lud die Familien Brandt und Guillaume zu einem Abendessen ein. Die Tatsache dieser exklusiven Beziehung löste bald die wildesten Spekulationen aus. Über die Urlaubsnähe von Guillaume zu Brandt machten sich die Sicherheitsbehörden hingegen nicht allzuviel Gedanken. Nollau notierte in sein Tagebuch: »Wir überlegen, ob wir die Observation in Norwegen fortsetzen sollen. Wir könnten das in Zusammenarbeit mit dem norwegischen Dienst organisieren, entschließen uns aber, darauf zu verzichten. Erstens könnte ein Observationsteam in der Nähe von Brandts Urlaubsquartier auffallen. Zum anderen scheint uns die Wahrscheinlichkeit, daß Guillaume sich in der Urlaubsgegend mit seinen Auftraggebern trifft, sehr gering.«

Weder Nollau noch Grabert taten irgend etwas, um den Zugang Guillaumes zu möglichen geheimen Telegrammen zu verhindern. Und auch Brandt unternahm nichts. Gehilfe Guillaume bediente die in einem Nebengebäude untergebrachte Telex-Maschine. Er riß die ankommenden Fernschreiben ab, setzte seine Paraphe darauf und gab sie an Brandt weiter. Die CDU/CSU behauptete später, Guillaume habe geheime Dokumente, unter anderem über die Nuklearplanung der NATO, einsehen können. Der damalige Außenminister Scheel allerdings meint, das einzige von relativem Belang seien Fernschreiben gewesen, die er nach Gesprächen mit US-Präsident Nixon und dessen Sicherheitsberater Kissinger von Washington nach Hamar geschickt habe. Diesen direkten Telex-Kontakt habe er vor seinem USA-Flug bei einem Abstecher in Hamar – »der Hubschrauber landete auf einer Wiese, wir mußten zwischen Kuhfladen hindurchhüpfen und über einen Stacheldrahtzaun klettern« – mit Brandt vereinbart. Doch auch von seinen eigenen Fernschreiben sagt Scheel: »Alle diese Dinge sind viel harmloser, als man sich denkt. Das wird ja alles viel zu hoch bewertet.«

Erst am 1. März 1974 entschieden Brandt und Genscher, trotz magerer Observationsergebnisse den Generalbundesanwalt einzuschalten. Nollau fürchtete schon persönliche Konsequenzen. Am 24. April 1974, dem Tag der Verhaftung Guillaumes, notierte er in sein Tagebuch: »Wenn Guillaume nicht überführt werden kann, ist meine Position gefährdet.« Guillaumes Geständnis nach der Festnahme brachte den Verfassungsschützer aus seiner Verlegenheit. Die Schwierigkeiten für Brandt fingen erst richtig an.

Brandts erste Reaktion war tiefe Enttäuschung darüber, daß einer seiner Mitarbeiter zu einem Verrat an ihm fähig gewesen war, und daß er sich so hatte täuschen können: »Das gehört zu meinen neuen deprimierenden Erfahrungen in puncto Menschenkenntnis.« Die Bitternis übertrug er bald auf jenen Staat, den er mit seiner Politik hoffähig gemacht hatte und der ihm das mit »Verstellung und Vertrauensmißbrauch« dankte. Im Bundestag titulierte er die DDR wieder als »SED-Staat« und gestand seine »tiefe menschliche Enttäuschung«. Brandt, sichtlich angeschlagen: »Es gibt Zeitabschnitte, da möchte man meinen, daß einem nichts erspart bleibe.« Er wies Günter Gaus an, das nächste Gespräch mit DDR-Unterhändler Kurt Nier abzusagen. In sein Tagebuch notierte er: »Was sind das für Leute, die das ehrliche Bemühen um den Abbau von Spannungen – auch und gerade zwischen den beiden deutschen Staaten – auf diese Weise honorieren!«

Von seinem getreuen Berater Bahr mußte sich der Kanzler bittere Vorwürfe gefallen lassen: Es sei für ihn eine »böse Enttäuschung«, von Brandt nicht über den Verdacht gegen Guillaume informiert worden zu sein. Er – Bahr – hätte dadurch immer in der Gefahr gelebt, Guillaume über die Ost-Verhandlungen etwas zu offenbaren, was er nicht hätte wissen dürfen.

Noch war keine Rede von einem etwaigen Rücktritt. Am Wochenende, dem 27. und 28. April, bereitete Brandt Verkehrsminister Lauritzen darauf vor, daß er beim geplanten Kabinettsrevirement seinen Ministersessel räumen müsse. Dann redigierte er Reden für die kommende Woche. Am Montag leitete er routinemäßig die »Lage« im Kanzleramt und führte Hintergrundgespräche mit Journalisten. Montagnacht dann sprach er lange mit Ehmke und Grabert über den Fall Guillaume. Ehmke räumte ein, einen Fehler gemacht zu haben, als er bei den vagen Verdachtsmomenten gegen den Kanzler-Referenten nicht Genscher aufgefordert habe, als der für den Verfassungsschutz Verantwortliche eine penible Sicherheitsüberprüfung anzuordnen. Ehmke: »Richtig wäre natürlich gewesen, ich hätte gesagt: Ich bin in der Situation wie ein Laie, der sich vom Amtsarzt bescheinigen lassen muß, ob der Mitarbeiter Tuberkulose hat.«

Ehmke bot Brandt seinen Rücktritt an, doch der wollte davon nichts wissen. Einig war er sich jedoch mit Grabert und Ehmke darin, daß Genscher die Hauptschuld treffe. Bei ihm habe die Verantwortung gelegen. Doch auch das war den dreien klar: Wenn sie die FDP auffordern würden, Genscher als Minister zurückzuziehen, wäre die sozialliberale Koalition gefährdet. Deren Fortsetzung aber räumten sie absoluten Vorrang ein. Brandt machte sich selbst Vorwürfe: »Ich Rindvieh hätte mich auf den Rat eines anderen Rindviehs nicht einlassen dürfen. Ich hätte Genscher und Nollau bitten sollen, das Erforderliche zu veranlassen.« Darauf Ehmke: »Willy, dann mußt du zurücktreten.« Brandt antwortete gequält: »Horst, ich will nicht so schmählich abtreten.« Das Wort Rücktritt war zum erstenmal gefallen.

Am 1. Mai wollte Brandt zum Tag der Arbeit auf einer DGB-Kundgebung in Hamburg sprechen. Er saß beim Frühstück im Hotel

Atlantik, als ihn ein Anruf Genschers erreichte. Der kündigte die Ankunft seines persönlichen Referenten Klaus Kinkel an, der Brandt über einen Bericht des Bundeskriminalamtes mit den ersten Vernehmungsergebnissen der dem Kanzler zugeteilten Sicherheitsbeamten unterrichten wolle. Die Ermittler waren bei Guillaume nicht fündig geworden. Außer seinem Bekenntnis, DDR-Offizier zu sein, hatten sie nur herausgefunden, daß der Agent zu Hause gepackt hatte und offenbar im Begriff stand, sich abzusetzen. In dieser Situation hatte die Bundesanwaltschaft ein neues Verfahren ersonnen. Sie wollte jetzt anhand von Brandts Terminkalender und durch Vernehmungen der Kanzler-Begleitkommandos feststellen, wann Guillaume in der Nähe des Kanzlers gewesen war und welche Gespräche oder Dokumente er hätte mitbekommen können. Der Leiter der Bonner Sicherungsgruppe, Hans Wilhelm Fritsch, regte in einem Telefonat mit seinem Dienstvorgesetzten, BKA-Präsident Horst Herold, an, die Vernehmungen auch auf den Komplex »Amouren« auszudehnen. Denn inzwischen hatten zwei Sekretärinnen des Kanzleramtes ausgesagt, intime Beziehungen zu Guillaume unterhalten zu haben.

Schon bald aber – nach der ersten Einvernahme von Brandts Leibwächter Ulrich Bauhaus – interessierten sich die Kriminalbeamten mehr für die angeblichen Amouren des Kanzlers als für die des Spions. Bauhaus hatte wichtigtuerisch von Damenbesuchen erzählt, die Brandt im Kanzler-Sonderzug oder in Hotels empfangen habe und von denen Guillaume wisse. Eines der Vorkommnisse, mit denen sich Bauhaus in Szene setzte, war der Besuch einer Journalistin bei Brandt in einem Hotel in Hannover. Allerdings war der Wächter Bauhaus, was er in seinen Vernehmungen nicht angab, eingeschlafen. So hatte er nicht bemerkt, daß Grabert während dieses Besuches hinzugekommen war und nicht die Dame, sondern der Staatssekretär bis tief in die Nacht bei Brandt blieb. Inzwischen hatte sich auch der frühere Chef der Bewachungstruppe des Kanzleramtes, Kriminalrat Gernot Mager, bei den Vernehmungsbeamten gemeldet und ihnen mitgeteilt, er habe schon vor einiger Zeit empfohlen, Bauhaus zu versetzen. Denn der Leibwächter habe öffentlich Brandt geduzt und von »Schnepfen« gesprochen – mit »Rechnung an den persönlichen Referenten«. Der aber war Guillaume.

Die Ermittler stellten nun einen Kalender mit drei Spalten über

Brandts Reisen in den letzten eineinhalb Jahren auf, bei denen er von Guillaume betreut wurde. In Spalte eins trugen sie Begegnungen mit Politikern ein, in Spalte zwei kamen Journalisten und in der dritten Spalte wurden Frauen registriert, zumeist Journalistinnen, die Brandt zu sich gebeten hatte. Als Brandt von Kinkel die Zwischenergebnisse erfuhr, mußte er zunächst lachen. Offensichtlich hatten die Beamten in den Vier-Augen-Treffen mit Journalistinnen nichts als sexuelle Kontakte gesehen. Ein liegengelassenes Collier, vermeintlich von Wibke Bruhns, diente als Beweisstück, das er angeblich mit einer Visitenkarte durch einen Sicherheitsbeamten der Journalistin hatte zurückbringen lassen. Brandt winkte ab: Seine Frau kenne diese Bekanntschaft, die Sache sei harmlos. Und Wibke Bruhns sagte, sie habe »nie ein Collier besessen«.

Rasch aber erkannte der Kanzler die Brisanz der Untersuchungspraktiken, erst recht, wenn sie der Opposition oder den ihn befehdenden Verlagen zugespielt würden. Er empörte sich über den Gang der Untersuchungen: »Die waren nicht in der Lage, einen Spion zu entlarven, aber sie waren in der Lage, mein Privatleben auszuspähen und auszuschmücken.« Und seinen Koalitionspartner Walter Scheel fragte er: »Habe ich mich in meiner herausgehobenen Stellung nicht vielleicht zu normal, wie ein ganz normaler Mensch benommen, hätte aber wissen müssen, daß der Bundeskanzler sich nicht wie ein normaler Mensch benehmen kann?« Doch da war es zu spät. Die Unvorsichtigkeit, dem Leibwächter Bauhaus wie einem Butler und Guillaume wie einem Vertrauten Einblicke in sein Privatleben gewährt zu haben, war nicht mehr rückgängig zu machen. »Soviel Übersicht, wie man von einem Feldwebel verlangen kann, muß man auch vom Kanzler fordern«, schrieb Rudolf Augstein im »Spiegel« unter der Überschrift »Moral, mit Grund doppelt«.

Von Hamburg aus reiste Brandt zu Wahlkampfauftritten nach Cuxhaven und Helgoland weiter. Seine Stimmungen wechselten rasch. Kämpferisch entschlossen redete er, doch der ihn begleitende Reporter Hermann Schreiber hörte schon einen »Beiklang von Endgültigkeit«, »die rhetorische Qualität des Vermächtnisses« heraus. Als Wahlwerbung war auf Helgoland ein Inselrundgang eingeplant. Er verzögerte sich, bis die Tagesgäste schon abgereist waren und die Inselbewohner vor dem Fernseher ein Fußball-Länderspiel verfolgten. Kommentar eines Begleiters: »Mit Guillaume wäre das nicht

446

passiert.« An der Steilküste, gesichert durch Geländer und ein Schild »Vorsicht am Klippenrand«, starrte Brandt in die Tiefe und meinte mit bitterem Galgenhumor zu Wibke Bruhns, die für den »Stern« dabei war: »Das wäre auch kein Verlust, wenn man da runterfiele.« Nach dem Rundgang zechte er mit den Genossen und sang ihre Lieder – »O du schöner Westerwald«. Doch der Fall Guillaume ließ sich nicht verdrängen. »Und ich«, flüsterte er unvermittelt zu Wibke Bruhns, die neben ihm saß, »ich habe den immer für dümmlich gehalten.« Plötzlich ein Absturz in tiefe Depression. »Scheißleben, Scheißleben«, murmelte er düster, bevor er zu Bett ging.

Am nächsten Morgen, es war der 2. Mai, wurde sein Leibwächter Bauhaus zur Fortsetzung der Vernehmungen nach Bonn geholt. Brandt reiste weiter nach Friesland, von dort zurück nach Bonn. In sein Tagebuch notierte er: »Auf dem letzten Abschnitt der Heimfahrt begleitet mich im Zug Horst Grabert. Er berichtet über die Sitzung des Parlamentarischen Vertrauensmännergremiums. Es sieht nicht so aus, als könnte es dort zu der gebotenen sachlichen Behandlung der Fragen kommen, die – über das strafrechtliche Verfahren hinaus – durch die Agentenaffäre aufgeworfen worden sind.«

Dafür sorgten schon die umtriebigen Sicherheitsbehörden. Am Nachmittag des 3. Mai suchte BKA-Chef Herold Verfassungsschutz-Chef Nollau auf. Über den wohl spannendsten Teil der Entwicklung, die zu Brandts Rücktritt führte, geben die Aufzeichnungen Nollaus Auskunft: »Nun teilt Herold mit, Beamte des für die Sicherheit des Bundeskanzlers verantwortlichen Begleitkommandos seien von der Bundesanwaltschaft vernommen worden, welche Aktivitäten Guillaumes sie beobachtet hätten, was er wissen könne. Dabei hätten sie ausgesagt, von welchen privaten Erlebnissen Willy Brandts der Spion Kenntnis habe. . . . Ich stelle Herold vor, wenn Guillaume diese pikanten Details in der Hauptverhandlung auftische, seien Bundesregierung und Bundesrepublik blamiert bis auf die Knochen. Sage Guillaume aber nichts, dann habe die Regierung der DDR, der Guillaume natürlich auch über das Privatleben Brandts berichtet hat, es in der Hand, jedes Kabinett Brandt und die SPD zu demütigen. . . . Als ich vorschlage, Herbert Wehner zu unterrichten, sagt Herold: ›Das hatte ich von Ihnen erwartet‹. Bevor Herold sich verabschiedet, besprechen wir noch, was wir über unsere Unterredung sagen, falls wir dienstlich befragt werden sollten.

Wir schwanken da etwas. Über Guillaumes Verhältnisse zu den Sekretärinnen haben wir gesprochen, so kommen wir überein. . . .

Nun rufe ich Greta [Greta Burmester, Wehners Stieftochter] an
und sage, ich müsse HW [Herbert Wehner] in einer hochwichtigen
Angelegenheit möglichst sofort sprechen. HW ist zu Hause. Gegen
17 Uhr 30 bin ich dort. Greta führt mich in ein kleines Nebenzimmer, weil in der Bibliothek Besucher sitzen. HW kommt bald. Ich
berichte ihm in allen Einzelheiten, was ich von Herold gehört habe.
Es sei damit zu rechnen, füge ich hinzu, daß Guillaume seine inti-
men Kenntnisse von Brandts Privatleben benutzen könne, um die
Bundesregierung, die SPD und die Bundesrepublik zu blamieren.
Wehner ist erschüttert. Er sinkt förmlich in sich zusammen und
stößt hervor: ›Das bricht uns das Rückgrat.‹ Man müsse, sage ich,
dem Bundeskanzler diese Konsequenzen neu vorstellen. ›Ich sehe
ihn morgen in Münstereifel‹, bemerkt er, erwähnt aber nicht, was er
vorhat. Wehner begleitet mich zu meinem Wagen, und im Gehen
sagt er, ihm sei von einer zuverlässigen Person mitgeteilt worden,
der Minister für Staatssicherheit habe seiner Staatsführung versi-
chert, Guillaume sei abgeschaltet worden, als er in die Funktion bei
Brandt gekommen sei.«

Wehner hatte jede Einzelheit in Gabelsberger Kurzschrift mitge-
schrieben – ein Verfahren, das er schon seit Jahren betrieb. Noch am
selben Abend informierte er SPD-Bundesgeschäftsführer Börner.
Der rief daraufhin Brandt an. Es müsse mit peinlichen Enthüllungen
in der Presse gerechnet werden. Dieser Anruf hatte Wirkung, zumal
Brandt inzwischen auch mit seinem Bewacher Bauhaus gesprochen
hatte. Der hatte ihn darüber informiert, daß er detailliert auch über
Brandts Privatleben ausgesagt habe. Die vernehmenden Beamten
hätte ihn unter Druck gesetzt und sogar mit Beugehaft gedroht.

So kam es, daß Brandt schon an diesem Freitag Helmut Schmidt
wissen ließ, er müsse damit rechnen, daß die Kanzlerschaft plötzlich
auf ihn zukommen könne. Auch Heinemann teilte er am Telefon
mit, daß er an Rücktritt denke. Doch endgültig war er noch nicht
festgelegt. Spät am Freitagabend bat er Gaus und Bahr zu sich auf
den Venusberg. Jetzt schmiedete er wieder Personalpläne: Gaus
solle Regierungssprecher werden, Bahr Chef des Kanzleramtes.
Dann plötzlich ohne Übergang: »Ich will euch mal sagen, wie ich das
sehe: Es gibt keinen Ausweg.« Gründe nannte er nicht. Nach dem

Treffen mit Brandt gingen Bahr und Gaus noch spazieren. Bahr, der Brandt viele Jahre kannte, sagte: »Es ist vorbei.«

»Es ist und bleibt grotesk . . .«

RÜCKTRITT

Wehners Burgfrieden mit Brandt war beendet. Brüchig geworden war er bereits drei Tage zuvor. Vor dem Parlament hatte Brandt – nur Guillaumes Tätigkeit im Kanzleramt vor Augen – irrtümlich erklärt, Guillaume sei nicht mit Geheimakten befaßt gewesen. Der Fraktionsführer der Opposition, Karl Carstens, verfügte aber über Informationen, daß sämtliche Dokumente, die Brandt nach Norwegen übermittelt worden waren, die Initialen Guillaumes trügen, auch die geheimen. Wehner wollte daraufhin von Grabert wissen, ob das zutreffe. Dessen Antwort, das könne er nicht sofort sagen, die Prüfung werde mindestens acht Tage dauern, empörte ihn. Er sah darin sein Urteil über Brandts Regierungskünste bestätigt.

Mit Nollaus Informationen munitioniert, machte sich Wehner am Samstag, dem 4. Mai, auf nach Münstereifel. In einer Tagungsstätte der Friedrich-Ebert-Stiftung wollten sich Gewerkschafter und führende Sozialdemokraten zu einem seit längerem geplanten Meinungsaustausch treffen. Am Abend bat Brandt den SPD-Fraktionschef zu einer Aussprache auf sein karg möbliertes Zimmer in der Stiftung. Die Unterredung dauerte etwa eine Stunde. Von den übrigen Teilnehmern der Konferenz bekam keiner mit, daß die beiden sich zurückgezogen hatten. Erst recht ahnte niemand, daß fortan Münstereifel zur SPD-Geschichte gehören würde wie Heidelberg, Erfurt und Godesberg.

Was sich hinter den verschlossenen Türen abspielte, beflügelte auf Jahre die Phantasie von Journalisten, Politikern und Historikern. Brandt heizte das mit der Bemerkung an, er habe eine Niederschrift über den Hergang in einem Schweizer Tresor hinterlegt und werde, wenn er kein politisches Amt mehr trage, den Text freigeben. Inzwischen aber fügte er hinzu: »Es wird sich zeigen, ob es dann noch

Sinn macht.« Doch beide Kontrahenten streuten schon kurz nach der Begegnung ihre Versionen, der eine, um sein Ende zum Königsmord hochzustilisieren, der andere, um seinen uneigennützigen Dienst an seinem Kanzler und Parteivorsitzenden herauszustellen.

Die beiden begannen die Runde mit lauernden Sätzen, einem vorsichtigen Abtasten der Reaktion des anderen. Brandt erwähnte noch einmal die Möglichkeit einer großen Kabinettsumbildung, Wehner antwortete mit desinteressiertem Schweigen. Dann beklagte sich Brandt über das Vorgehen der Ermittler. Jetzt hatte Wehner ihn aus der Deckung: »Gut, daß du das erwähnst, das macht die Sache einfacher für mich.« Er hätte sonst eine »besonders schmerzliche Nachricht« von selber ansprechen müssen. In allen Einzelheiten wiederholte er Nollaus Bericht. Wehner: »Du mußt dir die Papiere ansehen, du mußt informiert sein, bevor du eine Entscheidung triffst.« Brandt raffte sich kurz auf. Es sei ja wirklich befremdlich, auf welche Weise solche Themen »bei uns« abgehandelt würden. Im übrigen sei an den meisten ihm angedichteten Affären nichts dran. Diese Verteidigungsstellung durchbrach Wehner gleich mit einem Tiefschlag: »Aber da ist doch das Collier.« Brandt: »Was für ein Collier?« Wehner: »Das von der Wibke Bruhns.« Brandt mochte sich nicht noch einmal rechtfertigen. Er war aufgestanden und ging stöhnend im Raum umher. Was ihn schmerzte, waren die Methoden seines Gegenüber.

»Ich bin gescheitert«, murmelte Brandt. Jetzt setzte Wehner nach: »Du bist erpreßbar.« Von wem und durch was, sagte er nicht. Und in seiner aufgewühlten Verfassung stellte auch Brandt weder sich noch Wehner diese Frage. Er ging in die Knie: »Mir bleibt nur der Rücktritt.« Wehner nahm es ungerührt zur Kenntnis und trug wie ein unbeteiligter Notar drei Möglichkeiten vor, die er auf einen Zettel aufgeschrieben hatte: Brandt könne Regierungs- und Parteichef bleiben; er könne als Kanzler zurücktreten und nur als SPD-Vorsitzender weiteramtieren; oder er lege beide Ämter nieder. Wehner vermied es zu sagen, welche Variante er befürwortete: »Wie immer du dich entscheidest, ich stehe hinter dir. Aber es wird hart werden.« Er stellte Brandt ein Ultimatum: Binnen vierundzwanzig Stunden müsse er sich entscheiden. Brandt, der geradezu nach einem Wort der Solidarität lechzte, war am Boden zerstört. Wehner ging.

Brandt bat seine Vertrauten Börner und Ravens zu sich. Bis drei

Uhr morgens tranken sie Rotwein. Brandt sagte ihnen, sein Entschluß stehe fest, er werde zurücktreten. In einer Mischung aus Alkohol, Übermüdung, Enttäuschung und Selbstmitleid sprach er sogar von Selbstmord; wenn er eine Pistole bei sich hätte, würde er sich erschießen. Börner und Ravens versuchten nach Kräften, ihn wieder aufzubauen und von seinem Rücktrittsentschluß abzubringen. Für die Fehler in Sachen Guillaume gebe es viele Verantwortliche, lenkten sie ab. Zum Schluß hatten beide den Eindruck, daß Brandt seine Entscheidung noch einmal überprüfen würde. Die nachträglich zu Papier gebrachte Tagebuch-Version Brandts bestätigt das. Eintrag vom Wochenende 4./5. Mai: »Die beiden Freunde versuchen mich umzustimmen. Sie vermuten wohl, es seien die seit Anfang des Vorjahres sich häufenden Widrigkeiten, die mich mürbe gemacht hätten. Ich will das nicht völlig ausschließen.«

Als sei nichts geschehen, ging am nächsten Morgen die Tagung mit den Gewerkschaftern weiter. Am Nachmittag setzte sich Brandt mit dem engeren Kreis der SPD-Führung – Schmidt, Börner, Wehner und Alfred Nau – zusammen. Vor ihnen lag die »Bild«-Zeitung vom 4. Mai mit der Schlagzeile: »Machte Kanzler-Spion Porno-Fotos?«. Brandt teilte der Runde seine Rücktrittsabsicht mit und schlug als seinen Nachfolger Helmut Schmidt vor. Wehner sog schweigend an seiner Pfeife. Schmidt stand auf und schrie Brandt an. Wegen solch einer »Lappalie« trete man nicht zurück. »Spionage gibt's jedes Jahr, und wenn mir irgend jemand eine Wanze in meine Aktentasche tut, was kann ich dafür?« Ihm, der gerne Kanzler werden wollte, paßten die Umstände des Wechsels nicht. Und er wollte jeden Verdacht ersticken, daß er der Kanzler-Killer sei. Als Brandt seinen Entschluß bekräftigte, schon diesen Sonntag den Rücktritt zu vollziehen, ging Schmidt noch einmal hoch. Weder der Bundespräsident noch der Koalitionspartner seien informiert oder konsultiert worden. Brandt willigte ein, bis zum Montag zu warten. Auf dem Heimweg meinte Schmidt zu Ehefrau Loki, er habe ein ganz schlechtes Gewissen. »So hart hätte ich ihn doch nicht rannehmen dürfen.«

Zurück in Bonn, schrieb Brandt mit der Hand sein Abschiedsgesuch an den Bundespräsidenten: »Sehr geehrter Herr Bundespräsident! Ich übernehme die politische Verantwortung für Fahrlässigkeiten im Zusammenhang mit der Agentenaffäre Guillaume und erkläre meinen Rücktritt vom Amt des Bundeskanzlers. Gleichzeitig bitte ich darum, den Rücktritt unmittelbar wirksam werden zu lassen und meinen Stellvertreter, Bundesminister Scheel, mit der Wahrung der Geschäfte des Bundeskanzlers zu beauftragen, bis ein Nachfolger gewählt wird. Mit ergebenen Grüßen.« Er datierte das Schreiben auf den 6. Mai vor. Dazu verfaßte er einen persönlichen Begleitbrief: »Sei mir bitte nicht böse. Versuche mich zu verstehen . . .«

Dann bat er Scheel zu sich und zeigte ihm das Rücktrittsschreiben. Auch der riet mit kräftigen Worten von dem Schritt ab: »An Ihrer Stelle würde ich mir sagen, daß sich das auf einer Arschbacke absitzen läßt.« Darauf Brandt: »Für mich ist nicht die Frage, bis zu welchem Punkt ich in der Lage bin, etwas zu ertragen, sondern bis zu welchem Punkt ich mich quäle und verfolgen lasse.« Doch als ihn danach Ehmke anrief, schien Endgültiges noch nicht geschehen zu sein. Karl Wienand, der die Psyche des Kanzlers gut einzuschätzen wußte, meinte später über Brandts Verfassung an jenem Sonntagnachmittag: »Auch wenn er entschlossen war zu gehen, hatte er doch Probleme mit seinem Image und seinem Ego. Er hörte jedem zu, der ihn zum Bleiben aufforderte.«

Montagfrüh war ein erstes Koalitionsgespräch bei Brandt anberaumt. Scheel, Genscher und Mischnick erschienen für die FDP, Schmidt und Wehner für die SPD. Die Liberalen sprachen gegen den Rücktritt an, Schmidt assistierte. Jetzt, unter den Augen des Koalitionspartners, riet plötzlich auch Wehner von der Demission ab. So konnte er mit gutem Recht am nächsten Tag vor den SPD-Abgeordneten sagen: »Alle haben die Meinung vertreten, daß die Erwägung Willy Brandts von ihnen nicht nur bedauert, sondern dringend ihm angeraten würde, sie nicht zu vollziehen.« Und auch Wehners letztes Interview aus dem Jahr 1986 blieb formal richtig mit dem Satz: »Ich hab' ja nicht den Ehrgeiz gehabt, ihn rausschmeißen zu lassen.«

Gegen 18 Uhr erschienen Generalbundesanwalt Siegfried Buback und Justizminister Gerhard Jahn im Kanzleramt. Brandt äußerte sein »Befremden« über die Richtung der Ermittlungen. Jetzt, wo sie ihre Wirkung getan hatten, versprach Buback, derartige Nachforschungen würden eingestellt. Anschließend empfing Brandt eine Runde führender Genossen: Wehner, Schmidt, Kühn und Börner. Sein Entschluß zum Rücktritt sei unwiderruflich, bekräftigte er und wiederholte diese Feststellung in einem Vier-Augen-Gespräch mit Scheel sowie in einer weiteren Sitzung des Koalitionskreises gegen 19 Uhr. Um 21 Uhr unterrichtete Scheel auf Wunsch Brandts den CDU/CSU-Fraktionsvorsitzenden Carstens und CSU-Landesgruppenchef Stücklen über den bevorstehenden Rücktritt. Der nun scheidende Kanzler hatte die beiden ursprünglich eingeladen, um mit ihnen eine überparteiliche Untersuchung der Nachrichtendienste zu erörtern. Eine entsprechende Kommission wurde schließlich im November einberufen – eine späte Frucht von Brandts letzter Initiative als Kanzler.

Gegen 22 Uhr an diesem Montagabend des 6. Mai rief Brandt seine engsten Mitarbeiter – Bahr, Gaus, Harpprecht und Ravens – zu sich in sein Kanzlerbüro im ersten Stock des Palais Schaumburg. Auf der Treppe kam ihnen Schmidt entgegen. Er umarmte spontan Egon Bahr. Brandt eröffnete seinen Vertrauten, Grabert sei bereits mit seinem Rücktrittsgesuch unterwegs nach Hamburg, wo Bundespräsident Heinemann seinen Abschiedsbesuch mache. Brandt: »Ich informiere euch erst jetzt, damit ihr mich nicht mehr davon abhalten könnt.« Nach einer Stunde erhob er sich und fuhr nach Hause. Auf dem Venusberg führte er ein langes Gespräch mit Ehefrau Rut und Sohn Peter.

Derweil saßen Bahr, Gaus und Ravens in Bahrs Zimmer und tranken eine Flasche Courvoisier, die von der Sekretärin aus Vorsicht vor einer Cognac liebenden Putzfrau im Tresor verschlossen worden war. Plötzlich stürmte Ehmke in die Trauerrunde. Er hatte eben im Fernsehen wahrheitswidrig behauptet, die Regierung habe bei den Sicherheitsüberprüfungen Guillaumes ihre Pflichten sogar übererfüllt, und meinte nun, er hätte damit die Regierung Brandt gerettet. Ehmke: »Das reißt die Sache raus.« Die drei ließen ihn auflaufen. In aller Ruhe hörten sie sich seinen vollmundigen Vortrag an, erst dann teilten sie ihm ihr Wissen mit. Darauf Ehmke: »Wo habt ihr Willy gelassen? Ihr müßt doch jetzt auf den Mann aufpassen und verhindern, daß er sich was antut.« Dann rief er von Bahrs Telefon die neue Nummer eins, Helmut Schmidt, an, um ihn auf die Gefahr hinzuweisen: »Helmut, kannst du nicht etwas tun?« Bahr herrschte den wendigen Technologieminister an: »Raus!« Am frühen Morgen erst gingen die drei Brandt-Getreuen nach Hause. Bahrs Sekretärin fand bei Arbeitsantritt die leere Courvoisierflasche im Papierkorb. Als ihr Chef ins Büro kam, empörte sie sich: »Nicht nur, daß die Putzfrau die Flasche austrinkt. Jetzt schmeißt sie sie auch noch frech in den Papierkorb!«

Am Dienstagmorgen feilte Brandt an einer Erklärung für die abendliche Tagesschau. Sein Schlußsatz war auf Wehner gemünzt: »Es ist und bleibt grotesk, einen deutschen Bundeskanzler für erpreßbar zu halten. Ich bin es jedenfalls nicht.« Am Dienstagmorgen – noch war er Bundeskanzler, seine Entlassungsurkunde sollte er sich um 14 Uhr bei dem nach Bonn zurückgeeilten Heinemann abholen – tagte die SPD-Bundestagsfraktion. Brandt erschien mit Verspätung, auf seinem Platz hatte Wehner einen Strauß langstieliger Rosen, in Cellophan verpackt, placiert. Zum erstenmal hatte er ihm solch ein Gebinde nach dem abgewehrten Mißtrauensvotum überreicht. Als Brandt den Saal betrat, standen die Abgeordneten auf und klatschten Beifall. Wehner unterbrach sein Referat, eine Darstellung der jüngsten Entwicklung, und begrüßte Brandt: »Wir fühlen Schmerz über das Ereignis, Respekt vor der Entscheidung und Liebe zur Persönlichkeit und zur Politik Willy Brandts miteinander.« Bei dem Wort »Liebe« schlug Egon Bahr die Hände vors Gesicht und brach in Tränen aus.

454

Elder Statesman
(1974 bis 1987)

»Insofern wurde noch aus der Not eine Tugend.«

ROLLENWECHSEL

»Ich bin nicht mehr Bundeskanzler, ich bleibe Vorsitzender unserer Partei«, mit diesem Satz, den er vor der versammelten Fraktion sprach, begann Willy Brandt seine letzte Karriere. Er fügte hinzu: »Der neue Bundeskanzler kann meiner Hilfe sicher sein und wird sich meines Rates bedienen können, wo er meint, ihn gebrauchen zu können.« Und auch: »Wir müssen uns jetzt vornehmen, die Stellung der Partei zu festigen.« Auf längere Sicht war mit beiden Aussagen ein Zielkonflikt programmiert.

Zunächst war Brandt ein guter Verlierer. Helmut Schmidt, den er als seinen Nachfolger vorgeschlagen hatte, wurde am 16. Mai 1974 zum Bundeskanzler gewählt, und der Altkanzler tat nichts, den erfolgreichen Start des neuen Mannes zu stören. Er ging in Urlaub nach Norwegen und paukte mit Sohn Matthias englisches Diktat. »Es war«, so meinte der christdemokratische Politikwissenschaftler Werner Kaltefleiter, »der gelungenste Kanzlerwechsel in der Geschichte der Bundesrepublik.« Konrad Adenauer war erst nach einem vier Jahre währenden Hin und Her als Kanzler zurückgetreten. Er blieb CDU-Vorsitzender und sah in den nächsten drei Jahren seine Hauptaufgabe darin, dem ungeliebten Nachfolger Ludwig Erhard das Leben schwer zu machen. Bei Erhard dauerte der Ablösungsprozeß fast ein Jahr und war gekennzeichnet durch selbstmörderische Intrigen der Diadochen. Kurt Georg Kiesinger zählt nicht zu dieser Kategorie, er wurde durch Wahlen abgelöst.

Nur intern ließ Brandt erkennen, wie schwer es ihm fiel, sich mit seiner neuen Rolle zu bescheiden, die ihn hinter Kanzler Schmidt und Fraktionschef Wehner auf Platz drei der SPD-Führungsriege zurückgeworfen hatte. Er kam mit Anflügen von Resignation aus dem Urlaub in die Parteizentrale zurück. Seinem Bundesgeschäftsführer Börner eröffnete er, daß er am liebsten sagen würde:

»Rutscht mir alle den Buckel ruff«, und ganz in Norwegen bliebe. Der wahlkampferfahrene Börner aber wußte, daß Brandt noch immer ein nicht ersetzbares Kapital für den Zusammenhalt der Partei und die notwendige Ergänzung zu dem kühlen Pragmatiker Schmidt war. In der ganzen Republik organisierte er eine Serie von Regionalkonferenzen, auf denen Brandt mit sämtlichen Ortsvorsitzenden der SPD zusammengebracht wurde. Die Solidarität der Genossen federte den Sturz des Parteichefs ab. Die Basis liebte ihn wegen seiner Duldsamkeit, seiner Bereitschaft zum Dialog und seines unerschütterlichen Glaubens daran, daß »die Zeit, in der man Visionen braucht«, nicht vorbei sei. Nicht länger entrückter Staatsmann, ließ sich Brandt nun als ein Stück SPD-Nostalgie ablichten: im offenen Jeanshemd, die Zigarette im Mundwinkel – er rauchte schon längst wieder –, in einem Gartenrestaurant auf der Mandoline spielend. Das Poster mit diesem Foto wurde ein Hit, mit Autogramm verkaufte es die SPD für fünf Mark. »Ich habe Geschmack gefunden am Chairman der Partei«, freundete sich Brandt dann doch mit seiner neuen Position an. Die SPD machte ihm den Rollenwechsel so angenehm wie möglich. Sie kaufte ihm für rund eine Million Mark auf dem Bonner Venusberg eine Zwölfzimmer-Villa mit Swimmingpool und 6500 Quadratmeter großem Grundstück.

Außerhalb der Partei aber war die Brandt-Begeisterung, in den letzten Jahren ohnehin auf Talfahrt, vollends geschwunden. Statt »Compassion« war jetzt Kompetenz gefragt, statt Visionärem die Bewältigung der Wirtschaftskrise. Nur siebenundzwanzig Prozent der Bevölkerung waren bei Amtsantritt Schmidts noch für »Reformen«. Ökonom Schmidt – »Was erst 1990 geschieht, muß man den Futurologen überlassen« – war in den Augen der Öffentlichkeit der »Macher«, dem sie zutraute, mit dem Konjunktureinbruch und der steigenden Zahl der Arbeitslosen als Folge der Ölkrise fertigzuwerden. Aus der Ministerrunde Brandts entließ der neue Kanzler fünf Minister (Ehmke, Bahr, Lauritzen, Dohnanyi, Jahn) und renommierte damit, er habe sie durch Leute ersetzt, »die daran gewöhnt sind, das Ding zu machen«. Schmidts erste Regierungsmannschaft war das gewerkschaftsfreundlichste Kabinett aller Zeiten. Mit dieser Gewerkschaftertruppe und der systematischen Pflege seiner Beziehungen zu den Arbeitnehmerorganisationen gelang Schmidt, was Brandt versagt geblieben war: Mit mäßigen Lohnforderungen unterstützten die Gewerkschaften seine Wirtschaftspolitik. Die Industrie revanchierte sich für diese Disziplinierung der Arbeitnehmer und den Verzicht auf weitere Systemveränderung durch mäßige Preissteigerungen. Unter Schmidt habe die Wirtschaftspolitik ein »durchaus anderes« Profil als unter Brandt, sagte der Chef der Dresdner Bank, Jürgen Ponto. Dem Unternehmer sei wieder der Raum gegeben worden, »den er braucht, um seine sozialpolitische Funktion erfüllen zu können«. Schmidt stellte seine Regierungserklärung unter die Leitworte »Konzentration« und »Kontinuität«. Die Reformvorhaben reduzierte er auf eine begrenzte Zahl von Projekten, die er für finanzierbar und mehrheitsfähig hielt. Er rückte statt »Reform« das Wort »Stabilität« in den Vordergrund und sprach damit das Sicherheitsdenken der Wähler an. »Insofern wurde noch aus der Not eine Tugend. Das war Glück«, urteilte Wehner über den Kanzlerwechsel.

Die Trennung von Kanzleramt und Parteivorsitz erleichterte Schmidt das Regierungsgeschäft. Um sich als ein über den Parteien stehender Volkskanzler aufzubauen, stellte er bewußt Distanz zu den Jusos und zur systemkritischen Parteilinken her. »Ihr beschäftigt euch mit der Krise des eigenen Hirns statt mit den ökonomischen Bedingungen, mit denen wir es zu tun haben«, rief er im September 1974 auf dem Hamburger SPD-Landesparteitag aus und variierte das Thema immer aufs neue: »Ich bitte sehr darum, die seminaristischen Überbaudiskussionen dort zu lassen, wohin sie gehören: ins Seminar oder in die Studierstube.«

Brandt sah es als seine Aufgabe an, »dem Bundeskanzler den Rükken freizuhalten«. Er tat es bis zur Selbstverleugnung. Er schluckte die schwer erträgliche Selbstdarstellung Schmidts, der, kaum an der Macht, vor der SPD-Bundestagsfraktion die Höhenflüge der Regierung Brandt in die Nähe der »Hochstapelei« rückte und der zu einem von Börner als Versöhnungstreffen arrangierten Kongreß aus Anlaß des fünfzehnjährigen Bestehens des Godesberger Programms bewußt nicht gemeinsam mit Brandt und Wehner in den Saal marschierte, sondern als vielbeschäftigter Kanzler einen Soloauftritt mit gebührender Verspätung inszenierte. Brandt gestaltete den Mannheimer Parteitag im November 1975, auf dem er mit 407 von 436 Delegiertenstimmen als Parteivorsitzender eindrucksvoll bestätigt wurde, zu einer Harmoniedemonstration für den Kanzler. Der

»Orientierungsrahmen '85«, eine Spielwiese der linken Parteitheo-
retiker, wurde so weit verwässert, daß Schmidt ihn als eine »im Kern
brauchbare Diskussionsgrundlage« akzeptieren konnte. Anschließend verschwand das Zukunftsprogramm in der Ablage.

Brandt sicherte auch die Unterstützung der SPD für den rigorosen
Sparkurs von Schmidt, der kostenintensive Sozialgesetze zusam-
menstrich, um den Haushalt auszugleichen. Selbstlos beschlossen
die Genossen einen Antrag, in dem es hieß: »In Zeiten des Steuer-
einnahmenrückgangs trägt die Regierung die Verantwortung, die
Haushaltsausgaben im Rahmen des Möglichen der Einnahmeent-
wicklung anzupassen. Das Streichen von Vergünstigungen ist dem-
zufolge unausbleiblich.« Brandt bestärkte sie: »Nichts ist wichtiger,
als den Anschluß an den neuen Aufschwung zu finden.«

Im Wahlkampf 1976 trat Brandt völlig hinter Schmidt zurück, der
gegen den neuen CDU-Vorsitzenden und Kanzlerkandidaten Helmut Kohl mit dem Motto »Modell Deutschland« antrat und damit
seine bisher geleistete Regierungsarbeit als mustergültig herausstellte. Sie hatte dem Land im europäischen Maßstab die niedrigste
Inflationsrate, hohe soziale Sicherheit, hohe Einkommen und
Wachstum beschert. Nach der Bundestagswahl vom Oktober 1976,
die den Koalitionsparteien SPD und FDP Stimmenverluste, aber
dennoch eine knappe Mehrheit brachte, hielt sich Brandt aus den
Koalitionsverhandlungen heraus und versuchte gar nicht erst, sozialdemokratische Sonderwünsche in die neue Regierungsvereinba-
rung einzubringen.

Als Kanzler Schmidt im Sommer 1977 eine Steuerreform nach
FDP-Vorstellungen zur Ankurbelung der Unternehmerinvestitio-
nen durchsetzen wollte, bei der die Abschreibungsmöglichkeiten
verbessert und die Vermögenssteuer gesenkt, die Mehrwertsteuer
aber erhöht werden sollte, stellte sich Brandt ihm wieder zur Seite.
Es wurde ein besonders harter Kampf, denn in den Augen vieler Sozialdemokraten lief die Steuerreform darauf hinaus, die Reichen rei-
cher und die Armen ärmer zu machen. Brandt bemühte das geschichtliche Beispiel der SPD-geführten Regierung Hermann Mül-
lers von 1930, die an einer geringfügigen Anhebung der Beiträge
zur Arbeitslosenversicherung gescheitert war, und disziplinierte die
Aufmüpfigen: »Der übergeordnete Grund heißt, ihr stimmt nur der
Form nach über Steuern und dem politischen Inhalt nach über Hel-

mut Schmidt ab.« Als Anhänger der Kernenergie ließ es Brandt geschehen, daß auf dem Hamburger Parteitag 1977 die zunächst geforderte Koppelung des Reaktorausbaus mit der Entsorgungsfrage faktisch aufgehoben wurde.

Ein weiteres Gebiet, auf dem der Parteivorsitzende Brandt der Regierung Schmidt die Handlungsfähigkeit sicherte, war die Bekämpfung des Terrorismus. Ende der sechziger Jahre hatte ein Teil der studentischen Protestbewegung die Schwelle zur direkten Gewaltanwendung überschritten. In der »Roten Armee Fraktion« (RAF) organisierte sich 1970 der harte Kern von Terroristen, die den Staat durch Anschläge auf Personen und Einrichtungen herausfordern und zu Überreaktionen provozieren wollten, von denen sie sich einen Massenzulauf erhofften. Dieser harte Kern umfaßte anfangs nicht mehr als fünfundzwanzig Personen, unter ihnen Ulrike Meinhof und die einstige Wahlhelferin Brandts, Gudrun Ensslin.

Die RAF-Terroristen orientierten ihren Kampf gegen den Staat an lateinamerikanischen Guerillabewegungen und am Krieg der Palästinenser gegen Israel. Sie wurden im Nahen Osten ausgebildet und verfügten – wie das Jahr 1977 zeigte, als der Terrorismus mit besonderer Brutalität zuschlug – über internationale Verbindungen. Mit der Entführung des Arbeitgeberpräsidenten Hanns Martin Schleyer am 5. September 1977 wollte die RAF elf inhaftierte Gesinnungsgenossen freipressen. Als sich die Verhandlungen hinzogen, kaperten am 13. Oktober vier arabische Luftpiraten eine Lufthansamaschine auf dem Flug von Mallorca nach Frankfurt und offenbarten sich als Bundesgenossen der Schleyer-Entführer. Ein Kommando der Anti-Terror-Einheit GSG 9 des Bundesgrenzschutzes befreite schließlich die Insassen der nach Mogadischu im ostafrikanischen Somalia dirigierten Maschine, Schleyer wurde von seinen Entführern ermordet. Die RAF-Gefangenen Baader, Ensslin und Jan-Carl Raspe nahmen sich das Leben. Der Fall offenbarte, daß die Häftlinge engen Kontakt untereinander und zur Außenwelt hatten und über eine breite Sympathisanten-Szene verfügten.

Mit einem Bündel von Gesetzen wollte die Regierung Schmidt gegen den Terrorismus vorgehen: Die Rechte von Angeklagten und Verteidigern wurden beschnitten, die Polizeigewalt bei Fahndungsaktionen wurde ausgedehnt, und mit einem neuen Zensur-Paragraphen 88a im Strafgesetzbuch, der die »verfassungsfeindliche Befürwortung von Gewalttaten« mit Gefängnis bedrohte, sollte das »ideologische Umfeld« verfolgt werden. Insgesamt waren es hundertdreißig Gesetze, Gesetzesänderungen, Verordnungen und Erlasse, die zum »Ausbau der inneren Sicherheit« verabschiedet wurden. Brandt, der einst mit dem Motto »Mehr Demokratie wagen« angetreten war und der den Obrigkeitsstaat hatte abbauen wollen, half nun mit, die Anti-Terror-Gesetze durchzudrücken. Mal beschwor er das Ende der Koalition, mal wollte er bei Neinsagern »in dem einen oder anderen Fall« nicht ausschließen, daß »eine Trennung notwendig sein kann«.

Die massive Flankensicherung für die Regierungspolitik Schmidts trug Brandt von dem SPD-Linken Steffen die Etikettierung »gluckenhaftes Verhalten« ein. Andere Genossen meinten, die Partei sei zum »fünften Rad des Kanzleramtes« degeneriert. Schmidt dagegen hielt »die politische Potenz, die persönliche Anziehungskraft und die Integrationskraft« des SPD-Chefs für unverzichtbar. Schmidt im Oktober 1975: »Ich bin heilfroh, daß Willy Brandt nicht auch als Parteivorsitzender zurücktrat. Ich glaube, daß es uns sehr viele Vorteile eingetragen hat.«

»Eine neue Dimension der Friedenspolitik.«

AUF INTERNATIONALER BÜHNE

Unter reinen Nützlichkeitsaspekten war Brandt als Parteivorsitzender die ideale Ergänzung zu dem reinen Pragmatiker Schmidt. Doch seine Integrationswirkung war personenbezogen. Er verhinderte nicht das Entstehen von Gruppen und sich bekämpfenden Parteiflügeln. Nie stand die Partei so im Zentrum seines politischen Lebens, wie dies bei Kurt Schumacher oder Erich Ollenhauer der Fall gewesen war. Die beiden Nachkriegsführer der SPD lebten in der Partei und für die Partei, die Organisation war ihre Familie (Schumacher: »Ich bin mit der Partei verheiratet«). Ihr Nachteil war die mangelhafte Außenwirkung. Brandt dagegen war immer mehr als nur ein Parteimann, der die Funktionäre berät, sich die Sorgen der Bezirksvorsitzenden anhört und die Ortsvereinsvorsitzenden motiviert. Bei seinen Vorgängern galt: »Was gut ist für die Partei, ist gut für den Vorsitzenden.« Bei Brandt war es eher umgekehrt. Für ihn war die SPD nicht zuletzt Instrument zur Durchsetzung seiner Ambitionen und außenpolitischen Vorstellungen. Stets stand er so weit außerhalb der Partei, daß der traditionelle Stallgeruch nicht sein Flair als Weltmann beeinträchtigen konnte. Sein internationales Ansehen, das er sich als Außenminister und Bundeskanzler erworben und das den Sturz überdauert hatte, mochte er nicht für den Einsatz zwischen Wuppertal und Wedding aufs Spiel setzen. Dieses Renommee des Elder Statesman war für sein Ego wichtig, es bedeutete einen Ausgleich für seinen gesunkenen Stellenwert in der Bundesrepublik. »Meine Worte bedeuten außerhalb der Bundesrepublik noch immer etwas«, klopfte er sich im Februar 1976 selber auf die Schulter und registrierte stolz jedes Einladungsschreiben, das ihm das Gefühl eines aktiven Politikerdaseins vermittelte: »Ich brauche mich über einen Mangel an Beachtung nicht zu beschweren.«

Die spektakulärste Einladung kam von Leonid Breschnew. Der hatte schon unmittelbar nach dem Rücktritt Brandts den vertrauten Gesprächspartner vergangener Jahre seine Wertschätzung wissen lassen und ihm ein Fünfzig-Pfund-Faß Kaviar geschickt. Im Frühsommer 1975, so der Vorschlag aus Moskau, möge Brandt eine Zehntausend-Kilometer-Reise quer durch die Sowjetunion unternehmen. Ausreichend Zeit für politische Gespräche in Moskau sei selbstverständlich. Dem SPD-Vorsitzenden kam die Einladung politisch gerade zur rechten Zeit. Brandt hatte mit wachsendem Unmut registriert, wie die neue Regierung Schmidt die Ostpolitik schleifen ließ. So hatte Bahr in Gesprächen mit den Botschaftern der vier Mächte, Sowjetaußenminister Gromyko und Unterhändlern der DDR bereits ein nahezu fertiges Abkommen über die Zulassung der Lufthansa im Berlin-Verkehr erreicht und seinem Kanzler Brandt gesagt: »Ende 1974 haben wir die Lufthansa in Berlin.« Nach Bahrs Entlassung kümmerte sich niemand im Kanzleramt um die Weiterführung der Gespräche. Auch der neue Außenminister Genscher wollte sich erst einmal durch Bündnistreue im Westen profilieren und ließ die Ostpolitik durch seine Beamten geschäftsmäßig verwalten. Seine Vorgabe: »Realistische Entspannungspolitik«. Über diese halbherzige Weiterführung seiner Ostpolitik klagte Brandt: »Ein großer Versuch wurde so stark reduziert, daß er viel von seiner möglichen Wirkung verlor.«

Eine Chance zur Wiederbelebung der Ostpolitik sah Brandt im Frühjahr 1975 durch den Abschluß der KSZE-Vorverhandlungen in Genf gegeben. Auf einem Gipfeltreffen in Helsinki wollten die Staats- und Regierungschefs Europas sowie der USA und Kanadas das Schlußdokument unterzeichnen. Damit verbanden sich die Hoffnungen, daß mit der Schlußakte eine Magna Charta der friedlichen Zusammenarbeit zwischen Ost und West geschaffen und daß die Entspannungspolitik in ihre dritte Phase des Miteinanders einmünden würde. Die Reise in die Sowjetunion vor diesem Gipfeltreffen schien Brandt eine gute Gelegenheit zu sein, durch persönliche Gespräche mit Breschnew die Chancen für eine Neubelebung der deutsch-sowjetischen Beziehungen zu erkunden.

Breschnew ließ es an nichts fehlen, um seinen Gast aufzuwerten. Persönlich erschien der Generalsekretär der KPdSU mit Ehefrau Wiktorija auf dem Flughafen Scheremetjewo, um den SPD-Chef, den er als »Herr Vorsitzender« ansprach, abzuholen – ein Aufwand, der sonst nur Staatsoberhäuptern vorbehalten ist. In Moskau wurde Brandt in einer Staatskarosse mit Bundesflagge chauffiert, für die Reise durchs Land stand ein Salonflugzeug des Politbüros zur Verfügung. Von sich aus schnitt Breschnew das heikle Thema Guillaume an; diplomatisch verklausuliert ließ er seine Mißbilligung des Agenteneinsatzes beim Bundeskanzler erkennen. Hauptgesprächsthema aber war die Weiterführung der Entspannungspolitik. Beide waren sich einig, daß die Konferenz in Helsinki nicht als Abschluß der Entspannung verstanden werden dürfe, sondern als Einleitung vermehrter konkreter Bemühungen. Der Prozeß der Entspannung und Zusammenarbeit müsse mindestens für Europa unrevidierbar werden. Ohne weitere solide Fortschritte, ohne den Abbau von Truppen und Rüstungen, und sei er am Anfang noch so begrenzt, werde die Entspannung Schaden nehmen.

Einen unerwarteten Erfolg hatte die Reise in Bonn. Der innenpolitische Krisen-Manager Schmidt, der zu Hause erlebte, wie Brandt Fernsehnachrichten und Zeitungsschlagzeilen beherrschte, begeisterte sich jetzt zunehmend für die PR-trächtige Ostpolitik. In Helsinki entdeckte er seine Freundschaft zum polnischen Parteichef Edward Gierek und traf am Rande der Konferenz mit Honecker

464

zusammen – die erste deutsch-deutsche Gipfelbegegnung seit Kassel 1970.

Tatsächlich aber war Helsinki kein neuer Anfang, sondern eher das Endprodukt der Entspannungspolitik. Eine Reihe von Faktoren trugen zur Verschlechterung des politischen Klimas bei. Als Folge von Helsinki beriefen sich im Ostblock immer häufiger Oppositionelle auf die KSZE-Schlußakte, verlangten mehr Freiheitsrechte und trugen damit zur Destabilisierung der sozialistischen Staaten bei – ein Vorgang, den ab 1977 der neue US-Präsident Jimmy Carter mit seiner Menschenrechtspolitik verstärkte. Die Verhandlungen über eine Truppenreduzierung in Wien kamen nicht voran, die Abrüstungsvereinbarungen über strategische Waffen produzierten einen Rüstungswettlauf unterhalb dieser Waffensysteme. Kanzler Schmidt machte seit 1977 die NATO-Partner darauf aufmerksam, daß durch die Stationierung sowjetischer Mittelstreckenraketen vom Typ SS 20 für Europa eine zusätzliche Bedrohung entstehe. Im Dezember 1979 beschlossen die NATO-Staaten schließlich auf Drängen der Europäer eine Nachrüstung mit 108 Pershing-II-Raketen und 464 Marschflugkörpern. Gekoppelt an diesen Aufrüstungsbeschluß war ein Verhandlungsangebot an den Warschauer Pakt über eine Rüstungsbegrenzung im Bereich der Mittelstreckenwaffen.

Die zunehmend überalterte Sowjetführung, voran der kränkelnde Breschnew, zeigte sich nicht in der Lage, von dem alten Denkmuster Abstand zu nehmen, daß Rüstung Stärke bedeute. Das hinderte sie daran, mit flexiblen Angeboten auf den Westen zuzugehen. Der Einmarsch der Roten Armee in Afghanistan am 27. Dezember 1979 brachte die Ost-West-Beziehungen auf einen neuen Tiefstand, wobei die Bundesregierung aber, anders als in den fünfziger Jahren, diesmal den Konflikt zwischen den Großmächten nicht anheizte, sondern den Dialog mit Moskau und den anderen Ostblockstaaten aufrechterhielt. Zur Verschlechterung der Ost-West-Beziehungen trug schließlich auch bei, daß die angestrebte Wirtschaftskooperation eine hohe Verschuldung der sozialistischen Staaten nach sich zog, weil sich ihre Güter nur als beschränkt exportfähig erwiesen. Manche Länder, wie etwa Polen, gerieten an den Rand des finanziellen Zusammenbruchs.

Sein ostpolitisches Engagement hatte für den Parteivorsitzenden

Brandt einen wichtigen Nebeneffekt: Er wuchs in Europa, bald aber auch darüber hinaus, in die Rolle des führenden Vertreters der sozialdemokratischen Parteien. Sein Rat wurde weltweit gesucht. Und unter seiner Regie operierte die SPD plötzlich als ein politischer Multi. Als sich Portugal 1974 von einer fast fünfzig Jahre währenden Diktatur befreite, hoben die deutschen Sozialdemokraten in Münstereifel die Sozialistische Partei Portugals (PSP) aus der Taufe, deren Vorsitzender Mario Soares heute Staatspräsident ist. Seine Verbindungen nach Moskau setzte Brandt dazu ein, Breschnew klarzumachen, daß eine Machtübernahme durch die gut organisierte KP in diesem NATO-Staat das Ende der Entspannungspolitik zur Folge hätte. Und dem amerikanischen Außenminister Kissinger, der am liebsten durch den Einmarsch von US-Truppen eine Beteiligung der Kommunisten an der Lissaboner Regierung verhindert hätte, versuchte der SPD-Chef nahezubringen, daß man zwischen kommunistischen und sozialrevolutionären Regimen unterscheiden müsse. Brandt: »Eine Beteiligung der Kommunisten an der Regierung ist nicht gleichzusetzen mit einem direkten Eingreifen von Moskau.«

Noch vorausplanender als in Lissabon gewährte die SPD politische Entwicklungshilfe an die spanischen Sozialisten. Schon Jahre vor dem Ende der Franco-Herrschaft im November 1975 schulten die westdeutschen Sozialdemokraten spanische Partei- und Gewerkschaftsfunktionäre und unterstützten die zunächst noch im Untergrund agierende »Sozialistische Arbeiterpartei Spaniens« (PSOE) mit Geldzahlungen. Mehrfach intervenierte Brandt über die Madrider Botschaft der Bundesrepublik, wenn spanische Genossen inhaftiert wurden. Sein politisches Ziehkind, der Arbeiteranwalt und PSOE-Vorsitzende Felipe González, ist heute spanischer Ministerpräsident, Spanien ist mit Hilfe der Bundesrepublik NATO- und EG-Mitglied.

Nicht nur in Europa, auch in der Dritten Welt verstärkte die SPD unter Willy Brandt nun die Unterstützung für sozialdemokratische Parteien. Seit ihrem Machtantritt in Bonn konnte die Partei ihre Aktionen mit dem Entwicklungshilfeministerium koordinieren und über die kräftig ausgebaute Friedrich-Ebert-Stiftung abwickeln. Diese Auslandsaktivität lief parallel zu einer Wiederbelebung der Sozialistischen Internationale (SI), einem losen Zusammenschluß von dreiunddreißig meist europäischen sozialdemokratischen und sozialistischen Parteien. Die SI faßte jetzt auch in Afrika, Asien und Lateinamerika Fuß. Als ihr Vorsitzender, der Österreicher Bruno Pittermann, 1976 erkrankte, nominierte der französische Sozialistenführer François Mitterand den deutschen SPD-Vorsitzenden zum neuen Präsidenten. Brandt lehnte es zunächst ab, das Amt zu übernehmen. Er meinte: »Ich bin mit meiner Arbeit als SPD-Vorsitzender voll ausgelastet.« Dann aber überwog der Reiz der neuen Aufgabe auf internationalem Parkett.

In Bonn lästerte Helmut Schmidt, die Beschlüsse und Resolutionen der SI nehme er genausowenig ernst wie das, was heimische Genossen in ihren Debattierzirkeln zustande brächten. In einem hatte er recht: Die SI begeisterte sich für fortschrittliche Entschließungen, die ohne jede Auswirkung auf die praktische Politik in den einzelnen Ländern blieben. Doch er unterschätzte den Einfluß der Internationale in Ländern der Dritten Welt, wo sie soziale Reformen durchzusetzen half, Befreiungsbewegungen unterstützte, Wahlfälschungen durch die Entsendung von Kommissionen zu verhindern suchte und dem Erstarken der Kommunisten entgegentrat. Zudem war die Wahl des SPD-Chefs zum neuen SI-Präsidenten, die Ende November 1976 in Genf erfolgte, ein neuerliches Zeichen der politischen Rehabilitierung der Deutschen − wiederum verknüpft mit dem Namen Brandts.

Schon bald kam auf Brandt eine weitere ehrenvolle Aufgabe zu. Weltbankpräsident Robert McNamara trug ihm im März 1977 den Vorsitz der Nord-Süd-Kommission an, eines unabhängigen Gremiums, das zugunsten der Entwicklungsländer Vorschläge für eine gerechtere Weltwirtschaftsordnung ausarbeiten sollte. Brandt: »Es geht um eine neue Dimension der Friedenspolitik.« Seine Reisetätigkeit nahm zu. Die Kommission, in der keine kommunistischen Staaten vertreten waren, tagte unter anderem auf Schloß Gymnich bei Bonn, in Mont Pélerin (Schweiz), in Bamako (Mali), in Tarrytown (USA) und in Kuala Lumpur (Malaysia). Der im Frühjahr 1980 vorgelegte Bericht umfaßte dreihundertsechzig Seiten und forderte höhere Opfer der Industrieländer für die Entwicklungsländer und eine stärkere Beteiligung der Dritten Welt an der Geldvergabe durch Währungsfonds und Weltbank. Doch die Hauptforderung der Entwicklungsländer nach dirigistischen Rohstoff-Fonds, die ihnen hohe und beständige Absatzpreise sichern sollten, wurde mit einem Bekenntnis zum liberalen Welthandel zurückgewiesen. Ein druckfrisches Exemplar seines Reports übergab Brandt in New York dem UNO-Generalsekretär Kurt Waldheim. Die praktischen Folgen des Berichts aber blieben gering. Brandts Hoffnung war es, eine »öffentliche Meinung zu schaffen, die den Regierungen ein bißchen Feuer unter dem Hintern macht«. Kanzler Schmidt aber lud ihn nicht einmal in die deutsche Delegation ein, die im Oktober 1981 zu dem von Brandt angeregten Entwicklungsgipfel von zweiundzwanzig Staats- und Regierungschefs nach Cancun/Mexiko reiste.

Immerhin wurde Brandt später von der »Dritte-Welt-Stiftung«, einer Gründung der britischen »Bank for Credit and Commerce International«, für seine »außergewöhnlichen Leistungen in der Entwicklungspolitik« ein mit 100 000 Dollar dotierter Preis verliehen. Bei der Verwendung des Geldes zeigte er, daß er aus Fehlern gelernt hatte. Jahrelang hatten nach Verleihung des Friedensnobelpreises die Genossen Auskunft gewünscht, was mit den 315 000 Mark aus Oslo geschehen sei, denn schließlich habe die Partei ja dazu beigetragen, die preisgekrönte Friedenspolitik durchzusetzen. Brandt war einer Antwort ausgewichen und hatte nur allgemein davon gesprochen, das Geld sei für »verschiedene gemeinnützige Zwecke« verwandt worden. Jetzt brachte er den 100 000-Dollar-Scheck in eine »Stiftung Entwicklung und Frieden« ein, die er zusammen mit dem Land Nordrhein-Westfalen ins Leben rief.

Längst nahm das außenpolitische Engagement Brandts in der zweiten Hälfte der siebziger Jahre über die Hälfte seiner Arbeitszeit in Anspruch, was Herbert Wehner immer wieder zu bitterer Kritik an seiner Amtsführung veranlaßte. Auf dem Hamburger Parteitag im November 1977 wurde Brandt dennoch mit überwältigender Mehrheit als Parteivorsitzender wiedergewählt. In seiner Rede wetterte er gegen »Mandats- und Funktionshäufungen«. Sich selbst aber nahm er aus der Kritik aus – »Es gibt keine Regel ohne Ausnahme« – und ließ sich bald auch noch zum Spitzenkandidaten seiner Partei für die ersten Direktwahlen zum Europaparlament küren.

Am 26. Oktober 1978 hielt Brandt in Sachen Nord-Süd-Kommission in New York eine Rede, in der er die USA aufforderte, nach dem Muster des Marshallplans größere Summen für die Dritte Welt bereitzustellen. Während der Rede fühlte er sich unwohl und meinte anschließend, eine fiebrige Grippe zu haben. Die Schwächeanfälle hielten an. Dennoch reiste der fast 65jährige zu politischen Gesprächen nach Washington weiter und dann zu einer Konferenz der Sozialistischen Internationale nach Vancouver. Horst Ehmke begleitete ihn. Vor Beginn der SI-Tagung sagte Brandt zu Ehmke: »Mir ist so komisch.« Ehmke, Sohn eines Chirurgen, diagnostizierte einen ernsten Fall: »Du legst dich jetzt ins Bett, ich hole einen Arzt. Bei dem Verein, da kann irgendeiner reden.« Brandt aber wollte seinen Vortrag unbedingt halten, zumal der herbeigerufene Arzt nur zu hohen Blutdruck feststellte und entsprechende Medikamente verordnete. Ehe Brandt sein Hotelzimmer verließ, schrieb er voll böser Vorahnungen einen Brief, der im Notfall durch Ehmke geöffnet werden sollte, und steckte ihn in seine Rocktasche. »Ich war nicht sicher, ob ich vom Rednerpult wieder runterkommen würde«, erinnert er sich. Doch er überstand den Vortrag und flog anschließend mit Ehmke nach Hause. Erst in Bonn ließ er sich in der Universitätsklinik auf dem Venusberg untersuchen. Die Ärzte stellten einen schweren, seit Tagen verschleppten Herzinfarkt fest.

»Das ist dieses Mal etwas ganz Ernstes.«

NEUES GLÜCK

Für drei Monate mußte Brandt Pause von der Politik machen. Im Hospital »Léon Bérard« in Hyères an der Côte d'Azur wurde er behandelt. Dieses Zentrum für die Rehabilitation von Verkehrsopfern und Herzkranken zeichnet sich dadurch aus, daß die Kranken nicht einfach ausruhen, sondern den Körper kontrolliert belasten. Durch eine Bewegungstherapie soll der Kreislauf funktionstüchtig gemacht werden. Brandt, dem die Ärzte striktes Rauchverbot auferlegten, unterzog sich diszipliniert dem Trimmprogramm. Zwei Stunden Gymnastik am Tag und ein fast salzloses Diätessen mit nur einem Glas Rotwein führten dazu, daß er, der immer gerne gegessen und getrunken hatte und dadurch seit seinen Berliner Tagen immer etwas aufgedunsen wirkte, zehn Kilo Gewicht verlor. Er sah jetzt sportlicher aus, ein kürzerer Haarschnitt unterstrich die neue Fitneß. Nur das sonnengegerbte, hager gewordene Gesicht hatte den lange erhalten gebliebenen jugendlichen Schein verloren und wirkte verwittert.

Ständig an Brandts Seite war in Hyères eine blonde zierliche Frau, die 32jährige Journalistin Brigitte Seebacher, die er im vergangenen Sommer als Redenschreiberin engagiert hatte. Sie erledigte seine Post und begleitete ihn auf langen Spaziergängen. Sie stammte aus Bremen, war seit 1965 Genossin, hatte Germanistik und Geschichte studiert, als Radio-Kommentatorin gearbeitet und 1973 die Chefredaktion des Parteiblatts »Berliner Stimme« übernommen – dieselbe Position, die Brandt mehr als zwanzig Jahre zuvor innegehabt hatte. Wegen ihres politischen Verstandes und ihrer griffigen Formulierungen war sie dem Parteichef empfohlen worden.

Bald schon interessierte sich der SPD-Vorsitzende nicht nur für ihre Arbeit, sondern auch für ihre Person. Sichtbar favorisierte er die Neue im Parteihauptquartier, und die ehrgeizige Genossin nutzte die Gunst des Partei-Patriarchen, um sich in die Rolle einer Persönlichen Referentin vorzuarbeiten. Sie organisierte seine Termine, begleitete ihn auf Reisen und überwachte seine Interwievs. »An der Seebacher führt kein Weg vorbei«, schimpften die Funktionäre im Ollenhauer-Haus und ebenso die Bonner Journalisten. Der seit 1976 als Bundesgeschäftsführer der Partei amtierende Bahr, der die Affäre zunächst für eines der üblichen Techtelmechtel Brandts hielt, sprach die gestörte Ordnung an: »Du, Willy, es gibt im Hause ein Problem, das Problem heißt Brigitte Seebacher.« Auch Wehner knurrte: »Die muß hier weg.« Brandt reagierte verärgert. Zwischen Bahr umd ihm kam es zu Spannungen. Schließlich gestand er seinem langjährigen Vertrauten: »Das ist diesesmal etwas ganz Ernstes und für mich Tiefgehendes.«

In der Tat zog Brandt bald nach der Rückkehr aus Hyères persönliche Konsequenzen. Er verließ das Haus auf dem Venusberg und quartierte sich mit Brigitte Seebacher in eine Penthouse-Wohnung im Rheinstädtchen Unkel ein. Für die fünf Zimmer plus hundert Quadratmeter Dachgarten zahlte er zunächst 1350 Mark Miete, später erwarb er die Wohnung für vierhunderttausend Mark. Im März 1979 formulierte er mit Ehefrau Rut eine gemeinsame Presseerklärung: »Willy Brandt und seine Frau sind übereingekommen, die rechtlichen Schritte für die Auflösung ihrer Ehe einvernehmlich einzuleiten.« Mehrere tausend Exemplare eines 1978 herausgegebenen Fotobandes »Willy Brandt«, der an verdiente SPD-Mitglieder verschenkt werden sollte und gleich auf der ersten Seite Rut und Willy Brandt zeigt, verstauben seither im Keller des Ollenhauer-Hauses.

Im Dezember 1980 wurden Rut und Willy Brandt nach 32jähriger Ehe geschieden. Rut, die sich den Prominentenanwalt Josef Augstein genommen hatte, erhielt einen Unterhalt von achttausend Mark monatlich zugesprochen sowie eine Altersversicherung und das Ferienhaus in Norwegen, dessen Wert auf achthunderttausend Mark geschätzt wurde. Ex-Ehemann Brandt, der mit Kanzler-Pension, Diäten als Bundestags- und Europaabgeordneter sowie der Aufwandsentschädigung eines Parteivorsitzenden gut vierzigtausend Mark Monatseinkommen hatte, fühlte sich übervorteilt und klagte, er sei »so blöd gewesen«, sich vom Parteianwalt vertreten zu lassen.

Bei der Auflösung des alten Haushaltes waren die Bücher und Präsente eines langen Politikerlebens an Brandt gefallen. Brigitte Seebacher mochte die neue Penthouse-Wohnung nicht mit diesem Umzugsgut vollstellen. Rund tausend Bücher gab sie an einen Antiquar zum symbolischen Preis von einer Mark pro Buch, der Erlös wurde für einen gemeinnützigen Zweck gespendet. Unter den Büchern war auch ein Handpressen-Nachdruck der Gutenberg-Bibel in Lederkassette. Der sozialdemokratische Oberbürgermeister von Mainz, Jockel Fuchs, hatte sie seinem Parteichef und Bundeskanzler zum sechzigsten Geburtstag geschenkt. Ein CDU-Abgeordneter entdeckte das kostbare, mit Widmung versehene Stück bei dem Bonner Antiquar und schenkte es seiner Vaterstadt Mainz zurück. Zugleich machte er die Angelegenheit publik. Brandt versuchte zu erklären, daß die angehäuften Politikergeschenke den Rahmen eines privaten Haushaltes sprengten. Doch die Zeitung »Rheinpfalz« empfahl ungerührt, ihm zum siebzigsten Geburtstag lieber gleich einen Scheck zu schicken.

Wenige Tage vor seinem siebzigsten Geburtstag, im Dezember 1983 heirateten Willy Brandt und Brigitte Seebacher. »Die zweiunddreißig Jahre Altersunterschied spielen für uns keine Rolle«, erklärte die neue Ehefrau. Sie legte vor die Haustür eine Fußmatte mit der Aufschrift »Liebe ist . . .« und achtete fortan darauf, daß Brandt sich schonte. Seinen Arbeitstag schränkte sie auf acht Stunden ein.

Sie verschloß Zigaretten und Alkohol, den insbesondere die Ostblockländer ihm zu Feiertagen reichlich schickten. Heimlich aber
rauchte Brandt weiter. Er schnorrte die Zigaretten bei Genossen,
drückte sie, wenn er heimfuhr, kurz vor Unkel aus, besprühte sich
mit Parfum und lutschte Lakritz. Mit Stolz sah er zu, wie seine junge
Frau mit einer Arbeit über seinen Vorgänger Erich Ollenhauer pro-
movierte. Er wurde häuslicher, trug auch schon mal den Mülleimer
runter und half in der Küche, speziell beim Suppekochen. Nur Ab-
trocknen mochte er nicht. Auf dem Dachgarten zog er in Kübeln
Lauch, Tomaten, Möhren und Salat – Brigitte beschrieb es für die
»Bild«-Zeitung unter dem Titel »So ist Willy als Ehemann«. Der
Nur-Politiker Brandt, dessen Leben bislang aus Sitzungen, Ansprachen und Reisen bestanden hatte, entdeckte auf einmal eine neue
Dimension des Daseins. Insbesondere, als Brigitte und er sich entschlossen, in Südfrankreich ein zweihundert Jahre altes Bauernhaus
zu kaufen. Wann immer der SPD-Chef frei hatte, und waren es nur
wenige Tage, fuhren die beiden die knapp tausend Kilometer in ihr
neues Refugium. Dort hackte Brandt Kaminholz und hegte die Blu-
men. Leicht amüsiert beschrieb er die zielstrebige Aktivität von Brigitte: »Sie hat jetzt 'nen Mann, sie hat 'nen Doktor und ein eigenes
Haus.«

»Hier sagen wir unsere sozialdemokratische Meinung.«

RENAISSANCE

Brandts neues Leben mit einer Frau aus der Enkel-Generation wirkte
wie ein politischer Jungbrunnen. Er entwarf das Konzept eines Erin-
nerungsbandes über seine Revoluzzerjahre. Es wurde 1982 unter
dem bekennerischen Titel »Links und frei« veröffentlicht – in rotem
Einband. Brandt entwickelte Gespür für die alternative Bewegung,
die sich in der Bundesrepublik ab Mitte der siebziger Jahre aus den
Bürgerinitiativen gegen Kernkraft entwickelt hatte. In seinen ersten
Regierungsjahren hatte er die neue Protestlergeneration zum gro-

ßen Teil noch mit seinen Reformversprechen eingebunden. Dann aber führte Enttäuschung über ausgebliebene Reformen und über eine Regierung, die zwar mehr Lebensqualität versprach, aber weiterhin unbedingtes Wirtschaftswachstum verfolgte, auf Kernkraft setzte, mit Beton Innenstädte sanierte und durch den Bau immer neuer Autobahnen, Flughäfen und Flußbegradigungen Landschaften zerstörte, zur Entfremdung immer größerer Teile der jungen Generation von der SPD.

Die Sozialdemokraten gerieten zwischen zwei Feuer. Von rechts attackierten sie die Konservativen unter dem Schlachtruf »Freiheit statt Sozialismus« und warfen ihnen Abkehr von der freien Marktwirtschaft vor. Auf der Linken beschuldigten sie die neuen alternativen Gruppen, Bewahrer eines abgewirtschafteten Systems zu sein. Die zunächst noch zusammenhanglosen Initiativen, zu denen Reste der früheren maoistischen, leninistischen und trotzkistischen Sektierer gestoßen waren, fanden sich Ende der siebziger Jahre zu »Grünen Listen« zusammen und gründeten 1980 die Bundespartei »Die Grünen«. Erfolge bei ersten Landtagswahlen in Bremen und Baden-Württemberg zeigten, daß diese neue Bewegung Wähler von der SPD abzog. Der neu sensibilisierte Brandt spürte den politischen Klimaumschwung und erkannte im Gegensatz zu seinen ausgrenzungsfreudigen Genossen in der SPD-Führung, daß hier ein Potential war, das eigentlich bei den Sozialdemokraten hätte beheimatet sein müssen. Schon im September 1979 erklärte er: »Ein wesentlicher Teil derer, die heute resignieren oder sich in Sondergruppen abkapseln, muß für die SPD gewonnen werden.«

Brandt nahm nun auch eine Neubewertung des Verhältnisses zu den Amerikanern vor. Die Kritik an der Hochrüstung, von den Grünen transportiert und von Brandt verinnerlicht, seit er sich mit Dritte-Welt-Problemen beschäftigte, der Moralismus Präsident Carters gegenüber der Sowjetunion, der zum neuen Konfrontationskurs der Supermächte mit beitrug, sowie der neu hervorgekehrte Führungsanspruch der USA im westlichen Lager wandelten den einstigen USA-Bewunderer in einen offenen Kritiker. Die Ende der siebziger Jahre angestellten Überlegungen der Amerikaner, eine Neutronenbombe als taktisch-nukleare Gefechtsfeldwaffe zu produzieren und vornehmlich in der Bundesrepublik zu stationieren, wertete Brandt als einen Anschlag auf die Entspannungspolitik. Als

473

der neue US-Präsident Ronald Reagan im Herbst 1981 trotz der deutschen Vorbehalte die Entscheidung für den Bau der Waffe traf (die er 1982 wieder zurücknahm), schimpfte Brandt: »Die Amerikaner haben uns behandelt wie Heloten.«

Auch der Forderung der Amerikaner, als Antwort auf den Einmarsch der Roten Armee in Afghanistan die Olympischen Spiele 1980 in Moskau zu boykottieren, wollte der um die Entspannung besorgte Brandt nicht nachkommen. Er bewertete den Boykottaufruf als amerikanisches Wahlkampfspektakel, das den Afghanen ohnehin nichts nütze. Er sprach aus Erfahrung: 1961 hatte er nach dem Mauerbau die Entscheidung mitherbeigeführt, alle gesamtdeutschen Sportbeziehungen abzubrechen, und anschließend erlebt, wie mühsam es war, solche Kontakte wiederherzustellen. So warnte er jetzt die SPD vor einem Schulterschluß mit den USA: »Dies ist nicht die Zeit wohlklingender Treueschwüre.«

Die gefährdete Entspannungspolitik retten – dieses Handlungsmotiv ist der Schlüssel zum Verständnis Brandts in den achtziger Jahren. Es verstärkte sich, je mehr der SPD-Chef erkannte, daß er angesichts der kühlen Machtverwaltung des Kanzlers Schmidt zum neuen Hoffnungsträger der Sozialdemokratie wurde. Er sah darin eine besondere Herausforderung an den Parteivorsitzenden: mit einer eigenständigen Friedenspolitik zu versuchen, die jüngere Generation, die sich den Grünen und der aufkommenden Friedensbewegung zuwandte, für die SPD zurückzugewinnen. Es war, wie sich bald zeigen sollte, ein konfliktträchtiger Weg.

Den von Schmidt initiierten NATO-Doppelbeschluß vom Dezember 1979, der eine Nachrüstung vorsah, falls Abrüstungsverhandlungen mit der Sowjetunion ohne Erfolg blieben, hatte Brandt zunächst mitgetragen, wenn auch mit inneren Vorbehalten. Auf dem Berliner Parteitag der SPD, ebenfalls im Dezember 1979 – er stand unter dem Motto »Sicherheit für die 80er Jahre« –, unterstützte der Parteichef eine Entschließung, die den Kurs von Schmidt absegnete. Er fügte aber hinzu: »Dies begeistert zu tun, würde mir schwerfallen.« Brandt hoffte noch, daß die angestrebten Abrüstungsverhandlungen die Nachrüstung obsolet machen würden. Er versprach, die Verhandlungen »wachsam und kritisch zu begleiten«. Seine Solidarität mit dem Kanzler war nicht zuletzt von den bevorstehenden Neuwahlen zum Bundestag im Herbst 1980 bestimmt.

474

Nach Schmidts neuerlichem Wahlsieg loderte die Rüstungsdiskussion in der SPD wieder auf. Ausgelöst wurde sie zum einen durch die harte Konfrontationssprache des neuen US-Präsidenten Reagan, zum anderen durch Vorhaben der Bundesregierung, U-Boote in die Militärdiktatur Chile und Panzer nach Saudi-Arabien zu exportieren. Die Linken in der SPD warfen Schmidt vor, die traditionelle sozialdemokratische Friedenspolitik verraten und sich von der Partei entfernt zu haben. Ihr Sprecher Erhard Eppler zählte Nachrüstungsbeschluß, Waffenexporte, aber auch die auf den Ausbau der Kernkraftwerke gerichtete Energiepolitik der Bundesregierung auf und meinte: »Ich weiß nicht, wie lange eine Partei allein mit desintegrierenden Themen leben kann.« Schmidt seinerseits warf der Partei vor, sich in die Opposition zu manövrieren. Er erwog zeitweise, im Bundestag die Vertrauensfrage zu stellen und so seine Partei hinter sich zu zwingen. Herbert Wehner beschwor gar das Gespenst der Parteispaltung.

Brandt versuchte, die auseinanderdriftende SPD durch eine Fünf-Punkte-Erklärung des Vorstandes zusammenzuhalten, die sowohl um Verständnis für die Linie Helmut Schmidts warb als auch die Parteidiskussion berücksichtigte. Das Bekenntnis zur NATO und zum NATO-Doppelbeschluß wurde erneuert, zugleich aber darauf hingewiesen, daß die Zustimmung der SPD an die »auflösende Bedingung« erfolgreicher Verhandlungen geknüpft sei. Gegen die ansteigende Arbeitslosigkeit wurde ein Beschäftigungsprogramm verlangt, das bislang an der FDP gescheitert war. Am klarsten klang der Grundtenor des Beschwichtigungsdokuments beim Reizthema Kernenergie an – Brandt selber nannte die Aussage hierzu ein »kräftiges Sowohl-als-auch«. Schmidt persiflierte das mißratene Einigungswerk mit einem Fünf-Punkte-»Gegenentwurf«: »Bei uns ist jeder zu gebrauchen, und sei es als abschreckendes Beispiel.« – »Wo wir sind, klappt nichts. Wir können aber nicht überall sein.« – »Jeder macht, was er will, keiner, was er soll, aber alle machen mit.« – »Wir wissen nicht, was wir wollen, aber das mit ganzer Kraft.« – »Der Verstand ist unser Vermögen, aber Armut schändet nicht.«

Im Spätherbst 1980 hatten in Genf die erhofften sowjetisch-amerikanischen Gespräche über Rüstungskontrolle begonnen. Die neue Reagan-Administration aber, die im Januar 1981 ins Weiße Haus einzog, beschloß ein riesiges Aufrüstungsprogramm und unterbrach die Genfer Gespräche. Bei Brandt wuchs der Zweifel, ob die Amerikaner überhaupt ein Verhandlungsergebnis wünschten oder schlicht die Stationierung der neuen Waffen ansteuerten. Als sich dann auch noch Kanzler Schmidt bei Reagan andiente (»Ich mag diesen Mann«) und gemeinsam mit dem US-Präsidenten das »expansionistische Vorgehen der Sowjetunion und ihre Rüstungsanstrengungen« anprangerte, entschloß er sich zu einem Rettungsversuch der Entspannungspolitik. Er akzeptierte eine seit längerem vorliegende Einladung Breschnews und reiste Ende Juni 1981 erneut nach Moskau.

Vier Tage lang blieb Brandt in der sowjetischen Hauptstadt. Er traf die gesamte Führungsprominenz – Außenminister Gromyko, den Chefideologen Michail Suslow, das für Westeuropa zuständige ZK-Mitglied Wladimir Sagladin und vor allem Leonid Breschnew, der wiederum keine Gelegenheit ausließ, Brandt seine besondere Zuneigung zu bekunden. Der schon gebrechliche Sowjetführer besuchte den Deutschen im Gästehaus auf den Leninhügeln – gestützt auf einen präparierten Spazierstock mit Schnapsbehälter, den er seinem Gast stolz vorführte. Brandt sah sich bereits als erfolgreicher Mittler zwischen Ost und West, als die Russen ihm gegenüber einen konkreten Vorschlag für die noch immer stagnierenden Genfer Verhandlungen unterbreiteten: Verschrottung aller auf Westeuropa gerichteten SS-20-Raketen bei gleichzeitigem Verzicht des Westens auf Nachrüstung sowie Abzug der in Westeuropa stationierten Pershing-I-Raketen. Auch müßten die Amerikaner über ihre in England und Italien stationierten Atombomber mit sich reden lassen. Zugleich ließen die Sowjets Brandt wissen, sie würden die weitere Stationierung von SS-20-Raketen unterbrechen, wenn die Amerikaner versprächen, während der angestrebten Verhandlungen ebenfalls keine neuen Waffensysteme nach Europa zu bringen. Einen ähnlichen Moratoriumsvorschlag hatte die NATO allerdings bereits im Februar des Jahres zurückgewiesen.

Brandt glaubte, die Umrisse einer künftigen Vereinbarung, die vielleicht schon im selben Jahr erreicht werden könne, in den Händen zu haben. Im Hochgefühl seines politischen Erfolges empfing er in seinem Quartier auf den Moskauer Leninhügeln die beiden »Spiegel«-Reporter Klaus Wirtgen und Dirk Koch und zeigte sich vom guten Willen der Sowjets überzeugt: »Die wollen verhandeln.

Und man kann über Breschnew sagen, was man will: Er zittert, wo es um den Weltfrieden geht.« So bewegt war der SPD-Vorsitzende, daß er plötzlich im Beisein der beiden Journalisten ein antimilitaristisches Lied aus seinen Jugendtagen anstimmte: »Nie, nie, woll'n wir Waffen tragen / nie, nie woll'n wir wieder Krieg / Laßt die hohen Herrn sich alleine schlagen / Wir machen einfach nicht mehr mit, nein, nein, nein.« Auf die anschließende Frage der »Spiegel«-Reporter: »Willy Brandt als Vorsänger der ›Friedensbewegung‹?«, gab er zu Protokoll: »Das ist ein bißchen zu einfach. Doch es ist nicht so weit entfernt von dem, was viele Leute denken. Deshalb verstehe ich die auch ganz gut.«

Vor Antritt der Reise hatte sich der SPD-Chef mit Kanzler Schmidt darauf verständigt, daß er nicht als Vertreter der Bundesregierung oder als Unterhändler auftrete. Er reise nur, um womöglich etwas zu erfahren, was über offizielle Verlautbarungen hinausgehe. Daß er nun in Moskau gegenüber dem »Spiegel«, aber auch in einem Gespräch mit den dort ansässigen Korrespondenten, seine Gesprächsergebnisse als Einigungsmöglichkeit darstellte, war absprachewidrig. Sein Auftreten störte empfindlich die damals von Schmidt und Außenminister Genscher verfolgte Linie, den Amerikanern ihre Besorgnis über Neutralismustendenzen der Deutschen zu nehmen und sie durch Bekundung besonderer Bündnistreue zur Aufnahme von Gesprächen mit der Sowjetunion zu bringen.

Schon wenige Stunden nach Brandts Moskauer Pressegespräch wurde sein Pressechef Wolfgang Clement vom deutschen Botschafter Andreas Meyer-Landruth aus dem Hotelbett geklingelt und aufgefordert, sofort in die Mission zu kommen. Dort lag eine Depesche Genschers mit der Aufforderung an Clement, umgehend noch in Moskau den Eindruck zu korrigieren, Brandt und Breschnew hätten für die Bundesregierung eine Einigung erzielt. Brandt lehnte diesen Korrekturwunsch ab. Am Abreisetag wurde er vom Kreml-Chef als Zeichen besonderer Wertschätzung persönlich zum Flughafen gebracht. Noch während seines Rückflugs folgte eine Demütigung durch Helmut Schmidt. Der war ein Jahr zuvor selber in Moskau gewesen und hatte von den Russen die Zusage erhalten, daß sie bereit seien, mit den Amerikanern über einen Kompromiß zu verhandeln. Jetzt ließ er den Bonner Regierungssprecher Kurt Becker verkünden, Brandts Kreml-Gespräche hätten keine neuen Erkenntnisse erbracht. Obwohl Schmidt wenige Tage darauf versuchte, die schroffe Abfuhr dadurch zu korrigieren, daß er nun von einem »wertvollen Beitrag zur Ost-West-Diskussion« sprach, markiert dieser Vorfall den Punkt, von dem an Brandt seine bisherige Rücksichtnahme auf die Belange des Kanzlers aufgab. Schmidt war fortan »für ihn tot«, so ein enger Vertrauter Brandts aus jenen Tagen. Brandt nahm die Herausforderung durch Schmidt an. Aus der erzwungenen Solidarität mit der Regierung entlassen, fühlte er neue Kraft zu einer eigenständigen Politik neben und auf Kosten des von der eigenen Partei zunehmend ungeliebten Kanzlers. Damit einher ging eine schwere gesundheitliche Krise Schmidts, der zunehmend an Herzrhythmusstörungen litt und sich im Oktober 1981 einen Herzschrittmacher einsetzen ließ. Immer öfter sprach er davon, »den Bettel hinzuschmeißen«. Es war fast eine Umkehrung der Situation von 1973/74. Diesmal schlaffte Schmidt ab, und im gleichen Maße erstarkte Brandt.

Die Misere des Koalitionsalltags führte in der SPD zu einer Brandt-Nostalgie. Schmidt büßte seinen Mythos als der große »Macher« ein, weil er Arbeitslosigkeit, Inflation und stagnierende Wirtschaft nicht in den Griff bekam. Sein politischer Kursverfall zeigte sich auch daran, daß selbst eine noch relativ unbedeutende SPD-Größe wie der junge Oberbürgermeister von Saarbrücken Oskar Lafontaine dem Kanzler ungestraft vorwerfen konnte, mit seinen Appellen an Pflichtgefühl, Standhaftigkeit und Berechenbarkeit Sekundärtugenden zu propagieren, mit denen man auch ein KZ verwalten könne. Brandt dagegen galt wieder als der große Hoffnungsträger, verkörperte wie schon zwölf Jahre zuvor die Bereitschaft zum Dialog mit der Jugend und zeigte sich offen für die Probleme, die Anfang der achtziger Jahre große Teile der Wählerschaft beschäftigten und zunehmend ängstigten: das unkontrollierte Wettrüsten, die Risiken der Kernenergie, die Auswüchse des Überwachungsstaates und die Bedrohungen der Umwelt. Die Parteilinken entdeckten in dem neuen Brandt einen heimlichen Verbündeten.

Als erstes trat Brandt Kanzler Schmidt auf dessen ureigenstem Gebiet entgegen, der Wirtschaftspolitik. Die SPD hatte verlangt, mit einem Beschäftigungsprogramm gegen die auf 1,5 Millionen gekletterte Zahl der Arbeitslosen anzugehen. Finanziert werden sollte es durch eine Ergänzungsabgabe auf höhere Einkommen. Schmidt konnte diese Forderung gegenüber der FDP nicht durchsetzen. Statt dessen einigte sich die Koalition auf ein »Sparpaket«, das zahlreiche soziale Leistungen kürzte, um die Kreditaufnahme des Bundes herabzusetzen und Spielraum für steuerliche Anreize zur Förderung von Investitionen zu gewinnen. In einer Sitzung der SPD-Bundestagsfraktion im September 1981 setzte sich Brandt an die Spitze der Schmidt-Kritiker und verlangte vehement die Verabschiedung des von der Partei geforderten Beschäftigungsprogramms, um eine drohende Kluft zwischen SPD und Gewerkschaften zu verhindern. Offen zweifelte er am Sachverstand des Ökonomen Schmidt. In den Verhandlungen mit dem Koalitionspartner habe er ein wirtschaftspolitisches Defizit der SPD empfunden. Wenig später konnte er sich durch die Gewerkschaften bestätigt sehen. Am 7. November 1981 demonstrierten in Stuttgart siebzigtausend IG Metaller gegen die Arbeitslosigkeit und die »soziale Demontage« durch die Bundesregierung. An ihrer Spitze stand Gewerkschaftsführer Franz Steinkühler, zugleich stellvertretender SPD-Vorsitzender von Baden-Württemberg. Der Pakt Schmidt-Gewerkschaften gehörte der Vergangenheit an.

Am spektakulärsten zeigte sich Brandts Konfrontationskurs gegenüber Schmidt in der Nachrüstungsfrage. Mit dem »Krefelder Appell« hatte sich Anfang Oktober 1981 ein Initiatorenkreis gegen die Stationierung von neuen Atomraketen in Europa zu Wort gemeldet. Die zunächst weitgehend von der DKP gesteuerte Aktion gewann rasch parteipolitische Unabhängigkeit und rief für den 10. Oktober 1981 zu einer großen Friedenskundgebung in Bonn auf. In einem Brief an den Parteivorsitzenden Brandt äußerte Helmut Schmidt die »dringliche Bitte«, den als Redner vorgesehenen SPD-Präsidialen Eppler »zu ersuchen, sich von der Veranstaltung fernzuhalten«. Der Kanzler drängte auch auf einen Beschluß des SPD-Präsidiums, alle Sozialdemokraten vor der Teilnahme zu warnen. Brandt kam beiden Bitten nicht nach. Seine Begründung: »Wir wollen uns von dem, was sich Friedensbewegung nennt, nicht isolieren.« Auch habe er »schon Schlimmeres erlebt, als daß junge Leute auf deutschem Boden gegen Rüstung und für den Frieden demonstrieren«. Und er erinnerte an die Integration der APO in die SPD Ende der sechziger Jahre: »Ich fühle mich auch im Wort gegenüber denen, die damals zu uns gekommen sind. Das hat die Partei doch nicht langweiliger gemacht.« Damals habe er über den Vietnamkrieg zu lange »die Schnauze gehalten«. Indem er die Komplexe Nachrüstung und Vietnam argumentativ verband, rückte er seinen Kanzler ins Unrecht und kündigte die Unterstützung der Regierungspolitik endgültig auf. Aber er tat dies nur intern.

Einen Rebellionsversuch des rechten Flügels der SPD-Fraktion konnte Brandt abwehren. Richard Löwenthal, sein früherer Koautor und langjähriger politischer Weggefährte, hatte in einem Thesenpapier »Zur Identität der Sozialdemokratie« davor gewarnt, daß sich die Partei Randgruppen öffne, die aus einer als hoffnungslos empfundenen Gesellschaft aussteigen wollten. Die SPD müsse die politische Organisation der »Berufstätigen aller Art, also der Arbeiter, der Angestellten, der Selbständigen und des Großteils des öffentlichen Dienstes« bleiben. Annemarie Renger hatte diese Thesen an sechzig ausgewählte Adressaten mit der Bitte um Unterschrift verschickt. Prominentester Unterzeichner war Herbert Wehner. In einer Vorstandssitzung konterte Brandt: »Der Trick ist durchschaut, es ist bemerkt worden, daß gesägt worden ist.« Daraufhin beeilte sich Wehner zu beteuern, er habe »keinerlei Kritik an Willy Brandt« beabsichtigt.

Schmidt gelang es nur noch mit einem Kraftakt, die eigene Partei hinter sich zu zwingen. In einem in der bisherigen Geschichte der Bundesrepublik einmaligen Akt stellte er im Bundestag die Vertrauensfrage, ohne sie mit einem konkreten Regierungsvorhaben zu verbinden. Er präsentierte dem Plenum einen allgemeinen Abriß seiner Politik, zu der das Festhalten am NATO-Doppelbeschluß und ein neues Investitionsförderungsprogramm gehörten. Dann beantragte er: »Ich bitte um Vertrauen in meine außen- und innenpolitische Stetigkeit und Verläßlichkeit. Ich bitte um Vertrauen für die von den Fraktionen der Sozialdemokraten und der Freien Demokraten gemeinsam getragene Bundesregierung.«

Am 5. Februar 1982 stimmte der Bundestag in namentlicher Abstimmung über den Antrag Schmidts ab. Der Kanzler erhielt sämtliche Stimmen der Koalition. Doch das eindrucksvolle Bekenntnis war ein trügerischer Erfolg. Auf ihrem Münchener Parteitag zwei Monate später desavouierte die SPD ihren Kanzler, indem sie erneut ein umfangreiches Beschäftigungsprogramm forderte, das unter anderem über Erhöhungen der Vermögens-, Einkommen- und Körperschaftssteuer finanziert werden sollte. Für Besserverdienende sollten Steuerprivilegien abgebaut werden. Ferner sollten Gewinne aus der Bodenspekulation weggesteuert werden. Der Konflikt mit der FDP war damit vorprogrammiert. Brandt: »Ein Parteitag der Koalition ist dies nicht. Hier sagen wir unsere Meinung, unsere sozialdemokratische Meinung.« Für Kanzler Schmidt aber war nur wesentlich, daß der NATO-Doppelbeschluß noch einmal abgesegnet wurde. Eine endgültige Entscheidung war für einen Sonderparteitag ein Jahr später vorgesehen.

»Eine Mehrheit diesseits der Union.«

BONNER WENDE

Die Renaissance des Willy Brandt war ein SPD-interner Vorgang. In der bundesdeutschen Öffentlichkeit dagegen erreichten der Vorsitzende und seine Partei einen Tiefstand ihres Ansehens. Auf einer in Umfragen üblichen Sympathieskala, die von +5 (»sehr sympathisch«) bis -5 (»sehr unsympathisch«) reicht und auf der Brandt im Herbst 1972 einen Höchststand von 2,7 erreicht hatte, sackte er mit -0,5 jetzt auf denselben negativen Wert wie Franz Josef Strauß. Die SPD lag bei Null, nur Kanzler Schmidt hatte mit plus 1,6 noch hohe Sympathiewerte. Die Öffentlichkeit traute der stärksten Regierungspartei nicht mehr zu, mit den wirtschaftlichen Schwierigkeiten fertigzuwerden. Im August 1981 war von FDP-Chef Genscher der Begriff »Wende« in den politischen Sprachgebrauch eingeführt worden. Der wendige Außenminister hatte noch keinen Fahrplan für einen Koalitionswechsel in der Tasche, er gab lediglich der um sich greifenden Stimmung Ausdruck, daß wieder Leistung und Eigeninitiative an die Stelle von Versorgungs- und Anspruchsdenken zu treten hätten.

Die FDP fürchtete, in den Niedergang der Sozialdemokraten hineingezogen zu werden. Die Berliner Wahlen vom Mai 1981 hatten gezeigt, daß sie um ihr politisches Überleben kämpfen mußte. Die

Freien Demokraten hatten 2,5 Prozent verloren und nur knapp den Wiedereinzug ins Abgeordnetenhaus geschafft. Das 1963 von Brandt geschaffene sozialliberale Bündnis in Berlin hatte keine Mehrheit mehr, weil auch die SPD kräftig verlor und die mit 7,2 Prozent erfolgreiche Alternative Liste (das Berliner Pendant der »Grünen«) nicht am Senat beteiligen wollte. Die CDU mit Richard von Weizsäcker als Zugpferd erreichte mit 48 Prozent ihr höchstes Berliner Ergebnis. Die Liberalen entschlossen sich, einen Minderheitssenat unter Weizsäcker zu tolerieren. Seither wurde auch in den anderen Landesverbänden und in der Bundespartei darüber diskutiert, ob nicht das Überleben der FDP an der Seite der Union besser gesichert wäre und vielleicht sogar von den Wählern als Rettung aus der Krise honoriert würde.

Mit den Münchener Parteitagsbeschlüssen hatte die SPD den »Wende«-Anhängern in der FDP einen Vorwand für ihre Absetzmanöver geliefert. Bundeswirtschaftsminister Otto Graf Lambsdorff nannte die wirtschaftspolitischen Vorlagen des Parteitages, die Schmidt sofort zu »Denkanstößen« heruntergestuft hatte, »sozialistische Marterwerkzeuge«. Wegen der hohen Popularität Schmidts ging es für die Wende-Liberalen jetzt darum, einen Weg aus der Koalition zu finden, bei dem die Schuld am Scheitern der Regierung den SPD-Linken zugewiesen werden konnte. Das fiel um so schwerer, als Schmidt, der die Taktik der FDP durchschaute, alles daransetzte, eine Absprache zur Senkung des Haushaltsdefizits 1983 durchzusetzen, und dabei mit weiteren Kürzungen von Sozialleistungen durchweg Vorstellungen der FDP übernahm. Das Klima in der Koalition verschlechterte sich weiter, als die SPD einen zunächst von den vier Parteivorsitzenden Kohl, Brandt, Strauß und Genscher abgesegneten Amnestieplan in der »Parteispendenaffäre« nicht mehr mittragen wollte.

Den offenen Kampf gegen die Bonner Kanzlerpartei eröffnete die FDP im Juni 1982, als sie für die bevorstehende Landtagswahl in Hessen eine Koalitionsaussage zugunsten der CDU abgab und den Wahlkampf mit bundespolitischen Argumenten vorwiegend gegen die SPD führte. Im August 1982, einen Monat vor der Hessen-Wahl, prägte Genscher in einem Brief an seine Parteifreunde den Satz, daß sich neue Aufgaben neue Mehrheiten suchten. In dieser Situation ging Schmidt auf Konfrontationskurs zu den Liberalen und suchte zugleich den Rückhalt seiner Partei und der Gewerkschaften, indem er die seit längerem diskutierte und von der FDP strikt abgelehnte Ergänzungsabgabe für Besserverdienende zum Zwecke der Arbeitsplatzbeschaffung wieder ins Spiel brachte. Er sah jetzt zwei politische Möglichkeiten vor sich: Entweder kam es zu einem von den Liberalen erzwungenen Abgang à la Hermann Müller 1930, oder es gelang, die Liberalen in die Ecke des Verrats zu drängen und ähnlich wie Willy Brandt 1972 in einem die Massen mobilisierenden Abwehrkampf gegen Verräter und Machterschleicher Neuwahlen zu bestreiten. Mit Vehemenz steuerte Schmidt die zweite Lösung an. Als erstes geriet er mit Wirtschaftsminister Lambsdorff aneinander. Er rügte den Minister im Kabinett, weil der in einem Zeitungsinterview die wirtschaftspolitischen Vorstellungen von SPD und FDP als miteinander unvereinbar erklärt und die Möglichkeit eines Regierungswechsels in Bonn angesprochen hatte. Schmidt forderte ihn auf, ihm seine wirtschaftspolitischen Zielvorstellungen schriftlich zusammenzufassen. Das erbetene Papier geriet zu einem Unternehmermanifest ohne jede Rücksicht auf die SPD-Klientel der Arbeitslosen und sozial Schwachen. Schmidt kanzelte die Ausarbeitung als »sachlich falsch und unausgegoren« ab.

Der Kanzler, die SPD-Führung und die Gewerkschaften standen jetzt in neuem Schulterschluß zusammen. Noch vor der Hessen-Wahl Ende September sollte die Bonner FDP Farbe bekennen. Schmidt forderte am 9. September 1982 im Bundestag Oppositionsführer Kohl, den er im engen Kontakt mit Genscher vermutete, zum konstruktiven Mißtrauensvotum mit anschließenden Neuwahlen auf. Als der CDU-Chef darauf nicht einging, kündigte Schmidt eine Woche später gegenüber Genscher an, daß er im Bundestag die Entlassung der FDP-Minister bekanntgeben werde. Der FDP-Chef, sichtlich verblüfft, sagte darauf: »Herr Bundeskanzler, ich erkläre Ihnen hiermit den Rücktritt der vier FDP-Bundesminister.« Ein Vorgehen, das verfassungsrechtlich ohne Bedeutung war, weil jeder Minister nur persönlich seinen Rücktritt erklären kann. Die anderen FDP-Minister reichten ihre Rücktrittserklärungen nach. In einer neuen Sitzung des Bundestages machte Schmidt jetzt der CDU/CSU das Angebot, über eine Pro-forma-Vertrauensfrage des Kanzlers, bei der die SPD nicht mitstimmen würde, den Weg für Neuwahlen freizumachen.

Wie diese Wahlen hätten ausgehen können, zeigte sich zehn Tage später in Hessen. Die SPD, die kurz zuvor noch mit 30 Prozent gehandelt wurde, erreichte 42,8 Prozent. Die CDU, die sich schon im Besitz der absoluten Mehrheit glaubte, blieb bei 45,6 Prozent hängen. Die Liberalen scheiterten mit 3,1 Prozent kläglich an der Fünf-Prozent-Hürde. Die Grünen zogen mit acht Prozent an ihnen vorbei. Am Wahlabend nahm Brandt das Wort Genschers von den »neuen Mehrheiten« auf und sagte, in der Tat habe sich eine neue Mehrheit gebildet – »eine Mehrheit diesseits der Union«. Dabei ordnete er die Wende-FDP rechts von der Union ein und zählte die Stimmen von SPD und Grünen zusammen. Für Bonn bedeutete die Wahl, daß sich die FDP keinesfalls auf Neuwahlen einlassen konnte. Sie unterstützte deshalb ein konstruktives Mißtrauensvotum Helmut Kohls und wählte ihn am 1. Oktober 1982 zum neuen Kanzler.

Anders als beim Mißtrauensvotum gegen Brandt 1972 war der Wahlausgang diesmal klar gewesen. Die Reden der Sozialdemokraten waren deshalb nicht darauf gerichtet, um eine Mehrheit für Schmidt zu kämpfen; vielmehr waren sie ein Abgesang auf sechzehn Jahre sozialdemokratischer Regierungsbeteiligung und zugleich erste Einübungen der neuen Oppositionsrolle. Dabei setzten Schmidt und Brandt deutlich unterschiedliche Akzente. Der Kanzler, der seit Monaten das Ende hatte kommen sehen und deshalb eifrig an seinem Denkmal baute, hatte lange an seiner Abschiedsrede gefeilt, die er als Schlußstein in das Schmidt-Monument einzusetzen gedachte. Sein politisches Vermächtnis gliederte er in zwölf Punkte, die sich zum großen Teil an die eigene Partei wendeten. In emotionsfrei vorgetragenen, schmucklosen Formulierungen suchte er die SPD auf eine Politik zu verpflichten, »die ihr Glaubwürdigkeit bewahren soll«. Das hieß: Fortsetzung der Schmidtschen Sicherheitspolitik – »Wenn die Verhandlungen trotz größter Anstrengungen unserer amerikanischen Freunde erfolglos bleiben sollten, so brauchen wir ein entsprechendes Gegengewicht gegen die uns bedrohenden sowjetischen SS-20-Raketen«; Distanz gegenüber der Friedensbewegung – »Auch der Friedfertige kann sich nicht darauf verlassen, daß seine eigene Friedenssehnsucht schon ausreicht, den Frieden zu bewahren«; und schließlich Warnung vor den Grünen – »sie müssen Klarheit darüber gewinnen, daß die Demokratie sich gegen Gewaltanwendung zu wehren hat«.

Der SPD-Vorsitzende hingegen, frei von dem Anspruch, bleibende Worte von sich zu geben, hielt eine kämpferische Rede. Brandt bestritt der neuen Koalition die politische Legitimation, da sie keine Mehrheit im Volk habe. Er verwies auf den Ausgang der hessischen Wahl. Von einer Mehrheit rechts von der SPD könne keine Rede sein. Anders als Schmidt betonte er die Offenheit der SPD gegenüber »den Kräften, die aus neuen sozialen Bewegungen kommen«. Brandt weiter: »Wie kämen wir nun dazu, uns nicht auch um das zu kümmern, was aus der Friedensbewegung und aus Bürgerinitiativen kommt! Ob es einem schmeckt oder nicht, hier ist ein neuer, nicht bequemer, auch noch nicht klar zu erkennender, zu beschreibender Faktor unseres politischen Lebens sichtbar geworden. . . . wir werden uns um die Themen und um die Menschen kümmern und bereit sein, mit uns zu verbinden, was vernünftigerweise mit uns zusammengehört.«

Für Schmidt war damit das Zeichen gesetzt, daß er im Bundestag als Oppositionsführer nicht zur Verfügung stehen würde. Brandt und Wehner hatten ihm angetragen, die Führung der Fraktion zu übernehmen und als Kanzlerkandidat der SPD in die für März 1983 vorgesehenen Neuwahlen zu ziehen. Schmidt aber mochte sich nicht verheizen lassen. Er war sich zwar sicher, daß er in einem Wahlkampf fünf Prozent mehr holen könnte als ein anderer Kandidat, aber nachher, dessen war er sich ebenso sicher, »werden mich einige wegwerfen wie ein verbrauchtes Blatt Löschpapier«. Die schillernde SPD Brandts war nicht sein Fall. Im Gespräch mit den Fraktionsrechten, den »Kanalarbeitern«, warf er dem Parteichef vor, er habe die SPD zu einer »Holding von Gruppen« verkommen lassen, »in der jeder eigene Beschlüsse faßt«. Schmidt: »Die Partei ist ein Sauhaufen, und der Willy Brandt ist schuld.« Sein größter Fehler, so klagte der Ex-Kanzler nun plötzlich, sei es gewesen, 1974 mit dem Kanzleramt nicht auch den Parteivorsitz übernommen zu haben. In der Tat hat es bei allen anderen Bonner Kanzlern diese Personalunion gegeben.

In den nächsten Monaten konnte sich Schmidt mit seiner Einschätzung vielfach bestätigt fühlen. Brandt schickte unverdrossen Signale in Richtung grüne Wählerschaft, so in einem »Spiegel«-Gespräch Ende 1982: »Ich muß, ob mir das paßt oder nicht, ob die Brüder bequem sind oder nicht, doch gelten lassen, daß Leute mit einem

Mandat ins Parlament kommen.« Die Bundestagswahl am 6. März 1983 zeigte mit dem Kanzlerkandidaten Hans-Jochen Vogel eine chancenlose SPD. Sie errang gerade 38,2 Prozent der Stimmen, die CDU/CSU brachte es auf 48,8 Prozent, die noch unter dem Wechsel leidende FDP immerhin auf 7 Prozent. Mit 5,6 Prozent zogen erstmals auch die Grünen ins Parlament. Eine Mehrheit »diesseits der Union«, wie Brandt sie verstand, war damit nicht zu machen.

Im September 1983 enthüllte Brandt, er habe den Nachrüstungsbeschluß nur aus Loyalität zu Helmut Schmidt mitgetragen. Auf dem bevorstehenden Sonderparteitag der SPD zu dieser Frage rechne er mit einem klaren Nein. Auf einer zweiten Friedenskundgebung in Bonn Ende Oktober 1983 trat er diesmal als Redner auf. Das Unternehmen – innerparteilich ein befreiendes Signal – mißriet allerdings in der Ausführung. »Ein Nein ohne Wenn und Aber« zur Nachrüstung hatte der Koordinierungsausschuß für die Kundgebung verlangt. Der ungebetene Gastredner Brandt mochte dies nicht mitmachen. »Ich habe es nicht nötig, eine von anderen vorgeprägte Formel nachzuplappern.« Per Schiff fuhr er von seinem Wohnort Unkel den Rhein hinab nach Bonn. Den Mantelkragen hochgeschlagen, stand er im Regen auf dem Bootsdeck und starrte in die Strudel des Hochwasser führenden Stromes. Als er in seiner Rede dann neben der Absage an die Nachrüstung auch ein Bekenntnis zur NATO und zur Bundeswehr ablegte, wurde er mit Eiern und Feuerwerkskörpern beworfen.

Brandts vorsichtiger Auftritt war davon bestimmt, auch die konservativen Genossen auf dem Sonderparteitag zu einem Nein zur Nachrüstung zu bewegen. Um das Votum der Delegiertenmehrheit brauchte er sich keine Sorgen zu machen. Seit er hatte durchblicken lassen, daß er die früheren Nachrüstungsentschließungen gegen seine Überzeugung durchgesetzt hatte und daß er über den unzureichenden Verhandlungswillen der Amerikaner enttäuscht sei, waren die Sozialdemokraten in breiter Front zu den Nachrüstungskritikern übergelaufen. Auf dem Kölner Sonderparteitag am 18. November 1983 stimmten nur noch vierzehn von vierhundert Delegierten gegen den neuen Leitantrag des Bundesvorstands, in dem die Stationierung neuer Raketen abgelehnt wurde. Einer der vierzehn war Helmut Schmidt.

Politisch war die Entscheidung der SPD ohne Bedeutung. Auf der

Linken nahm sie keiner wahr, weil die Friedensbewegung längst an der SPD vorbeigezogen war. Und für die Praxis spielte sie keine Rolle, weil die Sozialdemokraten Regierung und Parlamentsmehrheit verloren hatten. Zur Zeit des SPD-Parteitages rollten die ersten Pershing-II-Raketen in ihre Stellungen im Süden der Bundesrepublik. Das Votum hatte den bitteren Beigeschmack, vor der Öffentlichkeit deutlich zu machen, daß Brandt und die Partei drei Jahre lang die Wähler getäuscht hatten.

»Wenn etwas nicht mehr trägt . . .«

ABSCHIED VOM PARTEIVORSITZ

Mit seiner Partei im Nein vereint, fühlte sich Brandt nun fast schon zehn Jahre nach seinem Kanzler-Rücktritt und unmittelbar vor seinem siebzigsten Geburtstag als unbestrittener Führer der SPD bestätigt. Ein Teil der Medien habe ihn schon auf dem Altenteil gesehen, meinte er und fügte kämpferisch hinzu: »Da haben die sich geirrt.« Er entschloß sich, auf dem nächsten ordentlichen Parteitag 1984 erneut als Parteivorsitzender zu kandidieren.

Als letzter der »drei Dinosaurier«, wie NRW-Ministerpräsident Johannes Rau die alte Riege Brandt-Wehner-Schmidt kennzeichnete, hatte der SPD-Chef politisch überlebt. Herbert Wehner war zur Bundestagswahl 1983 aus dem Parlament ausgeschieden. Seine letzten Anti-Brandt-Manöver waren nur noch ein schwacher Abklatsch früherer Attacken gewesen. So hatte er 1979 den Parteichef als Zählkandidaten gegen den christdemokratischen Bewerber um das Amt des Bundespräsidenten, Karl Carstens, ins Rennen schicken wollen. Und im Januar 1981 hatte er versucht, Brandt zu überreden, als Berliner Bürgermeister an die Spree zurückzukehren und die in Affären verstrickte Landespartei in einem Kraftakt herauszureißen – eine Aufgabe, die dann schließlich Hans-Jochen Vogel übernahm und an der er scheiterte.

Helmut Schmidt legte ein halbes Jahr nach dem Kölner Parteitag sein Amt als stellvertretender Parteivorsitzender nieder und schied damit als aktiver Sozialdemokrat aus. Beim Abschied zerstörte er das Bild der Drei-Männer-Herrschaft von Kanzler, Fraktionschef und Parteivorsitzendem: »Ein solches Triumvirat hat es in Wirklichkeit nie richtig gegeben.«

Vor Brandt lag die Aufgabe, die SPD nach seinen Vorstellungen wieder mehrheitsfähig zu machen. Jetzt, wo Schmidt und Wehner fort waren, konnte er es unternehmen, einen Probelauf mit den Grünen zu machen. Die Situation in Hessen bot sich dafür an. Von Brandt ermutigt, ließ sich im Juni 1984 der amtierende Ministerpräsident Börner mit den Stimmen der Grünen wiederwählen und ging nach einer Phase der Tolerierung ein Regierungsbündnis mit der Ökopartei ein. Es war die erste rot-grüne Koalition. An Börners Kabinettstisch saß fortan in Turnschuhen und Jeans der grüne Umweltminister Joschka Fischer. Brandt nannte Börners Wiederwahl eine gute Voraussetzung für den Ausbau sozialdemokratischer Positionen bei künftigen Wahlen – »auf Bundesebene, in den Ländern und Gemeinden«. Doch das mit so vielen Erwartungen verknüpfte Modell scheiterte fünfzehn Monate später ausgerechnet im Streit um die skandalumwitterte Plutonium-Fabrik Alkem, der die Grünen die Betriebsgenehmigung versagen wollten.

Als fraglich wurde, ob zwischen Arbeitsplatz-Sozialisten und Nullwachstums-Grünen auf Dauer eine parlamentarische Zusammenarbeit möglich sei, schickte Brandt auch in andere Richtungen Signale aus. Wie in den frühen sechziger Jahren mahnte er nun wieder die »nationale Verantwortung« der großen Parteien an – die Genossen hörten daraus die Aufforderung, sich mit dem Gedanken einer Neuauflage der Großen Koalition vertraut zu machen. Doch wer die Worte des Vorsitzenden deuten mochte, konnte kurz darauf das Werben um eine neue sozialliberale Koalition heraushören – er habe, betonte Brandt plötzlich, anders als Helmut Schmidt den Freidemokraten beim Kanzlersturz 1982 niemals »Verrat« unterstellt.

Die Suche nach dem richtigen Bündnispartner zeigte eines nur um so deutlicher: Die SPD war Mitte der achtziger Jahre weit davon entfernt, aus eigener Kraft wieder eine Mehrheit zu bekommen. Da bot es sich an, ein neues Grundsatzprogramm in Angriff zu nehmen. Der antimilitaristische und ökologisch eingestimmte Erhard Eppler übernahm zusammen mit Brandt den Vorsitz einer Kommission, deren Beratungsergebnisse in den »Irseer Entwurf« einmündeten.

Kernpunkte waren ein möglichst rascher Abschied von der Atomenergie, ein »ausgewähltes Wirtschaftswachstum«, das »ökologisch verantwortbar« sein soll, und die auf das neuentdeckte Wählerinnenpotential abzielende Forderung, sich »von einseitig männlichen Denkmustern zu lösen«. Der viel zu lang geratene Entwurf wurde Ende Juni 1986 von Brandt der Öffentlichkeit vorgestellt und dann zur weiteren Beratung an eine neue Kommission zurückverwiesen.

Die Bastion, die eine regierungswillige SPD hätte nehmen müssen, war inzwischen gut gesichert. Kanzler Kohl hatte das Glück, daß sein Regierungsantritt mit einer weltweiten Aufschwungphase zusammenfiel. Die Inflation wurde nahezu auf Null gebracht, die Arbeitslosenzahlen konnten vorerst als Erblast dargestellt werden. Nach einer Gewöhnungsphase galten sie als unvermeidliche Begleiterscheinung eines industriellen Strukturwandels. Die Ostpolitik geriet wider alle Warnrufe der SPD nicht ins Stocken, sondern wurde von der christdemokratisch geführten Bundesregierung ohne Abstriche fortgesetzt. Dabei verkörperte Außenminister Genscher die Kontinuität von Schmidt zu Kohl. Die Sowjets verzichteten darauf, die Androhung einer »neuen Eiszeit« wahrzumachen, und setzten sich trotz der schließlich vollzogenen NATO-Nachrüstung mit den Amerikanern an den Verhandlungstisch. Mit Gorbatschow als neuem KPdSU-Generalsekretär erhielt die Entspannungspolitik neues Leben, und es gelang sogar ein Abkommen über den Abzug der Mittelstreckenraketen in Ost- und Westeuropa. Kanzler Kohl bereitete dem DDR-Staatsratsvorsitzenden Erich Honecker in Bonn einen Staatsempfang mit DDR-Flagge und militärischem Zeremoniell. Damit war die Behauptung der Sozialdemokraten widerlegt, sie seien für die Ostpolitik unentbehrlich. Auch in der Innenpolitik konnte die SPD aus den zahlreichen Pannen der Regierung Kohl kein politisches Kapital schlagen. Der 1984 gewählte neue CDU-Bundespräsident Richard von Weizsäcker machte die Defizite seiner regierenden Parteifreunde wett. Er übernahm die bislang von Brandt besetzt gehaltene Rolle des moralischen Gewissens der Nation. Jetzt stand ein Konservativer für die Bewältigung der NS-Vergangenheit, für Wahrhaftigkeit, Toleranz und Aufgeschlossenheit gegenüber der Jugend.

Brandt erfuhr lediglich persönliche Genugtuung. In den Jahren seiner Regierung hatte die CDU/CSU keine Gelegenheit ausgelassen, ihn herabzusetzen. Jetzt baute CDU-Kanzler Kohl, der ein heimlicher Bewunderer des SPD-Chefs war, das Konfrontationspotential ab. Er empfing Brandt häufig zum Gedankenaustausch und informierte ihn ausführlicher und öfter als seinen eigentlichen Gegenspieler, den SPD-Fraktionsvorsitzenden Vogel. Auch kleine Gesten drückten Kohls Wertschätzung aus. So versäumte er nie, seinen Besucher persönlich zum Auto zu geleiten. Und er gab Anweisung, für die Ahnengalerie des Kanzleramtes ein neues Brandt-Porträt malen zu lassen. Dort hing bislang ein Werk des Malers Georg Meistermann, das den Kanzler Brandt so sehr verfremdet zeigte, daß Spötter fragten, ob auf das Gemälde ein Säureanschlag unternommen worden sei. Auch Brandt selber hatte sich damit nie anfreunden können. Nun wurde es ausgetauscht gegen ein naturalistisches Porträt des Malers Oswald Petersen, das den vormaligen SPD-Kanzler in gebührend staatsmännischer Pose zeigt.

Doch was gut war für Willy Brandt, war noch lange nicht hilfreich für die Partei. Ihr Vorsitzender betrieb sein Reisegewerbe in Sachen Sozialistische Internationale, Nord-Süd-Dialog und Ost-West-Entspannung weiter. Mit Kubas Staats- und Parteichef Fidel Castro trank er in Havanna Brüderschaft, bei Winnie Mandela informierte er sich über die Unterdrückung der schwarzen Mehrheit in Südafrika durch die Weißen. Der SPD nützte es nichts. Selbst ein Treffen mit Erich Honecker in Ost-Berlin war nur eine private Vergangenheitsbewältigung. Brandt, der nach der Guillaume-Affäre wenig Interesse an Kontakten zur DDR-Führung zeigte, ließ sich zwei Jahre Zeit, ehe er 1985 einer Einladung des SED-Generalsekretärs folgte. Mit betonter Aufmerksamkeit empfing ihn Honecker schon in der Eingangshalle des Staatsratsgebäudes und führte mit ihm ein fünfstündiges Gespräch. Unter vier Augen entschuldigte sich der DDR-Staatschef bei Brandt für die Affäre Guillaume. Näher kamen sich die beiden beim Austausch von Erinnerungen an ihren antifaschistischen Kampf im Berlin der dreißiger Jahre. Honecker beeindruckte seinen Gast mit detaillierten Kenntnissen darüber, in welchen Kaufhäusern und an welchen belebten Plätzen Brandt 1936 seine SAP-Kontakte abgewickelt hatte. Dann zeigte er in der Rolle des Fremdenführers dem Ehepaar Brandt auf einer Rundfahrt im klimatisierten Bus den wiederaufgebauten Stadtkern Ost-Berlins.

Politisch gewichtiger waren Gespräche zwischen SPD und SED,

an denen Brandt nicht direkt beteiligt war. Allerdings hatte er sich auf Initiative von Günter Gaus, dem langjährigen Leiter der Ständigen Vertretung der Bundesrepublik in Ost-Berlin, schon im November 1982 bereitgefunden, in einem Brief an Honecker diese Parteikontakte anzuregen. SPD-Abrüstungsexperte Egon Bahr entwarf dann gemeinsam mit den Ostberliner Kommunisten einen Vertrag über eine chemiewaffenfreie Zone in Mitteleuropa. Und Erhard Eppler handelte ein Papier über eine politische »Streitkultur« zwischen SPD und SED aus. »Die offene Diskussion über den Wettbewerb der Systeme, ihre Erfolge und Mißerfolge, Vorzüge und Nachteile, muß innerhalb jedes Systems möglich sein«, heißt es darin, aber auch: »Die ideologische Auseinandersetzung ist so zu führen, daß eine Einmischung in die inneren Angelegenheiten anderer Staaten unterbleibt.« Für die Parteihistorie wurde dies ein wichtiges Dokument – es handelte sich um das erste gemeinsame Papier von deutschen Sozialdemokraten und Kommunisten seit Gründung der SED. Für die Wählerwerbung der SPD war es ohne Bedeutung.

Die ganze Malaise, in der sich die Partei befand, wurde sichtbar, als es um die Vorbereitung der Bundestagswahl 1987 ging. Dem unermüdlichen Fraktionschef Jochen Vogel hätte eigentlich eine zweite Kanzlerkandidatur gebührt. Weil er sich jedoch bereits einmal als zu wenig attraktiv erwiesen hatte und weil die Bonner Parteien anders als zu Brandts Zeiten mit erfolglosen Kandidaten nicht ein zweites Mal ins Rennen zogen, wurde Ausschau nach einem »Hoffnungsträger« gehalten. NRW-Ministerpräsident Johannes Rau – »Bruder Johannes« – hatte 1985 seine Landtagswahlen im bevölkerungsreichsten Bundesland mit 52,1 Prozent überragend gewonnen und erreicht, daß die Grünen nicht ins Landesparlament einzogen. So trug Parteichef Brandt trotz einiger Bedenken dem Mann, der weder programmatische Aussagekraft besaß, noch nennenswerte eigene Leistungen als Landeschef, geschweige denn in der Bundespolitik vorweisen konnte, die Kanzlerkandidatur an. Als Rau im Bewußtsein seiner Defizite und in Kenntnis der geringen SPD-Chancen zögerte, erhöhte Brandt das Angebot: »Wenn du glaubst, es dient der Sache und erleichtert deinen Erfolg, dann trete ich dir den Parteivorsitz schon 1986 ab.« Rau wurde Kandidat, Brandt blieb Parteivorsitzender.

Rau bestritt den Wahlkampf mit der Vorgabe, auch im Bund eine eigene Mehrheit ohne die Grünen erzwingen zu wollen. Dies aber hieß, daß er über zehn Prozent an Wählerstimmen würde dazugewinnen müssen, was bisher nur Adenauer in der Ausnahmesituation des Jahres 1953 gelungen war. Mit einem Interview, das er in seinem südfranzösischen Ferienhaus der Hamburger »Zeit« gab, fiel der Parteichef dem Kandidaten in den Rücken. 42 Prozent seien doch auch ein ganz schönes Ergebnis, meinte Brandt und entfachte damit erneut die Diskussion um die Wahlchancen. Außerdem ließ er seinen Interviewer wissen, wenn Rau es nicht packe, komme eben der nächste dran. Schließlich tat er dem bloßgestellten Kandidaten auch noch den Tort an, mit der Ankündigung, er werde 1988 den Parteivorsitz abgeben, mitten im Wahlkampf eine Diskussion über die Brandt-Nachfolge auszulösen. Dabei ließ er deutliche Vorbehalte gegen Rau erkennen – ein »gutes Wahlergebnis« werde ihm sicher für den Vorsitz helfen.

Ausgerechnet auf dem Wahlkampfkonvent der SPD in Offenburg Ende 1986 akzentuierte Brandt seine zum Kandidaten gegensätzliche Wahlaussage. Wenn die SPD keine eigene Mehrheit schaffe, »müssen wir über andere Möglichkeiten nachdenken«. Rau erkannte darin ein verdecktes Angebot an die Grünen und wetterte vom Rednerpult zurück: »Alle, die mich zur Kandidatur gedrängt haben, wußten vorher, daß dies mit mir nicht zu machen ist.« Der Rau-Vertraute und Pressesprecher der Bonner SPD, Wolfgang Clement, der die Wahlkampagne des Kanzlerkandidaten leitete, trat wegen Brandts Quertreibereien demonstrativ zurück. Er wollte damit zugleich Rau bewegen, die erkennbar zum Scheitern verurteilte Kandidatur aufzugeben. Auch Rau war über Brandt empört. Er nannte ihn »unzuverlässig« und »hinterhältig«. Aus Loyalität zur Partei aber führte er den Wahlkampf zu Ende. Er fuhr am 25. Januar 1987 mit 37,0 Prozent ein noch schlechteres Ergebnis ein als Vogel vier Jahre zuvor (38,2 Prozent). Unmittelbar danach meldete er sich aus Bonn ab; als Kanzlerkandidat stehe er nicht mehr zur Verfügung. Und als Nachfolger des Parteivorsitzenden war er nicht mehr im Gespräch.

Am 13. Februar 1987 trafen die SPD-Politiker Brandt, Vogel, Lafontaine und Rau eine geheime Absprache über die Regelung der 1988 fälligen Nachfolge im Parteivorsitz. Der politisch wieder jung gewordene Brandt wollte am liebsten den Stab des Parteiführers direkt an die Enkelgeneration weitergeben. Er glaubte sich in seiner

Haltung gegenüber den Grünen und in seiner Friedens- und Umweltpolitik am ehesten in dem 44jährigen saarländischen Ministerpräsidenten Lafontaine wiederzufinden, dem zwei Jahre zuvor ein ähnliches Meisterstück gelungen war wie Johannes Rau: Auch er hatte, dazu noch aus der Opposition heraus, im Saarland die absolute Mehrheit erobert und den Grünen durch seine Offenheit für ökologische und friedenspolitische Fragen das Wasser abgegraben. Ihn hielt Brandt für jemanden, der Visionen entwickeln, undogmatisch handeln, die junge Generation ansprechen und den rechten Parteiflügel würde kleinhalten können.

Gegenüber dem Juristen Vogel, der Phantasie durch Fleiß und geordneten Aktenablauf ersetzte, hatte Brandt große Vorbehalte. Selber kein Freund von Detailarbeit, machte er sich darüber lustig, daß Vogel zu den Schaltkonferenzen der Parteispitze mit vorformulierten, in Klarsichthüllen konservierten Vorlagen erschien. Er vermißte jede politische Spontaneität und hielt den Fraktionsvorsitzenden schlicht für einen Bürokraten. So sollte die Nachfolge-Absprache jetzt die Chance für Lafontaine offenhalten. Brandt sagte jedoch zu, daß er Vogel benennen würde, falls er vorzeitig – also vor 1988 – einen Vorschlag machen müßte. Dann sollte Lafontaine Parteivize werden. Vogel wiederum versprach, nicht gegen den Saarländer anzutreten, falls der 1988 für den Parteivorsitz kandidiere. Überdies solle Lafontaine 1990 als Kanzlerkandidat antreten.

Früher als erwartet kam der Tag, an dem dieser Wechsel querzuschreiben war. An die Stelle des zurückgetretenen Clement wollte Brandt in Absprache mit führenden Genossen – darunter Lafontaine und Vogel – die griechische Politologin Margarita Mathiopoulos zur neuen Parteisprecherin ernennen. Die Entscheidung zugunsten der gutaussehenden, intelligenten Frau, die weder Parteimitglied war noch einen deutschen Paß besaß und deren Verlobter Mitglied der CDU und Pressechef von Weizsäckers war, löste in der Partei heftige Proteste aus. Der Internationalist Brandt, der sich durch diese unkonventionelle Nominierung einen PR-Effekt zugunsten seiner eher langweilig anmutenden Partei versprach, nannte die Kritik einen »Aufstand des Spießertums«. Was er nicht sehen wollte: Es waren auch ernsthafte Argumente, die gegen die Außenseiterin sprachen. Der gewitzte Egon Bahr zum Beispiel stellte ihr eine Fangfrage: »Was würden Sie antworten, wenn ein

Journalist Sie fragt, warum es noch immer keinen Landesverband Niedersachsen gibt?« Margarita Mathiopoulos wußte nicht, daß die SPD in ihrer Grundstruktur nach Bezirken gegliedert ist und es in Niedersachsen seit etwa zehn Jahren zwar einen Landesverband gibt, aber lediglich als Koordinierungsstelle der Bezirke. Darauf sagte Bahr im Präsidium, die Frau sei als Sprecherin der SPD nicht geeignet. Und Brandt-Sympathisant Gerhard Schröder, Oppositionsführer aus Niedersachsen und einer der vom Parteichef so geliebten »Enkel«, meinte zur geplanten Ernennung: »Intellektuell nicht ohne Reiz, aber am Herzen der Partei vorbei.«

Die Tatsache, daß seine Autorität nicht mehr zog und daß selbst langjährige Vertraute auf Distanz gingen, verletzte Willy Brandt so tief, daß er seinen Rücktritt als Parteivorsitzender erklärte. Wieder einmal war der Anlaß eher läppisch; sogar Helmut Schmidt wetterte aus Hamburg: »Dieses griechische Mädchen, ist das ein Anlaß, den Vorsitz der hundertfünfundzwanzig Jahre alten Sozialdemokratie aufzugeben? Wie kann man so was ernst nehmen? Mensch, Willy, haste se noch alle beisammen? Haste nicht einen besseren Grund, wenn du keine Lust mehr hast?« Und Karl Schiller telegrafierte wie beim letztenmal: »Out of proportion.«

Viele rechneten mit einem erbitterten Kampf um die Nachfolge. Doch alle Beteiligten hielten sich an die Absprache vom 13. Februar. Der ungeliebte Vogel wurde Nachfolger. Brandt hatte zum dreiundfünfzigsten Geburtstag von der Partei eine der goldenen Taschenuhren geschenkt bekommen, mit denen Bebel verdiente Genossen zu beglücken pflegte. Damals hatte er versprochen, sie an seinen Nachfolger weiterzureichen. Jetzt besann er sich eines anderen: Die Uhr sei schließlich kein Wanderpokal.

Auf einem Sonderparteitag am 14. Juni 1987 in der Bonner Beethovenhalle wurde Hans-Jochen Vogel zum neuen SPD-Chef gewählt. Der scheidende Vorsitzende, der seine Partei länger geführt hatte als irgendein anderer seit August Bebel und dessen politische Laufbahn höchste Höhen, aber auch tiefste Tiefen erreicht hatte, machte sich in seiner Abschiedsrede selber Mut: »Wenn etwas nicht mehr trägt, das lange getragen hat, dann ist es in meinem Dienstalter an der Zeit, die Seite umzuschlagen. Das Buch ist jedoch nicht zu Ende, ein neues Kapitel beginnt – immer noch, oder jetzt erst recht, unter dem Gesamttitel: Frei und links.«

LITERATURVERZEICHNIS

Abendroth, Wolfgang: Aufstieg und Krise der deutschen Sozialdemokratie. Das Problem der Zweckentfremdung einer politischen Partei durch die Anpassungstendenz von Institutionen an vorgegebene Machtverhältnisse. Hamburg 1968 (Raubdruck).

Ders.: Ein Leben in der Arbeiterbewegung. Hrsg. v. Barbara Dietrich und Joachim Perels. Frankfurt am Main 1976.

Allardt, Helmut: Moskauer Tagebuch. Beobachtungen, Notizen, Erlebnisse. Düsseldorf und Wien 1973.

Arend, Peter: Die innerparteiliche Entwicklung der SPD 1966–1975. Bonn 1975.

Ashkenasi, Abraham: Reformpartei und Außenpolitik. Die Außenpolitik der SPD Berlin-Bonn. Köln und Opladen 1968.

Aufbruch in die 70er Jahre. Regierung Brandt-Scheel. Bilanz der ersten zwei Jahre. Hrsg. v. Presse- und Informationsamt der Bundesregierung. Bonn 1971.

Augstein, Rudolf (Ps. Jens Daniel): Deutschland – ein Rheinbund? Kommentare zur Zeit. Darmstadt 1953.

Ders.: Opposition heute. Rede vor dem Rhein-Ruhr-Klub 1964. Hamburg 1964.

Baring, Arnulf: Machtwechsel. Die Ära Brandt-Scheel. Stuttgart 1982.

Barzel, Rainer: Die geistigen Grundlagen der politischen Parteien. Bonn 1947.

Ders.: Im Streit und umstritten. Anmerkungen zu Konrad Adenauer, Ludwig Erhard und den Ostverträgen. Frankfurt/Main und Berlin 1986.

Bavendamm, Dirk: Bonn unter Brandt. Machtwechsel oder Zeitenwende? Wien, München und Zürich 1971.

Bebel, August: Die Frau und der Sozialismus. Die Frau in der Vergangenheit, Gegenwart und Zukunft. Stuttgart 1891.

Begegnung mit Lübeck. Jubiläumsschrift der Buchhandlung Gustav Weiland Nachf. Lübeck 1970.

Benson, Frederick R.: Schriftsteller in Waffen. Die Literatur und der Spanische Bürgerkrieg. Zürich und Freiburg i. Br. 1969.

Berkandt, Jan Peter (Ps. f. Klaus-Peter Schulz): Willy Brandt. Schicksalsweg eines deutschen Politikers. Hannover 1961.

Berlin-Chronik 1945–1946, 1946–1948, 1948–1950, 1951–1954, 1955–1956, 1957–1958, 1959–1960. Schriftenreihe zur Berliner Zeitgeschichte. Hrsg. im Auftrage des Senats von Berlin. Berlin 1961–1978.

Berlin 1961–1962. Zweijahresbericht des Senats. Berlin 1963.

Ein Bild von »Bild«: Hrsg. v. Verlag Axel Springer und Sohn. Hamburg 1968.

Binder, David: The Other German. Willy Brandt's Life and Times. Washington D.C. 1975.

Blank, Ulrich und Jupp Darchinger: Helmut Schmidt, Bundeskanzler. Hamburg 1974.

Bölling, Klaus: Die letzten 30 Tage des Kanzlers Helmut Schmidt. Ein Tagebuch. Reinbek bei Hamburg 1982.

Ders.: Die zweite Republik. 15 Jahre Politik in Deutschland. Köln und Berlin 1963.

Bonn, Ollenhauerstraße 1 (Festschrift zur Einweihung des Neubaus der »Baracke«). Hrsg. v. Vorstand der SPD. Bonn 1975.

Brandt, Peter u. a.: Karrieren eines Außenseiters. Leo Bauer zwischen Kommunismus und Sozialdemokratie 1912 bis 1972. Berlin und Bonn 1983.

Rut Brandt erzählt ihr Leben. Folge 1–38. In: »BZ«, 9. September bis 26. Oktober 1960.

Brandt, Willy: Forbrytere og andre Tyskere. Oslo 1946.

Ders.: Norwegens Freiheitskampf 1940–45. Hamburg 1948.

Ders.: »Freiheit und Planung durch Sozialismus.« In: Weg und Ziel. Ein Buch der deutschen Sozialdemokratie. Festschrift zum SPD-Parteitag 1952. Hrsg. v. Arno Scholz und Walter G. Orschilewski. Berlin-Grunewald 1952, S. 54–61.

Ders.: Västtyskland. Den tyska förbundsrepubliken. Stockholm 1953.

Ders.: Von Bonn nach Berlin. Eine Dokumentation zur Hauptstadtfrage. In Zusammenarbeit mit Otto Uhlitz und Horst Korber. Berlin 1957.

Ders. und Richard Löwenthal: Ernst Reuter. Ein Leben für die Freiheit. Eine politische Biographie. München 1957.

Ders.: Mein Weg nach Berlin. Aufgezeichnet von Leo Lania. München 1960.

Ders.: Plädoyer für die Zukunft. Zwölf Beiträge zu deutschen Fragen. Frankfurt/Main 1961.

Ders.: Koexistenz – Zwang zum Wagnis. Stuttgart 1963.

Ders.: Begegnungen mit Kennedy. München 1964.

Ders.: Reden 1961–1965. Ausgewählt und eingeleitet von Hermann Bortfeldt. Köln 1965.

Ders.: Draußen. Schriften während der Emigration. Hrsg. v. Günther Struve. München 1966.

Ders.: Friedenspolitik in Europa. 2. Auflage. Frankfurt am Main 1970 (1968).
Bundeskanzler Brandt: Reden und Interviews. 2 Bde. Hrsg. v. Presse- und Informationsamt der Bundesregierung. Bonn 1971.
Ders.: Über den Tag hinaus. Eine Zwischenbilanz. Hamburg 1974.
Ders.: Begegnungen und Einsichten. Die Jahre 1960–1975. Hamburg 1976.
Ders.: Links und frei. Mein Weg 1930–1950. Hamburg 1982.
Ders.: ». . . wir sind nicht zu Helden geboren.« Ein Gespräch über Deutschland mit Birgit Kraatz. Zürich 1986.
Ders.: Die Abschiedsrede. Berlin 1987.
Brandt-Report/Bericht der Nord-Süd-Kommission. Teil 1: Das Überleben sichern. Köln 1980.
Brandt-Report/Bericht der Nord-Süd-Kommission. Teil 2: Hilfe in der Weltkrise. Ein Sofortprogramm. Hrsg. u. eingeleitet v. Willy Brandt. Reinbek bei Hamburg 1983.
Bremer, Jörg: Die Sozialistische Arbeiterpartei Deutschlands (SAP). Untergrund und Exil 1933–1945. Frankfurt am Main 1978.
Brügge, Bernd: Willy Brandts Jugend in Lübeck. 6 Folgen. In: »Lübecker Nachrichten« 20. Februar bis 10. März 1972.
Brünneck, Alexander von: Politische Justiz gegen Kommunisten in der Bundesrepublik Deutschland 1949–1968. Frankfurt 1978.

Cate, Curtis: Riß durch Berlin. Der 13. August 1961. Hamburg 1980.
Chronik der deutschen Sozialdemokratie. 3 Bde. Hrsg. v. Franz Osterroth u. a. Berlin und Bonn-Bad Godesberg 1974–77.
Cobler, Sebastian: Die Gefahr geht von den Menschen aus. Der vorverlegte Staatsschutz. Berlin 1976.

Deutsche Gemeinschaftsaufgaben. Hrsg. vom Vorstand der SPD. 5 Bde. Hannover 1963.
Documents on Germany 1944–1985. Hrsg. v. United States Department of State. Washington 1985.
Dokumente zur parteipolitischen Entwicklung in Deutschland seit 1945. 9 Bde. Hrsg. v. Ossip K. Flechtheim. Berlin 1962–1971.
Drechsler, Hanno: Die Sozialistische Arbeiterpartei Deutschlands (SAPD). Ein Beitrag zur Geschichte der deutschen Arbeiterbewegung am Ende der Weimarer Republik. Meisenheim/Glan 1965.
Dreher, Klaus: Rainer Barzel. Zur Opposition verdammt. München 1972.
Dulles, Eleanor Lansing: Berlin und die Amerikaner. Köln 1967.

Eckert, Georg (Hrsg.): 1863–1963. Hundert Jahre deutsche Sozialdemokratie. Bilder und Dokumente. Hannover 1963.
Edinger, Lewis J.: Kurt Schumacher. Persönlichkeit und politisches Verhalten. Köln und Opladen 1967.

Ehmke, Horst (Hrsg.): Perspektiven. Sozialdemokratische Politik im Übergang zu den siebziger Jahren. Erläutert von 21 Sozialdemokraten. Reinbek bei Hamburg 1969.
End, Heinrich: Zweimal deutsche Außenpolitik. Internationale Dimensionen des innerdeutschen Konflikts 1949–1972. Köln 1973.
Exil-Literatur 1933–1945. Katalog zur Ausstellung der Deutschen Bibliothek. Frankfurt am Main 1965.

Fetscher, Iring (Hrsg.): Geschichte als Auftrag. Willy Brandts Reden zur Geschichte der Arbeiterbewegung. Berlin und Bonn 1981.
Fichter, Tilman: SDS und SPD. Parteilichkeit jenseits der Partei. Opladen 1988.
Fichter, Tilman und Siegward Lönnendonker: Kleine Geschichte des SDS. Der Sozialistische Deutsche Studentenbund von 1946 bis zur Selbstauflösung. Berlin 1977.
Fijalkowski, Jürgen u. a.: Berlin – Hauptstadtanspruch und Westintegration. Köln und Opladen 1967.
Fischer, Heinz-Dietrich: Parteien und Presse in Deutschland seit 1945. Bremen 1971.
Frank, Paul: Entschlüsselte Botschaft. Ein Diplomat macht Inventur. Stuttgart 1981.
Frankfurter, Felix (Ps.): Willy Brandt – gestern und heute. Eine Dokumentation. Neustadt/S. 1972.
Freund, Michael: Deutsche Geschichte. Gütersloh 1981.
Friedensnobelpreis 1971 für Bundeskanzler Brandt. Hrsg. v. Presse- und Informationsamt der Bundesregierung. Bonn 1971.
Friedrich, Gerd und Heinrich von zur Mühlen: Die Pankower Sowjetrepublik und der deutsche Westen. Köln 1953.

Gantzel, Klaus Jürgen: Die Farbe der Verpackung. In: »Der Markenartikel« Nr. 4/1960.
Garbe, Karl: Bonner Schwatzkästlein. Köln 1976.
Gaus, Günter: Staatserhaltende Opposition oder Hat die SPD kapituliert? Gespräche mit Herbert Wehner. Reinbek bei Hamburg 1966.
Germer, Karl J.: Von Grotewohl bis Brandt. Ein dokumentarischer Bericht über die SPD in den ersten Nachkriegsjahren. Landshut 1974.
Geschichte der deutschen Arbeiterbewegung. Hrsg. v. Institut für Marxismus-Leninismus beim Zentralkomitee der SED. 8 Bde. Berlin 1966.
Geschichte der Bundesrepublik Deutschland. Bd. 1: Theodor Eschenburg: Jahre der Besatzung 1945–1949; Bd. 2/3: Hans-Peter Schwarz: Die Ära Adenauer 1949–1957/1957–1963; Bd. 4: Klaus Hildebrand: Von Erhard zur Großen Koalition 1963–1969; Bd. 5: Karl Dietrich Bracher, Wolfgang Jäger u. Werner Link: Republik im Wandel. Teil I Die Ära Brandt

1969–1974; Teil II Die Ära Schmidt 1974–1982. Stuttgart und Wiesbaden 1981/87.

Geschichte der Freien und Hansestadt Lübeck. Hrsg. v. Fritz Endres. Lübeck 1926.

Glaser, Hermann: Maschinenwelt und Alltagsleben. Industriekultur in Deutschland vom Biedermeier bis zur Weimarer Republik. Frankfurt 1981.

Goyke, Ernst: Willy Brandt – der Bundeskanzler. Bonn 1971.

Grebing, Helga (Hrsg.): Entscheidung für die SPD. Briefe und Aufzeichnungen linker Sozialisten 1944–1948. München 1984.

Dies.: Geschichte der deutschen Arbeiterbewegung. Ein Überblick. München 1976.

Gremliza, Hermann L. (Hrsg.): 30 Jahre Konkret. Hamburg 1987.

Grosser, Alfred: Geschichte Deutschlands seit 1945. Eine Bilanz. München 1981.

Grossmann, Kurt R.: Die Ehrenschuld. Kurzgeschichte der Wiedergutmachung. Frankfurt und Berlin 1967.

Günther, Klaus: Sozialdemokratie und Demokratie 1946–1966. Die SPD und das Problem der Verschränkung innerparteilicher und bundesrepublikanischer Demokratie. Bonn 1979.

Guggomos, Carl L.: Der Mann mit dem Fremdenpaß – Wehner. In: Ulrich Sonnemann: Wie frei sind unsere Politiker? München 1968.

Ders. unter Mitarbeit von Ullrich Blank und Adalbert Wiemers: Anklage gegen Herbert Wehner. In: »Zeit« v. 11. März 1966.

Guttenberg, Karl Theodor Freiherr zu: Fußnoten. Stuttgart-Degerloch 1971.

Harpprecht, Klaus: Willy Brandt. Porträt und Selbstporträt. München 1970.

Heid, Siegbert (Hrsg.): Einheit oder Freiheit? Zum 40. Jahrestag der Gründung der SED. Bonn 1986.

Heinemann, Gustav: Verfehlte Deutschlandpolitik. Irreführung und Selbsttäuschung. Frankfurt 1966.

Hennig, Ottfried: Die Bundespräsenz in West-Berlin. Entwicklung und Rechtscharakter. Köln 1976.

Heß, Hans-Jürgen: Innerparteiliche Gruppenbildung. Macht- und Demokratieverlust einer politischen Partei am Beispiel der Berliner SPD in den Jahren von 1963–1981. Bonn 1984.

Hrbek, Rudolf: Die SPD – Deutschland und Europa. Die Haltung der Sozialdemokratie zum Verhältnis von Deutschland-Politik und Westintegration (1945–1957). Bonn 1972.

Hurwitz, Harold und Klaus Sühl: Demokratie und Antikommunismus in Berlin nach 1945. 3 Bde. Köln 1983–1984.

Ihlefeld, Heli: Willy Brandt. Anekdotisch. 2. neu bearbeitete und erw. Auflage 1971.

Jaenecke, Heinrich: 30 Jahre und ein Tag. Die Geschichte der deutschen Teilung. Düsseldorf und Wien 1974.
Jahrbücher der Sozialdemokratischen Partei Deutschlands 1946 ff. Hannover und Bonn 1947 ff.

Kaack, Heino: Geschichte und Struktur des deutschen Parteiensystems. Opladen 1971.
Kahn, Helmut Wolfgang: Helmut Schmidt. Fallstudie über einen Populären. Hamburg 1973.
Keiderling, Gerhard: Die Berliner Krise 1948/49. Berlin 1982.
Kettlein, Rudolf: Willy Brandt ruft die Welt. Ein dokumentarischer Bericht. Berlin 1959.
Kissinger, Henry A.: Memoiren 1968–1973. München 1979.
Kleist, Peter: Wer ist Willy Brandt? Eine Antwort in Selbstzeugnissen. Hannover 1972.
Klotzbach, Kurt: Der Weg zur Staatspartei. Programmatik, praktische Politik und Organisation der deutschen Sozialdemokratie 1945 bis 1965. Berlin und Bonn 1982.
Koch, Peter: Konrad Adenauer. Eine politische Biographie. Wissenschaftliche Mitarbeit Klaus Körner. Reinbek bei Hamburg 1985.
Ders.: Das Duell. Franz Josef Strauß gegen Helmut Schmidt. Hamburg 1979.
Ders. und Reimar Oltmanns: SOS Freiheit in Deutschland. Hamburg 1978.
Koebner, Thomas, Gert Sautermeister und Sigrid Schneider (Hrsg.): Deutschland nach Hitler. Zukunftspläne im Exil und aus der Besatzungszeit 1939–1949. Opladen 1987.
Koerfer, Daniel: Kampf ums Kanzleramt. Erhard und Adenauer. Stuttgart 1987.
Körner, Klaus: Die deutsche Frage. Von der Vorbereitung der Teheraner Konferenz der drei Großmächte 1943 bis zum Inkrafttreten des Grundlagenvertrages zwischen der Bundesrepublik und der DDR 1973. Sonderdruck aus Handbuch der deutschen Außenpolitik. Hrsg. v. Hans-Peter Schwarz. München 1975.
Ders.: Politische Kleinschriften der Adenauer-Zeit (1945–1967). In: »Börsenblatt« 1988, S. A 197 – A 209.
Kreisky, Bruno: Zwischen den Zeiten. Erinnerungen aus fünf Jahrzehnten. Berlin 1986.
Kühne, Heinz: Kuriere, Spitzel, Spione. Der ehemalige Leiter der Berliner Filiale des Ostbüros berichtet über den Spitzel- und Spionageapparat der SPD. Hrsg. v. PV der KPD. Hannover und Frankfurt am Main 1949.

Kuper, Ernst: Frieden durch Konfrontation und Kooperation. Die Einstellung von Gerhard Schröder und Willy Brandt zur Entspannungspolitik. Stuttgart 1974.

Langkau-Alex, Ursula: Volksfront für Deutschland? Bd. 1: Vorgeschichte und Gründung des »Ausschusses zur Vorbereitung einer deutschen Volksfront«, 1933–1936. Frankfurt am Main 1977.
Lehmann, Hans Georg: In Acht und Bann. Politische Emigration, NS-Ausbürgerung und Wiedergutmachung am Beispiel Willy Brandts. München 1976.
Ders.: Chronik der Bundesrepublik Deutschland 1945/49–1981. München 1981.
Ders.: Öffnung nach Osten. Die Ostreisen Helmut Schmidts und die Entstehung der Ost- und Entspannungspolitik. Bonn 1984.
Lehrstücke in Solidarität. Briefe und Biographien deutscher Sozialisten 1945–1949. Hrsg. v. Helga Grebing. Stuttgart 1983.
Leuschner, Wolfgang: Bauten des Bundes 1965–1980. Karlsruhe 1980.
Lindlau, Dagobert (Hrsg.): Dieser Mann Brandt. Gedanken über einen Politiker – von 33 Wissenschaftlern, Künstlern und Schriftstellern. München 1972.
Literatur für eine neue Wirklichkeit. Bibliographie und Geschichte des Verlags J. H. W. Dietz Nachf. 1881–1981. Hrsg. v. Brigitte Emig u. a. Berlin und Bonn 1981.
Löwenthal, Richard und Hans-Peter Schwarz (Hrsg.): Die zweite Republik. 25 Jahre Bundesrepublik Deutschland – eine Bilanz. Stuttgart 1979.
Löwke, Udo F.: Für den Fall, daß . . . Die Haltung der SPD zur Wehrfrage 1949 bis 1955. Hannover 1969.
Loth, Wilfried: Die Teilung der Welt. Geschichte des Kalten Krieges 1941–1955. München 1980.
Lübecker Industriekultur. Leben und Arbeit in Herrenwyk. Hrsg. v. Museum für Kunst und Kulturgeschichte der Hansestadt Lübeck. Lübeck 1985.
Lutz, Dieter S. (Hrsg.): Lexikon Rüstung, Frieden, Sicherheit. Mit einer Einleitung von Egon Bahr. München 1987.

Maas, Lieselotte: Handbuch der deutschen Exilpresse 1933–1945. 3 Bde. München und Wien 1976.
Mann, Heinrich: Ein Zeitalter wird besichtigt. Düsseldorf 1985.
Mansfeld, Michael (Ps. f. Eckart Heinze): Bonn – Koblenzer Straße. München 1967.
Merz, Kai-Uwe: Kalter Krieg als antikommunistischer Widerstand. Die Kampfgruppe gegen Unmenschlichkeit 1948–1959. München 1987.
Mewis, Carl: Im Auftrag der Partei. Erlebnisse im Kampf gegen die faschistische Diktatur. Berlin 1972.

Möller, Alex: Genosse Generaldirektor. München und Zürich 1978.
Mortensen, Claire (Ps. f. Hans Frederik): ... da war auch ein Mädchen. München-Inning 1961.
Müller, Egon Erwin: Ein offenes Wort an Willy Brandt. Zum Landesparteitag am 12. Januar. In: »Berliner Stimme« v. 4. Januar 1958.
Müller, Henning: Theater der Restauration. Westberliner Bühnen, Kultur und Politik im Kalten Krieg. Berlin (West) 1981.
Müssener, Helmut: Exil in Schweden. Politische und kulturelle Emigration nach 1933. München 1973.

Narr, Wolf-Dieter: CDU–SPD. Programm und Praxis seit 1945. Stuttgart 1966.
Naumann, Michael: »Ganz so einfach ist das nicht« oder Gantenbein am Ende. In: Ulrich Sonnemann, Wie frei sind unsere Politiker? München 1968. S. 38–64.
Neumann, Franz: Letztes Interview. Erinnerung an ein kämpferisches Leben. In: Franz-Neumann-Archiv Nr. 1. Berlin 1978.
Nissel, Willy: Von Lasalle bis Wehner. 100 Jahre deutsche Sozialdemokratie. Bonn 1963.
Nollau, Günther: Das Amt. 50 Jahre Zeuge der Geschichte. München 1978.
Nolte, Ernst: Deutschland und der Kalte Krieg. München und Zürich 1974.

Ollenhauer, Erich: Reden und Aufsätze. Hrsg. v. Fritz Sänger. Berlin und Bonn-Bad Godesberg 1977.
Osterroth, Franz: Chronik der Lübecker Sozialdemokratie 1866–1972. Lübeck 1973.

Peters, Jan: Exilland Schweden. Deutsche und schwedische Antifaschisten 1933–1945. Berlin 1984.
Pirker, Theo: Die SPD nach Hitler. Die Geschichte der Sozialdemokratischen Partei Deutschlands 1945–1964. München 1965.
Die Presse der sozialistischen Arbeiterpartei Deutschlands im Exil 1933–1939. Eine analytische Bibliographie. Hrsg. v. der Dt. Bibliothek Frankfurt. München 1980.
Presse im Exil. Beiträge zur Kommunikationsgeschichte des deutschen Exils 1933–1945. Hrsg. v. Hanno Hardt, Elke Hilscher u. Winfried B. Lerg. München 1979.
Prittie, Terence: Willy Brandt. Portrait of a Statesman. London 1974.
Pross, Harry: Jugend-Eros-Politik. Die Geschichte der deutschen Jugendverbände. Bern, München und Wien 1964.
Protokolle der Parteitage der SPD 1946 ff. Hamburg, Hannover und Bonn 1947 ff.

Raschke, Joachim: Innerparteiliche Opposition. Die Linke in der Berliner SPD. Hamburg 1974.

Reich, Wilhelm: Massenpsychologie des Faschismus. Zur Sexualökonomie der politischen Reaktion und zur proletarischen Sexualpolitik. Kopenhagen, Prag und Zürich 1933.

Reuter, Ernst: Reden und Schriften. Hrsg. v. Hans E. Hirschfeld u. Hans J. Reichhardt. Mit einem Vorwort von Willy Brandt. 4 Bde. Berlin 1972–1975.

Rexin, Manfred (Hrsg.): Diesseits des Potsdamer Platzes. West-Berlin am 16. und 17. Juni 1953. Berlin 1983.

Richter, Hans Werner (Hrsg.): Die Mauer oder Der 13. August. Reinbek bei Hamburg 1961.

Riess, Curt: Berlin, Berlin 1945–1953. Berlin 1953.

Rüß, Gisela: Anatomie einer politischen Verwaltung. Das Bundesministerium für gesamtdeutsche Fragen – Innerdeutsche Beziehungen 1949–1970. München 1973.

Ruppert, Wolfgang (Hrsg.): Die Arbeiter. Lebensformen, Alltag und Kultur von der Frühindustriealisierung bis zum »Wirtschaftswunder«. München 1986.

Ders.: Fotogeschichte der deutschen Sozialdemokratie. Herausgegeben von Willy Brandt. Berlin 1988.

Sänger, Fritz: Soziale Demokratie. Bemerkungen zum Grundsatzprogramm der SPD. 3. erw. Aufl. Hannover 1964.

Ders.: Verborgene Fäden. Erinnerungen und Bemerkungen eines Journalisten. Bonn 1978.

Seebacher-Brandt, Brigitte: Ollenhauer. Biedermann und Patriot. Berlin 1984.

Seemann, Klaus: Entzaubertes Bundeskanzleramt. Denkwürdigkeiten eines Personalratsvorsitzenden. Landshut 1975.

Shell, Kurt H.: Bedrohung und Bewährung. Führung und Bevölkerung in der Berlin-Krise. Köln und Opladen 1965.

Soell, Hartmut: Fritz Erler – Eine politische Biographie. 2 Bde. Berlin und Bonn-Bad Godesberg 1976.

Schäfer, Gerd: Die Kommunistische Internationale und der Faschismus. Offenbach 1973.

Scherf, Harald: Enttäuschte Hoffnungen – vergebene Chancen. Die Wirtschaftspolitik der sozialliberalen Koalition 1969–1982. Göttingen 1986.

Schmid, Carlo: Erinnerungen. Bern, München und Wien 1979.

Schmid, Günther: Entscheidung in Bonn. Die Entstehung der Ost- und Deutschlandpolitik 1969/1970. Köln 1979.

Schmidt, Helmut: Kontinuität und Konzentration. 2. veränd. Auflage. Bonn-Bad Godesberg 1976.

Ders.: Menschen und Mächte. Berlin 1987.

Schneider, Michael: Demokratie in Gefahr? Der Konflikt um die Notstandsgesetze. Sozialdemokratie, Gewerkschaften und intellektueller Protest (1958–1968). Bonn 1986.

Scholl, Heinz: Willy Brandt – Mythos und Realität. Eine authentische Lebensgeschichte eines Berufssozialisten. Euskirchen 1973.

Scholz, Arno: Beiträge zum politischen Geschehen der Gegenwart (aus dem »Telegraf« v. 1946 bis 1968). 7 Bde. Berlin-Grunewald 1947–1968.

Scholz, Günther: Herbert Wehner. Düsseldorf und Wien 1986.

Schreiber, Albrecht: Zwischen Hakenkreuz und Holstentor. Lübeck 1925 bis 1939 – von der Krise bis zum Krieg. Stadtgeschichte in Presseberichten – der Weg der Hansestadt in das »Tausendjährige Reich«. Lübeck 1983.

Schreiber, Hermann und Sven Simon: Willy Brandt. Anatomie einer Veränderung. 4. Auflage. Düsseldorf und Wien 1973.

Schulze, Hagen: Otto Braun oder Preußens demokratische Sendung. Frankfurt/M. und Berlin 1977.

Ders.: Weimar. Deutschland 1917–1933. Berlin 1982.

Schumacher, Kurt: Reden – Schriften – Korrespondenzen 1945–1952. Hrsg. v. Willy Albrecht. Berlin und Bonn 1985.

Springer, Axel: Aus Sorge um Deutschland. Zeugnisse eines engagierten Berliners. Stuttgart-Degerloch 1980.

Stern, Carola: Willy Brandt. In Selbstzeugnissen und Bilddokumenten. Reinbek bei Hamburg 1975.

Stöss, Richard (Hrsg.): Parteien-Handbuch. Die Parteien der Bundesrepublik Deutschland 1945–1980. Opladen 1986.

Struve, Günter: Kampf um die Mehrheit. Köln 1971.

Sywottek, Arnold: Die »fünfte Zone«. Zur gesellschafts- und außenpolitischen Orientierung und Funktion sozialdemokratischer Politik in Berlin 1945–1948. In: »Archiv für Sozialgeschichte«, Bd. XIII (1973).

Terjung, Knut (Hrsg.): Der Onkel. Herbert Wehner in Gesprächen und Interviews. Hamburg 1986.

Tjaden, Karl H.: Struktur und Funktion der »KPD-Opposition« (KPO). Eine organisationssoziologische Untersuchung zur »Rechts«-Opposition im deutschen Kommunismus zur Zeit der Weimarer Republik. Marburg 1970.

Ulbricht, Walter: Zur Geschichte der deutschen Arbeiterbewegung. Aus Reden und Aufsätzen. 10 Bde. u. 3 Ergbde. Berlin 1953–1971.

Vijssers, Jan van de (Ps.): Wehner und die deutsche Zukunft. Eine Warnung in letzter Stunde. Mönchengladbach 1957.

Wachenheim, Hedwig: Die deutsche Arbeiterbewegung 1844 bis 1914. Frankfurt/M., Wien und Zürich 1971.

Walser, Martin (Hrsg.): Die Alternative oder Brauchen wir eine neue Regierung? Reinbek bei Hamburg 1961.

Walter, Hans-Albert: Deutsche Exilliteratur. Bd. 2, 3 u. 4. Stuttgart 1978–1988.

Was hält die Welt von Willy Brandt? Vorwort von Conrad Ahlers. Hamburg 1972.

Wendel, Hermann: August Bebel. Ein Lebensbild für deutsche Arbeiter (Gedenkschrift). Berlin 1913.

Winkler, Heinrich August: Arbeiter und Arbeiterbewegung in der Weimarer Republik. 3 Bde. Berlin und Bonn 1984–87.

Wolf, Curt: Willy Brandt – Mann ohne Kompaß. Recklinghausen 1961.

Wuermeling, Henric L.: Die weiße Liste. Umbruch der politischen Kultur in Deutschland 1945. Berlin, Frankfurt/M. und Wien 1981.

Zeuner, Bodo (Hrsg.): Genossen, was nun? Bilanz und Perspektiven sozialdemokratischer Politik. Hamburg 1983.

Zolling, Hermann und Uwe Bahnsen: Kalter Winter im August. Die Berlin-Krise 1961/63. Ihre Hintergründe und Folgen. Oldenburg und Hamburg 1967.

Zons, Achim: Das Denkmal. Bundeskanzler Willy Brandt und die linksliberale Presse. München 1984.

Zündorf, Benno (Ps.): Die Ostverträge. Die Verträge von Moskau, Warschau, Prag, das Berlin-Abkommen und die Verträge mit der DDR. München 1979.

Register

511

Bildnachweis

Bildarchiv Preußischer Kulturbesitz: 3, 20, 22
Keystone Bilderdienst: 4
Ullstein Bilderdienst: alle anderen Aufnahmen